BIBLIOTHEEK BREDA

Centrale Bibliotheek
Molenstraat 6
4811 GS Breda

Geheimen van de Code

De mysteriën achter
De Da Vinci Code
ontsluierd

GEHEIMEN

VAN DE

CODE

DE MYSTERIËN ACHTER
DE DA VINCI CODE
ONTSLUIERD

SAMENGESTELD DOOR
DAN BURSTEIN

UITGEVERIJ LUITINGH

BIBLIOTHEE(BREDA
Centrale Bibliotheek
Molenstraat 6
4811 GB Breda

© 2004 Squibnocket Partners LLC
Alle artikelen en teksten van de hand van andere auteurs zijn opgenomen met toestemming van de auteurs of rechthebbenden, die op de eerste pagina van elk afzonderlijk artikel in dit boek worden genoemd.
De bijbeltekst in deze uitgave is ontleend aan De Nieuwe Bijbelvertaling, © 2004 Nederlands Bijbelgenootschap, Haarlem
Kaarten: © 2004 Jaye Zimet
Tekeningen uit de woordenlijst: © 2004 Jaye Zimet
All rights reserved
© 2005 Nederlandse vertaling
Uitgeverij Luitingh ~ Sijthoff B.V., Amsterdam
Alle rechten voorbehouden
Oorspronkelijke titel: *Secrets of the Code*
Vertaling: Richard Kruis, Josephine Ruitenberg, Theo van der Ster,
          Nick van Weerdenburg
Omslagontwerp: Wouter van der Struys
Omslagbeeld: *Het Laatste Avondmaal* van Leonardo da Vinci (detail)

ISBN 90 245 5167 6
NUR 600

www.boekenwereld.com

Voor Julie,
die iedere dag de geest van het heilig vrouwelijke in mijn leven
vertegenwoordigt.
D.B.

Inhoud

BOEK TWEE
De Da Vinci Code ontrafeld

DEEL EEN
Eén etmaal, twee steden en de toekomst van de westerse beschaving

DEEL TWEE
Recensies en verhandelingen over *De Da Vinci Code*

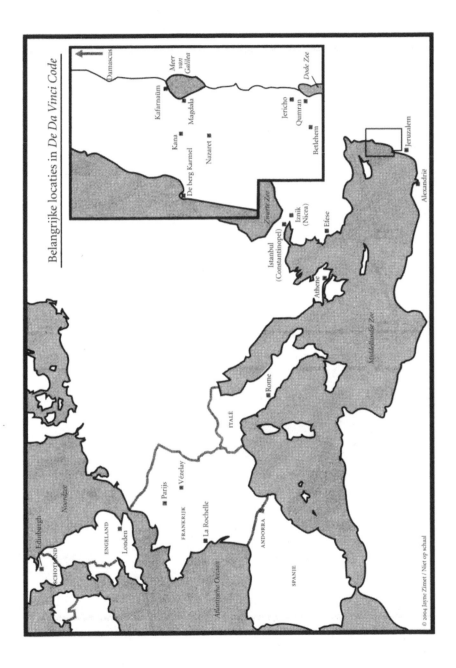

Belangrijke locaties in *De Da Vinci Code*

© 2004 Jayne Zimet / Niet op schaal

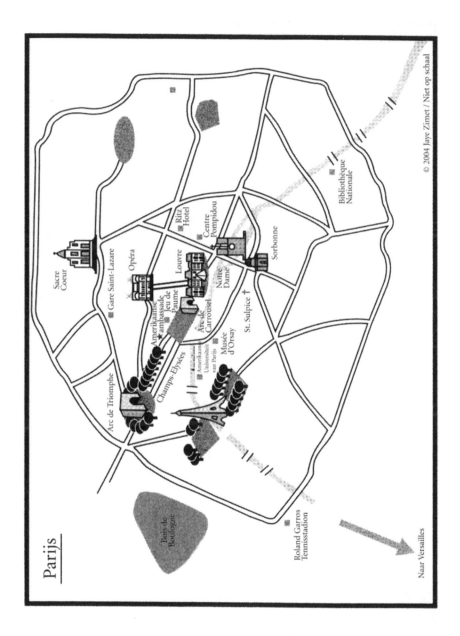

Parijs

Sacre
Coeur

Gare Saint-Lazare

Opéra

Ritz
Hotel

Centre
Pompidou

Bibliothèque
Nationale

Sorbonne

Amerikaanse
Ambassade

Jeu de
Paume

Louvre

Arc de
Triomphe

Arc de
Carrousel

Notre
Dame

Champs-Elysées

St. Sulpice †

Amerikaanse
Universiteit
van Parijs

Musée
d'Orsay

Bois de
Boulogne

Roland Garros
Tennisstadion

Naar Versailles

© 2004 Jaye Zimet / Niet op schaal

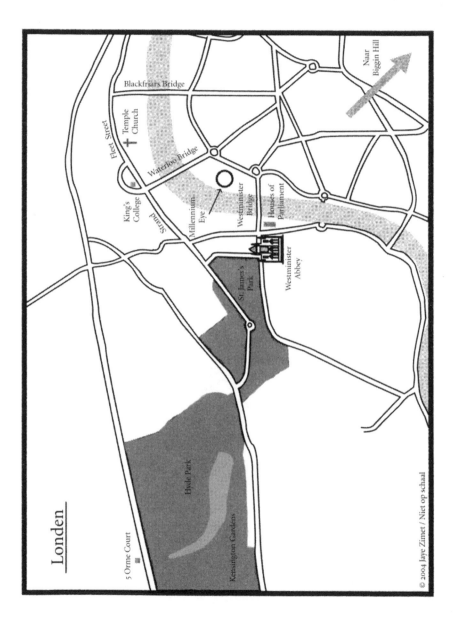

Londen

Blackfriars Bridge

Fleet Street

Temple Church

Waterloo Bridge

King's College

Strand

Millennium Eye

Westminster Bridge

Houses of Parliament

Westminster Abbey

St. James's Park

Naar Biggin Hill

Hyde Park

Kensington Gardens

5 Orme Court

© 2004 Jaye Zimet / Niet op schaal

Enkele woorden van de redacteur

Geheimen van de Code, de ongeautoriseerde gids, is een compendium van oorspronkelijke gedachten en artikelen, passages uit talloze boeken, websites en bladen, en interviews met vooraanstaande schrijvers en academici over hun vakgebied. Omdat we met zo'n breed spectrum aan bronnen hebben gewerkt, inclusief transcripties van oude geschriften, hebben we geprobeerd de spelling en namen in ons eigen werk te standaardiseren. In sommige gevallen hebben we de voetnoten opnieuw genummerd voor het lezersgemak.

De zorgvuldige lezer zal genieten van enkele variaties in het boek. Zo wordt in *Geheimen van de Code* bijvoorbeeld naar Leonardo da Vinci verwezen volgens de regels die de kunstgeschiedenis gebruikt, maar wanneer de naam wordt gebruikt als deel van de titel van *De Da Vinci Code*, wordt de D van da met een hoofdletter geschreven.

We hebben geprobeerd zo zorgvuldig mogelijk alle soorten materiaal van elkaar te onderscheiden, zodat het duidelijk is wanneer we iets aanhalen uit eerder gepubliceerd werk en wanneer we uit onze eigen teksten putten en met onze redactionele stem spreken. Lezers moeten er opmerkzaam op zijn dat wij, de redactie, aan het woord zijn in introducties tot hoofdstukken, discussies tussendoor, vragen in interviews, kantlijnen, kaders, onderschriften en verklarende opmerkingen tussen vierkante haken. Bijdragen van gasten, interviews en uittreksels van eerder gepubliceerd materiaal zouden allemaal duidelijk te herleiden moeten zijn door bijschriften en/of verklaringen van copyright en toestemming tot opname. De redactie verontschuldigt zich vooraf indien zij onbedoeld de herkomst van een stuk niet heeft vermeld of op enigerlei andere wijze een bijdrage verkeerd heeft herleid.

In het hele boek hebben we geprobeerd om korte selecties uit en uittreksels van veel grotere werken op te nemen, om onze lezers snel een idee te geven van de inhoud van zo'n boek of van de ideeën van een bepaalde expert. Het was ongelooflijk moeilijk om deze redactionele beslissingen te nemen en veel fantastisch materiaal weg te laten. We willen alle auteurs, uitgeverijen, tijdschriften, websites en experts die zo genereus hun werk beschikbaar hebben gesteld voor dit boek, bedanken. En we willen de lezers aanmoedigen de boeken die wij hier gebruikt hebben aan te schaffen, de websites die wij noemen te bezoeken en de vele theorieën waaraan op deze pagina's aandacht wordt besteed te blijven volgen.

Voorwoord bij de Nederlandse editie

De enorme aantrekkingskracht van *De Da Vinci Code* is moeilijk te overschatten. Met over de hele wereld al zo'n 20 miljoen verkochte exemplaren is het de snelst verkopende roman voor volwassenen aller tijden. Kranten en tijdschriften, van Melbourne tot Milaan, komen voortdurend met nieuws en achtergrondartikelen over dit fenomeen. Touroperators organiseren DVC-tours in Parijs en Londen. Waarom al die aandacht? Omdat het niet alleen een goed verhaal is, maar het ook lezers aanzet om een aantal van onze diepste waarheden opnieuw te beschouwen.

Zoals de vele experts in dit boek duidelijk maken, wil Dan Brown niets minder doen dan de geschiedenis omkeren. Het verhaal vertelt ons dat Maria Magdalena geen prostituee was maar de vrouw van Jezus. Dat het orthodoxe christendom werd gevestigd door het ontmoedigen en vervolgens uitbannen van de gnostiek en andere alternatieve interpretaties van de woorden van Jezus. Dat Leonardo da Vinci niet simpelweg een kunstenaar was, maar ook grote geheimen beschermde. En dat niet grote leiders, maar geheime genootschappen en machtige verborgen samenzweringen de loop van de geschiedenis bepalen.

Dan Burstein en ik wilden met dit boek de rijke ideeën illustreren die ten grondslag liggen aan de plot van *De Da Vinci Code*. We wilden ook feiten scheiden van fictie en speculatie, door een grote verscheidenheid aan bronnen en opinies aan bod te laten komen. We zijn bijzonder blij met deze Nederlandse editie. Niet alleen omdat ik in Amsterdam geboren ben, maar vooral omdat de Nederlandse uitgever belangrijke informatie heeft toegevoegd die niet te vinden is in enige andere editie: bijdragen van Leonardo-biograaf Serge Bramly, van de ontdekker van het Thomasevangelie Gilles Quispel en van de Nag Hammadi-deskundigen Jacob Slavenburg en Willem Glaudemans.

Welkom bij dit kijkje achter de schermen van Dan Browns verhaal. We hopen dat u ervan geniet.

Arne de Keijzer
hoofdredacteur

Inleiding

Zoeken naar Sophia

Zoals velen onder u kwam ik *De Da Vinci Code* van Dan Brown tegen in de zomer van 2003. Het boek stond al op nummer 1 van de bestsellerlijst van *The New York Times*. Het lag een tijdje op mijn nachtkastje, samen met stapels andere ongelezen boeken, tijdschriften, bedrijfspresentaties en al de andere dingen die zich in onze complexe, chaotische informatie-maatschappij om je aandacht verdringen.

Maar op een dag pakte ik *De Da Vinci Code* en begon te lezen. Ik las de hele nacht door, zo gefascineerd was ik. Ik kon het letterlijk niet neerleggen. Het is een ervaring die ik vroeger regelmatig had, maar in deze tijd van mijn leven niet meer; ik werd vijftig. Op een gegeven moment, rond vier uur 's morgens, las ik Leigh Teabings uitleg aan Sophie Neveu over waarom en hoe hij Maria Magdalena op *Het Laatste Avondmaal* zag. Ik ging mijn bed uit en haalde de kunstboeken van de boekenplanken in onze bibliotheek. Ik keek naar het schilderij van Leonardo da Vinci, dat ik natuurlijk al honderden keren eerder had gezien, en ik dacht: Ja, het lijkt echt alsof er een vrouw naast Jezus zit!

Toen ik 's ochtends het boek uit had, was ik intellectueel meer uitgedaagd dan ik in lange tijd was geweest. Ik wilde weten wat waar was en wat niet, wat feiten waren en wat fictie, wat goedgeïnformeerde speculatie en wat pure fantasie was. Toen mijn plaatselijke boekhandel zijn deuren die ochtend opende, was ik binnen. Ik dronk mijn café latte terwijl ik allerlei boeken zocht die genoemd werden of waar naar gehint werd in *De Da Vinci Code*: *Het Heilige Bloed en de Heilige Graal*, *Het geheime boek der Grootmeesters*, *De Gnostische Evangeliën*, *De vrouw met de albasten kruik*, *De Nag Hammadi-geschriften* en nog veel meer. Ik kwam er tot mijn verrassing achter dat er veel recente boeken zijn over Maria Magdalena, godinnenvereringen, het heilig vrouwelijke, over hoe de bijbel is geschreven en gesystematiseerd en wat de wortels van het christendom waren, evenals over al de gnostische en andere alternatieve evangeliën. Ik vond planken vol occulte boeken over de overleveringen van de tempeliers, geheime genootschappen en in *De Da Vinci Code* genoemde plaatsen waarvan ik nog nooit gehoord had, inclusief Rennes-le-Château in Frankrijk en Rosslyn Chapel in Schotland. Ik verliet de winkel met voor honderden dollars aan boeken en ging naar huis om al dit materiaal in me op te nemen, om er later achter te komen dat Dan Brown een website had met een bibliografie erop.

Wekenlang bleef ik boeken kopen waarvan ik ontdekte dat ze relevant waren voor *De Da Vinci Code*. Ik vloog door Elaine Pagels' nieuwe boek, *Ketters en rechtgelovigen*, waarbij mijn ogen al geopend waren voor de wereld van alternatieve bijbelteksten door haar baanbrekende boek uit 1979, *De Gnostische Evangeliën*. Ik ontdekte een wereld aan geleerden die deskundig waren op het gebied van het Koptisch, Grieks, Hebreeuws en Latijn. Zij hadden oude documenten nauwgezet vertaald en taalkundig ontleed om nieuwe informatie te ontwarren en mogelijke nieuwe interpretaties van gebeurtenissen in de bijbel te ontdekken. Ik las alle boeken van Baigent, Leigh en Lincoln en van Lynn Picknett en anderen die jarenlang uit veel van dezelfde bronnen als Dan Brown hadden geput. Ik ging op in het rijke en gedetailleerde boek over Maria Magdalena van Susan Haskins, dat tweeduizend jaar aan mythen en metaforen documenteert over de vrouw van wie Dan Brown suggereert dat ze de bruid van Christus was.

Ik herontdekte boeken die ik eerder had gelezen: de indrukwekkende biografie *Moses* van Jonathan Kirsch, waarin hij probeert het ware verhaal van Mozes te vertellen op basis van dubbelzinnige passages in het Oude Testament, inclusief fascinerende toespelingen op het idee dat Mirjam niet de zuster van Mozes was, zoals de bijbel ons vertelt, maar een priesteres met eigen aanhang en een eigen rol in de bevrijding van de joodse slaven uit Egypte. Ik herlas de volgende passage: 'Sommige geleerden stellen dat Mirjam echt is en Mozes een fictieve figuur. Anderen suggereren dat ze beiden bestaan hebben, maar niet daadwerkelijk broer en zus waren – Mirjam, stellen zij, was van zichzelf al een priesteres en profetes' die uiteindelijk in het bijbelverhaal gepast werd als 'zuster' van Mozes door een oude vorm van politiek correct vertellen. Wellicht speelde deze oude gewoonte van bijbelse redacteuren – het veranderen van relaties, het vermengen van daden van vrouwen met die van mannen, het aanpassen van eerdere versies van een verhaal aan latere politieke noden – ook bij het Nieuwe Testament, toen de redacteuren het verhaal van Jezus, Maria Magdalena en de anderen uit hun groep bewerkten.

Ik heb Umberto Eco's *Slinger van Foucault* herlezen (een literaire pastiche op hetzelfde occulte materiaal dat in *De Da Vinci Code* behandeld wordt). In *Jesus, Mary, and Da Vinci* (het programma van ABC News over Dan Browns stelling) zou Eco later verklaren dat de premisse van *De Da*

Vinci Code gebaseerd was op negentiende-eeuwse sprookjes van het niveau van *Pinocchio* en *Roodkapje* – 'valse theorieën', even onjuist als het idee dat de wereld plat is.

Ik onderhield me weer met Norman O. Browns klassieker uit 1960, *Love's Body*, een oude favoriet uit een eerdere periode van mijn leven, met al zijn briljante samenvoegingen van mythen en archetypen die te maken hebben met het heilig vrouwelijke en de rol van mythische gedachten in de ontwikkeling van het westerse bewustzijn. Vele van de citaten uit elkaar overlappende wetenschapsgebieden en uit verschillende culturen die Brown aan elkaar rijgt, lijken precies in Robert Langdons symbolische straatje te passen. Langdon ziet kelken en klingen als universele mannelijke en vrouwelijke symbolen. En hij ziet ze overal: van de opname van de zespuntige davidsster in de oude joodse geschiedenis, de wisselwerking in de ruimte tussen Jezus en de persoon ernaast op *Het Laatste Avondmaal*, tot I.M. Peis omlaag en omhoog wijzende piramides in het Louvre. Zoals Norman O. Brown redeneerde: 'Alle metaforen zijn seksueel; in elk bol object zit een penis en in elk hol object een vagina.' Langdon zou ook Browns frequente aanhalingen van Yeats appreciëren, waarin deze probeert te begrijpen hoe de heilige eenheid die in mannelijk en vrouwelijk was gedeeld, ooit weer één geheel zou kunnen worden: '*Nothing can be sole or whole / That has not been rent.*'

Ik zocht een bestseller uit 1965 op, *The Passover Plot*, waarvan ik me herinnerde dat mijn ouders hem lazen en erover discussieerden. Bij het tweedehands exemplaar dat ik kocht, stonden interessante woorden op het stofomslag: '*The Passover Plot* beweert – en levert gedetailleerd bewijs uit de bijbel en de pas ontdekte Dode-Zeerollen – dat Jezus zijn eigen arrestatie, kruisiging en opstanding in scène heeft gezet; dat hij ervoor gezorgd heeft dat hij verdoofd was aan het kruis en dat hij zijn dood simuleerde, zodat hij later veilig kon worden weggehaald om de Messiaanse profetieën te vervullen... Nooit eerder heeft zo'n belangrijke autoriteit zo'n uitdagende theorie verkondigd – en deze onderbouwd met zulk onweerlegbaar bewijs.' Een déjà vu voor de lezers van Dan Browns bestseller veertig jaar later.

Ik las *De laatste verzoeking van Christus* van Nikos Kazantzakis van een halve eeuw geleden, en bekeek de film van Martin Scorsese naar dit boek, die ik nog nooit eerder had gezien. Hierdoor ontstond een levendig beeld van de eventuele romantische relatie tussen Jezus en Maria Magdalena (of in dit geval Willem Dafoe en Barbara Hershey).

Terwijl ik al deze informatie in me opnam, en met vrienden bleef praten over hun ervaringen met het lezen van *De Da Vinci Code* (DVC), kwam bij me op om wat van die informatie in een boek te zetten, zodat andere enthousiaste lezers van DVC van dezelfde hoeveelheid kennis konden genieten als ik deed. Daarmee was het idee voor dit boek geboren.

Kort nadat ik besloot een ongeautoriseerde lezersgids bij het boek te maken, las ik dat een stuk of negentig boeken in heel Amerika beter verkochten omdat ze gingen over onderwerpen die verband hielden met DVC. Ik begreep dat andere lezers op dezelfde queeste als ik waren, en dat bevestigde mijn instinctieve wens om dit boek te maken.

In mijn 'gewone' werk als investeerder van durfkapitaal, krijgt onze firma vaak te maken met interessante maar bizarre claims over nieuwe technologieën en uitvindingen. We ondernemen dan iets wat bekend staat als het *due diligence*-proces. Dat is een uitgebreid feitenonderzoek om deze beweringen te staven. We kijken of er naast alle ophef ook werkelijk iets is dat de moeite waard is. We beginnen gewoonlijk met een lijst vragen.

Mijn onderzoek naar *De Da Vinci Code* was enigszins vergelijkbaar. Dit was de lijst waar ik mee begon:

- Wat weten we feitelijk van Maria Magdalena? Was ze een prostituee, zoals de christelijke traditie haar altijd heeft afgeschilderd? En zo niet, waarom werd ze dan eeuwenlang zo geportretteerd en waarom veranderde het Vaticaan in de jaren zestig van gedachten?
- Is er echt bewijs dat Jezus en Maria Magdalena getrouwd waren? Het Nieuwe Testament spreekt van een vrouw die Jezus zalfde met kostbare aromatische oliën uit een albasten kruik en die met haar haren zijn voeten droogde. Was dit Maria Magdalena of een andere Maria, die daadwerkelijk een bekeerde prostituee was? En als het Maria Magdalena was die deze dingen deed, waren het dan rituelen die respect uitdrukten of metaforen van een seksuele relatie?
- Zegt het bij Nag Hammadi gevonden Evangelie van Filippus echt dat Jezus Maria Magdalena regelmatig op de mond kuste? En als we de juiste vertaling hebben en de juiste woorden gebruiken, is dit dan ook een metafoor? Of verwijst het echt naar een romantische relatie?
- Is het mogelijk dat Jezus en Maria Magdalena een kind hadden en de stichters zijn van een familie die tot de dag van vandaag bestaat? Hoe betrouwbaar zijn de vele legenden over Maria Magdalena's vlucht naar Frankrijk? Kunnen uit haar nageslacht de Merovingische koningen zijn voortgekomen? En wat te denken van de vereringen van de 'zwarte Madonna' in Frankrijk en andere gebieden? Zou Maria Magdalena wellicht een zwarte vrouw uit Egypte of Ethiopië zijn geweest?
- Was de historische Jezus in wezen een joodse rabbi, leraar of spiritueel leider en zou het in die hoedanigheid niet mogelijk en zelfs waarschijnlijk zijn geweest dat hij getrouwd was? Of was er in die tijd al een celibataire en ascetische traditie onder mannelijke joodse leiders?

🙞 Is het mogelijk dat Maria Magdalena zelf een belangrijke spirituele figuur is geweest, de geliefde en/of vrouw van Jezus en de persoon van wie hij wilde dat zij zijn beweging na zijn dood zou leiden? Zijn er historische verslagen van ruzies en jaloezie onder de mannelijke apostelen over de rol van Maria Magdalena? Is de bewering in DVC dat Jezus de 'eerste feminist' was aannemelijk?

🙞 Zijn de gnostische evangeliën en andere alternatieve bijbelse geschriften geloofwaardig – of tenminste even geloofwaardig als de traditionele evangeliën? Vertellen ze daadwerkelijk een volstrekt ander verhaal? Wat voegen ze toe aan ons begrip van het intellectuele en filosofische tumult in de eerste paar eeuwen van onze jaartelling?

🙞 Deden de leiders van de roomse kerk, van Constantijn tot paus Gregorius, een georganiseerde aanval op alternatieve geloofsrichtingen en geschriften? Hebben zij om politieke redenen elementen van de canon veranderd? Hebben ze in de evangeliën Maria Magdalena opzettelijk verward met een andere Maria, die inderdaad een prostituee was?

🙞 Hebben deze vroege kerkvaders niet alleen Maria Magdalena belasterd door te beweren dat ze een prostituee was, maar dat gedaan als onderdeel van een breder plan om de archaïsche erfenis van godinnenverering te verdoezelen en de rol van de vrouw in de kerk te minimaliseren?

🙞 Hielden de gnostici zich bezig met geheime seksuele riten? Is er een traditie van *hiëros gamos* die van Egypte tot Griekenland, vanaf het vroege christendom tot de tempeliers en de leden van de Priorij van Sion gaat?

🙞 Wie waren de tempeliers en wat kunnen ze gevonden hebben bij het graven in de Tempelberg tijdens de kruistochten?

🙞 Hoe verkregen de tempeliers macht en invloed en hoe raakten ze die weer kwijt? Is er enig bewijs dat de tempeliers ooit de heilige graal gevonden hebben?

🙞 Is er enig bewijs dat de tempeliers of enig ander geheim genootschap uit die tijd geloofde dat de heilige graal niet verwees naar een schaal of kelk, maar naar Maria Magdalena, haar relikwieën, documenten over haar rol in de vroege kerk, haar nageslacht en de toekomst van de lijn van Jezus en Maria?

🙞 Is de Priorij van Sion een echte historische organisatie? Zo ja, heeft zij dan ononderbroken voortbestaan tot in het moderne Frankrijk en waren de grote figuren uit de Europese cultuur erbij betrokken die DVC als grootmeesters bestempelt: Leonardo, Newton, Victo Hugo, Claude Debussy, Jean Cocteau enzovoort?

🙞 Wat gebeurt er vandaag de dag in de kerk op het gebied van het evalueren van doctrines, het opnieuw overwegen van fundamentele principes en het herzien van de rol van vrouwen? Waarom roepen films als *The Passion* zo veel passie op? Hoe reageert de kerk op seksueel misbruik en andere schandalen, en wat maakt de geschiedenis daarover duidelijk? Wat is het Opus Dei en wat voor rol speelt het in de rooms-katholieke kerk?

🙰 Verborg Leonardo da Vinci geheime boodschappen in *Het Laatste Avondmaal* en ander werk? En zit er op *Het Laatste Avondmaal* een vrouwelijke Maria Magdalena rechts naast Jezus, in plaats van de mannelijke apostel Johannes?

In dit boek zullen lezers materiaal vinden over al deze onderwerpen en meer. Dat materiaal bestaat uit fragmenten van boeken, tijdschriften, websites en artikelen, en verder commentaren van en interviews met academici, experts en denkers die jaren aan aspecten van deze kwesties hebben gewerkt. Ik hoop oprecht dat lezers al deze bronnen nuttig zullen vinden voor het trekken van hun eigen conclusies en het formuleren van hun eigen theorieën, zoals ook ik heb gedaan.

Alvorens de lezers te laten beginnen aan de verzameling die we 'De bibliotheek van Sophie' noemen, wil ik nog een aantal ideeën doornemen over waarom volgens mij *De Da Vinci Code* zo bij de lezers is aangeslagen en zoveel weerklank vindt in de huidige tijdgeest.

1. DVC is een roman van *ideeën*. Je kunt zeggen wat je wilt over sommige onhandige dialogen en onwaarschijnlijke gebeurtenissen, maar Dan Brown heeft zowel grote, complexe ideeën als minieme details en fragmenten van intrigerende gedachten verwerkt in dit actie-, avonturen- en moordmysterie. Onze maatschappij hongert ernaar de publieke opinie te voeden met iets anders dan intellectueel junkfood. Zelfs onder de auteurs die zichzelf beschouwen als geleerd en literair, behandelen slechts weinigen grote filosofische, kosmologische of historische concepten. En de enkelingen die dat wel doen, schrijven boeken die ontoegankelijk zijn voor de gemiddelde wereldwijze, goed opgeleide lezer. Dan Brown geeft ons een ongelooflijk breed scala aan fascinerende theorieën en concepten. We mogen erin delen zonder dat we een academische vooropleiding nodig hebben. We slaan de eerste pagina open, waarop Saunière om kwart voor elf door het Louvre wankelt, en we worden direct meegesleept in Browns razendsnelle schatgraven in de geschiedenis van de westerse beschaving. We hoeven geen zware mentale arbeid te verrichten als we daar geen zin in hebben, maar wie de theorieën wil uitzoeken, krijgt op elke bladzijde aanwijzingen.

2. Net als *Ulysses* van James Joyce speelt DVC zich binnen 24 uur af. Net als *Finnigan's Wake* van Joyce eindigt het boek waar het begint. Het is duidelijk dat Dan Brown de literaire vorm erg serieus neemt. Hij mag dan wat losser met de feiten omgaan dan sommigen prettig vinden, zijn vermogen om grote intellectuele en religieuze discussies kernachtig weer te geven is een kunstvorm. Daarmee is niet gezegd dat DVC 'grote literatuur' is. Ik weet niet zeker of het boek de tand des tijds zal doorstaan, hoe populair het momenteel ook is. Maar onze maatschappij zou de verdiensten van grote detectives, spionagethrillers en avonturenromans meer moeten waarderen. Dan Brown is, zoals zal blijken, een van deze literaire kunstenaars.

3. Onze materiële, technologische, wetenschappelijke, door informatie overspoelde cultuur hongert niet alleen naar de intellectuele allure van grote theorieën, maar ook naar een gevoel van richting en betekenis. Mensen zoeken naar herstel van hun spirituele gevoel, of ten minste naar samenhang in hun leven. DVC is, net als de Harry Potter-boeken, die op dezelfde manier in de tijdgeest passen, het klassieke verhaal van de reis van de held (alleen is in dit geval de heldin eigenlijk belangrijker dan de held). DVC kan gelezen worden als een moderne *Odyssee* langs mythen, archetypen, symboliek en religieuze gebruiken. De hoofdpersonen zullen er niet alleen voor zorgen dat de kostbaarste geheimen niet in verkeerde handen vallen, maar ook kennis verkrijgen over zichzelf, hun identiteit en hun plek in de wereld.

4. Zoals in vele perioden in de geschiedenis – de legendarische tijd van koning Arthur, de kruistochten, de negentiende eeuw – leven we in een tijd waarin de belangstelling voor de jacht op de heilige graal weer opleeft. Dit geldt in de beperkte zin van een enorme hoeveelheid nieuwe publicaties over de heilige graal in de christelijke historie. Dan Brown put intensief uit vele van deze werken over het occulte, new age en de mysteriën. Maar er is ook een opleving van de heilige graal in de meest ruime, overdrachtelijke betekenis. De queeste om het menselijk genoom te ontcijferen, om naar Mars te gaan, om de oerknal te begrijpen, om communicatie terug te brengen tot draadloze digitale bits – dit zijn allemaal een soort speurtochten naar de heilige graal. Misschien is dit alles een verlaat millenniumgevoel; toen het nieuwe millennium begon, waren veel trendwatchers verbaasd dat er zo weinig millenniumkoorts was. Maar toen kwam de schok van 11 september, apocalyptische terroristische daden, oorlogen in Afghanistan en Irak, geweldsexplosies in het Midden-Oosten, vergezeld van religieus extremisme en kruistochtachtige retoriek over het geloof en de ongelovigen. DVC raakt precies deze ader en haalt de sleutelelementen voor het verhaal uit de geschiedenis van duizend en tweeduizend jaar geleden: de kruis-

tochten en de geboorte van het christelijke tijdperk. In een opmerkelijk boek dat vlak na DVC verscheen, *The Holy Grail: Imagination and Belief,* traceert de belangrijkste Britse deskundige op het gebied van de Middeleeuwen, Richard Barber, hoe de heilige graal tot de verbeelding van kunstenaars sprak: van Wagner tot T.S. Eliot en Monty Python. Hij brengt ook het gebruik in kaart van de term 'heilige graal' in populaire kranten, die niet veel tijd aan religieuze zaken besteden. Volgens Barber noemde de *New York Times* de heilige graal in 1995 en 1996 slechts 32 keer, maar 140 keer in 2001 en 2002. De Britse *Times* verhoogde zijn score van 14 in 1985 en 1986 naar 171 in 2001 en 2002; *Le Figaro* van 56 in 1997 en 1998 naar 113 in 2001 en 2002.

5. Een groot deel van de lezers van DVC is vrouw, en het boek beantwoordt op vele manieren aan het nieuwe denken over vrouwen in onze cultuur. Dan Brown heeft Maria Magdalena bevrijd van haar reputatie van zonde, penitentie en prostitutie. In het boek denkt zelfs de slimme, wereldwijze Sophie Neveu dat Maria Magdalena een hoer was, totdat Langdon en Teabing haar terechtwijzen. Ik durf te wedden dat meer mensen door DVC dan door de officiële kerkelijke berichten van de jaren zestig weten dat Maria Magdalena niet meer als prostituee gezien wordt. Een veertienhonderd jaar oude reputatie van gevallen vrouw is moeilijk af te schudden. Maar DVC heeft de correctie van de kerk bij wijze van spreken uit pagina 28 van het derde katern gehaald en hem op de voorpagina van het publieke bewustzijn geprojecteerd. En dat niet alleen. In DVC wordt beargumenteerd dat Maria Magdalena veel meer was dan 'geen prostituee'. Volgens het boek was ze een sterke, onafhankelijke figuur, de beschermster van Jezus, medeoprichtster van zijn beweging, zijn enige gelovige in zijn uur van de waarheid, de auteur van haar eigen evangelie, zijn geliefde en de moeder van zijn kind.

Voor de miljoenen vrouwen die zich tegenwoordig geminacht, gediscrimineerd of onwelkom voelen in kerken van allerlei gezindten, is dit boek een manier om de vroegste kerkgeschiedenis in een heel ander licht te zien. Zoals vrouwen de afgelopen dertig jaar vele nieuwe heldinnen hebben gevonden die baanbrekend werk verrichten, van wetenschap tot sport, opent DVC de ogen voor een opzienbarende nieuwe kijk op de grote rol van de vrouw in de opkomst van het christendom. Dit is inmiddels oude koek op theologische faculteiten als die van Harvard, maar het is DVC die dit perspectief bekendmaakte bij geletterde vrouwen (en mannen) buiten de universiteitswereld. Met name voor katholieke vrouwen – van wie velen al lang verbitterd zijn door de houding van de kerk ten aanzien van abortus, geboortebeperking, scheiden en de priesterwijding voor vrouwen – belicht het boek hoe de vrouwelijke helft van de mensheid opzettelijk om politieke redenen onderdrukt kan zijn door de opkomst van de institutionele, gecentraliseerde macht van de roomse kerk. Feiten in DVC – harde, verifieerbare feiten – vertellen een verhaal dat maar weinigen kennen. Er was bijvoorbeeld geen verbod op vrouwelijke priesters in de begintijd van de kerk, en het mannelijk celibaat werd pas zes eeuwen na Christus de norm. Bovendien is Maria Magdalena niet de enige belangrijke vrouw in de traditionele evangeliën. Er zijn verschillende andere leidinggevende vrouwen die met name genoemd worden, maar de meesten van hen zijn toch al die tijd onbekend gebleven, ook bij devote gelovigen. Natuurlijk is er de Maagd Maria, de moeder van Jezus, die lange tijd een groep devote volgelingen had. De afgelopen jaren is ze zelfs nog belangrijker geworden in de katholieke kerk, een trend die door paus Johannes Paulus II is gesteund. Maar de nieuwe kijk op Maria Magdalena die Dan Brown beschrijft – machtig, sterk, onafhankelijk, slim, de vaandeldraagster van het christendom tot lang na het overlijden van Jezus en, jawel, sexy – maakt van haar een veel toegankelijker, veel menselijker persoon om je in te verdiepen dan de afstandelijke, heilige, perfecte Maagd Maria.

6. In een tijd van wereldwijd toenemend fundamentalisme en religieus extremisme biedt DVC een belangrijke studie van de westerse geschiedenis. Allereerst belicht het boek de diversiteit en onrust die tweeduizend jaar geleden in de joods-christelijke wereld bestonden en die later onderdrukt werden door de ketterjacht van de kerk. Het suggereert dat sommige ideeën uit het heidendom en het Verre Oosten, die hun weg vonden naar het denken in het oostelijke Middellandse-Zeegebied, waardevol en valide geweest kunnen zijn. Dat doet het boek door ons te herinneren aan de kruistochten en de inquisitie, en aan de intense ideologische gevechten over interpretaties. In tegenstelling tot Mel Gibsons film *The Passion of the Christ*, die de énige ware versie van de bekende geschiedenis wil presenteren, daagt DVC lezers uit om zich voor te stellen dat wat ze altijd hebben gehoord en geloofd misschien wel níét de uiteindelijke waarheid is. Daarnaast suggereert het boek een veelheid aan samenzweringen en geheime werelden: de grote doofpot van de katholieke kerk en haar samenzwering om de Priorij van Sion uit te roeien, de eigen samenzwering van de Priorij om haar geheim te bewaren, de samenzwering van het Opus Dei om macht in de kerk te verkrijgen en de samenzwering van de Leermeester om te moorden en zijn eigen versie van de waarheid te laten uitkomen. Door dit te doen levert DVC impliciet kritiek op intolerantie, op godsdienstwaanzin en op allen die geloven dat er maar één ware God is, één waar geloof en één manier om dat geloof te belijden.

7. Brown gebruikt recente archeologische vondsten, zoals de Nag Hammadi-teksten en de Dode-Zeerollen, een kunsthistorische analyse van Leo-

nardo en andere schilders, symboolinterpretatie en cryptologie. Hij vlecht verschillende draden uit de wetenschap en archeologie van onze tijd in elkaar. Door dit te doen schetst het boek de elementen van het grootste detectiveverhaal aller tijden: we leven in een tijd waarin we authentiek bewijsmateriaal ontdekken over de menselijke oorsprong en de oorsprong van vele gedachten en religies.

Sophies ontdekkingsreis van haarzelf is eigelijk een analogie van onze eigen ontdekkingstocht. Sophie mag dan rechtstreeks van Jezus afstammen; we stammen allemaal af van mensen die in die tijd op aarde hebben rondgelopen, en die zulke gedachten en zulke gewoonten hebben gehad. Als wij de inzichten kunnen delen die gnostische filosofen zestien of achttien eeuwen geleden in de Egyptische woestijn hadden, dan is dat een verbluffende belevenis. We ontcijferen tegelijkertijd ons biologische en ons culturele DNA. Met nieuw onderzoek en nieuwe wetenschappelijke mogelijkheden komen we er misschien wel achter wat Leonardo ons probeerde te vertellen – of dat hij ons helemaal niets wilde vertellen.

8. Het idee dat Robert Langdon hoogleraar religieuze symboliek is – een academische titel die Dan Brown zelf heeft uitgevonden – en dat Langdon zo'n fantastisch talent heeft om tekens en symbolen te duiden, is een andere attractie van het boek. We verlaten met volle snelheid het Gutenbergtijdperk en stappen de gecomputeriseerde wereld van de interactieve media binnen. Dit is een overgang van de wereld van hiërarchische, letterlijke, structurele, rationele denkwijzen naar een futuristische soep van beelden, ideeën, beweging, gevoel, toeval en onderlinge samenhang. In zekere zin gaan we terug in de tijd naar een periode waarin visuele tekens en symbolen veel belangrijker waren. De icoontjes op onze computer zijn reïncarnaties van de grottekeningen in Frankrijk. Dan Browns goede antenne voor de rijke betekenissen en de belangrijke input die we ontvangen van niet-tekstuele, niet-rationele bronnen, is een belangrijk onderdeel van de beleving van het boek. Het lezen van DVC komt overeen met wat Langdon zegt over een Disney-film: 'alsof je een lawine van toespelingen en metaforen over je heen krijgt'. Het personage Langdon is, zoals ergens anders in dit boek wordt uitgelegd, een aantrekkelijke kruising van Indiana Jones en Joseph Campbell. Dat Brown overal door het boek codes, symbolen en anagrammen strooit, maakt de belevenis voor ons alleen maar interessanter en interactiever.

9. Samenzweringen, geheimen, privacy, identiteitsdiefstal, technologie en haar problemen: deze thema's komen in alle boeken van Dan Brown voor, en ze typeren onze tijd. Het lezen van DVC stimuleert het denken en de discussie over al deze onderwerpen. In Amerika heeft de moderne katholieke kerk jarenlang weerzinwekkende gevallen van seksueel misbruik

verborgen gehouden; de president van de Verenigde Staten heeft een inval in een ander land ingezet op basis van verzonnen bewijs van massa-
vernietigingswapens; bestuurders van bedrijven als Enron en Worldcom
hebben aandeelhouders en toezichthouders voor miljarden bedrogen.
Men kan *De Da Vinci Code* niet lezen zonder te denken aan deze moderne voorvallen van list en bedrog, waarbij de waarheid uiteindelijk altijd
uitkomt.

Is *De Da Vinci Code* fictie of non-fictie? Mijn bedoeling is om informatie
beschikbaar te stellen zodat lezers hun eigen conclusies kunnen trekken.
Laat ik ook duidelijk maken dat ik geen grote expertise bezit over de onderwerpen die behandeld worden in *De Da Vinci Code*. Ik heb er grote belangstelling voor, maar geen academische, religieuze of artistieke getuig-
schriften. Ik zie mezelf als een van de vele lezers van het boek. Ik raakte
geïnteresseerd in al deze theorieën en besloot ze nader te onderzoeken, de
meest vooraanstaande deskundigen te interviewen, het fascinerendste
bronnenmateriaal te identificeren en dat allemaal samen te brengen in één
handzaam boek, bedoeld voor andere geïnteresseerde, nieuwsgierige lezers.

Als zakenman vind ik echter dat ik mijn lezers ten minste een kort overzicht hoor te geven van wat al die informatie samen inhoudt. Mijn persoonlijke conclusie is dat DVC fascinerende, ambachtelijke fictie is, goed
voorzien van feiten die slechts bij weinigen bekend zijn en stimulerende,
maar hoogst speculatieve provocaties van ons gedachtegoed. Het boek is
het meest waardevol als het gelezen wordt als een boek van theorieën en
metaforen – een notitieboek, zoals die van Leonardo, dat de lezer helpt bij
het nadenken over zijn of haar eigen filosofie, kosmologie, religieuze aannamen en kunstkritiek.

Met deze waarschuwingen voor ogen wil ik graag even een kort overzicht geven van mijn persoonlijke conclusies in de kwestie fictie/non-fic-
tie. Er zijn op zijn minst twee zeer verschillende kanten aan het antwoord
op deze vraag.

Allereerst zou ik willen zeggen dat hoe verder Dan Brown teruggaat in
tijd, hoe meer hij op betrouwbare intellectuele grond staat. Zo onder-
steunen veel antropologen, archeologen en andere experts in grote lijnen
de argumentatie in DVC over het heilig vrouwelijke. Er is een overvloed
aan wetenschappelijke literatuur die stelt dat voorafgaand aan het joods-
christelijke monotheïsme, veel polytheïstische heidense religies meer
waarde hechtten aan godinnen naast goden en ook aan de spirituele en
sacrale aard van seks, voortplanting, vruchtbaarheid en geboorte. Ook
over de vraag of Maria Magdalena misschien door elkaar gehaald wordt

met de prostituee in het Nieuwe Testament, of over de vraag of Maria's rol bij de vestiging van het christendom veel groter was dan eerder werd benadrukt, is een grote hoeveelheid onafhankelijk wetenschappelijk werk te vinden, en ook onderzoeken door religieuze wetenschappers en theologen, die allemaal hetzelfde beweren. Natuurlijk zullen serieuze academici geen conclusies trekken zonder harde bewijzen, dus je zult niet veel doorsnee-wetenschappers vinden die overtúígd zijn dat Jezus en Maria Magdalena getrouwd waren. Maar je kunt wel zeer serieuze, betrouwbare academici vinden, en zelfs theologen, die openstaan voor de mógelijkheid van een romantische relatie tussen hen.

En dus komt veel van wat *De Da Vinci Code* te vertellen heeft over de rol van het heilig vrouwelijke in de prehistorie, Maria Magdalena, het vroege christendom, de diversiteit van het gedachtegoed aan het begin van onze jaartelling en de daaropvolgende consolidatie van het instituut van de rooms-katholieke kerk ten minste in de basis voort uit het werk van gerespecteerde geleerden en stukjes hard bewijs, zoals de Nag Hammadivondst. Dan Brown interpreteert dit alles op de meest dramatische, overdreven, door de plot gedicteerde manier. Natuurlijk doet hij dat: hij heeft een roman geschreven. Maar volgens mij hebben de achterliggende ideeën een grond van waarheid.

Als we dichter bij het heden komen, blijft *De Da Vinci Code* een fascinerend verhaal, maar heeft het steeds minder te maken met serieuze wetenschap. De vroege geschiedenis van de kruistochten en de tempeliers, zoals die wordt weergegeven, loopt niet zo ver uiteen met de wetenschappelijke consensus. Maar wanneer we belanden bij onderwerpen als de heilige graal, die synoniem zou zijn met Maria Magdalena en koninklijke afstammelingen van Jezus, of de geduldige toewijding van de Priorij van Sion aan het heilig vrouwelijke, of het argument dat *Het Laatste Avondmaal* een geheime boodschap van Leonardo over de ware geschiedenis van Jezus en Maria bevat, of dat de Priorij oeroud is en een ononderbroken lijn van grootmeesters had, van Leonardo tot Plantard, heeft Dan Brown de degelijke wetenschap verlaten. Hij is in de wereld van de middeleeuwse en new-age mythen gedoken. Die zijn bijna allemaal hergebruikt uit legenden en kennis die de afgelopen decennia door andere schrijvers zijn gedocumenteerd. Een groot deel ervan zit zo ver onder de standaard voor bewijs van historische authenticiteit, dat ze niet eens als historisch of feit beschouwd kunnen worden. Voor sommigen is het een hoop occulte nonsens. Voor mij, en misschien voor veel anderen, is het nonsens als historische feiten, maar prachtig materiaal voor verhalen en folklore, oneindig fascinerend om over te praten vanuit het oogpunt van mythen, metaforen en ons culturele DNA.

Veel commentatoren twisten over Dan Browns beschrijving van religieuze doctrine en christelijke geschiedenis. Er zijn zelfs verschillende andere commentaren op DVC geschreven vanuit een religieus oogmerk. Ik
raad u aan deze ook te lezen. Maar of Dan Brown nu wel of niet theologisch onderlegd is is niet de insteek van *Geheimen van de Code*, al hebben
wij op dit gebied ook wat argumenten op een rij gezet. In plaats daarvan
heb ik ervoor gekozen juist de nadruk te leggen op de theorieën, metaforen en hun onderlinge samenhang die ontdekt kunnen worden door deel
te nemen aan de dialoog over DVC. Het is niet mijn bedoeling om in polemieken terecht te komen of kritisch of respectloos te zijn over ander-
mans geloof. Ook is het niet mijn bedoeling om de werken waarop DVC
gebaseerd is en die hier zijn samengevat, te verdedigen of neer te halen.
Dat ik de informatie hier op een rij heb gezet, betekent niet dat de beweringen die gedaan worden waar zijn. Het betekent alleen dat ik vind dat
je de argumenten moet kennen en zelf moet oordelen.

Wat volgt in *Geheimen van de Code* is een compilatie van ideeën en meningen van een breed spectrum aan denkers. Dit boek is bedoeld om de
lezer te helpen bij zijn speurtocht naar persoonlijke kennis en inzicht –
Sophia, zogezegd.

Laat me heel duidelijk zijn: DVC is een roman. Het is vermaak. Het is
iets om van te genieten. Een deel van dat genot, voor mij in ieder geval,
was het volgen van de gedachtelijnen en ideeën; het uitzoeken van de onderlinge samenhang. Dat is waar het in dit boek om gaat.

Dan Burstein
April 2004

BOEK EEN

Het drama van Haar geschiedenis,

de geschiedenis en

de ketterij

Deel een

Maria Magdalena
en het heilig
vrouwelijke

1 Maria Magdalena

*Hoe een belangrijke vrouw door
de geschiedenis tot hoer werd gemaakt*

> Jezus hield meer van haar dan van alle discipelen en kuste haar vaak
> op de [mond]. De andere discipelen waren daar boos over en spra-
> ken hun afkeuring uit. Ze zeiden tegen hem: 'Waarom houdt u meer
> van haar dan van ons allen?' De Verlosser antwoordde: 'Waarom houd
> ik niet van jullie zoals van haar?'
>
> Evangelie van Filippus[1]

Maria Magdalena is op vele manieren de ster van *De Da Vinci Code*. Het
is dan ook passend dat zij het startpunt is voor deze odyssee die de geschiedenis en mysteriën in het boek van Dan Brown verkent. Maar wie
was deze vrouw die zo'n sleutelrol heeft op kritieke momenten in de traditionele evangeliën? Ze is duidelijk een van de meest trouwe gezellen van
de rondreizende Jezus. Ze wordt twaalf keer genoemd in het Nieuwe Testament. Ze is een van de weinige volgelingen die bij zijn kruisiging aanwezig zijn en ze verzorgt hem na zijn dood. Zij is degene die drie dagen
na zijn dood zijn graftombe bezoekt en aan wie de wederopgestane Jezus
het eerst verschijnt. Wanneer hij verschijnt, instrueert hij haar – hij mach-
tigt haar zogezegd – om het nieuws van zijn verrijzenis te verspreiden en
eigenlijk zijn belangrijkste apostel te worden, de brengster van de christelijke boodschap aan de andere apostelen en de rest van de wereld.

Dit komt allemaal overeen met de officiële verslagen in het Nieuwe Testament. Als je de andere verslagen bestudeert – teruggevonden 'verloren'
bijbelboeken en de gnostische evangeliën – vind je al snel aanwijzingen
dat Maria Magdalena en Jezus een zeer intieme relatie gehad kunnen hebben, die van man en vrouw. Je ontdekt dat ze misschien een zelfstandig
leidster en denkster was, aan wie Jezus geheimen toevertrouwde die hij
niet met de mannelijke apostelen deelde. Ze kan betrokken zijn geweest

[1] Een andere, minder vrije vertaling van deze passage is opgenomen in hoofdstuk 3.

bij de jaloerse rivaliteit onder de andere apostelen, van wie sommigen, in het bijzonder Petrus, haar rol in de beweging bagatelliseerden vanwege haar sekse, en haar relatie met Jezus een probleem vonden. Ze kan éen meer humane, individuele denkwijze vertegenwoordigd hebben, die misschien dichter stond bij wat Jezus eigenlijk predikte dan bij wat het Romeinse rijk ten tijde van Constantijn aanvaardde als de officiële, gestandaardiseerde hoofdstroom van het christelijk denken.

Historisch gezien is ze waarschijnlijk het bekendst als prostituee. Maar was ze dat ooit? Vergaf Jezus haar simpelweg – en toonde zij simpelweg berouw en veranderde ze haar leven – om traditionele christelijke principes te illustreren over zonde, vergeving, boetedoening en verlossing? Of was zij helemaal geen prostituee, maar een rijke patrones en aanhangster van de beweging van Jezus, die later in de zesde eeuw door paus Gregorius op een hoop werd geveegd met een andere Maria in het evangelie, die wel prostituee was? En toen paus Gregorius drie verschillende Maria's tot één persoon samensmeedde, wilde hij toen Maria Magdalena het stigma van prostituee meegeven? Was het een eerlijke interpretatiefout in de donkere Middeleeuwen toen er weinig originele documenten beschikbaar waren en de bijbeltaal een mengelmoes was van Hebreeuws, Aramees, Grieks en Latijn? Was er een noodzaak voor de kerk om de evangeliën te versimpelen en te systematiseren en de thema's zonde, boetedoening en verlossing te versterken? Of was het eerder een machiavellistische strategie (duizend jaar voor Machiavelli) om de historische reputatie van Maria Magdalena te ruïneren, en daardoor het laatste restje invloed van de heidense godinnenverering en het 'heilig vrouwelijke' te vernietigen, de rol van vrouwen in de kerk te ondermijnen en de meer humane kant van het christelijk geloof te begraven?

Ging het zelfs nog verder? Toen paus Gregorius het stempel prostituee op Maria Magdalena drukte, bleef zij veertien eeuwen lang officieel een bekeerde prostituee. Was dat het begin van de grote doofpotactie om het huwelijk van Jezus en Maria Magdalena uit te wissen en uiteindelijk ook de koninklijke, heilige bloedlijn van hun nageslacht?

Hun nageslacht? Jazeker. Als Jezus en Maria Magdalena getrouwd waren of op zijn minst een intieme relatie hadden, kunnen er ook kinderen zijn geweest. En wat gebeurde er met Maria Magdalena na de kruisiging? De bijbel zegt er niets over, maar rond de hele Middellandse Zee, van Efese tot Egypte, suggereren legenden en volksverhalen dat Maria Magdalena met haar kind (of kinderen) uit Jeruzalem vluchtte en uiteindelijk het leven van een evangelist is gaan leiden. Volgens de interessantste verhalen heeft ze zich in Frankrijk gevestigd – een idee dat Dan Brown heeft opgepikt en tot belangrijk onderdeel van de plot van DVC heeft gemaakt.

Omdat ze onderwerpen als zonde en verlossing, de Madonna en de hoer, boetedoening en deugdzaamheid, de gelovige en de gevallene vertegenwoordigt, is het geen verrassing dat Maria Magdalena altijd een belangrijke rol heeft gespeeld in literatuur en cultuur. Mannelijke kerkgangers gingen het toneel op om haar te spelen in de passiespelen, de eerste theaterstukken die meer dan duizend jaar geleden in West-Europa werden opgevoerd. En sindsdien is ze constant een aanwezige figuur geweest in de kerkelijke kunst.

In het recente verleden is Dan Brown niet de eerste schrijver die zo gefascineerd is door Maria Magdalena, en evenmin de eerste die haar eventuele huwelijk met Jezus naar voren brengt. Nikos Kazantzakis opperde meer dan vijftig jaar geleden een romantische relatie tussen hen in zijn roman *De laatste verzoeking van Christus* (lang voordat Martin Scorsese die in 1980 verfilmde en het thema opnieuw controversieel was). William E. Phipps behandelde vele van deze vraagstukken in zijn boek *Was Jesus Married?*, dat meer dan dertig jaar geleden verscheen. De rockopera *Jesus Christ Superstar*, ook al meer dan dertig jaar oud, gaat er eveneens van uit dat Jezus en Maria Magdalena een relatie hadden. Onze samenleving heeft veel belangstelling voor kwesties als *gender*, vrouwen als leiders en alle combinaties van liefde, huwelijk en seks die je maar kunt bedenken. Deze 'nieuwe' Maria Magdalena past daar precies bij en *De Da Vinci Code* is op het juiste moment verschenen.

In dit hoofdstuk zullen een aantal van 's werelds grootste deskundigen op het gebied van Maria Magdalena discussiëren over de verschillende versies van wie zij historisch gezien geweest is, haar betekenis in de traditionele evangeliën en hoe de gnostische en andere alternatieve evangeliën ons kunnen helpen haar te begrijpen. Sommige experts zijn alleen geïnteresseerd in het ontwarren van de betekenis van alles wat in de bijbel staat. Anderen willen de discussie verdiepen en verrijken met nieuw bewijs en nieuwe inzichten. Weer anderen zijn niet zozeer op teksten gericht, maar houden zich meer bezig met de betekenis van Maria Magdalena in de context van archetypen, mythen en metaforen.

Ieder aspect dat besproken zou kunnen worden, komt voor in dit eenentwintigste-eeuwse debat. Kwam ze uit Magdala bij het Meer van Galilea en was het daarom waarschijnlijk dat ze joods was? Of kwam ze uit een gelijknamige plaats in Egypte of Ethiopië? Was ze blank en roodharig, zoals ze in de Middeleeuwen vaak werd afgebeeld, of was ze een zwarte Afrikaanse vrouw? Was ze bekend met de leefgewoonten in het Heilige Land of was ze een outsider, zoals ook Jezus vaak wordt geportretteerd? Was ze welgesteld en kon ze de beweging van Jezus uit eigen zak financieren? Hoe weten we dat ze geld had – omdat ze uit een welvarende vissersplaats kwam? Omdat nardus, het parfum waarmee ze Jezus zalfde, beschouwd werd als een kostbaar luxeartikel? Omdat het erop lijkt dat zij voor eten en onderdak voor Jezus en zijn volgelingen zorgde toen zij afstand deden van hun wereldlijke bezittingen? Ze is slechts een van Jezus' diverse beschermvrouwen, dus hoe zit het met die andere vrouwen, van wie een aantal met name genoemd wordt? Was zij een nakomelinge van het Huis van Benjamin? Sommige verhalen beweren dat Jezus een nakomeling van het Huis van David was; zou hun huwelijk politiek gezien belangrijk zijn geweest, doordat het deze twee families verenigde? Zou Jezus onder normale omstandigheden wel getrouwd zijn? Uiteindelijk waren de meeste rabbi's in die tijd getrouwd, en in het Nieuwe Testament staat dat Jezus *rabboeni* werd genoemd door Maria Magdalena en veel andere volgelingen. Als hij een joodse rabbi was, werd dan niet verwacht dat hij getrouwd was? Werd van Petrus en andere apostelen niet uitdrukkelijk vermeld dat ze getrouwd waren? Waarom zou Jezus celibatair zijn geweest, als de bijbelse taal zo vol is van uitdrukkelijke bevelen als 'wees vruchtbaar' en 'gaat heen en vermenigvuldigt u'?

Is de vrouw die Jezus zalft met olie uit een albasten kruik, zijn voeten met haar tranen wast en ze afdroogt met haar haren, Maria Magdalena of een andere Maria? Als het Maria Magdalena is, wijzen deze handelingen dan op ceremonieel respect of zijn het metaforen voor een seksuele verhouding? En is het in dat laatste geval een verwijzing naar haar voormalige leven in de prostitutie? Is het een aanwijzing dat Jezus en Maria Magdalena werkelijk getrouwd waren? Is het een dichterlijke metafoor, niet alleen voor een seksuele relatie, maar voor een geladen, sacrale seksuele relatie als in de *hiëros gamos*-praktijken die uit de nog oudere Griekse, minoïsche en Egyptische culturen stammen? Kan ze een 'prostituee' geweest zijn in de betekenis van sommige oude culturen waarin mannen seks hadden met 'tempelprostituees' om extatische, heilige, mystieke religieuze ervaringen te krijgen? Is de bruiloft te Kana, zoals beschreven in het Nieuwe Testament, eigenlijk een metaforische weergave van de bruiloft van Maria Magdalena en Jezus Christus, en is die op zijn beurt weer afgeleid van het Hooglied in het Oude Testament? En gaan deze verhalen op hun beurt nog verder terug naar wat Carl Jung en Joseph Campbell zouden beschouwen als universele archetypen en mythen van de heilige eenheid tussen het mannelijke en het vrouwelijke, van de behoefte aan heelheid en liefde – niet alleen liefde in de zin van het Nieuwe Testament, maar ook liefde in lichamelijke, erotische en humanistische zin?

Zijn er geheime teksten en andere soorten documenten die licht kunnen werpen op de ware geschiedenis van wat er ten tijde van Christus in Israël gebeurde en van wat zich afspeelde tussen Jezus, Maria Magdalena en hun volgelingen? Zouden dergelijke documenten en relikwieën begraven kunnen zijn onder de Tempelberg in Jeruzalem en voor de kruisridders de heilige graal zijn geworden? Zouden de tempeliers dit materiaal gevonden kunnen hebben en het uit het Heilige Land naar het middeleeuwse Frankrijk gesmokkeld kunnen hebben? En als dit materiaal ooit gevonden wordt – of dat nou in de gewelven onder Rosslyn Chapel in Schotland of onder de piramide van het Louvre of waar dan ook is – zal dat dan de christelijke geschiedenis en het geloof fundamenteel veranderen, zoals de fragmentarische gnostische evangeliën en de Dode-Zeerollen al invloed gehad hebben?

Dan Brown heeft flink wat werk verricht in *De Da Vinci Code* door veel van deze vragen terloops te vermelden. In een stuk of vijf pagina's, midden in een thriller/moordmysterie, verwijst hij naar alle bovenstaande kernvraagstukken en nog veel meer – waarvan het meest opmerkelijk de mogelijkheid is dat Leonardo da Vinci de ware geschiedenis van Jezus en Maria Magdalena kende en haar daarom in *Het Laatste Avondmaal* heeft geplaatst. Bovendien is de afbeelding van de glurende Petrus, met zijn hand als een snijdend mes voor haar keel, volgens *De Da Vinci Code* bedoeld om de animositeit tussen Petrus en Maria Magdalena over de toekomst van de kerk weer te geven.

In het boek vraagt Sophie Neveu haar leraren, Teabing en Langdon: 'Bedoelt u dat de christelijke kerk zou moeten worden voortgezet door een vróúw?'

'Dat was het plan,' antwoordt Teabing. 'Jezus was de eerste feminist. Hij wilde de toekomst van zijn kerk in handen leggen van Maria Magdalena.'

Het is begrijpelijk dat in *De Da Vinci Code* opgeroepen vraagstukken de mensen aan het praten, discussiëren en onderzoeken hebben gezet, hoe ongeloofwaardig sommige plotonderdelen ook zijn en hoezeer de religieuze geschiedenis ook gereconstrueerd is. In dit hoofdstuk komt een breed scala aan deskundigen aan het woord over de vele aspecten van het debat over Maria Magdalena. De ideeën van sommigen, zoals Lynn Picknett en Margaret Starbird, vormden bronnen voor *De Da Vinci Code*. Hun denkbeelden mogen uitermate extreem zijn, ze zijn in ieder geval uitdagend en reden tot nadenken. Autoriteiten als Susan Haskins, Esther de Boer, Deirdre Good, Karen King en Richard McBrien zijn zeer respectabele academici, die vele jaren hebben besteed aan het bestuderen van de meest obscure details uit de beschikbare informatie over Maria Magdalena en gerelateerde onderwerpen. Zij geloven allemaal dat haar in het verleden onrecht is aangedaan. Ze vermijden de meest extreme theorieën over haar, maar werken doelbewust aan een gevarieerder, genuanceerder beeld van Maria Magdalena, om de historische rol die haar toekomt in ere te herstellen. Katherine Ludwig Jansen en Kenneth Woodward zijn wat conservatiever. Toch zijn ook de conservatieven tegenwoordig zover dat ze Maria Magdalena een wezenlijk belangrijkere rol in de geschiedenis willen toekennen dan de traditionele kerkgedachte.

We beginnen het debat met een conventioneel, samenvattend artikel uit *Time magazine*, gepubliceerd naar aanleiding van de buitengewone belangstelling die er in 2003 was voor Maria Magdalena en de theorieën in *De Da Vinci Code*.

Maria Magdalena: heilig of zondig?

Door David Van Biema, verslag door Lisa McLaughlin

Een artikel uit *Time magazine*, 11 augustus 2003. © Time Inc. Opgenomen met toestemming van de uitgever.

De beeldschone cryptologe en de aantrekkelijke mannelijke professor ontvluchten de locatie van een afgrijselijke moord die zij niet hebben gepleegd. Midden tijdens hun ontsnapping, waarbij uiteindelijk nog gebruik wordt gemaakt van een gepantserde wagen, een privé-vliegtuig, elektronische opsporingsmiddelen en net genoeg onvermijdelijk geweld om de boel spannend te houden, vinden onze helden precies die man die hen niet alleen van alle blaam kan zuiveren maar die ook de sleutel heeft tot de ontknoping van een mysterie dat de hele wereld zou kunnen veranderen. Om het ze uit te leggen, wijst de kreupele, joviale, schatrijke historicus Sir Leigh Teabing op een figuur in een beroemd schilderij.

> 'Wie is ze?' vroeg Sophie.
> 'Dat, m'n lieve kind,' antwoordde Teabing, 'is Maria Magdalena.'
> Sophie draaide zich om. 'De prostituee?'
> Teabing ademde scherp in, alsof het woord hem persoonlijk kwetste. 'Dat was Magdalena absoluut niet. Dat ongelukkige misverstand is het gevolg van een lastercampagne die door de vroege kerk is gevoerd.'

Boeken die je in één ruk uitleest, gaan gewoonlijk niet over details uit de zesde-eeuwse kerkgeschiedenis. Misschien zouden ze dat wel moeten doen. *De Da Vinci Code* van Dan Brown... is een van die van spanning huiverende samenzweringsspecials met hoofdstukken van twee pagina's waarin de haarkleur van mensen beschreven wordt als bourgognerood. Maar Brown, die Maria Magdalena ingewikkeld en extravagant in zijn plot heeft verwerkt, heeft zijn *MacGuffin*[2] slim uitgekozen. Niet alleen heeft hij een van de weinige personages uit het Nieuwe Testament genomen die de lezer zich in badkostuum kan voorstellen (generaties oude meesters hebben haar immers topless geschilderd). Hij heeft ook een figuur gekozen die nog steeds actueel is in de theologie en de populaire cultuur.

Drie decennia geleden gaf de rooms-katholieke kerk stilletjes toe wat kritische geesten al eeuwen beweerden: Magdalena's imago van bekeerde prostituee is niet gebaseerd op wat er in de bijbel staat. Bevrijd van deze sensationele, beperkte vooronderstelling en met behulp van uiteenlopende hoeveelheden wetenschap en grilligheid hebben academici en enthousiastelingen verschillende andere Magdalena's voorgesteld: een rijke en eervolle beschermster van Jezus, een apostel, de moeder van het kind van de Messias en zelfs zijn profeterende opvolgster. Deze veelheid aan mogelijkheden heeft een golf van literatuur tot gevolg gehad, zowel academisch als populair, inclusief de historische roman *Mary, Called Magdalene* van Margaret George, de bestseller uit 2002. En Magdalena heeft er onder katholieken nieuwe volgelingen door gekregen, die haar zien als potentieel rolmodel en als mogelijk argument tegen het exclusief mannelijke priesterschap. De vrouw van wie drie evangeliën het erover eens zijn dat ze de eerste getuige was van de wederopstandig van Christus, beleeft een eigen soort wedergeboorte. Dat zegt Ellen Turner, die een alternatieve viering voor de heilige organiseerde op haar traditionele feestdag op 22 juli: 'Maria [Magdalena] is door de kerk mishandeld, maar voor ons is ze er nog steeds. Als we haar verhaal voor het voetlicht kunnen krijgen, kunnen we teruggaan naar datgene waar Jezus werkelijk voor stond.'

Het boek *Mary Magdalene: A Woman Who Showed Her Gratitude*, onderdeel van een kinderserie over bijbelse vrouwen uit 1988, een redelijk typisch product van zijn tijd, legde uit dat zijn onderwerp 'niet beroemd [was] vanwege de grootse dingen die ze deed of zei, maar ze is de geschiedenis in gegaan als een vrouw die echt met heel haar hart van Jezus hield en zich er niet voor schaamde om dit te tonen, ondanks de kritiek van anderen.' Dat is zeker onderdeel van haar traditionele levensbeschrijving. Veel christelijke kerken zouden daar haar belang aan toevoegen als voorbeeld van de kracht van Christus' liefde om zelfs de diepst gevallen mensen te redden, en ook haar boetedoening. (Het woord *maudlin* [sentimenteel] komt van haar reputatie als huilende boetelinge.) Eeuwen van

---

2 Door Hitchcock bedachte term voor een onderwerp, soms zonder enige inhoudelijke betekenis, waardoor het verhaal op gang komt.

katholiek onderwijs hebben ook gezorgd voor haar identiteit van slecht meisje, dat de hoop van alle slechte meisjes werd, de geredde sirene die niet alleen actief was in de oververhitte fantasieën van parochiestudentjes, maar die ook de patrones was van instellingen voor gevallen vrouwen zoals de strenge, door nonnen geleide wasserettes in de film *The Magdalene Sisters...*

Het enige probleem is nu dat ze niet slecht was, ze werd alleen maar zo gepositioneerd. Maria Magdalena (haar naam verwijst naar Magdala, een stadje in Galilea) komt voor het eerst voor in het Evangelie van Lucas als een van diverse duidelijk rijke vrouwen die Jezus geneest van bezetenheid (zeven demonen zijn bij haar uitgedreven), die zich bij Hem en de apostelen voegen en hen uit hun eigen middelen onderhouden. Haar naam komt pas weer voor bij de kruisiging, die zij en andere vrouwen aan de voet van het kruis bijwonen terwijl de mannelijke volgelingen zijn gevlucht. Op de zondagochtend van Pasen bezoekt ze Jezus' graftombe, alleen of met meerdere vrouwen, en treft deze leeg aan. Ze krijgt te horen dat hij is herrezen – in drie evangeliën van engelen, in een van Jezus zelf. Het relaas van Johannes is het meest dramatische. Ze is alleen bij de lege graftombe. Ze waarschuwt Petrus en een niet bij naam genoemde discipel; alleen deze laatste schijnt te begrijpen dat het om de opstanding gaat en ze gaan weg. Dralend komt Maria Magdalena Jezus tegen, die haar vraagt niet bij Hem te blijven, 'Ga naar mijn broeders en zusters en zeg tegen hen dat ik opstijg naar mijn Vader, die ook jullie Vader is, naar mijn God, die ook jullie God is.' In de versies van Lucas en Marcus lijkt het een beetje op een klucht: Maria Magdalena en andere vrouwen proberen de mannen te waarschuwen, maar 'die vonden het maar kletspraat en geloofden hen niet.' Uiteindelijk raakten ze toch overtuigd.

Ondanks de tegenstrijdigheden is de uiteindelijke indruk die van een zelfstandige vrouw, dapper, slim en vroom, die een cruciale – misschien onvervangbare – rol speelt tijdens het voor het christendom bepalende moment. Dus waar kwamen dan al die sappige verhalen vandaan? Het imago van Maria Magdalena werd verdraaid toen vroege kerkleiders haar verhaal samenvoegden met die van andere, minder bekende vrouwen die de bijbel niet met name of alleen bij hun voornaam aanduidt. Een van hen is de 'zondares' uit Lucas die met haar tranen Jezus' voeten wast, ze droogt met haar haren, ze kust en ze zalft. 'Haar zonden zijn haar vergeven, al waren het er vele, want ze heeft veel liefde betoond,' zegt hij. Anderen waren Lucas' Maria van Betanië en een derde niet met name genoemde vrouw, die ook beiden op hun manier Jezus gezalfd hebben. De verwarring werd in 591 gesanctioneerd door paus Gregorius de Grote. 'Van

zij die Lucas de zondige vrouw noemde, die Johannes Maria [van Beta-
nië] noemde, geloven wij dat zij de Maria is uit wie volgens Marcus zeven
duivels werden verdreven,' verklaarde Gregorius in een preek. Dat werd de
officiële leer van de kerk, hoewel de orthodoxen en de protestanten deze
niet overnamen toen zij zich later afsplitsten van het katholicisme.

Wat zette Gregorius hiertoe aan? Er is een theorie dat het een poging is
het aantal Maria's te verminderen – er vond een vergelijkbare vermenging
plaats van een aantal figuren die Johannes heetten. Een alternatieve theorie zegt dat de zondige vrouw simpelweg is toegevoegd om een belangrijke figuur een tot dan toe ontbrekende achtergrond te geven. Anderen zeggen dat het uit vrouwenhaat is gebeurd. Wat de beweegreden ook geweest
mag zijn, het effect was drastisch en, vanuit feministisch perspectief, tra-
gisch. Magdalena's getuigenis van de opstanding was nu in plaats van een
daad van trouw die groter was dan die van de mannen, gereduceerd tot
het slot van een ontroerend, maar veel minder belangrijk verhaal over de
boetedoening van een berouwvolle zondares. 'Dit is een veelvoorkomend
patroon,' schrijft Jane Schaberg, professor religieuze studies en vrouwenstudies aan de Universiteit van Detroit en auteur van het in 2002 verschenen *The Resurrection of Mary Magdalene*, 'de sterke vrouw krachteloos gemaakt, teruggebracht tot hoer of hoerig.' Om dat fenomeen te benoemen,
bedacht Schaberg de term 'verhoerisering'.

In 1969 haalde de rooms-katholieke kerk de twee zondige vrouwen van
Lucas – Maria van Betanië en Maria Magdalena – uit elkaar, als onderdeel
van een algemene herziening van de missalen, in het liturgische equivalent van de kleine lettertjes. Dit dringt echter slechts zeer langzaam tot de
kerkbanken door. (Het helpt niet dat Maria Magdalena's heldendaden bij
het graf nog steeds geen onderdeel zijn van de liturgie van paaszondag en
in plaats daarvan in de voorafgaande week worden herdacht). En intussen levert steeds meer onderzoek munitie voor degenen die haar ontluis-
tering als een seksistische samenzwering zien. In het christendom gespe-
cialiseerde historici zijn in toenemende mate gefascineerd door een groep
vroege volgelingen van Christus die gewoonlijk worden aangeduid als de
gnostici, waarvan sommige geschriften nog geen zestig jaar geleden werden ontdekt. En de gnostici waren op hun beurt gefascineerd door Magdalena. Het zogenaamde Evangelie van Maria [Magdalena], dat misschien
al rond 125 n.Chr. (ofwel circa veertig jaar na het Evangelie van Johannes)
gedateerd kan worden, beschrijft haar als iemand die een persoonlijk visioen van Jezus heeft gekregen, dat zij doorgeeft aan de mannelijke discipelen. Deze rol is een usurpatie van de status van tussenpersoon die de
traditionele evangeliën gewoonlijk aan Petrus toeschrijven. Er wordt beschreven dat hij zeer wrokkig vraagt: 'Zou [Jezus] werkelijk buiten ons om

met een vrouw gesproken hebben?' De discipel Levi verdedigt haar; hij zegt: 'Petrus, jij bent altijd zo heetgebakerd... Als de Verlosser haar waardig bevonden heeft, wie ben jij dan om haar af te wijzen? Zeer zeker kende de Verlosser haar erg goed. Daarom heeft hij van haar meer gehouden dan van ons.'

Dat is nogal een ruzie, en helemaal als men bedenkt dat het pausdom zijn autoriteit aan Petrus ontleent. Natuurlijk zijn de gnostische evangeliën de bijbel niet. In feite is er bewijs dat de bijbel juist is gestandaardiseerd en gecanoniseerd om dit soort geschriften uit te sluiten, die de vroege kerkleiders als ketters beschouwden om allerlei redenen die niets met Magdalena te maken hebben. Desalniettemin zijn de feministen er snel bij geweest om het Evangelie van Maria te citeren als bewijs van het vroege belang van Magdalena, in ieder geval in sommige gemeenschappen, en als een virtueel verslag van een vergeten strijd der seksen, waarin de kerkvaders uiteindelijk zegevierden over tegenstanders die nooit de kans kregen om bekend te worden als kerkmoeders. 'Ik denk dat het een machtsstrijd was,' zegt Schaberg, 'en de canonieke teksten die wij [nu] hebben, komen van de winnaars.'

Schaberg gaat nog verder. In haar boek keert ze terug naar Johannes in het licht van de gnostische geschriften en beweert ze 'fragmenten van een claim' te vinden dat Jezus Magdalena als zijn profetische opvolgster gezien kan hebben. Deze stelling heeft tot dusver geen andere aanhangers. Maar ze illustreert mooi de manier waarop ieder herstel van Magdalena als 'winnares' onvermijdelijk leidt tot een bijstelling van de huidige aannamen over mannelijk kerkleiderschap. Nadat paus Johannes Paulus II in 1995 zelfs de discussie over vrouwelijke priesters verbood, citeerde hij 'het voorbeeld vastgelegd in de Heilige Schrift van Jezus die zijn apostelen uit louter mannen koos...' Dat argument oogt zwak in het licht van de 'nieuwe' Magdalena, die de paus zelf heeft erkend met de voorheen zelden gebruikte titel 'apostel der apostelen'. Chester Gillis, hoogleraar theologie aan Georgetown University, zegt dat conventionele katholieken nog steeds vinden dat de afwezigheid van Maria Magdalena in de vele bijbelverhalen waarin de mannelijke discipelen voorkomen en vooral in het op de priesterwijding lijkende ritueel van het Laatste Avondmaal, haar uitsluit als precedent voor het priesterschap. Gillis is het er echter mee eens dat haar eerherstel 'zeker een argument is voor een grotere rol van vrouwen in de kerk'.

Ondertussen heeft de combinatie van het herziene standpunt van de katholieken en de gnostische onthullingen ook wildere Magdalena-speculaties doen herleven, zoals die van het huwelijk tussen Jezus en Magdalena. ('Geen andere bijbelse figuur heeft zo'n intens en bizar post-bijbels leven gehad,' merkt Schaberg op.) Het gnostische Evangelie van Filippus beschrijft Magdalena als 'degene die [Jezus'] metgezellin werd genoemd' en beweert dat hij 'haar vaak op haar [mond] kuste'. De meeste geleerden sluiten een relatie tussen Jezus en Magdalena uit, omdat er weinig echo's van zijn in de canonieke evangeliën nadat de 'valse' Magdalena's eruit zijn gehaald. Maar het idee vervult een diep verhaalkundig verlangen: naar de mannelijke leider die een vrouw vindt, naar de yin als aanvulling van Jezus' yang of, zoals sommige nieuwe heidenen hebben gesuggereerd, naar de godin voor zijn god. Martin Luther King geloofde dat Jezus en Maria Magdalena getrouwd waren, en de mormonenleider Brigham Young ook.

Het idee dat Magdalena ten tijde van de kruisiging zwanger van Jezus was, werd met name in Frankrijk omarmd, waar al een oude legende bestond dat zij naar Frankrijk was gekomen in een boot zonder riemen, terwijl ze de heilige graal droeg, de kelk van het Laatste Avondmaal waarin later zijn bloed viel. Diverse Franse koningen propageerden de legende dat de nakomelingen van Magdalena's kind de stichters waren van de Merovingische lijn in de Europese koningshuizen, een verhaal dat later opleefde toen Richard Wagner het gebruikte in zijn opera *Parsifal* en opnieuw toen het in verband gebracht werd met prinses Diana, die naar men zei Merovingisch bloed had... Het idee dat Magdalena zelf de heilige graal was – de menselijke kelk voor Jezus' bloed – dook voor het eerst op in 1986, in de bestseller *Het Heilige Bloed en de Heilige Graal*, die Browns *De Da Vinci Code* inspireerde. Toen Brown onlangs zei: 'Maria Magdalena is een historische figuur wier tijd gekomen is,' bedoelde hij een figuur met een heleboel mythische kantjes...

Sacrale seks en goddelijke liefde

Een wezenlijk nieuwe kijk op Maria Magdalena

Door Lynn Picknett

Dit fragment is afkomstig uit *Maria Magdalena* van Lynn Picknett. Opgenomen met toestemming van Carroll & Graf Publishers, onderdeel van Avalon Publishing Group. © Lynn Picknett 2003. Lynn Picknett is auteur, onderzoeker en docent op het gebied van het paranormale, het occulte en van historische en religieuze mysteriën.

Wie was de mysterieuze Maria Magdalena, die door de schrijvers van de evangeliën zo zorgvuldig naar de randen van het Nieuwe Testament is gedrukt? Waar kwam ze vandaan en waarom was ze zo bedreigend voor de mannen van de roomse kerk in opkomst? In *Het geheime boek der Grootmeesters*... heb ik het volgende geschreven over de voortdurende controverse rond dit cruciale bijbelse personage:

Dat Maria Magdalena, Maria van Betanië (de zuster van Lazarus) en de 'naamloze zondares' die Jezus in het Evangelie van Lucas zalft een en dezelfde zijn, is altijd fel betwist. De katholieke kerk besloot al op een vroeg tijdstip deze drie figuren gelijk te stellen, hoewel zij daarover in 1969, dus nog maar kort geleden, van standpunt veranderde... De oosters-orthodoxe kerk heeft Maria Magdalena en Maria van Betanië altijd als afzonderlijke figuren beschouwd.

De katholieke kerk is altijd strategisch geweest in de manier waarop ze Maria Magdalena heeft gepresenteerd, omdat de kerkleiders zich bewust waren van haar voorbeeldfunctie voor de vrouwen zonder hoop onder hun gezag, bijvoorbeeld voor de gevallen meisjes van de Magdalenastichting. Zoals David Tresemer en Laura-Lea Cannon schrijven in hun voorwoord bij het gnostische Evangelie van Maria Magdalena in de vertaling van Jean-Yves Leloup uit 1997:

Pas in 1969 gaf de katholieke kerk haar fout toe door de kwalificatie van Maria als hoer door Gregorius officieel te herroepen. Het beeld van Maria Magdalena als de boetvaardige hoer is echter niet verdwenen uit de algemene leer van alle christelijke gezindten. Net als een klein berichtje in de rubriek rectificaties op bladzijde zoveel van de krant blijft de correctie van de kerk onopgemerkt, terwijl het oorspronkelijke, onjuiste artikel de lezers onverminderd beïnvloedt.

Maar het zou misschien overhaast zijn om haar geheel vrij te pleiten van alle verdenking van 'prostitutie' in ons hedendaagse, geestdriftige verlangen haar te rehabiliteren. Verscheidene onderzoekers hebben erop gewezen dat de 'zeven duivels' die bij haar zouden zijn uitgedreven een verminkte verwijzing kunnen zijn naar de zeven poortwachters van de onderwereld uit de heidense traditie, en dat ze misschien een waardevolle aanwijzing vormen over haar ware achtergrond. In de heidense samenleving bestonden zogenaamde 'tempelprostituees', vrouwen die letterlijk de belichaming waren van de heilige 'hoerenwijsheid' en die doorgaven door middel van transcendente seks; deze vrouwen zouden buiten hun eigen cultuur ongetwijfeld worden gezien als niet veel beter dan tippelaarsters, vooral door de mannelijke discipelen, die waren doordrenkt van de joodse moraal en seksuele restricties van het Heilige Land...

De woordkeuze van Lucas als hij haar morele maatschappelijke positie beschrijft, is interessant: ze is *hamartolos*. Dat wil zeggen dat ze de joodse wet heeft overtreden, hoewel die overtreding niet per se prostitutie hoeft te zijn geweest. Het is een term die afkomstig is uit de wereld van het boogschieten en die betekent 'het doel missen'; het woord kan verwijzen naar iemand die zich op wat voor manier dan ook niet aan de religieuze voorschriften houdt, of geen belasting betaalt, mogelijk omdat ze helemaal niet joods was.

Van Maria van Betanië wordt geschreven dat ze haar haar loshangend draagt of onbedekt laat, wat geen enkele zichzelf respecterende joodse vrouw in Judea zou doen. Dat duidde immers op seksuele losbandigheid, zoals dat in het huidige Midden-Oosten voor orthodoxe joden en moslims nog steeds geldt. Maria veegt de voeten van Jezus zelfs droog met haar haar, wat voor een ogenschijnlijk onbekende vrouw een eigenaardig intieme, om niet te zeggen gewaagde, handeling is om in het openbaar te verrichten. De discipelen hebben dat ongetwijfeld als ronduit schandalig beschouwd...

Een man kon zelfs van zijn vrouw scheiden als ze in het openbaar met loshangend haar was verschenen, zo'n grote zonde was het, maar Maria van Betanië, een *hamartolos* vrouw, iemand die zich niet aanpast aan het jodendom of buiten de religieuze wet staat, lijkt zich totaal niet bewust van de verontwaardiging die haar daden kunnen oproepen. Wat nog opvallender is: niet alleen berispt Jezus haar niet voor het negeren van de joodse wet, hij moedigt haar zelfs stilzwijgend aan door zich te keren tegen degenen die haar gedrag bekritiseren.

Ze gedragen zich allebei als vreemdelingen in een vreemd land. Geen wonder dat ze niet begrepen worden, vooral niet door de twaalf apostelen, die, zoals we lezen, keer op keer moeite hebben met het begrijpen van de leer van Jezus en wat hij eigenlijk met zijn missie wil bereiken. Maria van Betanië mag dan een buitenstaander zijn, ze lijkt toch een bijzonder geheim met Jezus te delen. En ze zijn allebei buitenstaanders.

Als het zalven geen joodse gewoonte was, binnen welke traditie hoorde het dan wel thuis? In die tijd bestond er een zeer sacrale heidense rite waarbij een vrouw het hoofd en de voeten – en de genitaliën – van een uitverkoren man zalfde voor een heel bijzondere gelegenheid. Het was de zalving van de heilige koning. De priesteres koos een man uit en zalfde hem, voordat ze hem zijn lotsbestemming schonk in een seksuele rite, het *hiëros gamos* (heilig huwelijk). Het zalven maakte deel uit van de rituele voorbereiding op de penetratie tijdens de rite, die niet dezelfde gevoelsmatige of wettelijke implicaties had als de gebruikelijker vorm van het huwelijk, maar waarin de priester-koning doorstroomd werd door de kracht van de god, terwijl de priesteres-koningin werd beheerst door de grote godin. Zonder de kracht van de vrouw zou de uitverkoren koning nooit kunnen regeren en zou hij machteloos zijn... Dat was de oorspronkelijke betekenis van 'het sacrament des huwelijks' (*hiëros gamos*)...

Het heilige huwelijk als concept is van wezenlijk belang om inzicht te krijgen in Jezus, zijn missie en zijn relatie met de belangrijkste vrouw in zijn leven; om nog maar niet te spreken van twee zeer belangrijke mannen... Het hardnekkige beeld van Maria van Betanië/Maria Magdalena als hoer wordt logischer als je beseft dat dit ritueel de ultieme uiting is van wat de Victoriaanse historici 'tempelprostitutie' noemden – en dat hoeft ons niet te verbazen, gezien hun arrogante en hypocriete puritanisme en verdrongen seksuele gevoelens – hoewel de oorspronkelijke term voor de betreffende priesteres *hiërodule* of 'heilige dienares' was. Alleen via haar kon een man zichzelf en de goden leren kennen. Op het hoogtepunt van het werk van de heilige dienares, het *hiëros gamos*, wordt de koning gewijd en van de anderen onderscheiden; en onmiddellijk na de bijbelse zalving werd Jezus door Judas verraden en werden de raderen voor zijn uiteindelijke lotsbestemming aan het kruis in beweging gezet...

Het heilige huwelijk was een bekend begrip onder de heidenen uit de tijd van Jezus: het werd in verschillende vormen beoefend door de aanhangers van een aantal andere culten waarin een god werd vereerd die was gestorven en verrezen, zoals die van Tammuz (voor wie er in die tijd in Jeruzalem een tempel was) en van de Egyptische god Osiris, wiens metgezellin Isis hem net lang genoeg tot leven wekte om zelf zwanger te worden van zijn wonderbaarlijke kind, Horus, de god met het hoofd van een havik. Tresemer en Cannon stellen dan ook ondubbelzinnig: 'Het feit dat ze verschijnt met speciale oliën om Jezus Christus mee te zalven, plaatst haar in de traditie van priesters en priesteressen van Isis. Met behulp van hun zalven werd de drempel van de dood overschreden zonder dat de gezalfde het bewustzijn verloor.'[1] Dat zou betekenen dat ze behoorde tot de traditie van het sjamanisme in het oude Egypte, waarvan het bestaan pas sinds kort wordt erkend...

In alle versies van het heilige huwelijk verenigde de vertegenwoordiger van de godin, in de vorm van haar priesteres, zich seksueel met de uitverkoren koning voorafgaand aan zijn offerdood. Drie dagen later herrees de god en was het land weer vruchtbaar...

---

[1] Leloup, pp. xx-xxi.

Het is duidelijk dat de vrouw die Jezus zalfde heel bijzonder was, een priesteres binnen een oude heidense traditie, maar was ze ook Maria Magdalena, zoals de kerk tot 1969 heeft beweerd? ... Laten we eens kijken wat voor aanknopingspunten we hebben voor wie de mysterieuze vrouw die we kennen als Maria van Magdala, werkelijk was.

Waar was Magdala?

Deze raadselachtige vrouw, die ongetwijfeld van groot belang was bij de missie van Jezus, wordt in de bijbel 'Maria Magdalena' of 'Maria van Magdala' genoemd, wat sterk de indruk wekt dat de schrijvers van de evangeliën ervan uitgingen dat hun lezers haar naam onmiddellijk zouden herkennen en wisten wie ze was... De volgende analyse stamt uit het begin van de twintigste eeuw, maar deze conventionele interpretatie is ook tegenwoordig nog algemeen aanvaard:

> Maria Magdalena is waarschijnlijk genoemd naar de plaats Magdala of Magadan... nu Mejdel, wat naar verluidt 'een toren' betekent. Het dorp lag op korte afstand van Tiberias en wordt genoemd... in verband met het wonder van de zeven broden. Er staat nog steeds een zeer oude wachttoren op die plek. Volgens de joodse autoriteiten stond het bekend om zijn rijkdom en de verdorvenheid van zijn inwoners.[2]

In het Nieuwe Testament wordt nergens vermeld waar Maria vandaan komt, en geleerden en kerkgangers hebben altijd maar gewoon aangenomen dat ze afkomstig was van de oever van het Meer van Galilea, hoewel er eigenlijk meer reden is te denken dat ze van elders kwam en misschien wel een echt exotische vreemdelinge was. Sterker nog... er zijn overtuigende aanwijzingen dat Jezus zelf niet uit die streek kwam, hoewel zo algemeen wordt aangenomen dat hij een jood uit Galilea was, dat dat bijna een onbetwistbaar feit lijkt...

Bovendien is het helemaal niet nodig haar herkomst per se in Galilea te zoeken, want er zijn minstens twee intrigerende alternatieven: er was in haar tijd geen 'Magdala' in Judea, maar er was wel een Magdolum in Egypte, net aan de andere kant van de grens. Dit is waarschijnlijk de plaats

---

2 Edersheim, deel I, p. 571; zie ook *A Dictionary of the Bible: Dealing with its language, literature, and contents including the Biblical theology*, samengesteld door dr. James Hastings, Edinburgh, 1900, p. 284.

die in het boek Ezechiël Migdol wordt genoemd. Er was indertijd een grote, bloeiende joodse gemeenschap in Egypte, waarschijnlijk geconcentreerd in de belangrijke havenstad Alexandrië, een bruisende, kosmopolitische smeltkroes van allerlei volken, nationaliteiten en religies, waar Johannes de Doper verbleef en waar de Heilige Familie misschien heen was gevlucht om te ontsnappen aan de plundertochten van de manschappen van koning Herodes... Als Maria Magdalena inderdaad uit de Egyptische plaats Magdolum kwam, zou dat kunnen verklaren waarom ze zo onhartelijk werd bejegend. Ondanks de opwindende mengelmoes van nationaliteiten en religies in het Galilea van die tijd, ligt het in de aard van de mens om argwaan te koesteren jegens vreemdelingen, en uit de evangeliën blijkt duidelijk dat Simon Petrus en de andere apostelen nog bekrompener waren dan de meeste mensen, tenminste aan het begin van hun missie...

En als Maria Magdalena niet alleen uit Egypte kwam maar ook nog eens priesteres was, zouden de joodse mannen nog veel vijandiger tegenover haar staan. Dan was ze niet alleen een onafhankelijke, bemiddelde vrouw met een eigen mening, maar bekleedde ze ook nog eens een machtspositie binnen het heidendom! ... Ze zouden zeker ernstige bedenkingen hebben gehad jegens de vreemde priesteres die steeds maar weer met hen meekwam...

Misschien was er nog een reden dat Maria Magdalena zo slecht werd behandeld door de mannelijke volgelingen van Jezus. Ze heeft mogelijk wel in Egypte gewoond – per slot van rekening weten we dat zowel Johannes de Doper als Jezus zelf daar een aantal jaren hebben gewoond – maar kwam er misschien oorspronkelijk niet vandaan. Het zou van betekenis kunnen zijn dat er vele jaren lang een Magdala in Ethiopië heeft bestaan... Deze rotsachtige plek heet nu Amra Mariam (Maria); hoewel de Ethiopiërs tegenwoordig eerder de Heilige Maagd dan Maria Magdalena vereren, wijzen de plaatsnamen in het gebied op een langdurige band met de laatste. Hoewel dat voor velen ondenkbaar is, is het misschien zelfs wel haar geboorte- of woonplaats geweest.

Met een Ethiopische achtergrond zou ze wel zeer exotisch en mogelijk verontrustend zijn geweest voor de kleingeestige mannen in het gevolg van Jezus, zoals Simon Petrus. Wat politiek correcte revisionisten vandaag de dag ook mogen beweren, racisme is geen uitvinding van het Britse rijk. Als Maria Magdalena een vrouw was met een eigen mening, rijk, een heidense priesteres, en dan ook nog eens zwart – en de naaste bondgenoot van Jezus (of meer dan dat) – werden de twaalf apostelen in hun onwetendheid waarschijnlijk overspoeld door een golf van emoties toen ze haar

zagen, emoties die voortkwamen uit de angst voor het vreemde, het onbekende...

Bruid van Christus?

Was de onmiskenbaar vertrouwelijke relatie tussen Maria Magdalena en
Jezus toe te schrijven aan het feit dat ze getrouwd waren, zoals sommigen
– met name Baigent, Leigh en Lincoln in hun boek uit 1982, *Het Heilige
Bloed en de Heilige Graal* – hebben beweerd? Als dat zo is, is het heel vreemd
dat daar in het Nieuwe Testament niets over wordt gezegd, want in weerwil van wat christenen (vooral katholieken) tegenwoordig denken, werden priesters en rabbi's in het Heilige Land juist geacht getrouwd te zijn,
omdat zich onthouden van de voortplanting werd gezien als belediging
van God (en dat is onder orthodoxe joden nog steeds zo). Als je celibatair
leefde, haalde je je daarmee zelfs de afkeuring van de voorgangers van de
synagoge op de hals, en misschien ook gefluister over tegennatuurlijke
voorkeuren onder de gemeente. Als Jezus een joodse rabbi was, zou het
heel vreemd zijn geweest als hij níét getrouwd was, maar als hij een vrouw
had, zou ze zeker zijn genoemd, bijvoorbeeld als 'Mirjam, de vrouw van
de Verlosser' of 'Maria, de vrouw van Jezus'. Er is nergens een zinswending
te vinden die ook maar in de verste verte kan worden geïnterpreteerd als
een verwijzing naar zijn wettige echtgenote, maar komt dat doordat die
niet bestond, of doordat zijn vrouw bekend was, maar iedereen zo'n intense hekel aan haar had dat de schrijvers van de canonieke evangeliën
hebben besloten haar te negeren? Of doordat ze getrouwd waren in een
ceremonie die door de joden niet werd erkend? Maar als Jezus en Maria
Magdalena toegewijde, hartstochtelijke minnaars waren, zoals de gnostische evangeliën onmiskenbaar suggereren, waarom hebben ze hun relatie
dan geen officiële basis gegeven? ...

Afgezien van de mogelijkheid dat er een wettelijk verbod op hun liefde
was – zoals wanneer ze nauwe bloedverwanten waren of al met iemand
anders getrouwd – lijkt er weinig reden te zijn geweest om niet in het openbaar een verbintenis aan te gaan. Zou het zijn geweest omdat ze eigenlijk
niet joods waren in de geaccepteerde zin en daarom niet in een synagoge
konden trouwen? Of zou het er iets mee te maken hebben dat er vaak van
heidense priesteressen werd verwacht, ook als ze wel aan sacrale seks deden, dat ze buiten hun functie celibatair leefden en ongetrouwd bleven?
...

Het verband met Frankrijk

Er zijn verscheidene legenden waarin Maria Magdalena na de kruisiging naar Frankrijk gaat (of naar Gallië, zoals het toen nog heette). Ze reisde samen met een heel gezelschap, onder wie een zwart dienstmeisje dat Sara heette, Maria Salomé en Maria Jacoba – naar verluidt tantes van Jezus –, Josef van Arimatea, de rijke eigenaar van het graf waarin Christus voorafgaand aan de verrijzenis was gelegd, en de heilige Maximinus, een van de tweeënzeventig naaste discipelen van Jezus en de eerste bisschop van de Provence. Hoewel de details van het verhaal van versie tot versie verschillen, komt het erop neer dat Maria Magdalena en haar gezelschap gedwongen waren Palestina te ontvluchten en dat de omstandigheden niet optimaal waren: hun boot was lek, had geen roer, geen riemen en geen zeil, wat het gevolg zou zijn van opzettelijke sabotage door bepaalde groepen in hun vaderland. Zelfs als we ervan uitgaan dat er ongetwijfeld overdrijvingen in de legende zijn geslopen – dat hun boot in zo'n treurige staat verkeerde lijkt nogal onwaarschijnlijk –, is het gezien de explosieve situatie tussen Maria en Simon Petrus, zoals die in de gnostische evangeliën wordt beschreven, niet moeilijk te raden wie mogelijk, of zelfs waarschijnlijk, een van de mensen is geweest die haar en haar gezelschap graag op de bodem van de zee hadden gezien. In het licht van de lekke boot zijn Maria's woorden uit de Pistis Sophia onrustbarend: 'Ik ben bang van Petrus, want hij heeft me bedreigd en haat onze sekse.' Maar wie hen ook dood wenste, ze hebben het op miraculeuze wijze overleefd en zijn naar verluidt terechtgekomen op de woeste kust van wat nu de Provence is...

Het verhaal gaat dat ze aan land zijn gegaan (ongetwijfeld dolblij, na wekenlang op zee te hebben rondgedobberd) bij wat nu de plaats Saintes-Maries-de-la-Mer is, in de Camargue, waar de Rhônedelta aan de Middellandse Zee grenst. De drie Maria's – Magdalena, Jacoba en Salomé – zijn het voorwerp van diepe verering in de grote kerk die statig als een zeilschip oprijst uit de omliggende moerassen. In de crypte bevindt zich een altaar voor Sara de Egyptische, het vermeende zwarte dienstmeisje van Maria Magdalena, tegenwoordig de zeer geliefde patroonheilige van de zigeuners, die elk jaar op 25 mei in de stad samenkomen om haar jaarlijkse feestdag te vieren. Omringd door duizenden gelovigen wordt het beeld van Sara dan naar zee gedragen, waar het ceremonieel in het water wordt gedoopt. Aangezien men in de Middeleeuwen dacht dat zigeuners uit Egypte kwamen (het Engelse woord *gypsy* stamt van *Egyptian*), was het niet vreemd dat ze de jonge vrouw vereerden die uit dat land afkomstig was. Haar huidskleur en het feit dat Egypte bekendstond als het land van Chnum of 'het Zwarte Land' zouden trouwens veelzeggend kunnen zijn.

Als in het Nieuwe Testament één vrouw in drieën is gedeeld – Maria Magdalena, Maria van Betanië en de naamloze 'zondares' – waren de vrouwen
in de lekke boot misschien ook allemaal verschillende aspecten van één
vrouw...

De vrouw met de albasten kruik

Maria Magdalena en de heilige graal

Door Margaret Starbird

Margaret Starbird behaalde een Masters Degree aan de University of Maryland en studeerde aan de Christian Albrechts Universiteit in het Duitse Kiel en aan de Vanderbilt
Divinity School in Tennessee in de VS. Ze is ook de auteur van *The Goddess in the Gospels*. Dit fragment is afkomstig uit *The Woman with the Alabaster Jar: Mary Magdalen
and the Holy Grail*. Copyright © 1993 Margaret Starbird. Opgenomen met toestemming van Bear & Company, onderdeel van Inner Traditions International, www.in-
nertraditions.com. De vertaling van Abbie Doeven verscheen als *De vrouw met de albasten kruik* (Ankh-Hermes, Deventer, 1995). Dit fragment is opgenomen met
toestemming van de uitgever. Copyright © 1995 Uitgeverij Ankh-Hermes bv, Deventer.

Ik heb het vermoeden gekregen dat Jezus in het geheim om dynastieke redenen met Maria van Betanië was gehuwd en dat zij een dochter was van
de stam Benjamin, erfgename van het land van haar voorouders rondom
de heilige stad van David, Jeruzalem. Het kan haast niet anders of een dynastiek huwelijk tussen Jezus en een koninklijke dochter van de stam Benjamin is opgevat als een bron van herstel voor het volk van Israël, dat toen
als bezette natie in ellendige omstandigheden verkeerde.

Israëls eerste gezalfde koning, Saul, was van de stam Benjamin en zijn
dochter Michal was de vrouw van koning David. De stammen Juda en
Benjamin zijn tijdens de hele geschiedenis van de stammen van Israël altijd de trouwste bondgenoten geweest. Hun lotsbestemmingen waren met
elkaar vervlochten. Een dynastiek huwelijk tussen een kind van de stam
Benjamin dat erfgename was van het land rondom de Heilige Stad en de
Messiaanse zoon van David moet de fundamentalistische Zelootse factie
van het joodse volk ongetwijfeld zeer aangesproken hebben. Het zou in
de donkerste dagen van Israël gezien zijn als een teken van hoop en zegen.

In zijn roman *Koning Jezus* (1946) oppert Robert Graves, de mythen-
schrijver van de twintigste eeuw, de gedachte dat alleen een selecte groep
royalistische leiders op de hoogte was van Jezus' afkomst en huwelijk. Om
de koninklijke lijn te beschermen zou dit huwelijk verborgen zijn gehouden voor de Romeinen en de Herodes-tetrarchen; en na de kruisiging van
Jezus zou de bescherming van zijn vrouw en gezin een heilige opdracht
zijn geweest voor de weinigen die wisten wie zij waren. Ieder spoor dat
leidde naar het huwelijk van Jezus zou opzettelijk zijn verdoezeld, veranderd of uitgewist. Maar de zwangere vrouw van de gezalfde zoon van David zou niettemin de draagster van Israëls hoop zijn geweest – de draagster van de Sangraal, de koninklijke bloedlijn.

Migdal-Eder, toren van de kudde

In hoofdstuk 4 van de Hebreeuwse profeet Micha lezen we een prachtige
profetie over het herstel van Jeruzalem, wanneer alle volkeren hun zwaarden tot ploegscharen zullen omsmeden en zich in naam van God met elkaar zullen verzoenen. Te beginnen met vers 8 lezen we:

> Wat u betreft, gij Toren van de kudde,
> Ofel, dochter van Sion,
> tot u komt weer de heerschappij van vroeger;
> het koningschap behoort aan de dochter van Jeruzalem.
> Maar waarom jammert gij nu zo luid?
> Hebt gij dan soms geen koning meer
> of is uw raadsman verdwenen,
> dat weeën over u komen als over een vrouw in barensnood?
> Ja, krijg maar weeën en zwoeg maar, dochter van Sion,
> als een vrouw in barensnood.
> want gij moet nu de stad verlaten
> en wonen buiten op het veld.

Waarschijnlijk zijn de oorspronkelijke verwijzingen naar Maria Magdalena in de mondelinge overlevering – de 'perikopen' van het Nieuwe Testament – verkeerd begrepen, voordat zij werden vastgelegd in een geschreven tekst. Ik vermoed dat de bijnaam 'Magdalena' was bedoeld als een
zinspeling op de 'Migdal-Eder' die we in Micha vinden, de belofte van het
herstel van Sion na haar verbanning. Misschien hadden de eerste mondelinge vermeldingen die een verband legden tussen de bijnaam 'Magdalena' en de naam van Maria van Betanië niets te maken met een obscuur

stadje in Galilea, zoals wordt gesuggereerd, maar waren het opzettelijke verwijzingen naar deze verzen in Micha, naar de 'kuddetoren' of 'ofel' van de dochter Sion, die door de politieke situatie werd gedwongen het land uit te vluchten.

De plaatsnaam Migdal-Eder betekent letterlijk 'kuddetoren', een hooggelegen plaats die door een schaapsherder wordt gebruikt als uitkijkpost om zijn kudde in de gaten te houden. In het Hebreeuws betekent de bijnaam *Magdala* letterlijk 'toren' of 'verheven, groots, luisterrijk'. Deze betekenis wordt vooral toepasselijk als de Maria die zo werd genoemd, inderdaad de echtgenote van de Messias was. Het zou het Hebreeuwse equivalent zijn geweest van 'Maria de Grote', terwijl het tegelijkertijd verwijst naar de geprofeteerde terugkeer van de heerschappij naar de 'dochter van Jeruzalem' (Micha 4:8).

In een Oud-Franse legende is de verbannen 'Migdal-Eder', de vluchtelinge Maria die aan de zuidkust van Frankrijk asiel zoekt, Maria van Betanië, de Magdalena. De vroege Franse legende vermeldt dat Maria 'Magdalena', die samen met Marta en Lazarus van Betanië reisde, vanaf een boot bij de kust van de Provence aan wal gaat. In andere legenden wordt Josef van Arimatea genoemd als hoeder van de Sangraal, die, zoals ik al heb gezegd, in plaats van een letterlijke beker, misschien de *koninklijke bloedlijn van Israël* zou kunnen zijn. Het vat dat deze bloedlijn bevatte, de archetypische beker van de middeleeuwse mythe, moet dan de vrouw van de gezalfde Koning Jezus zijn geweest.

Het beeld van Jezus dat in ons verhaal wordt opgeroepen is dat van een charismatische leider, die zowel de rol van profeet, heler, als Messias-Koning belichaamt, een leider die door de Romeinse bezettingstroepen werd terechtgesteld en wiens vrouw en nakomeling in het geheim door zijn trouwe vrienden vanuit Israël naar West-Europa werden gebracht, om daar te wachten op de volheid der tijden en de vervulling van de profetie. Voor de vrienden van Jezus, die zo met hart en ziel geloofden dat hij de Messias was, Gods Gezalfde, moet het behoud van zijn gezin een heilige plicht zijn geweest. Het vat, de kelk die de belichaming was van de beloften van het duizendjarig Godsrijk, de 'Sangraal' van de middeleeuwse legende, was, zoals ik steeds meer ben gaan geloven, Maria Magdalena...

Maar een tweede overlevering, ontleend aan een [andere] Franse legende uit de kuststreek aan de Middellandse Zee, vertelt ons dat... Josef van Arimatea de beschermer was van de 'Sangraal' en dat het kind op de boot Egyptisch was, wat heel letterlijk betekent 'geboren in Egypte'. Waarschijnlijk heeft Maria Magdalena het na de kruisiging van Jezus noodzakelijk geacht om ter wille van haar ongeboren kind naar de dichtstbijzijnde schuilplaats te vluchten. Het is heel goed mogelijk dat de invloedrijke vriend van Jezus, Josef van Arimatea, haar beschermer is geweest. Als onze theorie juist is, wérd het kind inderdaad in Egypte geboren. Egypte was van oudsher het toevluchtsoord voor joden die in Israël niet meer veilig waren. Vanuit Judea was Alexandrië makkelijk te bereiken en in de tijd van Jezus waren daar uitgebreide joodse gemeenschappen. Naar alle waarschijnlijkheid zijn Maria Magdalena en Josef van Arimatea in die noodsituatie naar Egypte uitgeweken. En later – jaren later – verlieten ze Alexandrië om aan de kust van Frankrijk een nog veiliger haven te zoeken.

Uit archeologisch en linguïstisch onderzoek is gebleken dat plaatsnamen en legenden van een bepaald gebied 'fossielen' bevatten uit het verre verleden van die streek. Het kan zijn dat de waarheid mooier is gemaakt of dat verhalen door de jaren heen zijn ingekort, maar sporen van de waarheid blijven in fossiele vorm aanwezig, diep verborgen in de namen van mensen en plaatsen. In het stadje Saintes-Maries-de-la-Mer in Frankrijk wordt ieder jaar van 23 tot 25 mei een feest gehouden bij een heiligdom ter ere van Sint Sarah de Egyptische, ook wel Sara Kali genoemd, de 'Zwarte Koningin'. Bij nader onderzoek blijkt dat dit feest, dat in de Middeleeuwen is ontstaan, wordt gehouden ter ere van een 'Egyptisch' kind, dat daar samen met Maria Magdalena, Marta en Lazarus omstreeks het jaar 42 n.Chr. in een bootje aan land is gekomen. De mensen schijnen te hebben aangenomen dat het kind, omdat het 'Egyptisch' was, een donkere huid had en verder hebben ze bedacht dat het de bediende van de familie uit Betanië moet zijn geweest, omdat er voor haar aanwezigheid geen andere redelijke verklaring kon worden gevonden.

De naam Sarah betekent in het Hebreeuws 'koningin' of 'prinses'. Deze Sarah wordt in plaatselijke legenden verder afgeschilderd als 'jong', niet meer dan een kind. En hier hebben we dan in een Frans kustplaatsje een jaarlijks feest ter ere van een jong zwart meisje, dat Sarah heet. Het fossiel in deze legende is dat het kind in het Hebreeuws 'prinses' wordt genoemd. Een kind van Jezus, geboren na Maria's vlucht naar Alexandrië, zou ten tijde van de reis naar Gallië, waarover in de legenden wordt gesproken, ongeveer twaalf jaar oud zijn geweest. Zij is, zoals de vorsten uit het geslacht van David, *symbolisch* zwart, 'niet herkend op de straten' (Klaagliederen 4:8). De Magdalena was zelf de 'Sangraal', in de zin dat zij de 'beker' of het vat was dat eens de koninklijke nakomeling *in utero* heeft gedragen. De symbolische zwartheid van de bruid in het Hooglied en van de vorsten uit het geslacht van David in de Klaagliederen wordt hier tevens toegekend aan deze verborgen Maria en haar kind...

Om kort te gaan, het zou logischerwijs heel aannemelijk zijn dat de twee koninklijke vluchtelingen uit Israël, moeder en dochter, in de vroeg-Europese kunst zijn afgebeeld als een donkere moeder met kind, de verborgenen. De Zwarte Madonna's van de eerste kapelletjes in Europa (vijfde tot twaalfde eeuw) zouden dan zijn vereerd als symbool van deze andere Maria en haar kind, de Sangraal, dat door Josef van Arimatea veilig in Frankrijk aan wal is gebracht. Het symbool voor een mannelijk lid van het koninklijk huis van David mag dan een bloeiende of ontspruitende staf zijn, maar het symbool voor een vrouw zou de kelk zijn – een beker of vat met het koninklijk bloed van Jezus. En dat is precies wat er over de heilige graal is gezegd!

Maria Magdalena
Het rolmodel voor vrouwen in de kerk

Een interview met Susan Haskins

Susan Haskins is de auteur van *Mary Magdalen: Myth and Metaphor*. Passages uit dat boek volgen na het interview.

Wat is uw visie op de echte Maria Magdalena?
De echte Maria Magdalena is de persoon in de gnostische evangeliën: de belangrijkste vrouwelijke volgeling van Christus, die, samen met de andere vrouwen die in Lucas worden genoemd, de rondreizende groep ondersteunde en in levensonderhoud voorzag. Ze was aanwezig bij zijn kruisiging, was er getuige van en volgens het Evangelie van Johannes was zij een van de uitverkorenen, samen met de Maagd Maria, de vrouw van Klopas en de discipel Johannes, die aan de voet van het kruis zaten. Ze was erbij toen het lichaam in de graftombe van Josef van Arimatea werd gelegd; ze kwam bij zonsopgang met een of twee andere Maria's om er balsems te brengen. In het Evangelie van Johannes verscheen hij na de opstanding voor het eerst aan haar, en alleen aan haar, en ook was zij de eerste en enige aan wie hij de boodschap van het nieuwe christelijke leven gaf. Het Evangelie van Marcus zegt, in een later toegevoegde passage, dat er zeven duivels uit haar gedreven waren. We hebben geen idee hoe ze eruit heeft gezien. In middeleeuwse en latere kunst wordt ze afgebeeld met rood of goudblond haar, maar dat was toen een kenmerk van het vrouwelijke schoonheidsideaal. We weten niet hoe haar leven eruitzag. Omdat ze, samen met de andere vrouwelijke volgelingen, 'uit eigen middelen' in het levensonderhoud van de groep voorzag, wordt aangenomen dat ze volwas-

sen was – onder de andere vrouwen waren getrouwde en gescheiden vrouwen – en onafhankelijk en tamelijk bemiddeld was. Dus ik ben het eens met degenen die haar als een patrones en aanhanger van Jezus zien.

Welke voorstellingen zijn er in de loop der eeuwen van Maria Magdalena geweest? Komen sommige ervan overeen met Dan Browns theorie in De Da Vinci Code *dat ze getrouwd zou zijn geweest met Jezus en een kind van hem heeft gekregen?*
Dan Browns theorie dat Maria Magdalena met Jezus getrouwd was en een kind bij hem had, heeft een lange geschiedenis. Ze kreeg een veel grotere bekendheid door het boek *Het Heilige Bloed en de Heilige Graal*, en bisschop Spong en anderen zijn erop doorgegaan. Luther schijnt al in de zestiende eeuw gedacht te hebben dat zij een seksuele relatie met Christus had! Omdat er geen concreet bewijs is van een huwelijk noch van een kind, hecht ik weinig waarde aan deze hypothese.

Waarom schilderde de kerk Maria Magdalena zo lang als prostituee af? Was het gewoon haar pech dat ze werd verward met al die andere Maria's in het Nieuwe Testament, of was er sprake van een soort boze opzet?
De kerk heeft Maria Magdalena afgeschilderd als prostituee vanwege verschillende opmerkingen van de vroege kerkvaders in de derde eeuw, toen zij probeerden uit te vinden wie alle personen in de evangeliën waren. In het Nieuwe Testament komen diverse vrouwen voor die Maria heten, en dat heeft tot verwarring geleid. Doordat Lucas Maria Magdalena de eerste keer noemt als ze Jezus vanuit Galilea volgt, met de andere vrouwen en de mannelijke discipelen, direct achter het verhaal van de niet bij name genoemde zondige vrouw die Jezus in het huis van de Farizeeër vergaf, voegde paus Gregorius de Grote (595 n.Chr.) deze twee vrouwen bij elkaar, samen met Maria van Betanië. Hoewel de vrouw slechts als 'zondares' wordt genoemd, nam men aan dat het om de zonde van het vlees ging, hoewel het woord *porin*, dat gebruikt wordt om haar te beschrijven, geen prostituee betekent. Door van Maria Magdalena een boetvaardige prostituee te maken, werd haar rol als eerste apostel, een enorm krachtige en belangrijke rol, verzwakt. We kunnen niet zeker weten of er sprake was van opzet, maar er speelde beslist kerkpolitiek mee. In de vroege kerk waren er vrouwelijke priesters en bisschoppen, maar in de vijfde eeuw was het priesterschap niet meer toegestaan voor vrouwen, hoewel grafmonumenten in het zuiden van Italië aantonen dat er nog steeds vrouwen de priesterrol vervulden. Door Maria Magdalena te devalueren tot penitent en prostituee wordt ze gelijkgesteld aan Eva, wier seksualiteit en sekse door de mannelijke kerkhiërarchie verantwoordelijk werden gehouden voor de zondeval in het paradijs.

Denkt u dat Jezus en Maria Magdalena getrouwd geweest kunnen zijn?
Persoonlijk denk ik niet dat zij getrouwd waren. Dat ze een belangrijke relatie hadden, valt niet te ontkennen, maar was het meer dan dat zij zijn belangrijkste apostel was? Mensen vinden het idee om vele redenen aantrekkelijk: er wordt een raadselachtige relatie beschreven in de evangeliën – nog meer in de gnostische evangeliën – dus een logisch vervolg zou het huwelijk zijn. Rabbi's waren vaak, misschien wel meestal, getrouwd, dus er wordt vaak gesuggereerd dat Jezus dat dus ook moet zijn geweest, maar er staat niets in de evangeliën dat dat bevestigt. Er is geen bewijs van een kind, en het Merovingische verband is erg onwaarschijnlijk.

Komt het personage van Maria Magdalena in De Da Vinci Code *overeen met andere personages uit vroegere geloofssystemen? Is er een vrouw die te vergelijken is met Maria Magdalena in Griekse, Egyptische, joodse of heidense/tribale culturen?*
De Da Vinci Code is interessant vanwege het verhaal: de figuur van de godin die onderdrukt wordt door de vroege kerk. Het thema van de opstanding uit de dood is te vinden in Egyptische, Soemerische en christelijke geloofssystemen: Isis en Osiris, Ishtar en Tammuz, Maria Magdalena en Christus. Maria Magdalena kan beschouwd worden als de christelijke godin.

Wat zegt het Evangelie van Filippus ons volgens u over de relatie tussen Jezus en Maria Magdalena en over de rivaliteit met Petrus om de controle over de kerk?
Het Evangelie van Filippus wordt door academici beschouwd als een allegorie van de relatie tussen Christus en zijn kerk, zijn liefde voor zijn kerk. Elaine Pagels ziet de strijd tussen Petrus en Maria Magdalena – als ik het me goed herinner – als metafoor voor de strijd tussen de zich in de tweede en derde eeuw ontwikkelende vroege kerk, gebaseerd op een hiërarchie van bisschoppen, dekens en priesters, en de gnostiek, die waarde hechtte aan individuele inspiratie en kennis zonder tussenkomst van de kerk. Petrus was ook jaloers op Maria Magdalena vanwege haar sekse.

Waarom was Maria Magdalena als een van de weinigen bij de kruisiging? Waarom was zij er wel en andere discipelen niet? En is het van belang dat Maria de eerste was die Jezus zag na de opstanding?
Het is interessant dat Maria Magdalena als een van de weinigen bij de kruisiging was. Maar dit is alleen terug te vinden in het verslag van Johannes; volgens de anderen bekijkt ze het geheel van een afstand, samen met de

andere vrouwen. We weten niet wie de gnostische teksten gemaakt hebben of waarom ze slechts bij benadering overeenkomen, maar waarschijnlijk komen ze voort uit andere mondelinge overleveringen. De vrouwelijke discipelen waren aanwezig, maar de mannen niet, omdat ze bang waren. Met name Petrus, die Jezus drie keer had verraden.

Het is voor christenen van het grootste belang, of zou dat moeten zijn, dat het Maria Magdalena was aan wie Jezus het eerst verscheen na de opstanding, omdat de hoeksteen van het christelijke geloof het eeuwige leven is – precies de boodschap die Jezus haar gaf om aan de wereld te verkondigen. In zowel het joodse als het hellenistische systeem is er een mannelijk vooroordeel dat een vrouw geen getuige kan zijn. Dat stelde de mannelijke discipelen in staat om te claimen dat alleen zij het recht hadden om het nieuws van de opstanding te verspreiden. Maar het is natuurlijk net zo goed in het belang van de kerk geweest – als we kijken naar het redigeren van de canon, de christelijke apologetica en de kerkpolitiek – om Maria's rol te ontkennen en te stellen dat de boodschap was: 'Jij bent Petrus, de rots waarop ik mijn kerk zal bouwen.'

Waarom is Maria Magdalena zo'n onweerstaanbaar onderwerp?
Zij is een prachtig beeld van een onafhankelijke vrouw, die een charismatische prediker volgt en een ethisch en theologisch raamwerk biedt voor zijn volgelingen. Ze is ook dynamisch, een leidster en een voorbeeld van trouw. Anders dan de mannelijke discipelen is ze getuige van de kruisiging. Ze is dapper. Ze gaat alleen, of met anderen, bij zonsopgang naar het graf. Ze ontmoet Christus. Christus is een voorstander van gelijkheid. Hij geneest vrouwen van hun aandoeningen zonder kritiek en sociaal stigma – de 'zondares' in Lucas, de Samaritaanse vrouw, de vrouw die bloedingen had, de vrouw betrapt op overspel, Maria Magdalena met haar zeven duivels. Hij verschijnt na zijn opstanding als eerste aan een vrouw, Maria Magdalena, en hij geeft één vrouw de rol zijn christelijke boodschap over het eeuwige leven door te geven.

Ze heeft sinds de zesde eeuw de boetvaardige zondares gesymboliseerd, en is om die reden een rolmodel geweest voor alle christenen, zowel mannen als vrouwen. Ze geeft hun hoop. Haar nabijheid tot Christus is sinds het vroege christendom een onderwerp van fascinatie geweest en de aandacht voor die rol steeg sterk in de elfde eeuw. Ze symboliseert de verlossing van het feilbare vrouwelijke en heeft ook de rol van bemiddelaar met God. De hernieuwde belangstelling voor haar komt gedeeltelijk door het feminisme, met name door recent onderzoek naar vrouwenrollen in religie en de hernieuwde aandacht voor hun recht om priester te zijn, wat zeventien eeuwen lang is ontkend. Maria Magdalena is, als eerste apostel en eerste discipel, het model voor de vrouw in de kerk, zowel de katholieke als de protestantse, en in de synagoge.

In vier fragmenten uit Susan Haskins' baanbrekende boek *Mary Magdalen: Myth and Metaphor* geven we weer hoe de auteur de rol van de vrouwelijke apostelen ziet, hoe de relatie tussen Maria en Christus in het Evangelie van Filippus is beschreven, wat hun precieze relatie zou kunnen zijn geweest en waar Maria Magdalena na de kruisiging naartoe ging – en hoe Franse stadjes mini-industrieën rondom haar verering zijn begonnen. Haskins neemt geen blad voor de mond. Ze schrijft nuchter:

> En zo was de transformatie van Maria Magdalena compleet. Van de evangelische figuur met haar actieve rol als heraut van het Nieuwe Leven – de apostel voor de apostelen – werd ze de verloste hoer en het christelijke rolmodel voor boetvaardigheid: een hanteerbare, beheersbare figuur, een effectief wapen en propagandamiddel tegen haar eigen sekse.

Maria Magdalena

Mythe en metafoor

Door Susan Haskins

Copyright © 1993 Susan Haskins. Opgenomen met toestemming.

De Unica Magdalena

We weten erg weinig over Maria Magdalena. Het overheersende beeld is dat van een beeldschone vrouw met lang goudblond haar, huilend over haar zonden, de complete incarnatie van de eeuwenoude gelijkstelling van vrouwelijke schoonheid, seksualiteit en zonde. Bijna tweeduizend jaar lang is het traditionele beeld van Maria Magdalena dat van een prostituee geweest, die na het horen van Jezus Christus boete deed voor haar zondige verleden en van toen af haar leven en liefde aan hem wijdde. Ze komt voor op talloze devotieplaatjes, met een scharlakenrode mantel en loshangend haar, geknield voor het kruis of gezeten aan Jezus' voeten, in het huis van

Maria en Marta van Betanië, of als de mooie prostituee zelf, op de vloer voor Jezus met de oliekruik naast zich, in het huis van de Farizeeër. Haar naam roept beelden op van schoonheid en sensualiteit, maar deze figuur is niet te vinden in het Nieuwe Testament. Alles wat we echt van haar weten komt uit de vier evangeliën: wat toespelingen die een inconsistent, zelfs tegenstrijdig beeld geven. Deze wazige weerspiegelingen hebben vier aspecten gemeen: dat Maria Magdalena een van Christus' vrouwelijke volgelingen was, dat ze bij zijn kruisiging was, dat ze getuige was – volgens het Evangelie van Johannes dé getuige – van zijn herrijzenis en dat ze de eerste was die geroepen werd tot de hoogste taak: het verkondigen van de christelijke boodschap. Zij bracht de kennis dat door Christus' overwinning op de dood, het eeuwige leven werd gegeven aan allen die geloven...

Een van de opvallendste aspecten van de verslagen in de evangeliën is de rol die Christus' vrouwelijke volgelingen spelen als medestanders en getuigen bij de gebeurtenissen op die eerste paasdag. Hun geloof en vasthoudendheid werden erkend door vroeg-christelijke commentatoren, maar verdwenen steeds meer naar de achtergrond toen nieuwe accenten en interpretaties hun belang verminderden. Het significante van hun getuigenis werd meestal genegeerd, terwijl Maria Magdalena zelf in de late zesde eeuw werd herschapen tot een volkomen ander personage, dat de politieke belangen van de kerkhiërarchie diende. Die herziening door de vroege kerkvaders heeft ons beeld van Maria Magdalena en de andere vrouwen vervormd; daarom moeten we terug naar de evangeliën om hen beter te zien.

Marcus vertelt ons dat Maria Magdalena een van de vrouwen was die, toen Jezus in Galilea was, 'hem gevolgd waren en voor hem *gezorgd* hadden' (mijn cursivering, 15:41; zie ook Matteüs 27:55). 'Zorgen' is vertaald vanuit het Griekse werkwoord *diakonein*, dienen of verzorgen. Het is ook de oorsprong van het woord 'diaken', wat aangeeft welke belangrijke functie de vrouwen hadden binnen de groep van zowel mannelijke als vrouwelijke discipelen. Lucas, die ons ook vertelt dat de groep al sinds lang voor de kruisiging bij Christus' entourage hoorde (8:1-4), bevestigt hun verzorgende functie en vult dat aan met de woorden 'uit hun eigen middelen' (8:3). Van deze rol werd vaak aangenomen dat die huiselijk was, want vrouwenlevens speelden zich in de joodse maatschappij in de eerste eeuw na Christus af binnen de traditionele huishoudelijke grenzen. Ze voerden taken uit als het malen van meel, koken en wassen, de kinderen voeden, bedden opmaken en wol spinnen. Tot in moderne tijden werd aangenomen dat de rol van de vrouwen onder de volgelingen van Christus van slechts huishoudelijke aard was en daarom minder belangrijk. Pas recentelijk plaatsen academici vraagtekens bij deze aanname. Maar 'uit hun eigen middelen' wijst erop dat de vrouwen het mogelijk maakten dat de reizende predikers hun werk konden doen. Terwijl bekend is dat vrouwen rabbi's onderhielden met geld, goederen en voedsel, was hun deelname aan het praktiseren van het judaïsme verwaarloosbaar. Hoewel ze bij bijeenkomsten de thora mochten lezen, was het ze verboden in het openbaar schriftteksten voor te dragen, om 'de eer van de gemeente te beschermen'.

In de eerste eeuw n.Chr. werd ene rabbi Eliëzer als volgt geciteerd: 'De woorden van de thora zouden nog beter verbrand kunnen worden dan toevertrouwd aan een vrouw!'[1] Om dezelfde reden moesten vrouwen in de synagoge apart van de mannen zitten. Zij mochten alleen in een galerij bovenin komen en hun werd niet toegestaan de gebedsriem te dragen – het kleine leren doosje waar verzen van het Oude Testament in zitten, dat met leren riemen aan hoofd en de arm wordt vastgebonden – of liturgische functies te vervullen. Hun uitsluiting van het priesterschap was gebaseerd op hun veronderstelde onreinheid tijdens de menstruatie, zoals beschreven in een tempelverordening (Leviticus 15), een taboe dat door de christelijke kerk werd overgenomen en tot voor kort als sterk argument tegen de toetreding van vrouwen tot de kerkelijke macht werd gebruikt. Een priester moest, volgens Leviticus 21 en 22, te allen tijde rein en heilig zijn om te kunnen offeren. Vrouwen werd desondanks wel toegestaan profetes te zijn, zoals het Oude Testament getuigt, en ze konden zelfs, zoals in het geval van Hanna, de dochter van Fanuël, als zodanig geroemd worden in de dagen van Christus (Lucas 2:36-38).

In deze context hebben de regels in Lucas speciale betekenis, omdat zij suggereren dat de vrouwelijke volgelingen van Christus erg belangrijk waren voor de groep, doordat zij hun eigendommen en inkomen schonken om te voorzien in het levensonderhoud van Christus en zijn mannelijke discipelen, terwijl ze het land rondreisden om te preken en te genezen. Dit zet de vrouwen in een ander daglicht, omdat hun mogelijkheid om geld weg te geven financiële onafhankelijkheid veronderstelt en waarschijnlijk ook rijpe volwassenheid. Dat laatste wordt ondersteund door de verklaring dat een van de Maria's de 'moeder van Jacobus' is, waarschijnlijk een verwijzing naar de apostel (Marcus 15:40 en 16:1). Nog belangrijker is de recente suggestie die ingaat tegen de gebruikelijke aanname dat de vrouwen niet predikten en daarin verschilden van hun mannelijke tegenhangers. Ze zouden dat best wel gedaan kunnen hebben, omdat de term 'volgen' – zoals door Marcus gebruikt om degenen bij de kruisiging aan te

---

1 Misjna Sota 3,4, geciteerd in Leonard J. Swidler, *Biblical Affirmations of Woman*, Westminster Press, Philadelphia, 1979, p. 163.

duiden: 'Toen hij in Galilea verbleef, waren deze vrouwen hem gevolgd en hadden ze voor hem gezorgd', (15:41) – technisch gebruikt werd om hun volledige deelname te impliceren, zowel in geloof als in de activiteiten van de rondtrekkende predikers, wat ook blijkt uit de beschrijvingen van de inbreng van vrouwen in Handelingen en de brieven van Paulus. Nergens in de teksten is ook maar de geringste aanwijzing dat Christus de bijdrage van de vrouwen als minder of aanvullend beschouwde ten opzichte van die van zijn mannelijke discipelen. Er kan zelfs gesteld worden dat de bijdrage van de vrouwen tijdens en na de kruisiging blijk gaf van grotere vasthoudendheid en moed – niet zozeer van groter geloof – dan die van de mannen die vluchtten. In tegenstelling tot de elf mannelijke discipelen, die voor hun leven vreesden, volgden de vrouwelijke discipelen Jezus. Ze waren aanwezig bij de kruisiging, zagen de begrafenis, ontdekten de lege tombe en werden, als ware discipelen, beloond met het eerste nieuws van de opstanding, en in het geval van Maria Magdalena, met de eerste ontmoeting met de herrezen Christus.

Hoe weinig belang Christus hechtte aan de conventies van die tijd en hoezeer hij de wens had om bepaalde sociale gewoonten radicaal te veranderen wordt duidelijk uit de manier waarop hij vrouwen behandelde, niet in het minst omdat zij deel uitmaakten van zijn gevolg. Hoewel vrouwen rabbi's financieel konden ondersteunen, was het beslist ongebruikelijk dat ze predikers vergezelden als rondreizende discipelen. Christus verwelkomde ook vrouwen in de groep die Lucas beschrijft als genezen van 'boze geesten en ziekten' (8:2-3), vrouwen die elders beschouwd zouden worden als onreine paria's. Van de weinige vrouwen in de groep die bij name worden genoemd is er een, Johanna, die getrouwd is of was met Chusas, de rentmeester van Herodes, en die dus haar familie en het koninklijk hof verlaten moet hebben om Christus te volgen. Misschien moet opgemerkt worden dat de verwijzing naar de sociale status van Johanna als getrouwde vrouw de status van Maria Magdalena onderstreept: van alle beschreven vrouwen is zij de enige die niet nader wordt aangeduid als vrouw, moeder of dochter van een man; zij is de enige die geïdentificeerd wordt door haar geboorteplaats. Ze wordt dus als *onafhankelijke* vrouw gepresenteerd: het impliceert dat ze ook bemiddeld moet zijn geweest, zodat ze ervoor kon kiezen om Christus te volgen en hem te onderhouden...

De 'zeven demonen' van Maria Magdalena, waar zowel Lucas als Marcus over schrijven, waren een bron van speculatie onder de vroegste christelijke commentatoren. Hun verband met de 'boze geesten en ziekten' die aan sommige vrouwen werden toegeschreven, kan er heel goed toe geleid hebben dat ze geduid werden als de zeven doodzonden. Er is gesuggereerd dat Maria Magdalena de bekendste van de vrouwen was, doordat haar 'genezing de meest dramatische was', omdat de zeven duivels gewezen kunnen hebben op 'een buitengewoon boosaardige bezetenheid'.[2] Maar nergens in het Nieuwe Testament wordt duivelse bezetenheid als synoniem met zondig beschouwd.[3] Dat Maria Magdalena's toestand psychisch kan zijn geweest, dus beschouwd had kunnen worden als waanzin in plaats van moreel of seksueel verkeerd, lijkt nooit te zijn overwogen door de vroege commentatoren, hoewel het de interpretatoren vanaf de negentiende eeuw wel bezighoudt. Niets in het verhaal over de bezete (Lucas 8:26-39) impliceert immers dat zijn onreine geest seksueel is... Mrs. Balfour, de befaamde negentiende-eeuwse evangeliste, was een van de eersten die ontkenden dat Maria Magdalena's malaise iets anders dan psychisch geweest zou zijn, en meer recentelijk schreef J.E. Fallon dat ze in plaats van in een zondige staat te verkeren, waarschijnlijk last had van een 'heftige en chronische zenuwziekte'.

Bij de aan haar toegeschreven dubbelzinnige 'zeven demonen' kwam wellicht nog het nadeel van haar geboorteplaats: Maria Magdalena's tweede naam, *Magdalini* in het Grieks, wijst erop dat ze uit el Mejdel kwam, een welvarende vissersplaats aan de noordwestelijke oever van het Meer van Galilea, zes kilometer ten noorden van Tiberias. De plaats had blijkbaar een beruchte reputatie in de begintijd van het christendom – ze werd in 75 n.Chr. verwoest vanwege het infame en losbandige gedrag van haar inwoners – en dat kan er later aan bijgedragen hebben dat de naam en reputatie van Maria Magdalena zelf gekleurd werden.[4] (Tegenwoordig meldt een roestig bordje aan de rand van het meer de passerende toerist dat Magdala, of Migdal, een bloeiende stad was aan het einde van de periode van de tweede Tempel en dat het ook de geboorteplaats was van Maria Magdalena, die 'Jezus volgde en diende'.)

Er kan worden opgemerkt dat geen van bovenstaande elementen op zich bewijst dat Maria Magdalena een zondares of prostituee was. Zulke beweringen zouden misschien ook nooit ingang gevonden hebben – tenminste niet zo algemeen – als Maria Magdalena niet ook verward zou zijn met andere vrouwelijke personages uit de evangeliën, waarvan sommige expliciet als zondig werden beschreven, en een, volgens haar verhaal, een prostituee geweest lijkt te zijn. Voor latere commentatoren, in een kerkelijke omgeving waarin men steeds meer waarde ging hechten aan het ideaal van het celibaat, was alleen haar vrouwzijn al genoeg om de verkeer-

2 Ben Witherington III, *Women in the Ministry of Jesus*, Cambridge, 1984, p. 177.
3 Hoewel in Johannes 8:46-9 een verband gelegd wordt tussen zondaar zijn en bezeten zijn.
4 J.E. Fallon, 'Mary Magdalen' *NCE*, vol. IX, p. 387.

de identificatie plausibel te maken. Op zo'n manier konden de zeven duivels waarvan ze bezeten was, uitgroeien tot een moreel en sociaal stigma
van monsterlijke proporties, een stigma van lust en verleiding – eigenschappen die in vroeg-christelijke interpretaties van Genesis gewoonlijk
geassocieerd werden met het vrouwelijke. Maria Magdalena, de belangrijkste discipel, werd zo getransformeerd tot een boetvaardige hoer...

Metgezellin van de Verlosser

Haar intieme relatie met Christus wordt benadrukt in het Evangelie van
Filippus, waarin ze wordt beschreven als een van de 'drie die altijd met
de Heer optrokken: Maria, zijn moeder, haar [sic] zuster en Magdalena,
degene die zijn metgezellin werd genoemd. Zijn zuster, zijn moeder en
zijn gezellin waren elk een Maria. En de metgezellin van de Verlosser heette Maria Magdalena.'⁵ Het Griekse woord *koinonôs*, gebruikt om Maria
Magdalena te beschrijven, werd vaak vertaald als 'metgezellin', maar kan
beter worden vertaald met 'partner' of 'wederhelft', een vrouw met wie
een man seksuele gemeenschap had. Twee pagina's verder staat een andere passage die meer seksuele beeldtaal toevoegt aan de eerder beschreven relatie:

> Jezus hield meer van haar dan van alle discipelen en kuste haar vaak
> op de mond. De andere discipelen waren daar boos over en spraken
> hun afkeuring uit. Ze zeiden tegen hem: 'Waarom houdt u meer van
> haar dan van ons allen?' De Verlosser antwoordde: 'Waarom houd ik
> niet van jullie zoals van haar?'⁶

Erotische liefde werd vaak gebruikt als manier om mystieke ervaringen
weer te geven, misschien wel het meest in dat grote spirituele bruilofts-
lied, het *Canticle of Canticles* ofwel het Hooglied, dat in de meest sensu-
ele en wellustige beeldtaal beschrijft wat rabbi's later zouden lezen als een
allegorie van Jahwe's liefde voor Israël, en wat vroeg-christelijke commentatoren zouden interpreteren als de liefde van Christus voor de kerk,
voor de christelijke ziel – soms in de persoon van Maria Magdalena – en
voor de Maagd Maria.

In het Evangelie van Filippus wordt de spirituele eenheid tussen Christus en Maria Magdalena vaak verwoord in termen van menselijke seksu-

5 Zie voor een nauwkeuriger vertaling hoofdstuk 3.
6 Een andere, minder vrije vertaling van deze passage is opgenomen in hoofdstuk 3.

aliteit; het is ook een metafoor voor de vereniging van Jezus en de kerk, die plaatsvindt in de bruidskamer, de plaats van de heelheid of het *pleroma*. Hoewel het traktaat over sacramentele en ethische argumenten gaat, is het belangrijkste thema de idee, gangbaar in vele gnostische en latere christelijke geschriften, dat de problemen van de mensheid voortgekomen zijn uit de differentiatie van de seksen veroorzaakt door de scheiding van Eva uit Adam, die de primaire androgyne eenheid zoals beschreven in Genesis 1:27 vernietigde, waarna de gnostische geest voor altijd zou smachten. Zoals de auteur van het Evangelie van Filippus uitlegt: 'Toen Eva nog in Adam was, bestond de dood niet. Toen ze van hem was afgescheiden, ontstond de dood. Als hij weer compleet wordt en zijn oorspronkelijke zelf bereikt, zal de dood niet meer bestaan.' Het Evangelie van Filippus gebruikt de bruidskamer als metafoor voor de vereniging van 'Adam' en 'Eva', waarin de tegenpolen van het mannelijke en het vrouwelijke worden opgeheven en androgynie, of de geestelijke staat, ontstaat door de komst van Christus, de Bruidegom.[7] De relatie tussen Christus en Maria Magdalena symboliseert die perfecte spirituele eenheid.

Van sommige gnostici werd echter door hun tegenstanders gedacht dat ze erotische begrippen in de praktijk brachten en deelnamen aan seksuele orgieën die godslasterlijke reconstructies van christelijke rituelen waren: volgens Epifanius hadden de gnostici een boek, Grote vragen van Maria, waarin Christus werd voorgesteld als de onthuller van obscene riten aan Maria Magdalena, die de sekte voor haar verlossing moest uitvoeren. Hij schreef verontwaardigd:

Want in de Vragen van Maria die 'Groot' genoemd worden... beweren zij dat hij [Jezus] haar [Maria] een openbaring deed, haar apart nemend naar de berg en biddend; en hij nam van zijn zijde een vrouw en werd een met haar, voorwaar, door zo zijn eigen uitvloeisel te nemen, liet hij zien dat 'we zo moeten doen opdat wij kunnen leven'; en hoe hij toen Maria beschaamd op de grond viel, haar weer optilde en tegen haar zei: 'Waarom twijfelde gij, o, gij van weinig geloof?'[8]

De passage in het Evangelie van Filippus kan op twee verschillende niveaus worden geïnterpreteerd: als symbool voor de liefde van Christus voor de kerk – in de persoon van Maria Magdalena – en als weergave van

7 Wesley W. Isenberg in zijn introductie bij *Gospel of Philip* in *The Nag Hammadi Library* (New York, 1977), p. 131.
8 Epifanius (*Panarion*, 26.8. 2-3), geciteerd in Henry-Charles Puech, 'Gnostic Gospels and Related Documents', in *New Testament Apocrypha* (Philadelphia, 1963), vol. 1, p. 338-9.

een historische situatie, waarin zij het vrouwelijke element in de kerk symboliseert. Zoals we gezien hebben leidt de voorkeursbehandeling die Maria Magdalena van Christus krijgt in zowel het Evangelie van Maria als het Evangelie van Filippus tot jaloezie bij de andere discipelen, met name bij Petrus. In de Pistis Sophia, een van de weinige traktaten die ontdekt werden vóór de vondst van de Nag Hammadi-geschriften, breekt een soortgelijke ruzie uit tussen Maria en Petrus, die namens de mannelijke discipelen klaagt dat Maria het gesprek over de val van de Pistis Sophia uit het koninkrijk van het Licht domineert, waardoor ze hun het spreken onmogelijk maakt. Jezus wijst hem terecht. Maria vertelt Jezus later dat ze bang is voor Petrus, 'omdat hij mij altijd bedreigt en onze sekse haat'. (Jezus zegt haar dat iedereen die door een goddelijke geest wordt geïnspireerd om te spreken dat altijd mag doen, waarmee geïmpliceerd wordt dat inspiratie de sekseverschillen tenietdoet. Het thema van androgynie uit het Evangelie van Filippus wordt hiermee herhaald.)

Er is wel gesuggereerd dat de houding van Petrus tegenover Maria Magdalena de historische ambivalentie uitdrukt van de leiders van de orthodoxen tegen de actieve deelname van vrouwen in de kerk. Aan het eind van de tweede eeuw waren de egalitaire principes, zoals beschreven in het Nieuwe Testament en aangehangen door de apostel Paulus, ingeruild voor een terugkeer naar het patriarchale systeem uit het jodendom dat eraan voorafging. Daarom kunnen op het niveau van historische interpretatie de gnostische teksten verwezen hebben naar politieke spanningen in de vroege kerk. Deze situatie kan worden afgeleid uit de synoptische evangeliën door het ongeloof van de discipelen als de vrouwen over de opstanding vertellen, en uit Paulus' omissie van de getuigenissen van vrouwen over de opstanding. Maar de orthodoxe christenen verwijzen nooit direct naar de onderdrukking van het vrouwelijke element binnen de kerk, die vanaf de tweede eeuw geleidelijk toenam.

De zwaar belasterde Magdalena

De daadwerkelijke menselijkheid van Christus, en daarmee zijn seksualiteit, is de afgelopen dertig jaar het onderwerp geweest van diverse serieuze studies. In afbeeldingen uit de Renaissance werd zijn menszijn benadrukt door de aandacht te vestigen op zijn genitaliën. Recentelijk is het probleem geweest: hoe om te gaan met zijn seksualiteit in de context van zijn menselijke bestaan? De suggestie dat hij getrouwd kan zijn geweest, zoals waarschijnlijk gebruikelijk was voor een rabbi van zijn leeftijd, heeft bij één auteur geleid tot de veronderstelling dat hij zelfs getrouwd was met

Maria Magdalena. Dit werd verdedigd door de protestantse theoloog William E. Phipps in zijn boek *Was Jesus Married? The Distortion of Sexuality in the Christian Tradition*, dat verscheen in 1970 en opnieuw werd uitgebracht in 1989. Een huwelijk met Maria Magdalena, suggereert hij, kan hebben plaatsgevonden in het tweede decennium van zijn leven; ze zou hem zelfs – in een verdere uitweiding van de veronderstelling – ontrouw zijn geweest, en Christus zou haar dan ook uit onwrikbare liefde vergeven kunnen hebben. Deze ervaring zou Christus – volgens Phipps – meer begrip gegeven hebben voor de eigenschappen van ontrouw en liefde, *agape*, en ertoe geleid hebben dat hij het idee van scheiden verwierp. Phipps' 'intrigerende speculatie' kan daarom zo gezien worden dat hij aan Maria Magdalena het vermogen toekent om Jezus' ideeën over menselijke relaties te beïnvloeden, een thema dat onlangs met minder gezag weer is opgepikt door andere, meer populistische schrijvers. Dr. Barbara Thierings *Jesus the Man*, een boek uit 1992, gaat zo ver te claimen dat Maria Magdalena niet slechts getrouwd was met Jezus, maar hem een meisje en twee jongens schonk en hem na de kruisiging (waarna hij nog dertig jaar leefde) verliet. Christus schijnt toen opnieuw getrouwd te zijn. De auteur, die lesgeeft aan de school van godgeleerdheid aan Sydney University, baseert haar claims op een nieuwe lezing van de Dode-Zeerollen.

De gedachte dat Maria Magdalena getrouwd was met Christus en de moeder van zijn kinderen zou zijn geweest, vindt gehoor in *Het Heilige Bloed en de Heilige Graal*, een van de meest bizarre uitingen van de aan het eind van de twintigste eeuw grote belangstelling voor zowel het verhaal van Christus als complottheorieën. Na een in scène gezette kruisiging, waarbij Jezus ofwel gedrogeerd van het kruis werd gehaald of vervangen werd door Simon van Cyrene, is zijn familie genoodzaakt te vluchten voor degenen, aangevoerd door Petrus, die geen deel uitmaakten van het complot en die gebrand waren op de instandhouding van de reputatie van Christus de Messias. Maria Magdalena, broeder Lazarus en anderen komen aan in Zuid-Frankrijk, waarbij zij de *Sang Real* of de heilige graal draagt. Die interpreteren de auteurs als het heilige bloed van Christus in de vorm van zijn kind of kinderen. Eenmaal gevestigd in de joodse gemeenschap in Zuid-Frankrijk, huwt de familie met het Merovingische koningshuis en het nageslacht leidt uiteindelijk tot Godfried van Bouillon (die bijna koning van Jeruzalem wordt), het huis van Lotharingen, de Habsburgers en de altijd schimmige, maar immer aanwezige Priorij van Sion, die het geheim van dit alles bewaakt, wat dat dan ook mag zijn (en die ook klaarstaat om één Europese staat te stichten met een afstammeling van Christus, en natuurlijk van Maria Magdalena, op de troon). Het gerucht gaat dat dat geheim verborgen is in de buurt van het plaatsje Rennes-le-Château, waar *curé* Saunière in de kerk gecodeerde documenten ontdekte en de mysterieuze Tour de Magdala bouwde om er zijn bibliotheek in te vestigen. De auteurs verdraaien zonder enige moeite alle informatie die ze tegenkomen naar hun eigen idee, en het boek geeft hoegenaamd geen nieuwe informatie over de historische figuur van Maria Magdalena. Het concentreert zich wel op het in elkaar flansen van bewijs voor enkele van de meer vergezochte legenden die in de loop der eeuwen over haar zijn ontstaan, met als leidraad hun principe dat waar rook is, ook vuur moet zijn...

[In een doorwrochte, complexe en briljante analyse vertelt Susan Haskins de veelzijdige geschiedenis van hoe de verering van Maria Magdalena zo groot werd in Frankrijk. Ze traceert de wijdverbreide mythe en legende waarin Maria Jeruzalem ontvlucht en in alle windrichtingen gaat – Efese, gewijd aan de oude verering van de godin Diana, waar volgens de traditie de Maagd Maria naartoe is gegaan (bezoekers kunnen tegenwoordig nog steeds het huis bekijken waarvan wordt beweerd dat de Maagd Maria er heeft gewoond); dertig jaar als kluizenares in de Egyptische woestijn; zelfs naar Northumbria in Engeland, waar zij, Josef van Arimatea en de heilige graal verbonden raakten met de legenden van Avalon en koning Arthur. Maar in het Frankrijk van de Middeleeuwen ontstond een hele industrie die een achtergrond voor Maria Magdalena's komst en leven in Frankrijk creëerde.

Het fascinerende verhaal van door mensen bedachte mythen, fraude en lichtgelovigheid dat Haskins vertelt is de aandacht van iedere lezer van *De Da Vinci Code* waard. Als je denkt dat Pierre Plantard en de *Dossiers secrets* bedrog zijn, of dat Baigent, Leigh en Lincoln – of Dan Brown, wat dat betreft – te kort door de bocht zijn gegaan met de historische feiten, moet je eens zien wat de abten, bisschoppen en ondernemende edelen tijdens de kruistochten deden: ze verzonnen relikwieën die met Maria Magdalena te maken zouden hebben – wat van haar haren, wat van haar tranen. Ze brachten zogenaamd heilige voorwerpen mee uit het Heilige Land, maakten grote winst op de handel in relikwieën en verdienden een fortuin door te beweren dat die genezende krachten hadden. Ze zetten ook processies, bedevaarten, festivals en een aantal van de eerste theaterproducties op, die allemaal geld van toeristen, handel en commercie opleverden voor kleine Franse plaatsjes. En waar de naam en het beeld van Maria Magdalena ook opdoken, ze waren gewoonlijk een dekmantel voor festivals vol uitspattingen. Zoals Haskins het uitdrukt:]

De Grandes Heures van Vézelay

In de twaalfde en dertiende eeuw ontstonden grote pelgrimstochten naar de meer beroemde schrijnen, met massa's mensen die hoopten op genezing, bevrijding van demonen en andere soortgelijke blijken van goddelijke interventie. Dit was echter niet het enige doel van zulke festiviteiten, want liederlijkheid en uitspattingen vergezelden de relikwieën die werden rondgevoerd... Verleiding was naar het lijkt alomtegenwoordig en koppelaarsters die hun beroep uitoefenden trokken veel aandacht. Maar... de lokale overheden zouden zeer afkerig zijn geweest van een verbod op de bedevaarten. Zulke processies leverden namelijk enorme winsten op, omdat alle pelgrims onderdak en eten nodig hadden, en hoe dan ook, het leek erop dat decadentie er gewoon bij hoorde.

Pelgrims kwamen uit heel Frankrijk om de graftombe van Maria Magdalena in Vézelay aan te raken; sommige kwamen zelfs helemaal uit Engeland om bij deze heilige plek te worden genezen, te worden vergeven en van demonen te worden bevrijd. En met deze gelovigen kwamen ook de handelaren, altijd klaar om te verdienen aan de godvruchtige pelgrims...

[De verering van Maria Magdalena was zo sterk, en er werd zo veel waarde gehecht aan haar bemiddelende macht bij God, dat Maria van alles de eer toegeschreven kreeg, van vrede stichten in Bourgondië tot het weer in het zadel helpen van dode ridders. Pauselijke verordeningen uitgegeven door Lucius III, Urbanus III en Clementius III bevestigden allemaal dat het lichaam van Maria Magdalena inderdaad in het Franse plaatsje Vézelay rustte. Maar hoe was ze van Jeruzalem in Frankrijk terechtgekomen en wat had ze er gedaan? Haskins vertelt het verhaal als volgt:]

Toch bleef altijd de lastige vraag bestaan hoe het lichaam van Maria Magdalena terecht was gekomen op zijn rustplaats in Bourgondië, zo ver van haar geboorteplaats in Judea. Er werd een graftombe vereerd, maar van het lichaam van de 'gezegende Magdalena' werd gezegd dat het zich in de kerk van het klooster bevond, hoewel het nooit was gezien en er nooit een afdoende verklaring was gegeven van haar aankomst na de Hemelvaart. In de elfde eeuw kon het simpele antwoord op deze vermoeiende vragen 'in een paar woorden worden gegeven', zoals een door Vézelay uitgegeven document nogal korzelig stelt. 'Alles is mogelijk voor God, die doet wat hij wil. Niets is moeilijk voor hem als hij heeft besloten wat hij moet doen voor het welzijn van de mens.' Toen dit antwoord onvoldoende bevredigend bleek, vertelde de bedenker van het verhaal hoe Maria Magdalena aan hem verschenen was, staande naast haar graftombe, terwijl ze zei: 'Ik ben het, van wie velen geloven dat ik hier ben.' Degenen die de aanwezigheid van Magdalena's lichaam nog in twijfel trokken, kregen waarschuwingen over de goddelijke tuchtigingen die eerdere ongelovigen overkomen waren. Een excuus om de overblijfselen niet te laten zien komt uit een laat twaalfde-eeuws manuscript dat vertelt van de keer dat Godfried [de abt van Vézelay] zelf had besloten de relikwieën van Magdalena te verwijderen uit de kleine crypte waar ze gevonden waren om ze op te bergen in een kostbare relikwieënkist. De kerk was plotseling in duisternis gehuld, de helpers waren in doodsangst gevlucht en alle aanwezigen hadden geleden; er was daarom besloten alle plannen om de heilige tombe te openen te laten varen, omdat zulke daden duidelijk de toorn van boven opriepen. Geloof was alles wat nodig was, hielden de monniken van Vézelay hun beschroomde pelgrims voor.

Documenten die de abdij in de dertiende eeuw deed uitgaan, houden rechtstreeks verband met het gegeven dat het geloof van de pelgrims zo verminderde dat duidelijk werd dat de monniken iets moesten bedenken om hun claim te rechtvaardigen. De abdij verspreidde daarom een stroom hagiografisch materiaal waarin een nieuw aspect van het Magdalena-verhaal het licht zag. Er werden zeer tegenstrijdige verhalen verteld over hoe het lichaam daar was gekomen, niet rechtstreeks uit Palestina, maar van ergens uit de Provence waar ze tussen 882 en 884 begraven was, en waar

---

Op zoek naar de verloren tijd

De beroemde Franse zoetigheid, de *madeleine*, wordt in verband gebracht met Maria Magdalena. Deze kruising tussen een biscuitje en een gebakje wordt gewoonlijk gemaakt van eieren, boter, meel en suiker. De handeling van het bijten in de madeleine, met alle herinneringen die dat oproept, vormt de aanzet voor Marcel Prousts lange roman in delen *Op zoek naar de verloren tijd*. Oude verhalen vertellen dat nonnen uit een klooster in de stad Commercy, dat aan Maria Magdalena was gewijd, de madeleine ofwel uitvonden of haar perfectioneerden. Later verkochten zij het recept voor een enorm bedrag aan commerciële bakkers om zichzelf te kunnen onderhouden nadat hun kloosterschool tijdens de Franse Revolutie was vernietigd. Madeleines werden alomtegenwoordig in Frankrijk, maar op de feestdag van Maria Magdalena, 22 juli, werden ze in extra grote hoeveelheden gebakken.

ene Aléaume een 'heilige diefstal' had uitgevoerd om de kostbare overblijfselen naar hun uiteindelijke rustplaats te brengen...

Maar het meest geloofde verhaal was dat ze per boot was aangekomen, net
als andere heiligen en apostelen die naar Frankrijk kwamen, en dat ze –
in de eerste versie – vergezeld werd door Maximinus, een van de 72 discipelen (want, zoals Duchesne droog opmerkte: 'een vrouw had nooit alleen kunnen komen, omdat ze altijd ondersteund moet worden'). Ze waren in Marseille van boord gegaan en hadden daar het evangelie gepredikt.
In deze versie is onze heilige weer de *apostola apostolorum* die, nadat ze de
eerste apostel uit het evangelie was geweest, nu door haar aankomst in
Frankrijk en haar preken haar apostolische carrière voortzette, en daarbij
de heidense prins van Marseille bekeerde. (Een latere kloosterlijke verteller vond het echter duidelijk zijn plicht om discreet uit te leggen hoe een
vrouw had kunnen deelnemen aan deze apostolische en per definitie mannelijke activiteiten, waarbij hij in herinnering bracht dat de kerkelijke discipline een afkeer had van vrouwelijk apostelschap en hij vertelde hoe Maria Magdalena, nadat ze voet op Franse bodem had gezet, niet had
gepredikt, maar zich in eenzaamheid had teruggetrokken.[9] Volgens dezelfde legende was Maximinus daarop de eerste bisschop van Aix geworden. Maria Magdalena was eerder dan haar metgezel gestorven en hij had
haar begraven. Hij werd zelf vlak bij haar begraven. Een speciaal altaar in
de kerk van St. Sauveur in Aix was gewijd aan Maximinus en Maria Magdalena als oprichters van de stad, waarvan men ook beweerde dat die in
de eerste eeuw was gekerstend. Een vals hoofdstuk, geantidateerd op 7 augustus 1103, verwijst naar deze wijding. Het is tegen het eind van de twaalfde eeuw geschreven door de aartsbisschop en de kanunniken van de kerk,
ter onderbouwing van hun claim dat de beenderen van de illustere stichters nog steeds in de tombe lagen, die weer door Vézelay was gebruikt om
zijn *furtum sacrum* uit de duim te zuigen.

Een latere versie, die weer herinnert aan Magdalena's familieband met
Lazarus en Marta, verhaalt hoe tijdens de joodse vervolging – waarvan zij
als naaste vrienden van Christus de eerste slachtoffers zouden worden –
de familie uit Betanië Palestina ontvlucht, over zee reist en in Aix aankomt. In dit verhaal was Lazarus de eerste bisschop van Marseille geworden en had Marta in Tarascon geleefd, waar ze de boze draak versloeg, en
ze waren allen gestorven; de beenderen van Lazarus en Maria Magdalena
waren naar Bourgondië gebracht, maar die van Marta waren achtergeble-

9 Baudouin de Gaiffier, 'Hagiographie bourguignonne', *Anlaecta Bollandiana*, vol. LXIX, 1951, p.
140.

ven in de Provence, waar ze in 1187 werden 'ontdekt'.

In de dertiende eeuw bestond een alarmerend aantal tegengestelde versies van de reis van Maria Magdalena. Soms kwam Maximinus er in voor, soms Lazarus en Marta, soms waren het Sidonius en Marcellina, Marta's bediende, en soms bracht ze het evangelie in Marseille en het zuiden van Gallië. Maar het slot was telkens hetzelfde: de relikwieën waren nu in Vézelay, daar gebracht door Badilon na een heroïsche 'heilige' diefstal...

Zonder de rivaliteit tussen de middeleeuwse kloosters en de pelgrimage naar Vézelay zou Maria Magdalena misschien nooit zo populair zijn geworden als ze werd. Zonder de claim van de monniken van St. Maximinus en haar daaruit volgende adoptie door de dominicaner monniken zou het concept van de boetvaardige Magdalena, die dertig jaar in de woestijn had doorgebracht, misschien nooit zijn meegenomen naar Italië, waar het opdook in de liturgie en in de fresco's die er vanaf de dertiende eeuw overal in kerken en kloosters werden geschilderd. Door Karel van Anjou, koning van Napels en Sicilië, kwam de idee van Maria Magdalena in Napels terecht en door huwelijksbanden tussen zijn koningshuis en het Spaanse bereikte ze ook het Iberische schiereiland. En de beweging die in 1225 in Duitsland werd opgericht voor het morele welzijn van prostituees en andere gevallen vrouwen, die in de Middeleeuwen een immense omvang kreeg en in verschillende vormen tot in de twintigste eeuw bleef bestaan, zou misschien nooit hebben bestaan als Vézelay niet had geclaimd de relikwieën van de meest geliefde en illustere penitent van het christendom in zijn bezit te hebben.

[In het volgende uittreksel doet De Boer een nauwkeurige, rigoureuze poging om het tekstuele bewijs te onderzoeken dat over Maria Magdalena is geleverd in de evangeliën en andere historische documenten. Ze heeft veel inzichten over wie Maria Magdalena geweest kan zijn, waar ze vandaan kan zijn gekomen en wat voor relatie met Jezus ze gehad zou kunnen hebben. Maar uiteindelijk trekt ze voorzichtiger conclusies dan de andere deskundigen wier zienswijzen in dit boek zijn opgenomen; ze weerstaat de verleiding om de laatste uitnodigende sprong te maken naar conclusies zonder hard bewijs.]

Maria Magdalena

De mythe voorbij

Door Esther de Boer

Een passage uit *Maria Magdalena: De mythe voorbij*. Copyright © 1996, Meinema. Overgenomen met toestemming van de uitgever. Esther de Boer studeerde theologie aan de Vrije Universiteit in Amsterdam. Ze was van 1988 tot 2003 op diverse standplaatsen gereformeerd predikante en was voorts van 1998 tot 2002 verbonden aan de Theologische Universiteit van Kampen, waar ze haar dissertatie schreef. Momenteel werkt ze aan nog een boek over Maria Magdalena en een over Moeder Marcella.

Is Maria Magdalena ook in de Middeleeuwen vanwege de rol van vrouwen met opzet naar de achtergrond verbannen? Het is goed om te bedenken op welk moment Maria Magdalena officieel tot Boetelinge werd.

Vóór het Concilie van Trente (1545-1563) waren er nog heiligenkalenders die Maria Magdalena zonder nadere toevoeging noemden. Of die haar schetsten als eerste getuige van de opstanding van de Heer. De plaatselijke gebruiken om haar naamdag te vieren, verschilden onderling. Op last van het Concilie werden er echter liturgische boeken uitgegeven die voor de hele rooms-katholieke kerk bindend waren. Zo kwam in 1570 het Romeins Missaal uit. In dat eerste bindende missaal heeft Maria Magdalena de toevoeging 'Boetelinge'. Hiermee sloot het Missaal niet alleen aan bij het beeld van Maria Magdalena dat onder anderen door Gregorius de Grote verbreid was. Dit beeld kwam de kerk van de Contrareformatie ook goed uit. Tegenover de Reformatie met haar genadeleer benadrukte de Contrareformatie immers de leer van boete en verdienste. De heilige Maria Magdalena kon daar als boetelinge en begunstigde bij uitstek een belangrijke rol in spelen.

Populariteit

Het Tweede Vaticaans Concilie (1962-1965) gaf opdracht tot de vernieuwing van het Romeins Missaal. Dat kwam in 1970 uit. De evangelielezing op de feestdag voor Maria Magdalena in de vernieuwde uitgave van het Missaal is Johannes 20:1-18. De ontmoeting van Maria Magdalena met de opgestane Heer staat centraal. Het woord 'boetelinge' wordt niet meer genoemd. De nadere toelichting die het Missaal nu geeft is:

'Maria Magdalena behoorde tot de vrouwen die Christus op zijn tochten volgden. Zij was aanwezig toen Hij stierf en mocht Hem na zijn verrijzenis als eerste zien (Marcus 16:9). Haar verering is vooral in de twaalfde eeuw in de westerse kerk verbreid.'[1]

Zo zou je kunnen zeggen dat Maria Magdalena van officiële zijde precies vierhonderd jaar lang als boetelinge is gepropageerd... Wie op zoek is naar Maria Magdalena moet wel enige teleurstelling voelen bij het karige licht dat de oudste bronnen op haar werpen. Wie Maria Magdalena was voor-dat ze Jezus ontmoette, wat voor leven ze leidde, hoe oud ze was, hoe haar bekering tot stand kwam, wat er later van haar geworden is: de oudste bronnen laten het in het midden.

Dit gegeven brengt ons met onze speurtocht al op een eerste kruispunt. Welke conclusie te trekken uit het feit dat de evangelieschrijvers zo wei-nig vertellen? ... Het meest voor de hand liggende antwoord zou zijn, dat de evangelieschrijvers meer informatie over haar niet van belang achtten voor het verhaal over het geloof in Jezus dat zij vertellen wilden...

Wie wel eens geboorte- of rouwadvertenties in de kranten bekijkt, kan de naam 'Magdalena' zijn tegengekomen. Niet vaak, maar toch. De namen Magda en Madeleine komen vaker voor. Zij zijn van de naam 'Magdale-na' afgeleid. Zo zou je kunnen gaan denken dat 'Magdalena' een voornaam is. Niets is minder waar. De vier evangeliën uit het Nieuwe Testament spre-ken ook niet over Maria Magdalena, zoals wij dat gewend zijn geraakt, maar over Maria de Magdaleense. Het Evangelie naar Lucas zegt het nog iets nadrukkelijker. Daar gaat het over Maria 'die de Magdaleense genoemd wordt' (Lucas 8:2). De toevoeging 'de Magdaleense' wil duidelijk maken om welke Maria het gaat. Het gaat om de Maria die uit Magdala komt.

Maria Magdalena: haar naam maakt het ons mogelijk om een blik te werpen op haar achtergrond.

Magdala/Tarichea

De stad Magdala is niet te vinden in het Nieuwe Testament. Althans niet in de tekst van het Nieuwe Testament zoals die bij ons gangbaar is. Maar het Nieuwe Testament is in zeer veel handschriften overgeleverd. In een aantal daarvan komt Magdala wel voor: respectievelijk in een versie van Marcus (Marcus 8:10) en van Matteüs (Matteüs 15:39). Zij lezen Magdala,

---

1 Nationale Raad voor de Liturgie, *Altaarmissaal voor de Nederlandse kerkprovincie*, Utrecht, 1978, p. 864.

waar de officiële tekst Dalmanoutha en Magadan heeft. Dat zijn twee plaatsaanduidingen die men niet nader heeft kunnen identificeren. Als Marcus en Matteüs inderdaad Magdala bedoeld hebben, dan is dat de plek waar Jezus met zijn discipelen heen voer nadat hij met zeven broden en enkele vissen vierduizend mensen te eten gegeven had.

Daar, in het gebied van Magadan/Dalmanoutha of Magdala, vragen Farizeeën hem om een teken uit de hemel 'om hem op de proef te stellen' (Matteüs 16:1-4; Marcus 8:11-13). Uit het Nieuwe Testament kunnen we dus hoogstens opmaken dat er schriftgeleerden in het gebied van Magdala waren en dat het gebied per schip bereikt kon worden.

Er is lang gediscussieerd over de vraag waar Magdala gelegen zou kunnen hebben. Uit de rabbijnse literatuur wordt duidelijk dat we Magdala in de buurt van Tiberias moeten zoeken, aan het Meer van Galilea.

Ten noorden van Tiberias ligt momenteel het stadje Mejdel. Die naam zou aan Magdala kunnen herinneren. Dat is een veronderstelling die nauw aansluit bij getuigenissen van vroegere pelgrims, die Magdala tussen Tiberias en het noordelijke Kafarnaüm situeren.

Er zijn berichten van pelgrimages uit de zesde tot aan de zeventiende eeuw. Zonder uitzondering getuigen ze ervan dat Magdala op gelijke afstand lag van Tiberias en Tabga, een plaats vlak bij Kafarnaüm. Pelgrims spreken over het huis van Maria Magdalena dat ze konden bezichtigen en over de kerk die keizerin Helena (vierde eeuw) te harer ere daar had laten bouwen. Dat aan het eind van de dertiende eeuw die kerk niet meer in gebruik was, vertelt Ricoldus de Monte Crucis in zijn reisverslag (1294). Hij schrijft:

Vervolgens kwamen we in Magdala... de stad van Maria Magdalena aan het meer van Genesaret. Wij barstten er in tranen uit en hebben er gehuild, want we vonden een prachtige kerk, geheel intact, maar in gebruik als een stal. Op die plek hebben we toen gezongen en er het Evangelie van de Magdaleense verkondigd.[2]

Als Magdala inderdaad op de plek van Mejdel lag, dan móét Jezus er geweest zijn. De stad lag op de weg van Nazaret, het dorpje waar Jezus opgroeide (ongeveer 30 kilometer van Magdala), naar Kafarnaüm, waar hij later is gaan wonen.

Kafarnaüm lag op slechts 10 kilometer van Magdala. Het is niet on-

2 Frédéric Manns, 'Magdala dans les sources littéraires', in: *Studia Hierosolymitana. In onore del P. Bellarmino Bagatti.* I Studi Archeologici, Studium Biblicum Franciscanum, Collectio Maior 22, Jeruzalem, 1976, p. 335.

denkbaar dat Jezus de stad goed kende. In ieder geval lijkt het aannemelijk dat hij er onderwijs gegeven heeft en wellicht mensen genezen, zoals
het Evangelie naar Marcus vertelt:

> In heel Galilea bracht hij het nieuws in de synagogen en dreef hij de-
> monen uit. (Marcus 1:39; vgl. Matteüs 4:23 en Lucas 8:1-3)...

Ook uit de rabbijnse literatuur blijkt dat Magdala een synagoge had. Daarnaast was er een Beth ha-midrasj, een school voor de verklaring en toepassing van de Heilige Schrift (in ieder geval aan het begin van de tweede eeuw, wellicht eerder)...

In een midrasj op Klaagliederen 2:2 die begint met de woorden 'De Here
heeft meedogenloos vernietigd al de landouwen van Jacob' wordt Magdala als voorbeeld aangehaald. De wijzen meten de vroomheid van de stad
breed uit. Er waren driehonderd stalletjes waar je vogels kon kopen die
nodig waren voor de rituele reiniging. En de religieuze belasting die naar
Jeruzalem ging, bedroeg zoveel dat die per wagen ernaartoe moest. Toch
werd de stad verwoest. Waarom? Staat er bij twee andere steden als antwoord op die vraag 'onenigheid' en 'hekserij', bij Magdala wordt als reden
'overspel' aangevoerd (*Eecha Raba* 11, 2:4). Zo wordt de stad niet alleen
met vroomheid, maar ook met overspel geassocieerd...

Of we dan toch zouden moeten denken aan een Magdaleense Marie, die
het in de stad mannen van heinde en verre naar de zin poogt te maken?
De enige verwijzing naar seksuele promiscuïteit in Magdala is te vinden
in [boven]genoemde midrasj op Klaagliederen. De wijzen geven 'overspel'
als reden voor de verwoesting van Magdala. Het overspel staat echter in
de context van de vroomheid. Ondanks de vroomheid wordt Magdala om
het overspel verwoest. Het ligt niet voor de hand om Maria Magdalena
speciaal met dit overspel te associëren. Zoals het ook niet voor de hand
ligt om haar vanwege de vroomheid van Magdala als buitengewoon vroom
te karakteriseren.

Wel is het verantwoord om met haar naam de algehele sféér van Magdala mee te laten komen. De sfeer van een handelsstad aan een internationale route, waar mensen van allerlei godsdiensten en gewoonten elkaar
op de markt ontmoetten. De sfeer van een welvarende stad, die te lijden
had onder de Romeinse bezetting en het verzet daartegen, onder het geweld dat daarbij kwam kijken en het politiek gekonkel. De sfeer van een
tolerante stad ook, waar zowel de joodse als de hellenistische cultuur van
binnenuit bekend waren.

Maria Magdalena dankt haar naam aan de Hebreeuwse aanduiding van de stad. Ze heet nadrukkelijk Maria van Magdala en niet Maria van Tarichea. Dit versterkt de indruk dat zij een joodse was...

Maria Magdalena als volgelinge van Jezus

De evangeliën in het Nieuwe Testament zijn het erover eens dat Maria Magdalena zich onder het gevolg van Jezus bevond. Niet als enige vrouw, maar samen met andere vrouwen. Hoe dat er precies aan toeging, daarover geven de evangelisten geen uitsluitsel...

Discipel van Jezus te zijn, te behoren tot de kleine kring van zijn permanente volgelingen, had ingrijpende gevolgen voor het dagelijkse levenspatroon. Zeker voor een vrouw. Achter Jezus aan gaan betekende rondzwerven, alles achterlaten en hem volgen. Het betekende: in zelfgekozen armoede en eenvoud leven. Het betekende: omgaan met de andere discipelen, rijk en arm, uit de stad of van het platteland, zeloot, tollenaar of visser. Het betekende: in seksuele onthouding leven. Het betekende ook: gevaar lopen, zowel van joodse als van Romeinse kant. Dit alles had Maria Magdalena ervoor over om Jezus te volgen...

Wat heeft Maria Magdalena bewogen om Jezus te volgen? Ze zal in de ban geweest zijn van zijn gezag, zoals zovelen. Maar we kunnen, met het oog op wat we tot nu toe van haar te weten zijn gekomen, nog meer zeggen.

Zij was opgegroeid in een stad waar de Romeinse bezetting, het verzet daartegen en het leed dat het met zich meebracht voelbaar waren. Dat kan haar ontvankelijk gemaakt hebben voor juist het geweldloze, het geestelijke en het helende van het Koninkrijk van God, zoals het gestalte kreeg in Jezus.

Zij was opgegroeid met het naast elkaar leven van de joodse en hellenistische cultuur. Zij was ook opgegroeid met mensen uit verschillende landen en van verschillende godsdiensten, die met hun handel in Magdala kwamen. Dat kan haar ontvankelijk gemaakt hebben voor de nadruk van Jezus op de gezindheid van mensen, op hun innerlijk en op hoe ze daadwerkelijk optreden, in plaats van op uiterlijke verschillen. En daarbij kan het haar ontvankelijk gemaakt hebben voor de overtuiging dat God zich over allen ontfermt, omdat God een god is van de hele schepping. Omdat de God van de mensen dezelfde is als de God van de natuur, die zich juist rond Magdala zo overvloedig en rijk betoonde...

Maria Magdalena kwam uit de stad Magdala, aan het Meer van Galilea: een handelsstad aan een internationale route, waar mensen van allerlei godsdiensten en gewoonten elkaar op de markt ontmoetten. Een welvarende stad waar gehandeld werd in gezouten vis, geverfde stoffen en een keur aan landbouwproducten. Een tolerante stad, waar zowel de joodse als de hellenistische cultuur van binnenuit bekend waren. Een strategisch gelegen vestingstad, in een omgeving die zeer te lijden had onder de Romeinse bezetting en het verzet ertegen. In een omgeving waar de natuur zich daarentegen juist rijk en overvloedig betoonde. De achtergrond van Maria Magdalena is zeer waarschijnlijk joods. Het zijn echter niet haar familiebanden die haar definiëren, zoals dat bij de andere Maria's in de vier evangeliën het geval is. De stad Magdala, waar ze vandaan komt, definieert haar. Van jongs af aan is zij vertrouwd met geweld, met armoede en rijkdom, met onrecht, met verschillende culturen en godsdiensten. Dit alles in een prachtige en buitengewoon vruchtbare natuurlijke omgeving. Op een gegeven moment gaat ze Jezus volgen. Het is niet ondenkbaar dat ze hem in de synagoge van Magdala heeft ontmoet. Lucas is het enige evangelie dat vermeldt dat er, dankzij Jezus, zeven demonen uit haar gegaan zijn. We weten niet precies wat dat over haar zegt, behalve dan dat het contact met Jezus zeer bevrijdend en verheffend voor haar moet zijn geweest. Johannes schildert haar als behorend tot de intimi van Jezus. Zij staat met zijn familie vlak onder het kruis. Op grond van Marcus' beschrijving van de vrouwen bij het kruis, op grond van wat de evangeliën over Jezus' houding ten opzichte van vrouwen laten zien en op grond van de opstandingsverhalen bij Lucas en Johannes, concluderen we dat Maria Magdalena moet hebben gehoord tot de kleine kring van discipelen die Jezus permanent volgden. Zij was onder de indruk van zijn gezag en van zijn boodschap over de komst van het Koninkrijk van God. Zij was onder de indruk van zijn onderwijs: om het belang dat hij hechtte aan de goede gezindheid van mensen in plaats van aan het goede uiterlijk vertoon. En ook om de nadruk die hij legde op de overvloedige goedheid van God: niet beperkt tot sommigen, maar gericht op allen.

De evangelisten vermelden Maria Magdalena in hun verhaal over Jezus omdat zij de kroongetuige is van zijn dood, van de graflegging van zijn lichaam, van het lege graf en de openbaring die daarbij hoort. We hebben gezien dat haar aanwezigheid bij Jezus' graf van moed getuigde zowel ten opzichte van de joodse als de Romeinse autoriteiten.

Opvallend is dat zowel Marcus, Lucas als Johannes de lezer uitnodigen om Maria Magdalena met Petrus te vergelijken. Bij Marcus staan zij en Petrus op gelijke voet, bij Lucas is Petrus duidelijk van meer belang dan Maria Magdalena en bij Johannes steekt Petrus juist weer wat bleekjes tegen haar af...

Wordt bij de latere kerkvaders en de beide kerkorden de afstand tussen Maria Magdalena en Jezus benadrukt, de andere geschriften geven juist blijk van de nabijheid tussen hen.

Dat begint al bij de Brief van de Apostelen. Net als in het Evangelie naar Lucas worden de vrouwen met hun verhaal over de opstanding niet geloofd. Anders dan in Lucas hebben zij van de Heer zelf echter de opdracht gekregen om te spreken. Hij laat Maria Magdalena en Maria de zuster van Marta een voor een gaan. Als ze dan nog niet geloofd worden, verschijnt de Heer aan de elf discipelen niet alleen, maar hij neemt de beide Maria's mee. Zij gaan samen. Zo toont hij op een solidaire manier hun gelijk aan. In het Evangelie naar Thomas belooft Jezus Maria Magdalena speciaal leiding te geven. Hij zegt in antwoord op Petrus' vraag om Maria uit de kring van discipelen te verwijderen:

> Zie, ik zal haar zo leiden, dat ik haar mannelijk maak, zodat ook zij een levende geest wordt, die op jullie, mannen, lijkt. (Evangelie naar Thomas, logion 114)

Het Evangelie naar Filippus meldt dat Maria Magdalena de metgezellin van Jezus genoemd wordt. Samen met Maria de moeder van Jezus was ze altijd bij hem. De auteur schrijft:

> Christus hield meer van haar dan van alle leerlingen. Hij kuste haar dikwijls op de mond. (Evangelie naar Filippus, 63:34-35)

Dat 'kussen' moeten we niet in seksuele zin verstaan, maar in spirituele zin. De genade die de kussenden uitwisselen doet hen opnieuw geboren worden. Al eerder komt dat in het evangelie zo voor:

> Als de kinderen van Adam met velen zijn, hoewel ze sterven, met hoevelen meer zijn dan de kinderen van de Volmaakte Mens die niet sterven, maar steeds opnieuw geboren worden... Ze worden grootgebracht op de belofte over de hemelse plaats. De belofte die uit de mond komt, want het woord is daarvandaan gekomen en het wordt gevoed vanuit de mond en wordt vervolmaakt. Want het is door de kus dat de volmaakten zwanger worden en baren. We worden bevrucht door de genade die we in elkaar vinden. (Evangelie naar Filippus, 58:20-59:6)

Maria Magdalena wordt bevrucht door de genade die in Christus is. Het ontvangen van zijn genade doet haar opnieuw geboren worden.

De afstand tussen Jezus en Maria Magdalena bij de latere kerkvaders is een afstand tussen de zondige vrouw en God. De nabijheid die de hier genoemde geschriften laten zien, is een nabijheid tussen leermeester en leerling...

We hebben geconcludeerd dat Maria Magdalena een moedig en vasthoudend discipel was, getuige het feit dat zij als een van de weinigen bij de kruisiging en de graflegging bleek te zijn en dat zij het graf later ook nog ging bezien...

Op allerlei manieren speelde bij de speurtocht naar Maria Magdalena haar vrouwzijn een rol. Dat begon al bij de oudste bronnen. We constateerden dat vooral de eerste drie evangeliën van het Nieuwe Testament zich ambivalent betonen wanneer het om de vrouwelijke discipelen gaat. Als getuigen moeten ze genoemd worden, maar hun introductie is abrupt en ingehouden. We hebben dat gelegd naast de niet bepaald uitnodigende Romeinse en joodse visie op vrouwen als getuigen. Vrouwen als getuigen: dat was geen optimaal bod. Verder zagen we dat het gegeven van de vrouwelijke discipelen zelf ook niet erg aangesproken kan hebben. Zowel de joodse traditie als de Romeinse wetgeving propageerden juist het moederschap als de enig gewaardeerde invulling van het vrouwenleven. De evangeliën noemen Maria Magdalena en de andere vrouwen ook nergens werkelijk discipel, tenzij zij telkens meebedoeld zijn wanneer het mannelijk meervoud van het woord 'discipel' gebruikt wordt. Bij de kerkvaders en de buitenbijbelse evangelieliteratuur bleek de vrouwelijke vorm van het woord 'discipel' wel in gebruik te zijn.

Het vrouwzijn van Maria Magdalena bood de kerkvaders de mogelijkheid om haar als tegenhanger van Eva te portretteren, de vrouw die de zonde in de wereld bracht. Maria Magdalena is voor de kerkvaders de 'nieuwe Eva': zij mag de boodschap van de verlossing brengen. Zo lijkt zij haast op één lijn met Christus te staan, die immers als nieuwe Adam wordt gezien. Niets is echter minder waar. Vanaf Origenes tot Augustinus wordt juist de grote afstand tussen beiden benadrukt...

In sommige geschriften dient Petrus zich aan als de verpersoonlijking van de orthodoxe visie op vrouwen. Maria Magdalena is bang voor hem 'want hij haat ons geslacht'. En hij is bang voor Maria: hij is benauwd dat hij naast deze 'nieuwe Eva' niet meer aan bod komt. 'Laat Maria van ons heengaan,' zegt hij, 'want vrouwen zijn het Leven niet waardig,' en hij vraagt de broeders: 'Moeten wij onszelf omkeren en allemaal naar haar luisteren, heeft Hij haar verkozen boven ons?'

We kunnen ons afvragen in hoeverre haar vrouwzijn ook voor Maria Magdalena zelf bewust een rol heeft gespeeld. Heeft zij zich onder andere bij Jezus gevoegd om zijn open omgang met vrouwen? We kunnen dat vermoeden, maar we hebben geen teksten gevonden die dit vermoeden bevestigen. Integendeel. Zo is ze volgens het Gesprek met de Verlosser zonder enig protest gesprekspartner in het leergesprek dat over de 'werken der vrouwelijkheid' handelt die vernietigd moeten worden. Ze reageert niet wanneer Matteüs als woorden van de Heer aanhaalt: 'Bidt daar, waar geen vrouw is.' De andere vraag, die de gemoederen door de eeuwen heen telkens opnieuw bezighoudt, is of Maria Magdalena zich als vrouw tot Jezus aangetrokken voelde. Ook hiervan geldt, dat we dat zouden kunnen vermoeden. We zijn echter geen teksten tegengekomen die hierop wijzen...

'In *De Da Vinci Code* is fictie het middel om tot een andere interpretatie van vergeten historische feiten te komen...'

Een interview met Deirdre Good

Deirdre Good doceert over het Nieuwe Testament aan het General Theological Seminary van de anglicaanse kerk in New York. Ze is gepromoveerd aan Harvard Divinity School. Recentelijk heeft ze een groot aantal lezingen gegeven over Maria Magdalena en *De Da Vinci Code*.

Wie was de echte Maria Magdalena en hoe zag haar leven eruit?
Volgens het Evangelie van Lucas was ze een rijke volgelinge en discipel van Jezus bij wie hij zeven boze geesten had uitgedreven. Uit haar naam blijkt haar herkomst: ze kwam uit Magdala, een stad aan de oever van het Meer van Galilea waar in de Romeinse tijd vis werd gepekeld. Migdal ligt even ten noorden van Tiberias. Maria Magdalena was een van de vrouwen die op de derde dag na de dood van Jezus het graf bezochten, wellicht om specerijen te brengen. In diverse evangeliën zien de vrouwen een engel die roept: 'Hij is opgewekt uit de dood!' Volgens het Evangelie van Johannes had Maria Magdalena een visioen van de verrezen Jezus. Dat maakt haar zowel een profeet als een apostel. Hoe ze eruitzag weten we niet maar er

zijn vele afbeeldingen van haar in de kunst van het christelijke Oosten en Westen, en ook in de middeleeuwse mysteriespelen.

Als onderzoekster van christelijke origine ken ik Maria Magdalena uit het Evangelie van Lucas, Johannes, de langere versie van Marcus, en de apocriefe evangeliën van Thomas, Maria, Filippus, Petrus, en uit het latere Pistis Sophia en de manicheïstische psalmen. In de vroege teksten is het haar trouw aan Jezus die haar ertoe beweegt om met twee andere vrouwen zijn graftombe te bezoeken. In diverse teksten is ze de apostel en profeet aan wie de verrezen Jezus verschijnt. Haar inzicht blijkt uit het verslag van haar visioen van Jezus (Johannes 20; Evangelie van Maria). In Johannes 20:16 noemt Jezus haar bij haar Semitische naam: Mariam! (In de vertaling van het Nederlandsch Bijbelgenootschap is dit 'Maria' geworden.) Ze herkent hem en antwoordt: Rabboeni! In enkele teksten (de langere versie van Marcus; het Evangelie van Maria; het Evangelie van Thomas; Pistis Sophia) reageren de andere apostelen vijandig (vooral Petrus) en wordt haar getuigenis in twijfel getrokken. Maar andere apostelen (zoals Levi) nemen het voor haar op. In de christelijke traditie is zij de apostel der apostelen. In de manicheïstische psalmen herinnert Jezus haar aan hun ontmoeting na zijn verrijzenis en maant hij haar naar de andere discipelen en met name naar Petrus te gaan.

Wat vindt u van het beeld dat in de De Da Vinci Code *van Maria Magdalena wordt geschapen?*
In *De Da Vinci Code* is fictie het middel om tot een andere interpretatie van vergeten historische feiten te komen en lege plekken in te vullen. Deze methode is met succes toegepast door andere – en ook betere – romanschrijvers, bijvoorbeeld door Charles Dickens. Het is een methode die de moeite waard is, als we Browns bewering dat wat hij schrijft de waarheid is even vergeten. De bewering dat Jezus en Maria Magdalena getrouwd waren is fictie, bedoeld om het bijzondere van hun relatie te benadrukken. Jezus had echter ook bijzondere relaties met anderen, bijvoorbeeld met de 'geliefde discipel' uit het Johannes-evangelie, en natuurlijk ook met Petrus. De vraag die men zich moet stellen is of Browns bewering dat Jezus en Maria Magdalena getrouwd waren, een beperkende manier is om de bijzondere relatie van de man Jezus met de vrouw Maria Magdalena te beschrijven. Als je ervan uitgaat dat dit de waarheid is, zul je er overal bewijzen voor menen te vinden. Het bewijs is niet te vinden in Da Vinci's *Laatste Avondmaal,* want kunsthistorici hebben gekeken naar de schetsen die de kunstenaar heeft gemaakt als voorbereiding op het schilderij. Daarop is duidelijk te zien dat de figuur rechts van Jezus in feite Johannes is. Johannes wordt vrijwel altijd jong en dus zonder baard afgebeeld.

Waarom denkt u dat er momenteel zo veel interesse is voor Maria Magdalena?

De huidige interesse voor Maria Magdalena valt samen met de opkomst van feministisch onderzoek – inmiddels erkend als betrouwbare zelfstandige discipline – naar de oorsprong van het christendom. Dat onderzoek spitst zich toe op de rol van vrouwen en naar *gender* als culturele constructie. De ontdekking van oorspronkelijke koptische teksten in Nag Hammadi en de daaropvolgende publicatie en vertaling ervan [door Slavenburg en Glaudemans in het Nederlands als *De Nag Hammadi-geschriften*] wekten de interesse van de beoefenaars van vrouwenstudies voor vroege teksten die buiten de canon vielen. Elaine Pagels' populaire boek *De Gnostische Evangeliën* en de publicatie van de teksten uit Nag Hammadi op het internet hebben veel mensen toegang geboden tot een grote hoeveelheid nieuw materiaal. Na onderzoek van al het historische materiaal over Maria Magdalena rees de vraag over de rol van vrouwen in de vroeg-christelijke bewegingen. Maria Magdalena werd duidelijk beschouwd als een belangrijke apostel en profeet.

U hebt vergelijkend onderzoek gedaan naar de namen en betekenissen van Maria Magdalena in het Nieuwe Testament en Mirjam in het Oude Testament. Wat is uw standpunt over dit onderwerp?

Ik geloof dat er een verband is in naam en functie tussen de Mirjam uit de Hebreeuwse bijbel en zowel Maria Magdalena als Maria, de moeder van Jezus. Dat is de stelling voor mijn nieuwe boek *Mariam, the Magdalen, and the Mother*, dat in 2005 bij Indiana University Press verschijnt. In de Griekse versie van de Hebreeuwse Schrift is Mirjam vertaald als Mariam. Deze vorm van de naam wordt gebruikt voor de vrouwen tot wie Gabriël spreekt in Lucas 2 en voor de vrouw aan wie Jezus verschijnt in de tuin in Johannes 20. Bovendien looft de moeder van Jezus God (in het lied Magnificat), zoals ook Mirjam de profeet dat deed voor het keren van hun geluk in het verleden. In het Lucasevangelie voorziet ze wat God zal bereiken via het werk van haar zoon Jezus. De profetische rol van de moeder van Jezus wordt voortgezet in het Protevangelie van Jacobus, een van de niet-canonieke geboorteverhalen.

Net als bij Mirjam wordt aan Maria Magdalena's verhaal geen geloof gehecht als ze haar visioen van de herrezen Heer verkondigt. Ongetwijfeld heeft dat alles te maken met het feit dat ze een vrouw is. Ten slotte wordt ze toch in het gelijk gesteld. Dit verhaal vindt een echo in de ervaringen van de meeste vrouwen die een geestelijke roeping hebben gevoeld.

Kunt u iets zeggen over de achtergrond van het celibaat tegenover het huwe-
lijk voorzover dat in de bijbelse tijd van toepassing was?
In Matteüs 19:12 vertelt Jezus zijn discipelen het volgende over huwelijk
en scheiding:

> er zijn mannen die niet trouwen omdat ze onvruchtbaar geboren wer-
> den, andere omdat ze door mensen onvruchtbaar gemaakt zijn, en
> er zijn mannen die niet trouwen omdat ze zichzelf onvruchtbaar ge-
> maakt hebben met het oog op het koninkrijk van de hemel. Laat wie
> bij machte is dit te begrijpen het begrijpen!'

Sommige exegeten zien in deze passage een aanbeveling van het celibaat.
Toen in de latere christelijke traditie het celibaat werd beschouwd als hoger dan het huwelijk, kon Hiëronymus wat hij las in Matteüs 19:10-12 begrijpen als 'Christus heeft maagden meer lief dan anderen'.

Moderne exegeten neigen naar een interpretatie van deze passage als
een uitnodiging tot het celibaat in het licht van 1 Korintiërs (7), waarin hij
het celibaat boven het huwelijk stelt. Maar in het Evangelie van Matteüs
is een eunuch als iemand die zich vrijwillig vernedert: daarmee gaat 'grootheid' aan hem voorbij en kan hij geen gezag over anderen uitoefenen. In
Matteüs 20:26-7 wordt status binnen de gemeenschap van Matteüs gelijkgesteld met de positie van dienaar of slaaf, dus we kunnen stellen dat de
eunuch binnen deze gemeenschap de perfecte dienaar is. In de gemeenschap van Matteüs kunnen eunuchen volledig trouw zijn aan het Koninkrijk, want ze hebben alle eer die stamt uit familie, bezit en rijkdom
opgegeven. Als antwoord op de vraag van Petrus, 'Zie, wij hebben alles
achtergelaten en zijn u gevolgd. Waar kunnen wij naar uitzien?' biedt Jezus hun status en macht, niet in deze wereld maar in de volgende:

> Voorwaar, Ik zeg u, gij, die Mij gevolgd zijt, zult in de wedergeboor-
> te, wanneer de Zoon des mensen op de troon zijner heerlijkheid zal
> zitten, ook op twaalf tronen zitten om de twaalf stammen van Israël
> te richten. En een ieder, die huizen of broeders of zusters of vader of
> moeder of kinderen of akkers heeft prijsgegeven om mijn naam, zal
> vele malen meer terugontvangen en het eeuwige leven erven. (19:27-
> 30)

Uit het fragmentarische Evangelie van Filippus menen veel mensen op te kun-
nen maken dat Jezus Maria Magdalena vaak op haar mond kuste. Denkt u
dat dat waar is? En zo ja, wat is daar dan de betekenis van?
Het Evangelie van Filippus verkeert feitelijk in een veel betere staat dan

het Evangelie van Maria! Hoewel deze teksten in dezelfde collectie zijn uitgebracht, *De Nag Hammadi-geschriften*, gaan ze uit van verschillende symbolische werelden. In het Evangelie van Filippus is bijvoorbeeld sprake van
mannen en vrouwen, maar dat wil beslist niet zeggen dat er echte mannen en vrouwen worden beschreven. In de Tweede Apocalyps van Jacobus staat dat Jezus hem, Jacobus, zijn geliefde noemde en hem een dieper
begrip verleende van zaken die anderen niet gekend hadden. Zowel in de
Tweede als de Derde Apocalyps van Jacobus kussen en omhelzen Jezus en
Jacobus elkaar als een uiting van hun bijzondere relatie. In het zogeheten
Geheime Evangelie van Marcus onthult Jezus het mysterie van het Koninkrijk van God aan een jonge man die hij liefheeft. In de vierde-eeuw-
se koptische tekst Pistis Sophia worden Filippus, Johannes, Jacobus en
Matteüs, en ook Mariamne (Maria) omschreven als geliefd door Jezus.
Hieruit blijkt waarschijnlijk hun bijzondere gave van spiritueel inzicht.
Het is niet moeilijk voor te stellen dat anderen jaloers zouden zijn op der-
gelijke mensen.

Kritiek op de complottheorie rond
paus Gregorius

Een interview met Katherine Ludwig Jansen

Katherine Ludwig Jansen is hoofddocent geschiedenis aan de Catholic University. Ze
is de auteur van *The Making of the Magdalen: Preaching and Popular Devotion in the
Later Middle Ages*.

Evenals Esther de Boer richt Jansen zich op feiten uit geaccepteerde bij-
beldocumenten en de officiële kerkgeschiedenis. Ze pleit tegen de complottheorie en verdedigt paus Gregorius en de officiële kerk in de kwestie
van Maria Magdalena, zonde en boetedoening. Aan de andere kant komt
ze ook tot de conclusie dat de Middeleeuwen in één opzicht meer verlicht
waren dan deze tijd: Maria Magdalena, een vrouw, werd beschouwd als
een zelfstandige apostel, terwijl er in deze tijd in vele godsdienstige kringen over wordt gediscussieerd of vrouwen een leidende positie mogen vervullen bij het uitdragen van hun geloof.

Wie was volgens u de echte Maria Magdalena?
Als historica baseer ik mijn mening en analyse op historisch bewijsmate-

riaal. Daar ben ik voor opgeleid. In het geval van Maria Magdalena staat het enige bewijsmateriaal waarop we haar bestaan kunnen baseren in het Nieuwe Testament. Alles bij elkaar staan er slechts twaalf verwijzingen naar haar in vier evangeliën. Elf van deze verwijzingen houden direct verband met het lijdensverhaal en de wederopstanding. Alleen in Lucas 8:2-3 staat het detail van 'Maria uit Magdala, bij wie zeven demonen waren uitgedreven'. Nadat hij dat had gedaan, werd Maria van Magdala een van de trouwste discipelen van Jezus en diende zij hem met haar eigen financiële middelen (Lucas 8:3). Op basis van dit tekstuele bewijsmateriaal lijkt duidelijk dat Maria Magdalena een financieel onafhankelijke vrouw was die haar eigen middelen gebruikte om Jezus en zijn discipelen te steunen.

Waarom heeft de kerk Maria Magdalena zo lang als prostituee afgeschilderd? Denkt u dat de kerk enig voordeel heeft behaald uit deze verdraaiing van de waarheid?
Wat mij betreft zijn bewoordingen als 'verdraaiing van de waarheid' en 'samenzwering' niet bevorderlijk voor een goed begrip van de historische verwarring die rond de identiteit van Maria Magdalena is ontstaan. Om te beginnen moeten we vaststellen dat er behalve de Maagd Maria en Maria Magdalena nog vijf vrouwen in de evangeliën voorkomen die ook Maria heten. Alleen dat feit al schiep ruimte genoeg voor verwarring. Desondanks maakten de vroege schrijvers in hun discussies over Maria Magdalena wel onderscheid tussen al deze vrouwen, en dat geldt ook voor de orthodoxe kerk, die Maria van Magdala nooit met Maria van Betanië heeft verward en al helemaal niet met de naamloze zondares in Lucas (7:37-50). De orthodoxe kerk heeft zelfs afzonderlijke feestdagen voor afzonderlijke vrouwen.

Pas aan het eind van de zesde eeuw is de figuur van Maria Magdalena samengesmolten met Maria van Betanië en de naamloze zondares in Lucas. Paus Gregorius de Grote voegde drie verschillende bijbelfiguren samen tot één persoon. Toen paus Gregorius de Grote de zondares van Lucas de identiteit van Maria Magdalena opplakte, werd Maria Magdalena automatisch als prostituee beschouwd, voornamelijk omdat de zonden van vrouwen altijd als seksuele zonden werden gezien. Als Maria Magdalena getrouwd was geweest, was haar waarschijnlijk overspeligheid aangerekend. Als vrijgezelle vrouw moest haar zonde lichtzinnigheid zijn, en in de praktijk kwam dat neer op prostitutie.

Wat kan Gregorius ertoe hebben aangezet om twee zondaressen met Maria Magdalena samen te voegen?
Het zou van een grove misvatting van historische feiten getuigen om het

op te vatten als een complot of kwaadwilligheid van zijn kant. Je moet Gregorius in zijn eigen context beschouwen, een periode die werd gekenmerkt door grote onrust: Germaanse invasies, de pest en hongersnood waren enkele van de ernstige calamiteiten waar hij tijdens zijn pontificaat mee te maken kreeg. Behalve een spiritueel leider moest hij ook een politiek leider zijn. In deze periode van veranderingen en onzekerheid probeerde Gregorius enige stabiliteit en zekerheid te scheppen voor zijn gemeente. De tekst waarin Gregorius een nieuwe identiteit schiep voor Maria Magdalena was een preek die een antwoord moest zijn op vragen over de identiteit van Magdalena door mensen uit zijn gemeente. Deze zochten naar duidelijkheid in hun geloof als bescherming tegen het feit dat de laat-Romeinse wereld onder hun voeten afbrokkelde. De samengestelde Magdalena van Gregorius leek definitief alle vragen te beantwoorden die zijn christelijke gemeente zichzelf had gesteld met betrekking tot het verband tussen de verschillende Maria's.

De identificatie hield stand omdat er theologisch gesproken een diepgevoelde behoefte mee werd vervuld. Maria Magdalena kwam eruit tevoorschijn als een grote zondares die een groot heilige zou worden. Gregorius stelde dat ze dat had bereikt door haar boetedoening. In haar geval bestond die uit het wassen van de voeten van Christus met haar tranen en het drogen ervan met haar haar. Het boetesacrament werd in de Middeleeuwen en direct daarna telkens opnieuw geformuleerd en steeg in belangrijkheid, en het beeld van Maria Magdalena als zondares-heilige groeide mee. Telkens in de geschiedenis als het boetesacrament aan belangstelling won, tekende ook het beeld van de zondares-heilige zich weer duidelijker af. Wat mij betreft is het beeld van de zondares-heilige een van de redenen dat zo veel mensen zich in de loop der eeuwen tot Maria Magdalena aangetrokken hebben gevoeld: ze biedt hoop aan gewone zondaars, zowel mannen als vrouwen, dat ook zij kunnen worden verlost.

Waarom was Maria Magdalena een van de weinige personen die bij de kruisiging aanwezig waren? Waarom zij wel en de andere discipelen niet? Wat is het belang ervan dat Maria Magdalena als eerste Jezus te zien krijgt na de wederopstanding?
Na de arrestatie van Jezus verscholen de meeste discipelen zich uit angst dat ook zij gearresteerd zouden worden. Maria Magdalena en de andere vrouwen deden dat niet. De reden kan zijn dat de Romeinen de vrouwelijke discipelen niet als een gevaar beschouwden, maar het kan ook zijn dat de vrouwen standvastiger waren in hun trouw aan Jezus. Dat is een open vraag. Hoe het ook zij, hun geloof wankelde niet. Ze waren getuige van de kruisiging. In mijn ogen is Maria Magdalena's belangrijkste rol die

van eerste getuige van de wederopstanding van Jezus. Jezus legt haar de taak op het nieuws van zijn verrijzenis aan de andere discipelen mee te delen. Op dat moment verdiende ze de titel die de middeleeuwse exegeten haar gaven: apostolorum apostola (de apostel der apostelen). Deze titel hield ze gedurende de hele Middeleeuwen. Een van de belangrijkste beginselen van het christendom, de wederopstanding, werd gezien en verkondigd door een vrouw. De titel 'apostel der apostelen', waarmee haar rol in de geschiedenis van het christendom wordt geroemd, is nog even toepasselijk als in de Middeleeuwen.

Een debat op Beliefnet

Kenneth Woodward in discussie met Karen L. King

Beliefnet.com beschrijft zichzelf als een 'multi-faith e-community' – een plek op internet voor alle geloven, waar mensen worden geholpen met hun religieuze en spirituele noden. Sinds de publicatie van *De Da Vinci Code* is er op Beliefnet heel wat gepost, tot complete artikelen aan toe, over Maria Magdalena en andere kwesties die in het boek worden aangesneden. Wat volgt is een samenvatting van de argumenten en tegenargumenten in een discussie tussen Kenneth Woodward en Karen King. Woodward schrijft voor *Newsweek*. King is Winn Professor of Ecclesiastical History aan Harvard University Divinity School.

Een Maria die niet wil deugen

Door Kenneth Woodward

Copyright © 2003 Beliefnet.com. Opgenomen met toestemming van Beliefnet.

Net als Jezus ondergaat Maria Magdalena nu een culturele transformatie.
Wat willen feministische wetenschappers bereiken?

Waar komt die plotselinge interesse voor Maria Magdalena vandaan? Ja, ik weet dat er twee of drie nieuwe boeken over dit onderwerp zijn verschenen, en dan zijn er natuurlijk ook nog de bestseller *De Da Vinci Co-*

de en de film *The Magdalene Sisters*. Maar wordt er iets nieuws gezegd over deze bekende bijbelfiguur?

Niet echt. Wetenschappers weten al tientallen jaren dat Maria Magdalena geen prostituee is geweest en dat er een fout is gemaakt door haar in de vroeg-christelijke traditie te verwarren met de berouwvolle vrouw in Lucas die kort voor de kruisiging de voeten van Jezus zalft en ze met haar haren droogt. Het is zeker geen nieuws dat haar roem gebaseerd is op de opdracht die ze van Christus kreeg om de apostelen het nieuws van zijn verrijzenis te brengen. Zulke zogenaamd nieuwe definities stonden al onder haar naam in de *New Catholic Encyclopedia*, die verscheen in 1967 en allesbehalve moeilijk te vinden is voor journalisten die willen controleren of er echt iets nieuws wordt beweerd.

De theorie dat Jezus getrouwd was, wellicht met Maria Magdalena, heeft al een langere baard dan de theologische broodschrijverij uit 1970 van William E. Phipps met zijn *Was Jesus Married?* De stelling van Phipps was dat hij waarschijnlijk getrouwd was, omdat de meeste joodse mannen in zijn tijd getrouwd waren. Erg overtuigend is dat niet. Dat geldt ook voor het tegenovergestelde standpunt, dat Jezus homoseksueel was en iets had met Johannes, de 'geliefde discipel'. Dat was een nieuw idee in de jaren zestig, toen de gedachte van Jezus als de ultieme 'outsider' opgang deed in existentialistische kringen. Het idee was dat door zijn 'buitenechtelijke geboorte' en zijn eenvoudige plattelandsafkomst Jezus een buitenstaander was voor de groepen die in zijn tijd aan de macht waren. De anglicaanse bisschop Hugh Montefiore heeft daaraan nog homoseksualiteit toegevoegd om het beeld van Jezus als buitenstaander te vervolmaken. Net als Jezus ondergaat Maria Magdalena nu een culturele transformatie.

Als het om bijbelfiguren gaat kunnen we stellen dat elke generatie ideeën over ze heeft die voorgaande generaties zich ook al hebben voorgesteld en weer hebben losgelaten. Dat is echter niet genoeg. In het geval van Maria Magdalena is het nieuws niet zozeer wat er over haar wordt gezegd als de nieuwe context waarin ze wordt geplaatst, en ook wie dat doet en om welke reden. Met andere woorden, een bepaald type ideologisch gemotiveerde feministische wetenschappers heeft Maria Magdalena tot hun project gemaakt. Dat is het echte nieuws...

In de dertiende eeuw heeft niemand minder dan Pierre Abélard een preek gehouden waarin hij overeenkomsten zag tussen Mirjam en Maria Magdalena als de brengers van goed nieuws. (Ook in zijn tijd stond Maria Magdalena al bekend als 'apostel der apostelen'.) Het vinden van overeenstemming tussen figuren in het Oude en Nieuwe Testament was een belangrijk aspect van de middeleeuwse bijbeluitleg. In de huidige context

richten sommige exegeten zich op Exodus 15:20-21, waar Mirjam een 'profetes' wordt genoemd die de vrouwen van de Israëlieten voorgaat in zang
en dans. Feministen die zoeken naar tekenen van vrouwelijk leiderschap
in de Hebreeuwse bijbel (en niet te vergeten een excuus voor hun eigen
poppenkast) hebben met deze passage een eigen verhaal kunnen verzinnen. Volgens dat verhaal werd Mirjam net als haar broer Mozes beschouwd
als een profeet. Dat gaf aanleiding tot rivaliteit onder de oude Israëlieten
in de groep van Mozes en de groep van Mirjam.

Maar, zo gaat het verhaal, de mannelijke bewerkers van de bijbel schrap-
ten de stukken over het leiderschap van Mirjam die wel in de oude orale
overlevering zouden hebben bestaan. Er zijn zelfs feministische wetenschappers die beweren dat de oude Israëlieten een egalitaire samenleving
hadden voordat de koningstraditie ontstond. Met andere woorden, we
hebben hier een klassiek voorbeeld van een patriarchaat – het feministische equivalent van de erfzonde – dat het bewijs van vrouwelijk leiderschap en zelfs van vrouwelijke profeten verwijderde. Ook de bijbelse mythe van Eden wordt opzijgezet voor het feministische idee van een
oorspronkelijk egalitaire samenleving die ten slotte door de mannelijke
bewerkers van Exodus is weggemoffeld. Wat overbleef is het joodse scheppingsverhaal.

Of daar allemaal iets van waar is (en of het zelfs maar tot de mogelijkheden behoort) is niet iets wat een gewone journalist kan beoordelen.
Maar elke journalist kan opmerken dat er niet veel bijbelwetenschappers
zijn, mannelijk of vrouwelijk, die geloof hechten aan dergelijke beschouwingen. De bewijzen ontbreken eenvoudigweg. Daarom moeten degenen
die deze theorie opwerpen terugvallen op de zogenaamde 'retorische analyse' van bijbelteksten in plaats van historisch of archeologisch bewijsmateriaal. Een journalist zou ook kunnen opmerken dat het er binnen het
religieuze feminisme niet toe doet of dergelijke beschouwingen waar zijn
of niet. Zo zijn er sinds eind jaren zeventig joodse vrouwen die feministische *seiders* organiseren waar behalve de traditionele beker voor Elia ook
een beker voor Mirjam wordt gereserveerd. Dat doen ze niet omdat ze
denken dat Mirjam net als Elia levend en wel ten hemel is gevaren en te
zijner tijd op aarde zal terugkeren maar om er, geloof het of niet, een egalitair gebeuren van te maken.

We vinden hetzelfde patroon terug in de feministische herdefinitie van
Maria Magdalena. Hier is de gedachte als volgt: de vroege beweging die
door Jezus werd geleid was egalitair en mannen en vrouwen waren er gelijk (hoewel sommige joodse feministen uit de tweede generatie dit idee
nu als antisemitisch verwerpen, omdat Jezus daarmee een uitzondering
vormt op de joodse mannen uit zijn tijd). Van de vrouwen die Jezus vol-

gen, is Maria van Magdala het meest prominent: ze wordt vaker genoemd (12 keer) dan alle andere vrouwen behalve de moeder van Jezus. De belangrijkste vermelding is in Johannes 20:11-18, waar de herrezen Jezus alleen aan Maria verschijnt en haar de opdracht geeft het nieuws aan zijn (mannelijke) apostelen te vertellen. Dat is de oorsprong van haar traditionele titel: 'apostel der apostelen'.

Nu zou het elke lezer van het Nieuwe Testament duidelijk moeten zijn dat de vrouwen die Jezus volgden, zich vaak meer als discipelen gedroegen dan sommige van de gekozen twaalf. In de synoptische evangeliën (Marcus, Matteüs en Lucas) staan er alleen vrouwen aan de voet van het kruis. (In het Evangelie van Johannes wordt Johannes zelf, de geliefde discipel, daar nog aan toegevoegd.) Maar een harde kern van feministische wetenschappers, die vooral afkomstig zijn van Harvard Divinity School, gaat veel verder. Waar ze de krantenkoppen mee hopen te halen is dat er in de vroege kerk een groep van Magdalena bestond en een groep van Petrus (weer mannen tegenover vrouwen dus, net als bij Mirjam) en dat de groep van Petrus niet alleen heeft gewonnen maar er ook in is geslaagd alle sporen en de herinnering aan Magdalena's groep uit het Nieuwe Testament te wissen en Magdalena ook nog een slechte reputatie te bezorgen. Het laatste punt wordt vaak onderbouwd met een preek van paus Gregorius in 591. Alsof hij de antivrouwelijke traditie had uitgevonden en die met (terugwerkende) onfeilbaarheid had bezegeld. Dat de schuld bij een paus gelegd kan worden, komt de feministen goed van pas. Zo kunnen ze er een antihiërarchisch en zelfs een antipauselijk tintje aan geven. Met andere woorden, het patriarchaat heeft het weer gedaan.

Maar er is wel degelijk een verschil tussen de twee Maria's: Mirjam en de Magdaleense. Om hun gelijk aan te tonen hebben de feministische pleitbezorgers van Maria Magdalena nu een andere kaart uit hun mouw geschud. Een feministische hermeneutiek van de achterdocht (dat wil zeggen, een bijbeluitleg die is gebaseerd op achterdocht jegens door mannen geschreven teksten) dicteert dat de tekst van het Nieuwe Testament, die het werk van mannen is, om die reden gewantrouwd moet worden, en een feministische hermeneutiek van ontsluiting – in dit geval het ontsluiten van de achtergehouden bewijzen over de groep van Maria Magdalena – moet dus noodgedwongen uitwijken naar andere bronnen. Tot die bronnen behoren de diverse teksten waarvan in de vierde eeuw is besloten dat ze niet in het Nieuwe Testament zouden worden opgenomen. En juist omdat de mannelijke hiërarchie van de kerk een aantal teksten heeft uitgesloten van de canon, zijn deze teksten gezaghebbend geworden voor wetenschappers die willen aantonen dat het patriarchaat het vrouwelijke

leiderschap in de kerk heeft onderdrukt. Het Evangelie van Maria staat natuurlijk boven aan de lijst van deze teksten; het leest alsof de auteur een
doctor aan Harvard Divinity School is.

Als tweede-eeuwse documenten komen het Evangelie van Maria, het
Evangelie van Filippus (waarin Jezus en Maria elkaar kussen) en andere
apocriefe teksten veel te laat om in aanmerking te komen als betrouwbare historische informatie over Jezus, Petrus of Maria Magdalena. Maar er
blijkt wel uit wat sommige groeperingen – traditioneel beschouwd als
gnostici – opmaakten uit het verhaal van Jezus en zijn volgelingen...

Karen King doceert aan Harvard Divinity School en stelt dat er een relatie bestaat tussen het Evangelie van Maria, waarin de rol van Maria Magdalena wordt verheerlijkt, en de brief van Paulus aan Timoteüs, die vrouwen maant te zwijgen in de kerk. Haar argument is dat beide teksten in
dezelfde periode tot stand zijn gekomen, rond 125 na Christus. Als je ze
naast elkaar legt, wijzen ze op een felle oorlog tussen de seksen in de
vroege kerk. Om haar stelling te schragen veroorlooft ze zich echter bepaalde vrijheden met de datering van deze twee teksten. Niemand weet
precies wanneer de beide teksten zijn geschreven. Sommige wetenschappers plaatsen Timoteüs in 90 n.Chr. en andere wetenschappers plaatsen
het Evangelie van Maria aan het eind (in plaats van het begin) van de tweede eeuw. King haalt de dateringen van beide teksten naar elkaar toe voor
haar doeleinden. Kort gezegd: de nieuwe Maria Magdalena is een oude
gnostica.

Zelfs dan is het maar zeer de vraag of het afwijzen van de gnostiek in
al zijn vormen door de kerk in wezen een oorlog tussen de seksen was. In
zijn zeer evenwichtige 'Introduction to the New Testament' heeft de inmiddels overleden wetenschapper Raymond E. Brown samengevat hoe de
door christenen geschreven bijbelteksten zijn bewaard en onder welke criteria deze ten slotte in de bijbel werden opgenomen. Enkele criteria zijn
een apostolische oorsprong, echt of verondersteld, en overeenstemming
met het geloof. Sekse wordt nergens als criterium genoemd. Verder is het
zeer onwaarschijnlijk dat veel christenen het Evangelie van Maria of het
Evangelie van Filippus als gezaghebbende teksten beschouwden. Deze teksten circuleerden weliswaar, maar dat geldt ook voor een aantal boeken
dat ik zelf in mijn boekenkast heb staan. Daar zijn ook gnostische evangeliën bij, maar dat betekent nog niet dat ik een gnosticus ben...
Ik heb al een paar jaar een bloemlezing in huis met selecties uit de verschillende wereldgodsdiensten. Op het omslag wordt de lezer uitgenodigd
daaruit een keuze te maken en zo een 'eigen bijbel samen te stellen'. Dat
er uitgevers zijn die dit publiceren, is volgens mij een teken dat de religi-

euze wind in Amerika vandaag de dag uit vele verschillende hoeken waait. Het idee is dat alle heilige teksten van gelijke waarde zijn en dat de lezer vrij is te kiezen uit wat hem of haar het meest aanspreekt... Het is het toppunt van consumentgerichte godsdienst, en de gelovige hoeft zich niet aan te sluiten bij een autoriteit of gemeente die bepaalt welke teksten heilig zijn en welke niet.

Iets dergelijks is er volgens mij ook aan de hand met de gnostische teksten die worden gebruikt om die arme Maria Magdalena een rol als leider van de kerk op te dringen en ook, als we auteur Lynn Picknett moeten geloven, als 'de verborgen godin van het christendom'. De minderheid van feministische wetenschappers die de gnostische teksten als gelijkwaardig aan het Nieuwe Testament wil beschouwen, kan tenminste aanvoeren dat deze teksten in de begintijd van de christelijke geschiedenis beschikbaar waren en soms door christenen werden gelezen. Daaruit volgt blijkbaar automatisch dat je je eigen Heilige Schrift kunt samenstellen als de gevestigde canon je niet bevalt. Als het Evangelie van Maria even gezaghebbend is als bijvoorbeeld het Evangelie van Marcus, dan kan Maria Magdalena natuurlijk alles zijn wat de hedendaagse feministen in haar willen zien.

Als ik een artikel over Maria Magdalena moest schrijven, zou het waarschijnlijk het volgende zijn: een kleine groep goed opgeleide vrouwen heeft hun carrière gewijd aan de gnostische teksten die in de twintigste eeuw zijn ontdekt. Deze vondst hield de belofte in van een nieuwe academische specialisatie en hopelijk een glansrijke carrière op het nogal platgetreden gebied van de bijbelstudie. Ze maakten zichzelf tot ware deskundigen in deze teksten, zoals andere wetenschappers deskundigen zijn geworden in de biologie van de heremietkreeft. Maar in tegenstelling tot hen die een studie hebben gemaakt van tienpotige schaaldieren, hebben zij zich geïdentificeerd met het onderwerp van hun studie. In sommige gevallen was dat wellicht omdat ze geen andere religieuze gemeente hadden om zich mee te identificeren dan die ze met hun eigen onderzoek hadden gevormd. In andere gevallen was het misschien uit rebellie tegen de gezaghebbende gemeente die hun interesse in religie aanvankelijk had aangewakkerd...

En de volgende stap? Dat kunnen we lezen in *What Is Gnosticism?*, een nieuw boek van Harvard-docente Karen King, waarin de grote verscheidenheid van gnostici aan de orde komt. Pluralisatie in de gnostiek is natuurlijk best, maar ze probeert de gnostiek ook van zijn oppositie ten opzichte van het orthodoxe christendom te beroven en dus het begrip ketterij op te heffen. Met andere woorden: als er geen sprake is van fouten, kan alles waar zijn. Hoe Amerikaans. Hoe allesomvattend en vrij van oordelen. En dat in dit tijdperk van postmodernisme. In een dergelijke omgeving kan zelfs de figuur van Maria Magdalena worden geprostitueerd voor polemische doeleinden.

Laat de stem van Maria Magdalena worden gehoord

Door Karen L. King

Copyright © 2003 Beliefnet.com. Opgenomen met toestemming van Beliefnet.

Tradities liggen niet vast. Recentelijk ontdekte teksten zoals het Evangelie van Maria laten ons andere stemmen horen in een oeroud christelijk debat.

In een artikel over recente interesse in Maria Magdalena schrijft Kenneth Woodward: '... het nieuws is niet zozeer wat er over haar wordt gezegd als de nieuwe context waarin ze wordt geplaatst, en ook wie dat doet en om welke reden'. Zoals hij zegt, is de wetenschap het er ten minste sinds de jaren zestig over eens dat ze geen prostituee is geweest. Ook het idee dat Maria en Jezus getrouwd waren, is bepaald niet nieuw. 'Het echte nieuws', zegt hij, is te vinden in het werk van 'ideologisch gemotiveerde feministische wetenschappers'. Daar ben ik het van harte mee eens.

De rest van zijn artikel is echter eerder een uiting van Woodwards aversie tegen het feminisme dan een bespreking of een kritiek op deze wetenschappers. Lezers kunnen zich zelf een oordeel vormen van het beste wat retorisch onderzoek en feministische wetenschap te bieden hebben op het gebied van Maria Magdalena, zoals Elisabeth Schüssler Fiorenza's klassieke *In Memory of Her* [door Ton van de Stap vertaald als *Ter herinnering aan haar*, Gooi en Sticht, Baarn, 1987] en Jane Schabergs recente boek *The Resurrection of Mary Magdalene*.

Een deel van de recente opwinding over Maria Magdalena is ontstaan door de ontdekking van vroeg-christelijke geschriften in Egypte, zoals het Evangelie van Maria, het Gesprek met de Verlosser en het Evangelie van Thomas. Het Evangelie van Maria is aangetroffen in een vijfde-eeuws boek van papyrus dat in 1896 op een antiekmarkt in Caïro opdook. Het werd gekocht door een Duitse wetenschapper die het meenam naar Berlijn. De publicatie liet echter nog tot 1955 op zich wachten. In 1945 deden twee Egyptische boeren een verbazingwekkende ontdekking toen ze naar meststof zochten aan de voet van de Jabel al-Tarif, een rotswand in de buurt van Nag Hammadi, een stadje in Midden-Egypte. Ze ontdekten een verzegelde kruik van klei met een grote hoeveelheid manuscripten van papyrus. Deze hebben sindsdien bekendheid verkregen als *De Nag Hammadi-geschriften*. Het zijn boeken van papyrus uit de vierde eeuw met een grote rijkdom aan oude christelijke literatuur, een totaal van zesenveertig verschillende werken die vrijwel allemaal onbekend waren. Deze en andere oorspronkelijke geschriften bieden een nieuw perspectief op de oorsprong van het christendom. Er blijkt onder meer uit dat het vroege christendom een veel grotere diversiteit had dan we aannamen.

De vroege christenen voerden een levendige discussie over de inhoud en betekenis van de leer van Jezus. Het ging daarbij om fundamentele kwesties zoals wat verlossing precies inhield, de waarde van profetieën, de rol van vrouwen en slaven en de diverse visies op wat een ideale gemeenschap inhoudt. Deze eerste christenen hadden tenslotte geen Nieuw Testament, geen geloofsbelijdenis van Nicea of apostolische geloofsbelijdenis, geen algemeen aanvaarde kerkorde of gevestigd gezag, geen kerkgebouwen en ook geen eenduidig begrip van Jezus. Alle elementen die wij als de essentie van het christendom beschouwen, bestonden nog niet. De geloofsbelijdenis van Nicea en het Nieuwe Testament worden over het algemeen gezien als een nieuw begin, maar waren in feite het eindproduct van deze discussies. Ze zijn gedestilleerd uit ervaringen en experimenten, en flink wat meningen en debat.

Een uitkomst van deze debatten was dat de winnaars de geschiedenis van deze periode vanuit hun perspectief konden opschrijven. De standpunten van de verliezers zijn grotendeels verloren gegaan, omdat hun ideeën alleen bewaard zijn gebleven in documenten waarin ze werden afgekeurd. Dat wil zeggen, tot nu toe. De recente ontdekkingen verschaffen ons een grote rijkdom aan primaire werken die het pluriforme karakter van het vroege christendom illustreren en andere keuzemogelijkheden bieden. Ook de winnaars van het debat kunnen we nu beter begrijpen. Hun ideeën en gewoonten zijn gevormd in de smeltkroes van deze vroeg-christelijke discussies...

Als we de figuur van Maria Magdalena in deze nieuwe context plaatsen, kunnen we beter begrijpen hoe het foutieve portret van haar als een prostituee kon ontstaan en hoe het in het westen meer dan duizend jaar kon blijven bestaan zonder enige vorm van bewijs. In diverse van de ontdekte werken wordt ze afgeschilderd als een van de favoriete discipelen van Jezus en na de wederopstanding als apostel. In het Evangelie van Maria sust ze de angst van de andere discipelen met behulp van een speciale leer waar Jezus alleen haar in had onderricht. De tekst verhaalt dat Jezus haar volledig kende en haar meer liefhad dan de anderen. Ook het traditionele conflict tussen Petrus en Maria komt aan de orde. Dit onderwerp wordt uitputtend behandeld door Anne Brock in haar nieuwe boek *Mary Magdalene, the First Apostle: The Struggle for Authority.*

Maar in deze recentelijk ontdekte teksten staat Maria als apostel garant voor een theologische positie die verloren is gegaan in de strijd om de orthodoxie. Het Evangelie van Maria verschaft ons bijvoorbeeld een radicale interpretatie van de leer van Jezus als pad naar innerlijke spirituele kennis in plaats van apocalyptische openbaring; de realiteit van de dood en de wederopstanding van Jezus worden erin erkend, maar zijn lijden en dood als pad naar het eeuwige leven worden erin afgewezen; ook de onsterfelijkheid van het fysieke lichaam wordt erin verworpen, omdat alleen de ziel verlost wordt; het biedt bovendien het duidelijkste en meest overtuigende argument in welk christelijk geschrift dan ook voor de legitimiteit van vrouwelijk leiderschap; het uit scherpe kritiek op onrechtmatig verkregen macht en biedt een utopische visie op spirituele perfectie; er worden grote vraagtekens geplaatst bij onze romantische kijk op de harmonie onder de eerste christenen, en we worden gedwongen om de basis voor het gezag van de kerk kritisch te onderzoeken. En dat alles is door of in naam van een vrouw geschreven.

Het Evangelie van Maria doet ons inzien dat de leiders van de kerk twee vliegen in één klap konden slaan door een berouwvolle prostituee van haar te maken. Ze slaagden erin om de aantrekkingskracht van Maria Magdalena als model voor vrouwelijk leiderschap te ondermijnen, en ook ondergroeven ze het type theologie dat in haar naam werd bevorderd. Dat type theologie werd door de kerkvaders als ketterij beschouwd.

Kenneth Woodward heeft helemaal gelijk dat de ontdekking van dergelijke bronnen het traditionele beeld van de christelijke geschiedenis op zijn kop zet. Deze versie van de geschiedenis vertelt ons immers dat Jezus de ware leer doorgaf aan de mannelijke apostelen, die het op hun beurt weer letterlijk zo doorgaven aan de bisschoppen die na hen kwamen. De zuiverheid van dit evangelie is veiliggesteld met de geloofsbelijdenis van Nicea en de orthodoxe interpretatie van de bijbelse canon.

De nieuwe teksten wijzen weliswaar niet op een 'felle oorlog tussen de seksen' in de vroege kerken, maar ze bewijzen wel degelijk dat er discussie was over vrouwelijk leiderschap. In het Evangelie van Maria wordt Petrus afgeschilderd als een heethoofd, net zoals in veel andere boeken van het Nieuwe Testament. Hier is hij jaloers op Maria en weigert hij te geloven dat Jezus haar speciaal onderricht gaf. Uit dit evangelie zou je kun-

Maria Magdalena, patroonheilige van het elitair onderwijs
Zowel Oxford als Cambridge, de leidende en zeer traditionele universiteiten van Engeland, hebben een college dat naar Maria Magdalena is genoemd.

Magdalen College in Oxford dateert van 1448. Het is een van de eerste colleges ter wereld waar natuurwetenschappen werden onderwezen. Het koor van Magdalen College is bijna even oud als het college zelf en staat bekend om zijn lenteceremonies in mei, die in de beroemde toren van het college worden gehouden. De torenceremonies zijn te zien in de film *Shadowlands*, over het leven van C.S. Lewis. Sommigen van de deskundigen wier werk in dit boek wordt gepresenteerd, zouden ongetwijfeld interessante verbanden van mythen en metaforen zien tussen de heidense lenterituelen van de voor-christelijke geschiedenis, de toren van Magdalen College (Magdala is afgeleid van een oud woord voor toren), en de interesse van C.S. Lewis in geloof, theologie, symbolisme en mythen. Magdalen College telt negen Nobelprijswinnaars onder zijn studenten en docenten.

Het Magdalene College in Cambridge dateert van 1542 en wordt met een e op het eind gespeld om verwarring met Oxford te voorkomen. Historisch gezien werd de naam echter uitgesproken als *Maudleyn*, een samentrekking (let op, Dan Brown-fans) van Magdalene met de naam van de oprichter, Lord Audley. Het woord *maudlin* (overdreven sentimenteel, vaak met tranen in de ogen) is in de Renaissance via het Latijn (*Magdalena*), Oud-Frans (*Madeleine*) en Middel-Engels in het moderne Engels terechtgekomen en draagt de echo in zich van Maria Magdalena, wier tranen tot de beroemdste van de geschiedenis behoren.

nen opmaken dat christenen die, net als Petrus, vrouwen het recht op het verspreiden van de leer betwisten, dit doen uit jaloezie en gebrek aan begrip...

Het Evangelie van Maria is een andere stem in een oude discussie, een stem die bijna tweeduizend jaar verloren is geweest. Ons begrip van de dynamiek die het vroege christendom kenmerkte, wordt erdoor vergroot. Maar dat wil niet zeggen dat er kritiekloos naar deze stem moet worden geluisterd. De verwerping van het lichaam als het ware zelf in het Evangelie van Maria werpt bijvoorbeeld problemen op voor het hedendaagse feminisme, waarin de waardigheid van het menselijk lichaam juist wordt benadrukt.

De kwestie van vrouwelijk leiderschap is natuurlijk nooit weg geweest. Het is ook heel wat meer dan slechts een oude controverse. In deze tijd proberen feministen ervoor te zorgen dat het ware verhaal van Maria Magdalena en ook de andere stemmen uit haar tijd gehoord worden, en niet alleen door lezers van de *New Catholic Encyclopedia* uit 1967, maar ook door het grotere publiek. Wetenschappers en andere mensen die zich door deze nieuwe werken bedreigd voelen, wijzen ze als ketterij van de hand en proberen de betekenis ervan voor de huidige discussie te marginaliseren. Zo beschouwd is alle commotie rond Maria Magdalena niets meer dan een nieuwe episode in de lange geschiedenis van ruziënde christenen. Waarom zouden we daar aandacht aan schenken?

Om de volgende reden: omdat zoveel van het christelijke geloof en van de bijbehorende gebruiken op historische stellingen berust, is een correcte visie op de geschiedenis van essentieel belang. Eén criterium voor goede geschiedenis is dat er rekening wordt gehouden met alle gegevens, en dat gegevens die niet bevallen niet worden gemarginaliseerd en andere gegevens juist naar voren geschoven. Geloofsgemeenschappen kunnen de leer in deze recentelijk ontdekte teksten omhelzen of verwerpen, maar uiteindelijk zullen christenen een beter begrip krijgen van hun eigen traditie door een correctere historische kijk op de christelijke oorsprong.

Gezien het belang van godsdienst in de wereld van nu (denk vooral aan het verband tussen religie en geweld) ben ik van mening dat het zowel voor niet-christenen als voor christenen belangrijk is te erkennen dat alle religieuze tradities vele stemmen bevatten en vele benaderingen bieden voor de complexe kwesties van onze hedendaagse samenleving. In die zin is de traditie geen vaststaand feit maar een gegeven dat voortdurend opnieuw wordt samengesteld doordat gelovigen teruggrijpen op het verleden om het heden het hoofd te bieden... Op grond daarvan is religie ook niet iets waar je voor of tegen kunt zijn. Religies staan bloot aan voortdurende interpretatie... Een correcte historische weergave is geen garantie dat de figuur van Maria Magdalena niet langer zal worden geprostitueerd voor polemische doeleinden, zoals dat eeuwenlang het geval is geweest. Maar deze belangrijke vrouwelijke discipel van Jezus krijgt er wel iets van haar waardigheid door terug.

'Is seks binnen het huwelijk een zonde?'

Een interview met dominee Richard P. McBrien

Richard McBrien doceert theologie aan de University of Notre Dame. In het ABC-televisieprogramma *Jesus, Mary and Da Vinci* veroorzaakte hij in 2003 opschudding met zijn logische uitleg waarom Jezus zeer wel getrouwd kan zijn geweest. In het onderstaande interview zegt hij meer over dat onderwerp en komt ook Maria Magdalena als figuur in de christelijke geschiedenis aan de orde.

Wat vindt u van de mogelijkheid dat Maria Magdalena in Het Laatste Avondmaal *is afgebeeld?*
Wat mij betreft is het mogelijk. In het Nieuwe Testament blijkt nergens dat ze erbij was. De vraag is of Da Vinci haar daadwerkelijk in zijn schilderij heeft opgenomen. Gezien de zeer vrouwelijke gelaatstrekken van de figuur die haar/zijn hoofd tegen Jezus laat rusten, is er iets te zeggen voor die interpretatie.

Waarom heeft de kerk Maria Magdalena zo lang als prostituee afgeschilderd?
Misschien omdat sommige kerkleiders niet konden verkroppen dat ze een van de voornaamste discipelen van Jezus was, die bovendien hecht met hem bevriend was en getuige was van de verrijzenis.

In het ABC*-programma* Jesus, Mary and Da Vinci *stelt u dat getrouwd zijn niet in strijd was met de goddelijke status van Jezus. Kunt u dat uitleggen?*
Ik bedoel het niet spottend, maar waarom eigenlijk niet? In de Brief aan de Hebreeën (4:15) staat dat Jezus in alles gelijk was aan ons, behalve in de zonde. Is seks binnen het huwelijk een zonde?

U zei ook dat als Jezus getrouwd was, het 'nog maar een kleine stap' was naar Maria Magdalena. Waarom naar haar?
Omdat zij de vrouwelijke discipel was die tijdens zijn leven het dichtst bij hem stond. In tegenstelling tot de laffe mannen bleef ze tot het einde bij hem. Volgens ten minste drie boeken in het Nieuwe Testament was zij de eerste die hem zag na zijn verrijzenis. Hij moest haar ook waarschuwen hem niet aan te raken, omdat hij nog niet was opgevaren naar zijn Vader in de hemel.

Zouden alle leidende religieuze figuren in die tijd getrouwd zijn geweest?
Niet allemaal misschien, maar de meeste wel. Het is duidelijk dat sommigen van de apostelen, inclusief Petrus, getrouwd waren.

Waarom worden zo veel mensen momenteel zo geboeid door Maria Magdalena?
Misschien omdat ze vervreemd zijn geraakt van de kerk door haar negatieve, starre en streng kritische standpunt ten opzichte van de menselijke seksualiteit. Als je gaat nadenken over Maria Magdalena werpt dat onmiddellijk vragen op over de seksualiteit van Jezus en de plaats van vrouwen in de kerk. Als Jezus inderdaad getrouwd is geweest, komen al die eeuwen van vooroordelen tegen seksuele intimiteit op losse schroeven te staan.

Waaraan wijt u de hernieuwde interesse in Maria Magdalena?
Recent werk van wetenschappers van naam en ook de vrouwenbeweging hebben er veel aan bijgedragen. Maar het spreekt voor zich dat *De Da Vinci Code* meer dan welke publicatie ook debet is aan de huidige aandacht voor Maria Magdalena.

2 Het heilig vrouwelijke

Het heilig vrouwelijke is het andere gezicht van God. In de afgelopen tweeduizend jaar christendom is het niet de eer bewezen die het toekomt en het is zeker niet als gelijke gezien.

Margaret Starbird

In dit hoofdstuk werpen we een blik op de achtergrond van het 'heilig vrouwelijke', een concept dat de kern raakt van *De Da Vinci Code*. Iedereen die het boek heeft gelezen zal zich herinneren hoe Sophie Neveu en Langdon midden in de nacht arriveren op Château Villette, het landgoed van Leigh Teabing. Langdon en Teabing overspoelen Sophie met hun theorieën over de heilige graal, Maria Magdalena en het heilig vrouwelijke. Langdon vertelt haar:

> De heilige graal symboliseert het heilig vrouwelijke en de godin... De kracht van de vrouw en haar vermogen om leven voort te brengen werden eens zeer hoog aangeslagen. Maar omdat ze een gevaar vormde voor de opkomst van de door mannen overheerste kerk, werd het heilig vrouwelijke als demon voorgesteld en onrein genoemd... Toen het christendom ontstond, stierven de oude heidense religies niet zomaar uit. Sagen over ridders die naar de heilige graal zochten, waren in werkelijkheid verhalen over verboden speurtochten naar het verloren heilig vrouwelijke. Ridders die zeiden 'de kelk te zoeken', gebruikten geheimtaal om zich te beschermen tegen een kerk die vrouwen had onderworpen, de godin had verbannen, ongelovigen op de brandstapel bracht en de heidense verering van het heilig vrouwelijke had verboden.

Met de theorie van het onderdrukte heilig vrouwelijke, gekoppeld aan de onderdrukking van de godin dan wel Maria Magdalena, zoals Langdon en

Teabing die aan Sophie presenteren, wordt een van de meest fascinerende intellectuele vragen in het boek opgeworpen. In veel opzichten is het
een onhoudbare theorie, vooral als je kijkt naar de manier waarop deze
verweven is met de raadsels van de plot. Maar interessant is ze zeker. Als
de fictieve Langdon zijn nachtelijke theorie presenteert, leunt hij zwaar op
enkelen van de deskundigen die in dit hoofdstuk aan het woord komen:
Margaret Starbird, Elaine Pagels, Timothy Freke en Peter Gandy, Riane
Eisler en anderen.

In dit hoofdstuk presenteren deze deskundigen hun eigen argumenten
over de rol van het heilig vrouwelijke in de ontwikkeling van de westerse
cultuur, het westerse gedachtegoed, de politiek, de filosofie en de religie.
Ze herinneren ons aan de godinnencultussen van Egypte, Griekenland,
Kreta en Rome, en beschrijven de rollen van mannen en vrouwen in de
context van het joods-christelijke bijbeltijdperk. Ze maken hun eigen selectie uit de christelijke ervaringen van de vroege en de middeleeuwse kerk.
En ze onderzoeken spiritualiteit, mythen, legenden en tradities voorzover
die een speciaal en heilig belang hechten aan vrouwen in het algemeen en
Maria Magdalena in het bijzonder.

De lezer zij gewaarschuwd: veel van dit materiaal is per definitie mystiek, mythisch en poëtisch; veel van het oorspronkelijke bronmateriaal is
fragmentarisch en heeft ons via meerdere talen en vertalingen bereikt. In
veel gevallen zijn de korte passages afkomstig uit bijbelse of gnostische
bronnen die elders al uitputtend zijn geanalyseerd en becommentarieerd.
Deze pagina's bieden niet meer dan een overzicht.

God lijkt niet op een man

Een interview met Margaret Starbird

Copyright © 2004 Margaret L. Starbird

Twee van Margaret Starbirds boeken worden met name genoemd in *De
Da Vinci Code*, als Sophie Neveu ze ziet staan op Leigh Teabings boekenplanken in het Château Villette: *De vrouw met de albasten kruik: Maria
Magdalena en de betekenis van de graal* en *The Goddess in the Gospels: Reclaiming the Sacred Feminine* [in tegenstelling tot wat in de Nederlandse
versie van *De Da Vinci Code* wordt gesuggereerd, is dit boek niet vertaald
in het Nederlands]. In het interview dat voor dit boek met haar is gehouden, geeft Starbird in kort bestek haar eigen visie op het heilig vrouwelij-

ke. Ze stelt ook dat 'het beeld van Maria als apostel, gelijk aan of misschien zelfs belangrijker dan Petrus, nog lang niet ver genoeg gaat.' Dit interview is een inleiding tot het gedachtegoed van Starbird. Na het interview volgen korte fragmenten uit de genoemde boeken.

Hoe verschilt het concept van het heilig vrouwelijke van de manier waarop de meeste religies de prominente rol van mannelijke godheden als vanzelfsprekend aannemen?
Steeds meer mensen zijn zich ervan bewust dat wat we 'God' noemen niet echt lijkt op de patriarch die op het plafond van de Sixtijnse Kapel in het Vaticaan is afgebeeld. Al tweeduizend jaar hebben christenen een mannelijk beeld van God en worden er mannelijke voornaamwoorden gebruikt als het over de Schepper gaat. Met onze ratio beseffen we echter dat God geen man is. God gaat de seksen te boven. Als de 'Wever' achter 'de Sluier' gaat God ons voorstellingsvermogen te boven. Dus perken we God in met etiketten als 'Hem'. God is noch man noch vrouw. Dat is de reden dat de joden altijd is opgedragen nooit beelden van God te maken. Christenen verwierpen dat idee en noemden God en Jezus 'Vader' en 'Zoon'. Toen de Griekse woorden voor 'Heilige Geest' in het Latijn werden vertaald werden ze mannelijk: *Spiritus Sanctus*. Vanaf de vijfde eeuw werd de Drie-eenheid in West-Europa als mannelijk beschouwd.

Het heilig vrouwelijke is het andere gezicht van God. In de afgelopen tweeduizend jaar christendom heeft het niet de eer gekregen die het toekomt en is het zeker niet als gelijke gezien. De Maagd Maria belichaamt in ieder geval een vrouwelijk aspect van 'God': de Gezegende Moeder, onze pleitbezorgster aan de troon van haar Zoon. Maar in het christendom wordt het paradigma van het partnerschap, het leven schenkende principe op aarde, niet gevierd en zelfs niet erkend.

Ik geloof dat we het verloren vrouwelijke op alle niveaus moeten terugwinnen: fysiek, psychologisch, emotioneel en spiritueel. Met het verlies van de bruid en de mandala van het heilige partnerschap dat het geboorterecht van ons christenen was, zijn we beroofd van een groot goed. We zijn de Eros/relatie kwijtgeraakt en daarmee de diepe verbintenis met het vrouwelijke: het lichaam, de emoties, de intuïtie, de verwantschap met alle leven, de zegeningen van de prachtige en overvloedige planeet.

Wie is de 'verloren bruid' van de christelijke traditie? Wat is het verband met het concept van het heilig vrouwelijke?
Er is maar één model voor het leven op aarde. De naam van dat model is 'heilige eenheid'. In oude culturen werd deze fundamentele werkelijkheid geëerd in riten die de gemeenschap en 'symbiose' van het mannelijke en

vrouwelijke als intieme partners vierden. Voorbeelden zijn Tammuz/Ishtar, Baäl/Astarte, Adonis/Venus, Osiris/Isis. In deze culturen verspreidde de vreugde zich vanuit hun bruidskamers naar de gewassen en kudden, en naar de bevolking van hun rijk. In diverse liturgieën in het Nabije Oosten werden gelijksoortige riten in acht genomen. Het Hooglied is een bewerking van oude liturgische poëzie uit de *hiëros gamos*-riten van Isis en Osiris. Steevast wordt de koning hierin terechtgesteld en gezocht door zijn van rouw vervulde bruid, die ten slotte met hem herenigd wordt. In het Hooglied geurt de bruid naar nardus [nardusolie, gemaakt van (spijk)nardus, *Nardostachys jatamansi,* een oosters parfum] en omgeeft die geur de bruidegom aan het banket. En in het Evangelie is het opnieuw nardus waarmee Jezus door Maria wordt gezalfd, en de geur 'trok door het hele huis' (Johannes 12:3).

Op zeven van de acht lijsten van vrouwen die Jezus vergezellen, wordt Maria Magdalena als eerste genoemd, en toch werd haar status als 'eerste vrouw' later ontkend. Het kwam de kerkvaders van de vierde eeuw goed uit om de moeder van Jezus ter verheffen tot 'Theotokos' (God-draagster, Moeder van God) maar zijn bruid/geliefde te negeren. Het resultaat is een vervorming van het meest fundamentele model voor het leven op onze planeet: de 'heilige eenheid' van toegewijde partners.

U noemde net hiëros gamos, *dat in* De Da Vinci Code *ook voorkomt als een vertaling uit het Grieks voor 'heilig huwelijk'. Maar wat betekent het echt? En wat is het verband met Jezus?*
Ik geloof dat Jezus het archetype van de heilige bruidegom belichaamt en dat hij en zijn bruid samen de mythologie van *hiëros gamos* openbaren. Hun verbintenis was volgens mij de hoeksteen van de vroeg-christelijke gemeenschap, een radicaal nieuwe manier om als partners samen te leven. In zijn brief 1 Korintiërs 9:5 zegt Paulus dat de broeders van Jezus en de andere apostelen worden vergezeld door hun 'zusters als vrouw', een frase die vaak is vertaald als 'zusters in Christus'. Maar er staat letterlijk 'zusters als vrouw'. Wat wordt er nu eigenlijk bedoeld met een 'zuster als vrouw'? Een andere plaats in de bijbel waar zuster en vrouw naast elkaar worden genoemd is het Hooglied. Daar noemt de bruidegom zijn geliefde 'mijn zuster, mijn bruid'. Deze frase duidt op een intieme relatie die verder gaat dan een gedwongen huwelijk. Het is een relatie van wederzijdse interesse, genegenheid en een speciale band. Als we Paulus moeten geloven, fungeerden deze apostelen als missionaire echtparen en opereerden ze niet in groepjes van twee mannen, zoals ons is voorgehouden. En ik ben ervan overtuigd dat het voorbeeld van deze relatie Jezus met zijn eigen geliefde was. Het is deze intimiteit waaraan in het Evangelie van Fi-

lippus wordt gerefereerd als er staat: 'Er waren drie Maria's die Jezus vergezelden. Zijn moeder, zijn zuster en zijn wederhelft droegen allen de naam Maria.' Er staat ook dat Jezus Maria Magdalena vaak kuste en dat de andere discipelen jaloers waren.

Welke betekenis heeft het symbolisme van de kelk – of graal?
De kelk of schaal wordt algemeen beschouwd als het symbool voor het vrouwelijke 'omhulsel'. Ik heb een foto van een kruik met borsten uit 6000 voor Christus. De symboliek verwijst naar de vrouw als voedster. Marija Gimbutas [een pionier als archeologe en deskundige op het gebied van godinnensymbolen en godinnen-vererende culturen uit prehistorisch Europa en het Nabije Oosten] wees al op uit de prehistorie daterende voorbeelden van de v-vorm op muren van grotten. De omlaag wijzende driehoek wordt overal ter wereld begrepen als een symbool van de vrouwelijke pubis, en het hexagram is een zeer oud symbool voor de kosmische dans van de kelk en het zwaard, de mannelijke en vrouwelijke driehoeken die in India de godheden Shiva en Shakti voorstellen.

Welke rol speelden vrouwen in de vroegste dagen van de christelijke kerk?
Nog voordat de evangeliën werden geschreven, waren vrouwen blijkbaar zeer nauw betrokken bij het leiderschap van de vroeg-christelijke gemeenschappen. Paulus noemt in zijn brieven (die globaal dateren uit de jaren vijftig n.Chr.) diverse vrouwen, zoals Febe, een diacones, Prisca en Junia, die leidende posities bekleedden in vroeg-christelijke gemeenschappen. In de brief aan de Romeinen (16:6,12) bedankt en groet Paulus diverse vrouwen – Maria, Persis, Tryfosa en Tryfena – voor de moeite die zij zich getroost hebben. Rijke vrouwen steunden Jezus' prediking vanaf het begin en bleven hem trouw tot het einde. Ze stonden aan de voet van het kruis terwijl de mannelijke apostelen zich verstopten. Vrouwen stelden hun huis open als ontmoetingsplaats en gezamenlijke leefruimte in de vroege gemeenschap, en sommigen van hen dienden als diacones en zelfs priesteres in de vroege dagen van de kerk. Dr. Dorothy Irvin heeft gepubliceerd over de vele muurschilderingen en mozaïeken uit vroeg-christelijke gemeenschappen die ze heeft ontdekt. Daarop zijn vrouwen afgebeeld met priestergewaden en -attributen. Volgens de richtlijnen in 1 Timoteüs ontnam de hiërarchie vrouwen later het recht om de gemeente te onderwijzen en te preken.

Wat vindt u van de inspanningen die moderne feministische wetenschappers zich getroosten om Maria Magdalena als de belangrijkste apostel neer te zetten?

Hoewel ik helemaal voor onderzoek ben waarin Maria Magdalena als trouwste van alle volgelingen van Jezus wordt neergezet, vind ik het beeld van Maria als apostel, gelijk aan of misschien zelfs belangrijker dan Petrus, nog lang niet ver genoeg gaan. Het lijdt geen twijfel dat Maria Magdalena volledig toegewijd en trouw was aan Christus. Maar het evangelie vertelt ook een ander verhaal. In de vroegste christelijke teksten is Maria Magdalena meer dan de gelijke van Petrus. Ze werd beschouwd als de archetypische bruid van de eeuwige bruidegom en biedt het model voor de speurtocht en het verlangen van de menselijke ziel (en het gehele menselijke ras) naar eenwording met het goddelijke. Ze leeft de 'eros'-relatie voor, de weg van het hart, en samen met haar bruidegom biedt ze het paradigma voor de verbeelding van het goddelijke als partners. Haar rol van apostel of 'afgezant' steekt daarbij slechts bleek af.

Sommige mensen nemen dit allemaal te letterlijk en vinden dat Maria Magdalena vernederd wordt wanneer ze wordt beschreven als echtgenote van Jezus. Het argument is dat ze wordt gekarakteriseerd in termen van haar relatie met een man en dat ze daar minder van wordt. Met een dergelijk standpunt zien mensen wat mij betreft een aantal dingen over het hoofd. Men moet zich realiseren dat het 'heilige huwelijk' niet over een joodse rabbi en zijn echtgenote gaat. Het is in feite het archetypische patroon voor heelheid, de harmonie van de polariteiten en de 'syzygie' van *logos/sophia* (rede/wijsheid) die staat voor het goddelijke als eenwording van tegenpolen.

Jezus wordt overal in de bijbel als bruidegom gepresenteerd, maar men gelooft nu over het algemeen dat hij geen bruid had. In de oude *hiëros gamos*-riten verkondigde en verleende de koninklijke bruid het koningschap door de bruidegom te zalven. Het is duidelijk dat de vrouw met de albasten kruik die Jezus zalfde, de belichaming is van dat oude archetype, dat in elke uithoek van het Romeinse rijk onmiddellijk herkend werd. Er is niets onderdanigs aan de mythische daad van erkenning en bekrachtiging die Maria stelde door Jezus te zalven in de rite van *hiëros gamos*.

Maria en Jezus

Een herhaling van oude vruchtbaarheidsriten?

Door Margaret Starbird

Een fragment uit *The Goddess in the Gospels: Reclaiming the Sacred Feminine*. Copyright © 1998 Margaret Starbird. Opgenomen met toestemming van Bear & Company, een onderdeel van Inner Traditions International.

Vroeg-christelijke afbeeldingen van de Maagd en haar kind waren gemodelleerd naar de veel oudere afbeeldingen van de Egyptische godin Isis, de zuster-bruid van Osiris, met op haar schoot het heilige kind Horus, de god van het licht. De rituele poëzie van de sekte van Isis en Osiris vindt een parallel in het Hooglied, op sommige plaatsen zelfs woord voor woord. Zowel de maan- als de aardegodinnen van de oude wereld werden vaak donker weergegeven om het vrouwelijke principe af te zetten tegenover de zon/het mannelijke. Deze vorm van dualisme was gebruikelijk bij de vroege beschavingen in het Middellandse-Zeegebied. Vele godinnen werden zwart weergegeven, bijvoorbeeld Inanna, Isis, Cybele en Artemis.

Voor de vroegste christenen was de godin in de evangeliën Maria Magdalena. Haar naam betekende 'verheven' of 'wachttoren/bolwerk'...

Nadat de belangstelling voor de unieke positie van Maria Magdalena in de twaalfde eeuw een hoogtepunt beleefde, verloor zij in West-Europa steeds meer terrein vanaf halverwege de dertiende eeuw – een periode die dramatisch samenvalt met de Albigenzer kruistocht tegen de katharen en de volgelingen van de 'Kerk van de Liefde'. De invloed van de inquisitie nam toe in de dertiende eeuw, vooral in Zuid-Frankrijk, in reactie op diverse op het evangelie gerichte versies van het christendom. Het ging daarbij om populaire ketterse sekten die de heerschappij van Rome bedreigden. Met medewerking van de Franse koning begon de paus een kruistocht tegen de Albigenzer ketters. Het werd een bloedige oorlog die een generatie duurde en waarbij hele steden in de as werden gelegd en de cultuur in de Languedoc werd weggevaagd.

In dezelfde periode werden luisterrijke en belangrijke benamingen die ooit alleen naar Maria Magdalena verwezen, overgedragen op de Heilige Maagd Maria. Kerkgebouwen gewijd aan 'Onze-Lieve-Vrouwe' eerden alleen nog de moeder van Jezus als uitzonderlijk voorbeeld van het archetypisch vrouwelijke – 'als enige van haar sekse'. Standbeelden en afbeeldingen van de Maagd werden in ongekende aantallen verspreid, meestal met een kind op schoot, als een echo van de Egyptische standbeelden van Isis en Horus. In de tweede helft van de dertiende eeuw werd de 'stem van de Bruid' effectief tot zwijgen gebracht, hoewel wordt gefluisterd dat de steenhouwers het ware geloof behielden en haar symbolen verwerkten in de stenen van hun gotische kathedralen...

Het zalven van Jezus in de evangeliën is een opvoering van riten uit de heersende vruchtbaarheidscultus van het oude Midden-Oosten. Door het zalven van Jezus' hoofd met kostbare nardus voerde de vrouw die door de traditie geïdentificeerd werd met 'de Magdalena' ('de Grote'!) een handeling uit die identiek was aan de huwelijksrite van *hiëros gamos*: de rite van het zalven van de gekozen bruidegom/koning door de koninklijke vertegenwoordiger van de Grote Godin!

Jezus kende en erkende deze rite zelf ook, in de context van zijn rol als de geofferde koning: 'ze heeft mijn lichaam nu al met olie gebalsemd, met het oog op mijn begrafenis.' (Marcus 14:8) Degenen die het bijbelverhaal van het zalven tijdens het feest in Betanië hoorden, zouden de rite zeker hebben herkend als het ceremoniële zalven van de Heilige Koning, zoals ze ook de vrouw zouden hebben herkend, 'de vrouw met de albasten kruik', die op de derde dag naar de tombe in de tuin kwam om het zalven voor de begrafenis te voltooien en om te rouwen om haar gemartelde Bruidegom. Maar ze trof een lege graftombe aan...

In de heidense rituelen en de oude mythen gaat de Godin (de zuster-bruid) naar de graftombe in de tuin om te rouwen om de dood van haar Bruidegom en verheugt ze zich als ze hem verrezen aantreft. 'Liefde is sterker dan de dood,' is de ontroerende belofte in het Hooglied en in vergelijkbare liefdespoëzie uit het Midden-Oosten waarin deze oude riten van het Heilige Huwelijk worden gevierd...

Het koninklijk bloed en de wijnstok

Door Margaret Starbird

Een fragment uit *The Woman With the Alabaster Jar: Mary Magdalen and the Holy Grail.* Copyright © 1993 Margaret Starbird. Opgenomen met toestemming van Bear & Company, een onderdeel van Inner Traditions International. De vertaling van Abbie Doeven verscheen als *De vrouw met de albasten kruik* (Ankh-Hermes, Deventer, 1995). Dit fragment is overgenomen met toestemming van de uitgever. Copyright © 1995 Uitgeverij Ankh-Hermes bv, Deventer.

De Sangraal

Bij middeleeuwse dichters van de twaalfde eeuw, toen er in de Europese literatuur voor het eerst graallegenden opdoken, vinden we het begrip 'graalfamilie', vermoedelijk de bewakers van de beker die later dit voorrecht onwaardig bleken te zijn. Soms wordt er door graalkenners een verband gelegd tussen de woorden *sangraal* en *gradales*, een woord dat in het Provençaals 'beker', 'schaal', of 'kom' schijnt te hebben betekend. Maar een andere gedachte is dat als men het woord *sangraal* na de *g* afbreekt, er het woord *sang raal* ontstaat, dat in het Oud-Frans 'koninklijk bloed' betekent.

Deze tweede afleiding van het Franse *sangraal* is uiterst intrigerend en misschien wel heel verhelderend. Opeens worden we geconfronteerd met een nieuwe lezing van de zo vertrouwde legende: in plaats van in een beker of een kelk, zegt het verhaal nu dat het 'koninklijk bloed' door Maria Magdalena naar de mediterrane kust van Frankrijk is gebracht. In andere legenden wordt Josef van Arimatea aangewezen als degene die het bloed van Jezus in een soort vat naar Frankrijk heeft gebracht. Misschien was het inderdaad Maria Magdalena die, onder de bescherming van Josef van Arimatea, de koninklijke afstammingslijn van koning David met zich meedroeg naar de mediterrane kust van Frankrijk.

De Merovingische connectie

Er zijn aanwijzingen die doen vermoeden dat het koninklijk bloed van Jezus en Maria Magdalena zich uiteindelijk heeft voortgezet in de aderen van de Merovingische vorsten van Frankrijk. De naam *Merovingisch* zelf zou al een linguïstisch fossiel kunnen zijn. In de anekdotes rondom de koninklijke familie van de Franken wordt een voorvader 'Merovée' genoemd. Maar als we het woord *Merovingisch* fonetisch in lettergrepen opsplitsen, zien we de woorden *mer* en *vin* ontstaan, Maria en de wijnstok (*vine* in het Engels). Als we het woord op deze manier ontleden kan het worden geïnterpreteerd als een toespeling op de 'wijnstok van Maria' of misschien de 'wijnstok van de moeder'.

Het koninklijk embleem van de Merovingische koning Clovis was de fleur-de-lis (de iris). De Latijnse naam voor de iris, die in landen van het Midden-Oosten in het wild groeit, is *gladiolus*, of 'klein zwaard'. De driebladige fleur-de-lis van het koninklijk huis van Frankrijk is een mannelijk symbool. In wezen is het een grafisch beeld van het besnijdenis-verbond, als teken van alle beloften die God aan Israël en het Huis van David heeft gedaan. Thomas Inman gaat in zijn negentiende-eeuwse werk *An-*

cient Pagan and Modern Christian Symbolism uitvoerig in op de mannelijke aard van de 'bloem van licht'. Het is bijna vermakelijk dat ditzelfde
mannelijke symbool, het 'kleine zwaard', vandaag de dag het internationale embleem is voor de padvinders!

De gnostische traditie en de
goddelijke Moeder

Door Elaine Pagels

Een fragment uit *The Gnostic Gospels* van Elaine Pagels. Copyright © 1979 Elaine Pagels. Opgenomen met toestemming van Random House, Inc. Dit is een deel van de
Nederlandse vertaling van E. Verseput, getiteld *De Gnostische Evangeliën* (Servire,
1980/2005). Opgenomen met toestemming van de uitgever. Copyright © 2005 voor de
Nederlandse taal: Kosmos-Z&K Uitgevers B.V.

In een deel van de gnostische bronnen wordt beweerd dat men van Jezus
via Jacobus en Maria Magdalena een geheime traditie heeft ontvangen. De
gnostici van wie deze bronnen afkomstig zijn, aanbaden zowel de goddelijke Vader als de goddelijke Moeder: 'Van U, Vader, en door U, Moeder,
de twee onsterfelijke namen, Ouders van het goddelijke wezen, en gij, die
woont in de hemel, mens met de machtige naam...'[1]

Daar het verhaal van Genesis verder gaat met de mededeling dat de mens
'als man en vrouw' geschapen werd (1:27), trokken sommigen de conclusie dat de God naar wiens beeld wij zijn gemaakt zowel mannelijk als vrouwelijk moet zijn, zowel Vader als Moeder.

Hoe karakteriseren deze teksten de goddelijke Moeder? Ik ken geen eenvoudig antwoord, daar de teksten zelf hierover zeer verschillen. Toch is het
mogelijk een schets te geven van de drie voornaamste typeringen. In de
eerste plaats beschrijven verscheidene gnostische groeperingen de goddelijke Moeder als één helft van een oorspronkelijk paar. Valentinus, de leraar en dichter, begint met de veronderstelling dat God in wezen niet te
beschrijven valt. Maar hij brengt de gedachte naar voren dat men zich het
goddelijke kan voorstellen als een tweevoudigheid, die gevormd wordt
door enerzijds het Onuitsprekelijke, de Diepte, de Oervader, en anderzijds

---

1 Hippolytus, *Refutatio omnium haeresium* (*REF*) 5.6.

door Genade, Stilte, de Baarmoeder en 'Moeder van het Al'.[2] Valentinus redeneert dat Stilte de passende aanvulling is van de Vader; hij duidt het eerste aan als het vrouwelijke element en het tweede als het mannelijke vanwege het grammaticale geslacht van de Griekse woorden. Hij beschrijft verder hoe Stilte, als in een baarmoeder, het zaad van de Onuitsprekelijke Bron ontvangt. Hieruit brengt zij al de emanaties van het goddelijke wezen voort, die geordend zijn in evenwichtige paren mannelijke en vrouwelijke energieën.

Volgelingen van Valentinus richtten hun gebeden om bescherming tot haar als de Moeder en als 'de mystieke, eeuwige Stilte'.[3] Zo roept bijvoorbeeld Marcus de Tovenaar haar aan als de Genade (in het Grieks het vrouwelijke woord *charis*): 'Moge Zij die vóór alle dingen is, de onbegrijpelijke en onbeschrijfelijke Genade, u vanbinnen vol maken en in u haar eigen kennis doen toenemen.'[4] In zijn geheime viering van de mis, zo leert Marcus, symboliseert de wijn haar bloed. Bij de wijding van de wijnbeker bidt hij dat 'Genade moge stromen'[5] in allen die ervan drinken. Marcus, profeet en visionair, noemt zich de '*baarmoeder* en *ontvanger* der Stilte'[6] (zoals zij dat is van de Vader). In de visioenen die hij van het goddelijke wezen had, verscheen het als een vrouwelijke gestalte.

Een ander gnostisch geschrift, de *Grote Aankondiging*, geciteerd door Hippolytus in zijn *Weerlegging van alle Ketterijen*, geeft de volgende uitleg van het ontstaan van het universum: uit de macht der Stilte verscheen 'een grote macht, het Verstand van het Universum, dat alle dingen regelt en mannelijk is... de andere... een grote Intelligentie... is een vrouw die alle dingen voortbrengt'.[7] Overeenkomstig het geslacht van de Griekse woorden voor 'verstand' (*nous*: mannelijk) en 'intelligentie' (*epinoia*: vrouwelijk) blijken, zo verklaart deze auteur, deze machten samen 'een dualiteit te zijn... Dit is Verstand in Intelligentie, ze zijn van elkaar te scheiden maar zijn toch één, hoewel ze in een toestand van dualiteit worden aangetroffen.' Dit betekent volgens de gnostische leraar het volgende:

> Er is in iedereen [een goddelijke kracht] die latent aanwezig is... Dit is één macht die naar boven en naar onderen in delen is gesplitst, die zichzelf voortbrengt, zichzelf doet groeien, zichzelf zoekt, zichzelf

2 Irenaeus, *Adversus Haereses* I.11.1 (*AH*).
3 Idem, I.13.6.
4 Idem, I.13.2.
5 Idem, I.13.2.
6 Idem, I.14.1.
7 Hippolytus, *REF* 6.18.

vindt, moeder is van zichzelf, vader van zichzelf, zuster van zichzelf, echtgenoot van zichzelf, dochter van zichzelf, zoon van zichzelf – moeder, vader, eenheid, een bron van de gehele kringloop van het bestaan.[8]

Hoe wilden deze gnostici dat men dit opvatte? De verschillende leraren waren het er niet over eens. Sommigen beweerden dat het goddelijke moet worden beschouwd als manvrouwelijk, de 'grote mannelijk/vrouwelijke kracht'. Anderen beweerden dat deze begrippen alleen als metaforen bedoeld waren, daar in feite het goddelijke noch mannelijk noch vrouwelijk is.[9] Een derde groep meende dat men de Oerbron kan beschrijven in mannelijke óf vrouwelijke termen, afhankelijk van het aspect dat men wenst te benadrukken. De voorstanders van deze verschillende visies waren het erover eens dat het goddelijke moet worden opgevat als een harmonieuze, dynamische relatie tussen tegengestelden – een begrip dat misschien vergelijkbaar is met de oosterse opvatting van yin en yang, maar vreemd is aan het orthodoxe jodendom en christendom...

Terwijl sommige gnostische bronnen suggereren dat de Geest het moederlijke element van de Drie-eenheid uitmaakt, doet het Evangelie van Filippus een even radicale bewering ten aanzien van de leer die zich later ontwikkelde tot 'de maagdelijke geboorte'. Ook hier is de Geest zowel Moeder als Maagd, de tegenhanger – en gemalin – van de Hemelse Vader: 'Is het toegestaan een mysterie uit te spreken? De Vader van alles, verenigd met de maagd die afdaalde', dat wil zegen met de Heilige Geest die nederdaalde op de wereld. Maar omdat dit proces symbolisch en niet letterlijk moet worden opgevat, blijft de Geest een maagd. De auteur verklaart verder dat 'Adam... voortkwam uit twee maagden, uit de Geest en de maagdelijke aarde' en dus ook 'Christus... geboren werd uit een maagd' (dat wil zeggen, uit de Geest). Maar de auteur maakt de letterknechten onder de christenen belachelijk die per abuis de maagdelijke geboorte verbinden met Maria, Jezus' moeder, alsof zij zonder Jozef zwanger werd: 'Ze weten niet wat ze zeggen. Wanneer heeft ooit een vrouw een vrouw zwanger gemaakt?' In plaats daarvan, zo beweert hij, verwijst de maagdelijke geboorte naar de mysterieuze verbintenis tussen de twee goddelijke machten: de Vader van het Al en de Heilige Geest.

Naast de eeuwige, mystieke Stilte en de Heilige Geest wordt door bepaalde gnostici nog een derde typering gegeven van de goddelijke Moe-

8 Idem, 6.17.
9 Irenaeus, *AH* I.11.5; Hippolytus, *REF* 6.29.

der: als Wijsheid. Hier is de Griekse vrouwelijke term voor 'wijsheid', *sophia*, een vertaling van een vrouwelijk Hebreeuws woord, *hokhmah*. Al in de oudheid vroegen commentatoren zich af wat de betekenis was van bepaalde passages uit de bijbel – teksten als het woord in Spreuken: 'God schiep de wereld in Wijsheid'. Zou Wijsheid de goddelijke macht kunnen zijn waarin Gods schepping werd 'geconcipieerd'? Volgens één leraar wordt dit gesuggereerd door de dubbele betekenis, fysiek en intellectueel, van het woord 'conceptie': 'Het beeld van het denken (*ennoia*) is vrouwelijk, aangezien... [het] gaat om het vermogen tot conceptie.'[10]

De Godman en de Godin

Een interview met Timothy Freke

Timothy Freke is doctor in de filosofie. Peter Gandy heeft een M.A. in klassieke beschavingen en is gespecialiseerd in oude heidense mysteriegodsdiensten. Samen schreven ze *Jesus and the Lost Goddess: The Secret Teachings of the Original Christians* en ook *The Jesus Mysteries: Was the 'Original Jesus' a Pagan God?* en meer dan twintig andere boeken.

In dit interview laat Freke enig licht schijnen op de argumenten in *Jesus and the Lost Goddess*, waarvan hieronder fragmenten volgen. Van Freke en Gandy is het argument afkomstig dat het geloof van de oorspronkelijke christenen volledig ontwricht werd toen het door het Romeinse rijk werd geïnstitutionaliseerd. Het geloof van de vroeg-christelijke beweging in de gnostische ervaring van mystieke verlichting en mystieke eenwording van de Godman (Jezus) en de Godin (Maria Magdalena) was zo bedreigend voor de Romeinse kerk dat gewelddadige onderdrukking het enige antwoord was. De Godin en alle mystieke en gnostische tradities werden vervolgens uit de documenten, overtuigingen en gebruiken van het christendom geschrapt. Voor de oorspronkelijke christenen, zo vertelt Teabing Sophie in *De Da Vinci Code* als hij het heeft over de inspanningen van de Priorij van Sion om de traditie van de Godin levend te houden, vertegenwoordigde Maria Magdalena 'de Godin, de heilige graal, de roos en de goddelijke moeder'.

10 Hippolytus, *REF* 6.38.

Waarom was de aanbidding van de Godin in heidense culturen zo belangrijk?
Met de mythe van de Godman vertelden de heidense mysteriën ook de allegorische mythe van de verloren en verloste Godin. In feite was dit een allegorie over de val en de verlossing van de ziel. De bekendste heidense versie van deze mythe is het verhaal van Demeter en Persephone. De oorspronkelijke christenen namen dit verhaal op in hun eigen mythe van Sophia, de christelijke godin wier naam 'wijsheid' betekent.

Wat is er nu zo onmiskenbaar 'vrouwelijk' aan Sophia?
De Godin vertegenwoordigt het Al, het universum, alles wat we met onze zintuigen waarnemen, alles wat we ons voorstellen, de stroom van verschijnselen, vormen en ervaringen. God – het mannelijke archetype – staat voor de Ene, de mysterieuze bron van alle bewustzijn, die de stroom van verschijnselen die we leven noemen schept en er getuige van is. (Leven, of Zoë, was een andere naam voor de christelijke Godin.) Sophia werd al voor de opkomst van het christendom vereerd door joodse en heidense mystici.

Maar de Godin wordt niet altijd op dezelfde manier voorgesteld.
De christelijke mythologie is diep en bestaat uit meerdere lagen. Deze relatie komt op vele manieren en op vele niveaus tot uiting. Van het iets dat uit het niets komt, wordt ze uiteindelijk de relatie tussen Jezus en de twee Maria's, die de twee aspecten van de Godin vertegenwoordigen: de maagd/moeder en de gevallen en verloste hoer. Nogmaals, dit zijn beelden die uit de oude heidense mythologie stammen.

Hoe past Eva in de traditie van de 'verloren Godin'?
Ze vertegenwoordigt de helft (en niet een rib; dat is een vertaalfout) van Adam (wiens naam 'mens' betekent). Haar mythe weerspiegelt heidense mythen van de val van de ziel en de daaropvolgende reïncarnatie. In de mythe van Jezus wordt geprobeerd dit te herstellen.

Wat is het filosofische concept achter het heilig vrouwelijke?
Het mannelijke principe was in de oude culturen ondeelbaar bewustzijn. Het vrouwelijke principe was de veelheid van verschijnselen, ervaringen, alles waarvan men getuige is. Deze dualiteit ligt aan de basis van het leven. Zonder dat is er niets. Wijsheid is de staat van de ziel (het vrouwelijke principe) als deze puur genoeg is om haar ware aard te herkennen, die van het Ene Bewustzijn in het Al, dat voor Paulus en zijn gezelschap werd gesymboliseerd door de Christus of 'Koning'.

De reis van Sophia

De heidense Godin uit de verloren eeuwen in de moderne christelijke wereld

Door Timothy Freke en Peter Gandy

Onderstaande fragmenten zijn afkomstig uit *Jesus and the Lost Goddess: The Secret Teachings of the Original Christians*, door Timothy Freke en Peter Gandy. Copyright © 2001 Timothy Freke en Peter Gandy. Opgenomen met toestemming van Harmony Books, een onderdeel van Random House, Inc.

In deze passages uit *Jesus and the Lost Goddess* wordt de traditie van de Godin tot de Griekse mythen en joodse bronnen getraceerd. Freke en Gandy construeren hun beeld van de Godin met behulp van citaten uit het Oude Testament, Griekse mythen en heidense tradities zoals Helena van Troje, Plato's visie op Psyche als het vrouwelijke en de mysteriën van het Griekse Eleusis, waar de mythe van Demeter en Persephone herbeleefd werd. Ten slotte zoeken zij het thema van de verloren Godin zelfs in het sprookje van Doornroosje.

De christelijke Godin

De mythe van de Godman Jezus kan alleen worden begrepen naast de mythe van de Godin Sophia. Na zo veel eeuwen patriarchaal christendom is het zowel een schok als een geruststelling als we in het hart van het christendom een godin ontdekken. Net als haar zoon/broer/geliefde Jezus is zij een syncretische figuur. Haar oorsprong is zowel heidens als joods.

Sophia, wier naam 'wijsheid' betekent, is eeuwenlang de Godin van heidense filosofen geweest. Het woord 'filosoof' is voor het eerst gebruikt door Pythagoras en betekent 'geliefde van Sophia'. Ze werden vaak afgeschilderd als droge academici, maar deze briljante intellectuelen waren in feite mystici en aanbaden de Godin. Parmenides bijvoorbeeld staat bekend als de grondlegger van de westerse logica, maar zijn meesterwerk is een visionair gedicht waarin hij afdaalt naar de onderwereld om door de Godin geïnstrueerd te worden.

Sophia was ook een belangrijke mythische figuur voor joodse gnostici, zoals Philo van Alexandrië [een joods-hellenistische filosoof, 25 voor tot 50 na Chr.]. Hoewel de joodse letterknechten die later afwezen, heeft er altijd een joodse godinnentraditie bestaan. Op een bepaald moment in de

Voerden de vroege gnostische christenen sacrale seksuele riten uit?
De meeste deskundigen vinden daarvoor weinig aanwijzingen. Freke en Gandy merken echter op dat 'gnostici met opzet de sociale normen overtraden om zichzelf te deconditioneren van hun sociale personae en zich bewust te worden van hun ware spirituele identiteit. Voor sommigen, zoals de Kaïnieten, werd dit bereikt door ascese. Voor anderen, zoals de Karpokraten, werd het bereikt door onmatig libertinisme...'

Karpokrates, een Platonistische gnosticus uit Alexandrië, stichtte aan het begin van de tweede eeuw een sekte van gnostische christenen. Deze groep wordt door Freke en Gandy beschreven als radicale communisten die privé-bezit verfoeiden. Karpokrates leerde zijn volgelingen 'te genieten van het leven, ook van de door religieuze letterknechten zo vaak veroordeelde geneugten van seks... Dergelijke gnostici zagen seksualiteit als een viering van de eenwording van God en Godin, waaruit alle leven ontspringt. Naar verluidt kwamen in hun kerk sacramentele naaktheid en zelfs rituele geslachtsgemeenschap voor.'

geschiedenis aanbaden de Israëlieten de godin Asjera als de metgezel van de joodse god Jehova. In de vijfde eeuw v.Chr. was haar naam Anat Jahu. In teksten die in de vijfde en vierde eeuw v.Chr. zijn geschreven, zoals Spreuken, de Sophia van Salomo en de Sophia van Jezus Sirach, is Sophia de metgezel en medeschepper van God.[1]

1 In de Nieuwe Bijbelvertaling (NBV) heten de Sophia van Salomo en Sophia van Jezus Sirach respectievelijk Wijsheid of Wijsheid van Solomo en Wijsheid van Jezus Sirach.
De NBV zegt over de datering en herkomst het volgende: voor het waarschijnlijk in Alexandrië in het Grieks geschreven Wijsheid is een datering in de vroege Romeinse keizertijd, tussen 30 v.Chr. en 40 n.Chr. het meest aannemelijk. Sirach is oorspronkelijk in het Hebreeuws geschreven, vermoedelijk 200-175 v.Chr., maar de tekst is alleen in twee Griekse vertalingen overgeleverd, een lange en een korte. De vertaling is gemaakt rond 125-100 voor Christus. Spreuken daarentegen is waarschijnlijk ontstaan in de kringen van professionele schrijvers in dienst van paleizen en tempels. Het boek bevat verschillende verzamelingen van spreuken, afkomstig uit verschillende tijden. Het vertoont gelijkenis met teksten uit Mesopotamië en Egypte. Vermoedelijk heeft de tekst na een langdurig proces van redactionele bewerking in de tweede eeuw v.Chr. zijn huidige vorm gekregen.

De oorsprong van de christelijke Godin

Zoals alle christelijke mythologie is de mythe van de verloren Godin een synthese van oude joodse en heidense mythen. Laten we deze bronnen eens nader bekijken.

Joodse bronnen

De Verhandeling over de Ziel [een van de intrigerendste verloren evangeliën uit de Nag Hammadi-bibliotheek] vestigt de aandacht op enkele joodse mythologische motieven, die ze in de mythe van Sophia ontwikkelt. Ze haalt Jeremia aan, waarin God aan Israël verkondigt, als aan de verloren Godin:

> En jij hoereerde met zovele schaapherders en je keerde tot mij terug! Bekijk jezelf eens eerlijk en zie waar je jezelf prostitueerde... Je bent schaamteloos geweest met iedereen. Je hebt me niet aangeroepen als huisgenoot, of als vader, of als schepper van je maagdelijkheid.

Evenzo verkondigt God in Ezechiël:

> En je bouwde voor jezelf bordelen in iedere straat. En je gooide je schoonheid te grabbel en spreidde je benen in iedere straat en je vermeerderde je prostitutie. Je prostitueerde met de zonen van Egypte, je buren, de mensen van het grote vlees!

In de Verhandeling over de Ziel wordt de allegorische betekenis van deze tekst ontleed:

> Wie echter zijn die zonen van Egypte, die van het grote vlees, anders dan de vleselijke en zinnelijke aangelegenheden en de dingen van deze aarde... waardoor de ziel zich in dit oord heeft bevlekt?[2]

De Verhandeling over de Ziel wijst ook op de weerklank van de mythe van Sophia in de mythe van Genesis. In Genesis staat Adam voor het bewustzijn en Eva voor de psyche. In den beginne was er een oermens,

---

[2] De citaten uit de Verhandeling over de Ziel in deze tekst zijn afkomstig uit *De Nag Hammadi-geschriften*, vertaald door Jacob Slavenburg en Willem Glaudemans (Ankh-Hermes, Deventer, 2004).

Adam, van wie God 'een zijde' nam en Eva schiep (en geen 'rib' zoals in de traditionele vertalingen!). Dit symboliseert de projectie van de psyche door het bewustzijn. Deze verschijnen aan ons als tegengestelden, maar zijn in essentie één. De psyche (Eva) leidt het bewustzijn (Adam) tot de identificatie met het lichaam. Dit wordt gesymboliseerd door de verdrijving uit het paradijs. Het mystieke huwelijk herstelt de oerscheiding van Adam en Eva, bewustzijn en psyche. De Verhandeling over de Ziel citeert ook Paulus: 'Zij zullen tot één vlees worden,' en plaatst daar de volgende kanttekening bij:

> Want zij waren eerst, bij de Vader, met elkaar verbonden, voordat de vrouw de man, die haar broeder is, op een dwaalspoor bracht. Deze bruiloft nu heeft hen weer met elkaar verenigd en de ziel verenigde zich met haar werkelijke geliefde...

In een andere joodse tekst, Spreuken, worden de twee fundamentele uitingsvormen van de psyche vertegenwoordigd door Vrouwe Wijsheid en Vrouwe Dwaasheid. Volgens Philo van Alexandrië is Vrouwe Dwaasheid als een hoer die degenen die naar haar luisteren naar de hel leidt. Vrouwe Wijsheid daarentegen wordt vergeleken met een uitnodiging tot een bruiloft en een trouwe echtgenote. Het zijn beelden die verwijzen naar het thema van het mystieke huwelijk.

De mythe van Helena

De belangrijkste bron voor de mythe van de christelijke Godin is de heidense mythologie, zoals dat ook voor het verhaal van Jezus het geval is. In de Verhandeling over de Ziel wordt de christelijke mythe van Sophia vergeleken met de *Ilias* en de *Odyssee* van Homerus, waarin Helena is ontvoerd en moet worden gered. Volgens de pythagoreeërs staat Helena symbool voor de psyche, en haar ontvoering symboliseert de val ofwel de incarnatie van de psyche...

De mythe van Helena was belangrijk voor de eerste christenen... Deze gnostische meesters trokken een parallel met de mythe van Jezus en de Godin en zagen zichzelf als de redders die de gnosis brachten aan hun verloren volgelingen, gesymboliseerd door Helena/Sophia.

Plato's Phaedo

In de *Phaedo* doet Plato verslag van de val en de verlossing van de psyche. Het lijdt geen twijfel dat de oorspronkelijke christenen mede op basis daarvan hun eigen versie van de mythe van de verloren Godin schiepen:

De psyche wordt door het lichaam in het gebied van het veranderlijke getrokken, waar ze in verwarring rondwaart. De wereld draait om haar heen en ze is als een dronkaard onder de invloed ervan. Maar als ze tot zichzelf komt, denkt ze na. Dan gaat ze over naar het rijk van zuiverheid, eeuwigheid, onsterfelijkheid en onveranderlijkheid, waar ze thuishoort. Als ze zichzelf is en niet wordt gehinderd of belemmerd, is ze altijd daar. Als ze terugkeert van haar dwalingen en in contact staat met het onveranderlijke is ook zij onveranderlijk. Deze staat van de psyche wordt Sophia genoemd.

De mythe van Afrodite

De heidense mythe van de godin Afrodite vertelt in wezen hetzelfde verhaal als de latere christelijke mythe van de verloren Godin. Net als Sophia heeft Afrodite zowel een ongerept zuivere als een gevallen aard. Plotinus [een Egyptisch-Romeinse filosoof uit de derde eeuw n.Chr.] vertelt dat ze in wezen 'Afrodite van de hemel' is maar dat ze 'hier een hoer geworden is'. Hij schrijft: 'Zeus staat voor het bewustzijn en Afrodite, zijn dochter, voor de psyche,' en merkt verder het volgende op:

Het ligt in de aard van de psyche om God lief te hebben en één met Hem te zijn in de edele liefde van een dochter voor een edele Vader. Maar als ze een menselijke geboorte doormaakt wordt ze verleid door de aardse wereld en vindt ze een andere geliefde, een sterveling. Ze verlaat haar Vader en valt. Maar op een dag wordt de schaamte haar te veel en ontdoet ze zich van het kwaad van de aarde. Ze zoekt haar Vader en vindt vrede. Het goede voor de psyche ligt in de toewijding aan het bewustzijn. Het kwaad voor de psyche ligt in de omgang met vreemden. Veronderstel nu dat de psyche het hoogste heeft bereikt, of dat het hoogste haar aanwezigheid aan de psyche heeft onthuld. Dan vervagen alle verschillen zolang de aanwezigheid blijft. Het is als de eenwording van de twee geliefden. Als ze dat eenmaal heeft ervaren, zal ze het voor niets anders in het universum willen ruilen.

De mythe van Demeter en Persephone

De invloedrijkste van alle mythen van de Godin in haar twee aspecten is de mythe van Demeter en Persephone, zoals die werd onderwezen in de mysteriën van Eleusis. De heidense gnosticus Sallustius [die omstreeks 360 n.Chr. leefde, adviseur van de Romeinse keizer Julianus was en die net als de keizer een restauratie van het heidendom nastreefde] zegt dat deze mythe een allegorie is voor de afdaling van de psyche in de incarnatie van het lichaam. Olympiodorus geeft dezelfde uitleg: 'De psyche daalt af zoals Persephone is afgedaald.' Lucius Apuleios beschrijft de 'donkere afdaalriten' en de 'verlichtende opstijgriten' van Persephone, en schrijft als volgt over zijn eigen initiatie:

> Ik zag de dood naderbij komen en wankelde op de drempel van Persephone. Ik doorkruiste alle elementen en keerde terug naar mijn zuivere staat.

De christelijke letterknecht Hippolytus beschrijft de leer van het afdalen en opstijgen van de psyche als het mysterie dat wordt onthuld aan degenen die worden 'toegelaten tot de hoogste graad van de Eleusinische riten' en stelt dat ingewijden van de school der Naassenen [een gnostische sekte ten tijde van Hadrianus, 110-140 n.Chr., die geloofde in de heilige slang en mysterieriten hield ter ere van de Grote Moeder] hun leer specifiek uit deze bron hadden ontwikkeld.

Van Plato weten we dat de naam Persephone is afgeleid van *sophe* en evenals Sophia 'wijs' betekent. De bijnaam van Persephone was Kore, dat 'Dochter' of 'Meisje' betekent. Zij symboliseert de gevallen psyche. In de christelijke Handelingen van Thomas wordt de psyche 'Kore' genoemd. Demeter betekent 'Moeder'. Zij is de hemelse koningin die de zuivere psyche vertegenwoordigt.

In de mythe wordt Demeters dochter Persephone geschaakt door Hades, de god van de onderwereld. Deze gebeurtenis symboliseert de val in de incarnatie. Voor de initiatie in de Eleusinische mysteriën moest men het verdriet imiteren dat Demeter en Persephone bij hun scheiding hadden gevoeld. Dat vertegenwoordigt de ervaring van *metanoia*, die voortkomt uit het verdriet van de inwijdelingen omdat ze gescheiden zijn van hun diepere natuur en in de wereld verloren zijn geraakt. Hermes daalt af naar de onderwereld om Persephone te redden en haar te verenigen met haar moeder Demeter. Dit vertegenwoordigt de redding van de psyche uit de identificatie met de buitenkant van de cirkel van het zelf en de hereniging met haar ware natuur in het midden.

Hades geeft Persephone echter stiekem zaden van de granaatappel te eten, zodat ze een derde van elk jaar in de onderwereld moet verblijven. De zaden van de granaatappel staan voor de zaden van onze toekomstige levens, die we in dit leven creëren en die ons terugbrengen in lichamelijke incarnatie om door te gaan op de reis van het ontwaken. In de oude culturen werd dit ons 'lot' genoemd; in het moderne spirituele jargon staat het doorgaans bekend als ons 'karma'. Het thema van de terugkeer naar de onderwereld voor 'een derde van elk jaar' is een verwijzing naar de drievoudige aard van het Zelf: bewustzijn, psyche, lichaam. Een derde van onze identiteit, het lichaam, bevindt zich in de onderwereld.

De personages van Demeter en Persephone zijn door de oude Grieken ontwikkeld vanuit de oude Egyptische mythologie. Porfirius [een heidense filosoof, 232-303 n.Chr.] zegt dat de Egyptische Isis gelijk is aan zowel Demeter als Persephone... In de Egyptische mythologie worden de hogere en de lagere aspecten van de Godin vertegenwoordigd door Isis en haar zuster Nephthys, de echtgenote van de slechte god Seth, die evenals Hades de materiële wereld vertegenwoordigt.

Deze Egyptische mythen vormen de vroegste bronnen van wat de christelijke mythe van de verloren en verloste Godin zou worden. Hoewel dit oeroude verhaal uit het christendom is geschrapt, overleefde het in sprookjes als Doornroosje. De schone slaapster verbeeldt de psyche die in de wereld in slaap is gevallen. In het verhaal is ze een prinses die door een vloek tot de eeuwige slaap is veroordeeld. Ze is opgesloten in een donker kasteel in een diep, ondoordringbaar woud, maar wordt ten slotte bevrijd door haar geliefde, de prins en held.

De Godin in de evangeliën

In de christelijke mythe van Sophia is de Godin als de psyche de centrale figuur, terwijl haar broer-geliefde als het bewustzijn meer een bijfiguur is. In de mythe van Jezus is het andersom. De Godman is de centrale figuur. Toch vormt de mythe van de verloren Godin een belangrijk onderliggend thema in het verhaal van Jezus, wat onmiddellijk duidelijk geweest moet zijn voor christelijke ingewijden die bekend waren met beide allegorieën. De Sophia-mythe verklaart het wezen van Jezus' mythische missie: hij is de redder van zijn zuster-geliefde Sophia, de psyche die zich heeft verloren in de identificatie met het lichaam. 'Christus is voor haar gekomen,' verklaart de Drievoudige Verhandeling [een van de gnostische evangeliën uit Nag Hammadi].

Maagd en hoer

In de evangeliën vertegenwoordigen de Maagd Maria en Maria Magdalena de hogere Sophia en de gevallen Sophia. Ze worden bij dezelfde naam genoemd om te benadrukken dat ze mythologisch gezien aspecten zijn van dezelfde figuur. Evenals in de Sophia-mythe is de eerste Maria een maagd, zoals Sophia toen deze bij haar Vader woonde, en de tweede Maria een prostituee die wordt verlost door haar geliefde Jezus, zoals Sophia toen ze verloren was in de wereld.

Naar de Godin als moeder en hoer wordt verwezen in de genealogie voor Jezus in het Evangelie van Matteüs. Zoals je zou verwachten volgt deze genealogie de patriarchale lijn. Dat patroon wordt echter verbroken om melding te maken van vier bekende joodse 'gevallen vrouwen': Tamar was een tempelprostituee; Ruth liet zich schaamteloos seksueel uitbuiten; Batseba werd opgesloten om haar overspel met koning David; Rachab was de madam van een bordeel. In de Exodus-allegorie, als Jezus/Jozua in het beloofde land aankomt, redt hij daar de hoer Rachab, die de psyche symboliseert, uit de ommuurde stad Jericho, die het lichaam symboliseert. Door Rachab specifiek te noemen als een van de voorouders van Jezus Christus, wijst het Evangelie van Matteüs op de mythologische overeenkomst tussen dit verhaal en het verhaal in de evangeliën van Jezus die de prostituee Maria Magdalena verlost.

Maria Magdalena symboliseert Jezus' zuster-geliefde Sophia. Zij is de 'geliefde discipel' en wordt in alle christelijke teksten geportretteerd als de vrouw die een bijzonder hechte band had met Jezus. Het Evangelie van de geliefde discipel (ook wel het Evangelie van Johannes geheten) [nog een gnostisch werk] portretteert Jezus en Maria als zijnde zo intiem dat ze tijdens het laatste avondmaal met haar hoofd in zijn schoot ligt. Het Evangelie van Filippus verhaalt hoe Jezus 'haar meer liefhad dan de andere discipelen en haar vaak op de mond kuste'. In het Evangelie van Lucas wrijft Maria de voeten van Jezus droog met haar haren. Volgens de joodse wet mocht een vrouw alleen door haar echtgenoot met haar haren los gezien worden. Als ze haar haren aan een andere man toonde, was dat dermate ongepast dat het als grond voor echtscheiding gold. Dit incident is dus het bewijs dat Jezus en Maria ofwel man en vrouw waren, ofwel vrijdenkende geliefden met weinig eerbied voor zedelijke regeltjes.

Beelden van de ontwakende psyche

Vrouwen spelen een belangrijke rol in het verhaal van Jezus, vooral in het Evangelie van de geliefde discipel, en in alle gevallen symboliseren zij Sophia in een van de diverse stadia van haar ontwaken. De Verhandeling over de Ziel portretteert Sophia in haar meest wanhopige fase, als een onvruchtbare oude vrouw. In deze staat ervaart ze *metanoia* en roept ze de Vader aan om haar te verlossen. In het verhaal van Jezus wordt dit aspect van Sophia vertegenwoordigd door Elisabet, de moeder van Johannes de Doper. Ze is een partnerfiguur van de Maagd Maria. Maria is jong en onbevlekt. Elisabet is oud en onvruchtbaar. In deze toestand roept ze zoals Sophia naar de Vader om hulp, en vertegenwoordigt ze de verdorde psyche waaruit de noodkreet ontstaat. Het antwoord is Johannes de Doper, die de *psychische* initiatie van zuivering verbeeldt door de doop met water, het begin van het gnostische pad naar zelfkennis.

Gedurende zijn missie heeft Jezus diverse ontmoetingen met vrouwen die Sophia symboliseren in het voortschrijdende ontwaken van de psyche. Er is een incident waarin Jezus voorkomt dat een overspelige vrouw wordt gestenigd door erop te wijzen dat geen van haar aanklagers zonder zonden is. Dit is een verwijzing naar de gevallen Sophia die door haar overspelige minnaars wordt misbruikt. De vrouw in dit verhaal is een hulpeloos slachtoffer en is verbaasd dat ze wordt gered. Dit symboliseert een vroeg stadium in het ontwaken, waarin de belichaamde psyche ongevraagde hulp ontvangt van haar ware zelf. Zij ervaart deze hulp als 'genade'.

In een ander incident ontmoet Jezus een overspelige Samaritaanse vrouw, die de gevallen Sophia vertegenwoordigt. Jezus onthult de vrouw dat hij de Christus is en biedt haar het 'water des levens' aan. In dit verhaal wordt de relatie tussen Sophia als de psyche en Jezus als het bewustzijn naar een volgend niveau getild. Hier biedt Jezus rechtstreeks de leer aan die tot gnosis leidt (weergegeven door het water van het eeuwige leven) en onthult hij dat hij de Christus is. Dit staat voor het stadium waarin de ingewijde voor het eerst een vluchtige blik wordt gegund op zijn/haar ware natuur, waardoor hij of zij de mogelijkheid van kennis begint te begrijpen. De episode vindt plaats bij de bron van Jacob, waarmee de verwijzing naar de mythe van Sophia nog wordt versterkt. In de joodse mythologie haalt Rebecca, de moeder van Jacob, water uit deze put, en Philo vertelt ons dat dit het ontvangen van de wijsheid van Sophia symboliseert.

In de volgende episode ontmoeten we twee belangrijke Sophia-figuren, Marta en haar zuster Maria. Hun broer Lazarus is gestorven maar ze geloven, dat Jezus hem gered zou kunnen hebben als hij erbij was geweest. Jezus is onder de indruk van de kracht van hun geloof. Hij gaat de grot binnen waar Lazarus is begraven en wekt hem op uit de dood. In dit opmerkelijke verhaal vertegenwoordigt Lazarus de *hylische* [materiële, lichamelijke] staat van de spirituele dood in de onderwereld. Hij wordt tot leven gebracht door de macht van de Christus, die het bewustzijn vertegenwoordigt, en door het geloof van Marta en Maria, die de *psychische* en *pneumatische* stadia van het ontwaken vertegenwoordigen...

Een andere belangrijke episode vindt ook plaats tijdens het bezoek van Jezus aan het huis van Lazarus, Marta en Maria. Marta dient op terwijl Lazarus, nu opgewekt uit de dood, aan tafel zit. Maria neemt 'zeer kostbare nardus' en zalft Jezus, waarbij ze hem dus formeel tot de 'Gezalfde' of Christus/Koning maakt. Deze gebeurtenissen symboliseren het stadium waarin de ingewijden niet langer spiritueel dood zijn in het hylische stadium. Ook de uit de doden opgewekte Lazarus die aan tafel zit te eten is hier een symbool van. Zij bevinden zich in het psychische proces van ontwaken, weergegeven door de dienende Marta, en zijn zo ver gevorderd in het pneumatische niveau van ontwaken dat ze hun ware identiteit als Bewustzijn herkennen. Dit wordt gesymboliseerd door Maria die Jezus zalft als de Christus/Koning.

Van Jezus wordt gezegd dat hij 'zeven boze geesten' had uitgedreven bij 'Maria met de bijnaam: van Magdala'. Het getal zeven is significant. In het gnostische mythische wereldbeeld bestaat het universum uit zeven niveaus, vertegenwoordigd door de zon, de maan en vijf zichtbare planeten. Deze werden in sommige gevallen voorgesteld als duivelse krachten die ons gevangen houden in het materiële. Daarboven bevindt zich de *ogdoade* ofwel de achtheid, vertegenwoordigd door de sterrenhemel. Dit is het mythologische thuis van de Godin. De gnostische reis van het ontwaken uit de incarnatie wordt wel voorgesteld als het beklimmen van een zevenvoudige ladder naar de ogdoade. De uitdrijving van de zeven boze geesten bij Maria symboliseert de hulp die Jezus haar heeft geboden bij het bestijgen van de zeven treden van de ladder naar de hemel.

Als hoogtepunt van het verhaal van Jezus is het Maria Magdalena die zijn lege graftombe aantreft en aan wie de herrezen Christus als eerste verschijnt. Dit symboliseert de vervulling van het proces van inwijding. Voor gnostici is het lichaam een 'graftombe' waarin we een spiritueel dood bestaan leiden. Dat Maria de graftombe leeg aantreft, staat voor het besef dat wij niet het fysieke lichaam zijn. Haar ontmoeting met de herrezen Christus symboliseert het besef dat ons ware wezen het ene Bewustzijn van God is.

Daarna vertegenwoordigt Maria de wijze psyche en is zij de naam Sophia werkelijk waardig. Het Gesprek met de Verlosser stelt: Maria is nu 'een vrouw die het Al begrijpt'.[3] In het Evangelie volgens Maria laat de verrezen Jezus haar delen in de innerlijke mysteriën van het christendom, en is zij degene die deze geheime leer weer doorgeeft aan de andere discipelen. Vanaf dat moment verkondigen zij 'het Evangelie volgens Maria'. Ondanks de vrouwenhaat van de christelijke letterknechten behoort de traditie van Maria Magdalena als de *apostola apostolorum*, de 'apostel der apostelen', tot op de huidige dag tot de katholieke doctrine.

Thema's van het mystieke huwelijk

Volgens de christelijke gnostici bevat het verhaal van Jezus vele verwijzingen naar het mystieke huwelijk. De belangrijkste is de eucharistieviering, die is gebaseerd op de oude riten van het mystieke huwelijk in de heidense mysteriën. In de mysteriën zoals die in Eleusius werden opgevoerd, werd de godin Demeter vertegenwoordigd door brood en de Godman Dionysus door wijn. De oorspronkelijke christenen associeerden brood met Maria en wijn met Jezus, die in het Evangelie van Johannes 'de ware wijnstok' wordt genoemd. De letterknecht Epifanius stelde met afgrijzen vast dat ingewijden van de Colyridiaanse school van het christendom de eucharistie vierden in naam van 'Maria koningin van de hemel'. Hij schreef:

> Ze versieren een stoel of een vierkante troon met een linnen kleed en leggen er op een gezette tijd brood op, dat ze aanbieden in naam van Maria; en ieder neemt van dit brood.

Door het ceremoniële eten van het brood en het drinken van de wijn nemen de Godman en de Godin als het bewustzijn en de psyche deel aan het mystieke huwelijk. Het is veelbetekenend dat als Jezus voorzit tijdens de eucharistie van het Laatste Avondmaal, de 'geliefde discipel' Maria Magdalena intiem in zijn schoot rust.

Eerder heeft Jezus al op wonderbaarlijke wijze water in wijn veranderd tijdens een huwelijksceremonie te Kana, wat volgens christelijke gnostici het mystieke huwelijk symboliseert. Water dat in wijn verandert is een archaïsch symbool voor de extatische vervoering van de spirituele transformatie. De scheppers van het verhaal van Jezus hebben dit thema overgenomen uit de heidense mythologie, waarin de Godman Dionysus water in wijn verandert tijdens zijn huwelijk met Ariadne. In de christelijke ver-

---

3 Dit is de vertaling van Slavenburg en Glaudemans, afkomstig uit *De Nag Hammadi-geschriften* (Ankh-Hermes, Deventer, 2004).

sie van dit verhaal wordt Jezus niet voorgesteld als de bruidegom. In het Nieuwe Testament verwijst Jezus echter regelmatig naar zichzelf (en ook anderen verwijzen naar hem) als 'de bruidegom'...

In een intrigerend niet-canoniek christelijk verhaal neemt Jezus Maria Magdalena mee een berg op. Daar wordt één kant van hem een vrouw, met wie hij de liefde bedrijft. Het beklimmen van een berg is een telkens terugkerend beeld, dat het bewandelen van het spirituele pad naar de hemel voorstelt. Het beeld van Jezus die een vrouw schept uit zijn eigen zijde is een toespeling op de Genesis-mythe, waarin Eva wordt geschapen uit een zijde van Adam. Dit stelt het bewustzijn voor dat materialiseert als de psyche. In de christelijke gelijkenis laat Jezus (bewustzijn) aan Maria (de gevallen psyche) de magische vrouw zien (de hogere psyche), die Maria's oorspronkelijke natuur voorstelt. Jezus bedrijft vervolgens de liefde met de vrouw als symbool van de consummatie van het mystieke huwelijk, waarin bewustzijn en psyche samenkomen in het besef van hun essentiële Eenheid.

Samenvatting

♣ De christelijke mythe van de verloren Godin is de wederhelft van de Jezus-mythe. Jezus en de Godin vertegenwoordigen het bewustzijn en de psyche, ofwel de geest en de ziel. De Godin wordt geportretteerd met twee aspecten: de zuivere psyche en de belichaamde psyche. Deze twee aspecten kunnen worden gezien als de twee uiteinden van de straal van de cirkel van het zelf, waarvan het ene verbonden is met het bewustzijn in het middelpunt en het andere met het lichaam op de omtrek.

♣ De mythe van Sophia vertelt het verhaal van de val van de psyche naar de incarnatie van het lichaam en van haar verlossing door haar geliefde-broer, die het bewustzijn vertegenwoordigt. De val van Sophia, het berouw, de verlossing en het huwelijk vertegenwoordigen de *hylische*, *psychische* en *pneumatische* stadia van het bewustzijn, die ingewijden doormaken op hun pad naar het realiseren van Gnosis.

♣ De mythe van Sophia is het onderliggende thema in het verhaal van Jezus. De belangrijkste Sophia-figuren in de evangeliën zijn de twee Maria's, de maagdelijke moeder van Jezus en de prostituee-geliefde, die de hogere en de gevallen Sophia vertegenwoordigen...

De Kelk en het Zwaard

Archeologie, antropologie en het heilig vrouwelijke

Door Riane Eisler

Dit hoofdstuk bevat passages uit *The Chalice and the Blade: Our History, Our Future* van Riane Eisler. Copyright © 1987/1995 Riane Eisler. Voor opname van de citaten is toestemming verleend door HarperCollins Publishers, Inc. De Nederlandse vertaling van Marleen Close verscheen als *De Kelk en het Zwaard* (Entheon, Nijmegen, 1997). Opgenomen met toestemming van de uitgever. Copyright © 1997 voor de Nederlandse vertaling: Uitgeverij Symbolon, Amstelveen, www.symbolon.nl.

In haar bekende boek *De Kelk en het Zwaard* legt Riane Eisler de archeologische en historische grondslag voor de centrale rol van de Godin en het vrouwelijke in vroege culturen – een rol die naar zij stelt later werd weggedrukt door hiërarchieën die impliciet leidden tot overheersing, het patriarchaat en rigiditeit. Eisler is mede-oprichtster van het Center for Partnership Studies, dat een manier van leven bevordert die gebaseerd is op 'harmonie met de natuur, geweldloosheid en seksuele, raciale en economische gelijkwaardigheid.' Haar boek wordt genoemd in Dan Browns bibliografie voor *De Da Vinci Code*. Het ligt ook ten grondslag aan enkele discussies in *De Da Vinci Code* over symbolen en representaties van de godinnencultuur in de geschiedenis.

'Er is overvloedig bewijs dat spiritualiteit, en dan met name de spirituele manier van zien die kenmerkend is voor wijze zieners, ooit werd geassocieerd met de vrouw,' schrijft Eisler. 'Uit Mesopotamische documenten leren we dat Ishtar van Babylon... nog steeds bekend was als de Vrouwe van het Visioen, Zij Die de Orakels Leidt, en de Profetes.' In Egypte, waar er overvloedig bewijs is van sterke koninginnen en vrouwelijke farao's, tonen verslagen aan: 'de afbeelding van een cobra was het hiëroglifische teken voor het woord *godin* en de cobra was bekend als het Oog, *uzait*, een symbool voor mystiek inzicht en wijsheid...'

Eisler heeft zich ook beziggehouden met Griekenland. Ze merkt op: 'Ook het bekende orakelaltaar in Delphi stond op een plaats die oorspronkelijk werd geïdentificeerd met de verering van de Godin. En zelfs toen die verering in de klassiek Griekse tijd had plaatsgemaakt voor de aanbidding van Apollo, sprak het orakel nog steeds bij monde van een vrouw.'

Archeologisch bewijs uit veel landen in het Nabije Oosten en de regio

rond de oostelijke Middellandse Zee vertoont de neiging om gerechtig-
heid (wetten) en geneeskunde (helende krachten) met vrouwen te associëren. Blijkbaar was de Egyptische godin Isis geassocieerd met deze zaken. 'Zelfs de uitvinding van het schrift, waarvan lang is aangenomen dat
die stamt uit circa 3200 v.Chr. in Sumerië, blijkt veel oudere en mogelijk
vrouwelijke wortels te hebben. In Sumerische tabletten wordt de godin
Nidaba beschreven als de schriftgeleerde van de Sumerische hemel en als
de uitvindster van kleitabletten en de schrijfkunst. In de Indiase mythologie wordt de uitvinding van het oorspronkelijke alfabet toegeschreven
aan de godin Sarasvati.'

De artistieke en archeologische erfenis van de minoïsche samenleving
wijst op een dagelijks leven dat draaide rond de eredienst van de Godin.
'Er zijn bewijzen dat macht op Kreta voornamelijk gelijkgesteld werd met
de verantwoordelijkheid van het moederschap,' zegt Eisler, die stelt: het
minoïsche Kreta bood een mannelijk-vrouwelijk 'partnerschapsmodel van
de samenleving, waarin vrouwen en met vrouwen geassocieerde eigenschappen niet systematisch laag gewaardeerd werden.' Democratie werd
er al beoefend voordat ze in Athene opkwam, de kunsten bloeiden, er
heerste vrede en de cultuur vertoonde een liefde voor het leven, inclusief
wat Eisler omschrijft als een 'genotsverbintenis' tussen mannen en vrouwen. Kleren en kunst benadrukten een ontspannen en onbeschroomde
seksualiteit, volgens Eisler en vele andere onderzoekers. Sommige geleerden menen dat de minoïsche beschaving juist bijzonder succesvol, artistiek, rijk en vredig was omdat de agressieve neigingen van de mannen goede uitingen vonden in sport, extatische dansen, muziek en seks in plaats
van in oorlog.

Terwijl andere godin-aanbiddende culturen hun godinnen verlieten
voor mannelijke oorlogsgoden, hield het Kreta van vierduizend jaar geleden vast aan zijn godinnentradities. Wellicht is dat de reden achter Eislers
observatie: 'Op het eiland Kreta, waar de Godin nog steeds de Allerhoog-
ste was, zijn geen sporen van oorlog. Hier gedijden en bloeiden de eco-
nomie en de kunsten.' De Godin bleef nog honderden jaren het middelpunt van de religieuze en rituele praktijken in de minoïsche samenleving,
tot ook hier de Godin verloren raakte en mannelijke godenfiguren opkwamen.

Het is zeer wel mogelijk dat het proces van de val van de Godin door-
klinkt in het verhaal van de christelijke ervaring en in hoe Maria Magdalena behandeld is door de vroege en zelfs de huidige kerk. Langdon,
Teabing en Saunière zijn beslist op het spoor van een van de grootste doof-
potaffaires in de door mannen geschreven geschiedenis.

Aan bezoekers van Knossos, het minoïsche paleis op Kreta, vertellen de

fresco's zelfs vandaag de dag nog het verhaal van de Godin, haar priesteressen en heilige, mystieke riten – waaronder ook heilige seksuele riten.
Deze en andere archeologische vondsten geven ons veel aanwijzingen die
ons doen begrijpen dat de speurtocht naar het 'heilig vrouwelijke' in het
collectieve onderbewuste van het westerse gedachtegoed of de joods-christelijke ervaring intrigerend, productief en van historisch belang is.

Deel twee

Echo's uit het
verborgen verleden

3 De verloren evangeliën

Wat ik interessant vind aan Dan Browns boek is dat het een belangrijk vraagstuk aan de orde stelt: als zij – de kerkleiders – zo veel van
de vroeg-christelijke geschiedenis in de doofpot gestopt hebben, is er
dan nog meer waarvan we niet op de hoogte zijn? Valt er nog meer
te ontdekken? Als historica vind ik dat een belangrijke vraag omdat
het antwoord zoveel betekent.

Elaine Pagels

De godsdienstige steunpijlers van Dan Browns plot rusten op de fundamenten van de vroeg-christelijke geschiedenis, en met name op de verzameling gnostische evangeliën die in 1945 bij de Egyptische stad Nag Hammadi werd gevonden. Deze documenten leidden tot opmerkelijke
ontdekkingen over een alternatieve traditie die later werd gesmoord. Ze
vormen de achtergrond van een andere ingenieuze vermenging van feit
en fictie in *De Da Vinci Code*. In hoofdstuk 58, dat zich afspeelt in de luxueuze werkkamer van Leigh Teabing, krijgen Sophie Neveu en Robert Langdon een kopie in handen van die verloren evangeliën, een 'in leer gebonden werk ter grootte van een poster' dat onwrikbaar aantoont dat 'het
huwelijk tussen Jezus en Maria Magdalena in de geschiedenis [wordt] vermeld'.

Zoals de volgende fragmenten en interviews met toonaangevende deskundigen duidelijk maken, is er geen twijfel aan dat de teksten van Nag
Hammadi een schat aan informatie hebben opgeleverd die een rijkere, ge-
nuanceerdere en misschien zelfs radicale herinterpretatie mogelijk maakt
van de woorden van Jezus, de rol van zijn volgelingen en de wijze waarop die woorden in het vroege christendom werden uitgelegd. Ze werpen
licht op een tijd waarin de vele rivaliserende scholen van het christendom
nog verweven waren en er nog geen definitieve canon was. Of specifieker:
ze tonen een glimp van een andere traditie – de gnostische traditie – die

botst met de orthodoxe interpretatie van Jezus' leer in het Nieuwe Testament. Nog controversiëler is dat ze, vergeleken met de kerkgeschiedenis, een veel gewichtiger rol toeschrijven aan Maria Magdalena als discipel en naaste metgezel van Jezus. Ook suggereren ze een grotere rol voor het zoeken naar innerlijke kennis en zelfontwikkeling dan de traditionele interpretatie van de levensbeschouwing van het Nieuwe Testament. En de gnostici van Nag Hammadi leken minder belang te hechten aan kerken en geestelijken. Ze leken volkomen tevreden te zijn met het interpreteren van hun eigen evangeliën en heilige boeken zonder tussenkomst van anderen – een idee waarin het geïnstitutionaliseerde christendom een bedreiging zou zien.

In dit hoofdstuk nodigen we de lezer uit ons te vergezellen op onze speurtocht naar de betekenis en de implicaties van deze verloren evangeliën. Ze lijken beslist de nadruk te leggen op een balans tussen het mannelijke en vrouwelijke, het goede en kwade in de mensheid en het belang van Maria Magdalena als apostel. Maar betekende het woord *metgezellin* inderdaad 'echtgenote' of gewoon 'medereizigster'? Wat te denken van de ogenschijnlijk expliciete aanduiding in het Evangelie van Filippus dat Jezus Maria Magdalena vaak op de mond kuste? Feitelijke beschrijving of beeldspraak? En als het beeldspraak is, wat wordt er dan verbeeld? Benadrukken de gnostische evangeliën echt een meer humaan, 'de geest is ín je'-christendom en bestond er inderdaad een zeer anti-autoritaire, vrouwvriendelijke traditie die doelbewust werd gemarginaliseerd en die door de historische christelijke 'winnaars' als ketters terzijde werd geschoven?

Aan de hand van deskundigen die zich al hun hele professionele leven met deze materie bezighouden, wordt de lezer rondgeleid langs de verworven inzichten en de vertalingen van de oorspronkelijke documenten die zo'n prominente rol spelen in *De Da Vinci Code.*

Een verbazingwekkende vondst

De sleutels tot de alternatieve traditie en hun betekenis voor het heden

Door Elaine Pagels

Elaine Pagels is Harrington Spear Paine Professor of Religion aan Princeton University en auteur van de bestseller *Beyond Belief* (*Ketters en rechtgelovigen,* Servire, 2003) en ook van *The Gnostic Gospels* (*De Gnostische Evangeliën,* Servire, 1980/2005), dat in

Amerika bekroond werd met de National Book Critics Circle Award en de National Book Award. Hier volgt een fragment uit de inleiding van *The Gnostic Gospels*. Copyright © 1979 Elaine Pagels. Opgenomen met toestemming van Random House, Inc. De Nederlandse vertaling van E. Verseput is opgenomen met toestemming van de uitgever. Copyright © 1980 voor de Nederlandse taal: Kosmos-Z&K Uitgevers B.V.

In december 1945 deed in Boven-Egypte een Arabische boer een verbazingwekkende archeologische ontdekking. De omstandigheden waaronder deze vondst werd gedaan zijn door allerlei geruchten in het duister gehuld, misschien omdat de vondst per ongeluk werd gedaan en de verkoop ervan op de zwarte markt illegaal was. Jarenlang bleef zelfs de identiteit van de vinder onbekend. Volgens één gerucht was hij een bloedwreker; volgens een ander had hij de vondst gedaan in de buurt van de stad Naj 'Hâmmâdi op de Jabal al-Târif, een berg als een honingraat met meer dan 150 grotten. Hoewel ze oorspronkelijk op natuurlijke wijze waren ontstaan, waren sommige van deze grotten al tijdens de zesde dynastie, dus zo'n 4300 jaar terug, uitgehouwen, beschilderd en gebruikt als begraafplaatsen.

Dertig jaar later vertelde de vinder, Muhammad 'Alî al-Sammân, zelf wat er gebeurd was.[1] Kort voordat hij en zijn broers in een bloedige vete wraak namen voor de moord op hun vader, hadden zij hun kamelen gezadeld en waren zij naar Jabal vertrokken om *sabakh* te zoeken, een soort zachte aarde die zij gebruikten om hun akkers vruchtbaar te maken. Toen zij rond een massief stuk rots aan het graven waren, stieten ze op een kruik van rood aardewerk die bijna een meter hoog was. Muhammad 'Alî aarzelde om de kruik te breken omdat er wel een *jinn*, een geest, in kon wonen. Maar toen hij bedacht dat de kruik ook goud kon bevatten, hief hij zijn houweel op, brak de kruik en ontdekte daarin dertien papyrusboeken, gebonden in leer. Toen hij thuis was gekomen in al-Qasr, gooide Muhammad 'Alî de boeken en de losse papyrusbladen op het stro dat op de grond naast de oven opgehoopt lag. De moeder van Muhammad, 'Umm-Ahmad, geeft toe dat ze samen met het stro dat ze gebruikte om het vuur aan te steken heel wat papyrus in de oven heeft verbrand.

Volgens het verhaal van Muhammad 'Alî wreekten hij en zijn broers een paar weken later de dood van hun vader door Ahmed Ismâ'îl te vermoorden. De moeder had haar zonen gewaarschuwd hun houwelen scherp te houden: toen ze hoorden dat de vijand van hun vader in de buurt was, grepen de broers hun kans, 'hakten zijn ledematen af... sneden hem zijn

---

1 De beschrijvingen van de vondst en de citaten van de vinder zijn afkomstig uit de inleiding van James M. Robinson in *The Nag Hammadi Library* (New York, 1977). Verder aangeduid als NHL.

hart uit en verslonden het, het uiterste waartoe men bij bloedwraak kan overgaan'. Uit angst dat de politie bij het onderzoek naar de moord zijn huis zou doorzoeken en de boeken zou ontdekken, vroeg Muhammad 'Alî de priester al-Qummus Bâsîlîyus Abd al-Masih er enkele voor hem te bewaren. Terwijl Muhammad 'Alî en zijn broers over de moord werden ondervraagd, zag Raghib, een plaatselijke geschiedenisleraar, een van de boeken en vermoedde hij dat het boek waardevol was. Hij kreeg een van de boeken van al-Qummus Basîlîyus en zond dit naar een vriend in Caïro om uit te zoeken wat de waarde ervan was.

Toen ze eenmaal door handelaren in antiquiteiten op de zwarte markt in Caïro waren verkocht, trokken de manuscripten al spoedig de aandacht van ambtenaren van de Egyptische overheid. Na zeer dramatische verwikkelingen, zoals we nog zullen zien, kochten zij één handschrift, namen nog tieneneenhalve van de dertien in leer gebonden boeken – die codices genoemd worden – in beslag en deponeerden deze in het Koptisch Museum in Caïro. Maar een groot deel van de dertiende codex, die vijf buitengewone teksten bevatte, werd uit Egypte gesmokkeld en in Amerika te koop aangeboden. Het nieuws van deze codex bereikte al snel professor Gilles Quispel, een kerkhistoricus van naam in Utrecht. Opgetogen over de ontdekking drong Quispel er bij het Jung-Instituut in Zürich op aan de codex te kopen. Maar nadat de aankoop geslaagd was, ontdekte hij dat er enkele pagina's ontbraken en vloog hij in de lente van 1955 naar Egypte in een poging ze te vinden in het Koptisch Museum. In Caïro aangekomen begaf hij zich direct naar het Koptisch Museum, leende foto's van een paar van de teksten en haastte zich terug naar zijn hotel om ze te ontcijferen.

Bij het lezen van de eerste regel was Quispel verbaasd en kon hij bijna niet geloven dat er stond: 'Dit zijn de geheime woorden die de levende Jezus sprak en de tweeling Judas Thomas neerschreef'.[2] Quispel wist dat zijn collega Henry-Charles Puech, die aantekeningen gebruikte van Jean Doresse, een andere Franse geleerde, deze beginregels had geïdentificeerd als fragmenten van een Grieks Evangelie van Thomas dat in de jaren negentig van de negentiende eeuw was gevonden. Maar de ontdekking van de gehele tekst wierp nieuwe vragen op: Had Jezus een tweelingbroer, zoals deze tekst impliceert? Kon de tekst een authentieke weergave zijn van Jezus' woorden? Volgens de titel van de tekst bevatte deze het Evangelie volgens Thomas; maar anders dan de evangeliën in het Nieuwe Testament

---

2 Evangelie van Thomas 32:10-11

gaf deze tekst zich uit voor een gehéím evangelie. Quispel òntdekte ook dat de tekst vele uitspraken bevatte die bekend waren uit het Nieuwe Testament; maar deze uitspraken, in een andere dan de vertrouwde context, deden nu nieuwe dimensies in hun betekenis vermoeden. Andere passages, zo vond Quispel, verschilden totaal van enige bekende christelijke traditie: de 'levende Jezus' bijvoorbeeld spreekt in woorden die even cryptisch zijn en evenzeer de aandacht trekken als de *koans* uit de Zen-traditie:

Jezus zei: 'Als je voortbrengt wat in je is, zal dat wat door jou wordt voortgebracht, je redden. Als je niet voortbrengt wat in je is, zal dat wat door jou niet wordt voortgebracht, je vernietigen.'[3]

Wat Quispel in handen had, het Evangelie van Thomas, was slechts één van de tweeënvijftig teksten die te Nag Hammadi (zoals de naam gewoonlijk wordt getranscribeerd) waren gevonden. In hetzelfde deel gebonden als het Evangelie van Thomas is het Evangelie van Filippus, dat aan Jezus daden en uitspraken toeschrijft die zeer verschillen van Jezus' woorden en daden in het Nieuwe Testament:

... de metgezel van de [Verlosser is] Maria Magdalena. [Maar Christus hield] meer van haar dan van [al] de discipelen en hij kuste haar [dikwijls] op haar [mond]. De overige [discipelen ergerden zich daaraan]... Zij zeiden tot hem: 'Waarom houdt U meer van haar dan van ons?' De Verlosser antwoordde en zeide tot hen: 'Waarom houd ik niet van jullie, zoals [ik houd] van haar?'

Andere uitspraken in deze verzameling leveren kritiek op algemene christelijke geloofsovertuigingen, zoals de maagdelijke geboorte en de opstanding van het lichaam, als waren dat kinderlijke misverstanden. Ingebonden samen met deze evangeliën is het Apocryphon (letterlijk 'geheime boek') van Johannes dat aanvangt met het aanbod om 'de mysteriën [en de] dingen die verborgen liggen in stilte', alles wat door Jezus aan zijn discipel Johannes was onderwezen, te openbaren.

Muhammad 'Alî gaf later toe dat een paar van de teksten verloren waren gegaan, verbrand of weggeworpen. Maar wat overblijft, is verbazingwekkend: zo'n tweeënvijftig teksten uit de eerste eeuwen van de christelijke jaartelling, met inbegrip van een verzameling vroeg-christelijke evangeliën die voordien onbekend waren. Behalve het Evangelie van Tho-

---

3 De vertalingen van de 'gnostische evangeliën' in de fragmenten van Elaine Pagels wijken hier en daar af van de vertalingen die verderop in dit hoofdstuk zijn opgenomen.

mas en het Evangelie van Filippus bevatte de vondst het Evangelie van de Waarheid en het Evangelie van de Egyptenaren, dat zichzelf uitgeeft voor 'het [Heilige Boek] van de Grote Onzichtbare [Geest]'. Een andere groep teksten bestaat uit geschriften die worden toegeschreven aan volgelingen van Jezus, zoals het Geheime boek van Jacobus, de Apocalyps van Paulus, de Brief van Petrus aan Filippus en de Apocalyps van Petrus.

De ontdekking van Muhammad 'Alî te Nag Hammadi, zo werd spoedig duidelijk, bestond uit koptische vertalingen die ongeveer 1500 jaar geleden van nog oudere manuscripten waren gemaakt. De originelen zelf waren in het Grieks geschreven, de taal van het Nieuwe Testament. Zoals Doresse, Puech en Quispel hadden gezien, was een deel van een van de geschriften ongeveer vijftig jaar eerder ontdekt door archeologen toen zij een paar fragmenten vonden van de originele Griekse versie van het Evangelie volgens Thomas.

Ten aanzien van de datering van de manuscripten zelf bestaat weinig twijfel. Onderzoek van de papyrus die werd gebruikt om de leren banden te verstevigen en waarvan de ouderdom kan worden vastgesteld, en van het koptische schrift, dateert de handschriften rond 350 tot 400 na Christus. Maar de geleerden zijn het zeer oneens over de datering van de oorspronkelijke teksten. Een paar ervan kunnen nauwelijks uit later tijd zijn dan ongeveer 120 tot 150 na Christus, daar Irenaeus, de orthodoxe bisschop van Lyon, rond 180 verklaart dat ketters 'zich erop beroemen meer evangeliën te bezitten dan er in werkelijkheid zijn'[4] en klaagt dat in zijn tijd zulke geschriften al uitgebreid in omloop zijn in een gebied dat zich uitstrekt van Gallië via Rome en Griekenland tot in Klein-Azië toe.

Quispel en zijn medewerkers, die allereerst het Evangelie van Thomas uitgaven, opperden als datering van het origineel de tijd rond 140 na Christus.[5] Er waren mensen die redeneerden dat aangezien deze evangeliën ketters waren, ze later geschreven moesten zijn dan de evangeliën van het Nieuwe Testament, welke worden gedateerd rond 60 tot 110. Maar professor Helmut Koester van Harvard University heeft onlangs de suggestie gedaan dat de verzameling uitspraken in het Evangelie van Thomas weliswaar rond 140 bijeen is gebracht, maar misschien overleveringen bevat die zelfs óuder zijn dan de evangeliën van het Nieuwe Testament, 'mogelijk zo vroeg als de tweede helft van de eerste eeuw' (50-100), even oud als of ouder dan Marcus, Matteüs, Lucas en Johannes.

Geleerden die zich bezighielden met het onderzoek van de vondst van

---

4 Irenaeus, *Adversus Haereses* III.11.9 (*AH*).
5 Zie de inleiding in: A. Guillaumont, H.-Ch. Puech, G. Quispel, W. Till, Y. 'Abd al Masih, *The Gospel according to Thomas: Coptic Text Established and Translated* (Leiden, 1959).

Nag Hammadi, ontdekten dat sommige teksten de oorsprong van het menselijk ras in heel andere termen weergeven dan de gebruikelijke interpretatie van Genesis: de Getuigenis van de Waarheid bijvoorbeeld vertelt het verhaal van de Hof van Eden vanuit het gezichtspunt van de slang! Hier overreedt de slang – waarvan men allang wist dat deze in de gnostische literatuur verschijnt als het principe van de goddelijke wijsheid – Adam en Eva zich deelgenoot van de kennis te maken terwijl 'de Heer' hen bedreigt met de dood in een jaloerse poging te voorkomen dat zij tot kennis zouden geraken, en hij is het ook die hen uit het Paradijs verdrijft wanneer ze eenmaal tot kennis zijn gekomen. Een andere tekst met de mysterieuze titel Donder, Volmaakte Geest bevat een bijzonder gedicht, gesproken met de stem van een vrouwelijke godheid:

Want ik ben de eerste en de laatste.
Ik ben de geëerde en de verachte.
Ik ben de hoer en de heilige.
Ik ben de vrouw en de maagd...
Ik ben de onvruchtbare en vele zijn haar zonen...
Ik ben de stilte die onbegrijpelijk is...
Ik ben het uitspreken van mijn naam.

Deze uiteenlopende teksten variëren dus van geheime evangeliën, gedichten en quasi-wijsgerige beschrijvingen van de oorsprong van het universum tot mythen, magie en voorschriften voor de beoefening van de mystiek.

Waarom werden deze teksten ooit begraven en waarom zijn ze bijna tweeduizend jaar zo goed als onbekend gebleven? Het blijkt dat het onttrekken aan de openbaarheid van deze teksten als verboden documenten en het begraven ervan bij de rotswand bij Nag Hammadi beide deel uitmaken van een strijd die van doorslaggevende betekenis was voor de vorming van het vroege christendom. De teksten van Nag Hammadi werden, net als vele andere teksten die de ronde deden aan het begin van onze jaartelling, door orthodoxe christenen in het midden van de tweede eeuw als ketterij afgekeurd. We waren er reeds lang van op de hoogte dat vele volgelingen van Christus in vroege tijden door andere christenen als ketters werden veroordeeld, maar bijna alles wat we over hen wisten, was afkomstig uit wat hun tegenstanders schreven in hun aanvallen. Bisschop Irenaeus, die rond 180 het toezicht had over de kerk van Lyon, schreef vijf boekdelen onder de titel *Weerlegging en Omverwerping van de valselijk zo genoemde Kennis*. Zij vangen aan met de belofte de gezichtspunten uiteen te zetten van hen, die heden ketterijen leren... om te laten zien hoe absurd en strijdig met de waarheid hun beweringen zijn... Ik doe dit, opdat... u al degenen, met wie u verbonden bent, eventueel zult manen een dergelijke afgrond van dwaasheid en van lastering jegens Christus te vermijden. (Irenaeus, *AH*, Praefatio.)

Hij bestempelt als bijzonder 'vol godslastering' een beroemd evangelie, genaamd het Evangelie van de Waarheid.[6] Doelt Irenaeus op hetzelfde Evangelie van de Waarheid dat in Nag Hammadi is ontdekt? Quispel en zijn medewerkers, die als eersten het Evangelie van de Waarheid publiceerden, beargumenteerden dat dit inderdaad zo is; een van hun critici beweert dat de beginregel (die aanvangt met 'Het evangelie van de waarheid') geen titel is.[7] Maar Irenaeus gebruikt als ammunitie voor zijn aanval dezelfde bron als ten minste één van de in Nag Hammadi gevonden teksten: het Apocryphon (Geheime Boek) van Johannes. Vijftig jaar later schreef Hippolytus, een leraar in Rome, nog een omvangrijke *Weerlegging van alle Ketterijen* om 'de verdorven godslastering der ketters uiteen te zetten en te weerleggen'.[8]

Deze veldtocht tegen de ketterij hield ongewild een erkenning in van de erin gelegen overtuigingskracht, maar toch zegevierden de bisschoppen. Tegen de tijd van de bekering van keizer Constantijn, toen in de vierde eeuw het christendom een officieel erkende religie werd, kregen de christelijke bisschoppen het bevel over de politie waar zij voordien het slachtoffer van waren geweest. Het in het bezit hebben van als ketterij aangemerkte boeken werd een strafbaar feit. Exemplaren van dergelijke boeken werden verbrand en vernietigd. Maar in Boven-Egypte nam iemand, misschien een monnik van een nabijgelegen klooster van de heilige Pachomius, de verboden boeken mee en verborg ze om ze te behoeden voor vernietiging in een kruik waarin ze bijna 1600 jaar begraven bleven.

Maar de schrijvers en verbreiders van deze teksten beschouwden zichzélf niet als 'ketters'. De meeste van deze geschriften gebruiken een christelijke terminologie, die onmiskenbaar relaties vertoont met het joodse gedachtegoed. Vele ervan beweren overleveringen over Jezus te geven die geheim zijn, verborgen voor 'de massa' die vormde wat men in de tweede eeuw 'de katholieke kerk' begon te noemen. Deze christenen worden nu gnostici genoemd, van het Griekse woord *gnosis* dat gewoon-

6 Irenaeus, *AH* III.11.9.
7 H.M. Schenke, *Die Herkunft des sogenannten Evangelium Veritatis* (Berlijn, 1958).
8 Hippolytus, *Refutatio omnium haeresium* 1 (*REF*).

lijk wordt vertaald met 'kennis'. Want zoals zij die beweren niets te weten over de ware werkelijkheid agnostisch (letterlijk: niet-wetend) worden genoemd, wordt hij die beweert wél kennis te hebben van dergelijke zaken 'gnostisch' ('wetend') genoemd. Maar gnosis is niet in de eerste plaats rationele kennis. De Griekse taal maakt een onderscheid tussen wetenschappelijke of reflectieve kennis ('Hij kent de stellingen van de wiskunde,') en kennis door waarneming en ervaring ('Hij kent mij,'); deze laatste is gnosis. Zoals de gnostici de term gebruiken, zouden we deze kunnen vertalen met 'inzicht', want gnosis impliceert een intuïtief proces van zelfkennis. En zichzelf kennen betekent, zo beweren zij, dat men de aard en de bestemming van de mens kent. Volgens de gnostische leraar Theodotus, die omstreeks 140-160 in Klein-Azië schreef, is de gnosticus iemand die heeft leren begrijpen

> wie wij waren en wat wij geworden zijn; waar we waren... waarheen we ons haasten; waarvan we bevrijd worden; wat geboorte is en wat wedergeboorte is. (citaat van Theodotus uit: Clemens Alexandrinus, *Excerpta ex Theodoto*, 78.2)

Maar zelfkennis, tot op het diepste niveau, is tegelijkertijd kennis van God; dat is het geheim van gnosis. Een andere gnostische leraar, Monoimus, zegt:

> Geef het zoeken naar God, de schepping en soortgelijke zaken op. Zoek naar hem door jezelf als uitgangspunt te nemen. Leer wie het is, binnen in je, die zich alles toe-eigent en zegt: 'Mijn God, mijn geest, mijn denken, mijn ziel, mijn lichaam.' Leer de bronnen kennen van smart, vreugde, liefde, haat... Als je nauwkeurig deze zaken onderzoekt, zul je hem vinden *in jezelf*. (Hippolytus, REF 8.15.1-2. Cursivering van mij.)

Wat Muhammad 'Alî in Nag Hammadi ontdekte, is klaarblijkelijk een bibliotheek van geschriften die bijna allemaal gnostisch zijn. Hoewel ze er aanspraak op maken geheime leringen te bieden, verwijzen vele van deze teksten naar de boeken van het Oude Testament, en weer andere naar de brieven van Paulus en de evangeliën in het Nieuwe Testament. Vele van de geschriften bevatten dezelfde dramatis personae als het Nieuwe Testament: Jezus en zijn discipelen. Toch zijn de verschillen opvallend.

Orthodoxe joden en christenen beweren nadrukkelijk dat een kloof de mensheid scheidt van haar schepper: God is de totaal andere. Maar sommigen van de gnostici die deze evangeliën schreven, spreken dit tegen: zelfkennis is kennis van God; het zelf en het goddelijke zijn identiek.

Ten tweede: de 'levende Jezus' van deze teksten spreekt over illusie en verlichting, niet over zonde en berouw zoals de Jezus van het Nieuwe Testament. Hij komt niet om ons van zonden te verlossen, maar als een gids die de toegang opent tot spiritueel begrip. Maar wanneer de leerling eenmaal tot verlichting is gekomen, helpt Jezus niet langer als zijn spirituele meester: beiden zijn nu gelijk, ja, zelfs identiek geworden.

Ten derde: orthodoxe christenen geloven dat Jezus Heer en Zoon van God is op een ongeëvenaarde wijze: hij blijft steeds onderscheiden van de rest van de mensheid die hij kwam redden. Maar het gnostische Evangelie van Thomas verhaalt dat zodra Thomas Jezus herkent, deze tot Thomas zegt dat zij beiden hun bestaan uit dezelfde bron hebben ontvangen:

> Jezus zei: 'Ik ben niet jullie meester. Daar jullie gedronken hebben, zijn jullie dronken geworden van de opborrelende stroom, die ik heb uitgemeten... Hij die uit mijn mond zal drinken, zal worden als ik: ikzelf zal hem worden, en de dingen die verborgen zijn, zullen aan hem geopenbaard worden.'

De identiteit van het goddelijke en het menselijke, het bezig zijn met illusie en verlichting, de stichter die niet wordt voorgesteld als Heer maar als spirituele gids: klinkt een dergelijke leer niet eerder oosters dan westers? Sommige geleerden hebben de suggestie gedaan dat als de namen werden veranderd, de 'levende Boeddha' op toepasselijke wijze tot uitdrukking kon brengen wat het Evangelie van Thomas aan de levende Jezus toeschrijft. Zouden hindoeïstische of boeddhistische tradities de gnostiek hebben beïnvloed?

De Britse kenner van het boeddhisme Edward Conze oppert dat dit zo is. Hij wijst erop dat 'boeddhisten... in verbinding [stonden] met de Thomaschristenen (christenen die geschriften als het Evangelie van Thomas kenden en gebruikten) in Zuid-India.' Er werden juist tijdens de bloeitijd van de gnostiek (80-120 n.Chr.) handelswegen geopend tussen de Grieks-Romeinse wereld en het Verre Oosten; generaties lang maakten boeddhistische zendelingen bekeerlingen in Alexandrië. We merken daarbij nog op dat Hippolytus, die een Griekssprekende christen was in Rome (rond 225), brahmanen uit India kent en hun traditie beschouwt als een bron van ketterij...

Zou de titel van het Evangelie van Thomas, genoemd naar de discipel die volgens de overlevering naar India ging, kunnen wijzen op een invloed van de Indiase traditie?

Deze aanwijzingen laten de mogelijkheid zien, maar het is nog niet te bewijzen. Daar parallelle tradities in verschillende culturen tegelijkertijd kunnen ontstaan, kunnen ook deze ideeën onafhankelijk van elkaar ontwikkeld zijn. Wat wij oosterse en westerse religies noemen en als gescheiden stromingen willen zien, had zich tweeduizend jaar geleden nog niet duidelijk gedifferentieerd. Het onderzoek van de Nag Hammadi-teksten begint pas op gang te komen: we zien uit naar het werk van geleerden die in staat zijn deze tradities vergelijkend te onderzoeken, om te ontdekken of deze tot Indiase bronnen te herleiden zijn.

In elk geval doken ideeën die wij in verbinding brengen met oosterse religies, in de eerste eeuw via de gnostische beweging op in het westen, maar werden deze onderdrukt en veroordeeld door polemisten als Irenaeus. Zij die de gnostiek een ketterij noemden, namen bewust of onbewust de visie over van de groep christenen die zichzelf orthodoxe christenen noemden. Ieder wiens opvattingen iemand mishagen of worden afgewezen, kan ketter worden genoemd. Volgens de traditie is een ketter iemand die afwijkt van het ware geloof. Maar wat is de definitie van dat 'ware geloof'? Wie noemt het zo, en waarom?

Met dit probleem zijn we ook in onze eigen omgeving vertrouwd. De term 'christendom' is in het bijzonder sinds de reformatie gebruikt voor een verbijsterend diverse reeks groeperingen. Zij die er prat op gaan in de twintigste eeuw het 'ware christendom' te vertegenwoordigen, kunnen variëren van een rooms-katholieke kardinaal in het Vaticaan tot een Afrikaanse episcopaal-methodistische prediker die een opwekkingsbeweging begint in Detroit, een mormonenzendeling in Thailand, of een lid van een dorpskerk aan de kust van Griekenland. Toch zijn katholieken, protestanten en orthodoxen het erover eens dat deze verscheidenheid een recente en betreurenswaardige ontwikkeling is. Volgens de christelijke legende was de vroege kerk anders. Christenen van alle overtuigingen kijken terug naar de oorspronkelijke kerk om een eenvoudiger en zuiverder vorm van het christelijke geloof te vinden. In de tijd van de apostelen deelden alle leden van de christelijke gemeenschap hun geld en bezit met elkaar; allen geloofden in dezelfde leer en gingen samen in de eredienst; allen erkenden eerbiedig de autoriteit van de apostelen. Pas na die gouden eeuw ontstonden eerst conflicten en toen ketterijen: zo vertelt ons de schrijver van de Handelingen van de Apostelen, die zichzelf uitgeeft voor de eerste historicus van het christendom.

De ontdekkingen in Nag Hammadi hebben dit beeld echter omvergeworpen. Als we toegeven dat sommige van deze tweeënvijftig teksten vroege vormen van de christelijke onderwijzing vertegenwoordigen, moeten we misschien ook wel erkennen dat het vroege christendom een veel grotere verscheidenheid vertoont dan bijna iedereen vóór de Nag Hammadi-ontdekkingen voor mogelijk hield.[9]

Het hedendaagse christendom, zo uiteenlopend en complex als wij het vinden, vertoont misschien meer eensgezindheid dan de christelijke kerken van de eerste en tweede eeuw. Want sinds die tijd hebben bijna alle christenen, katholiek, protestant of orthodox, drie fundamentele uitgangspunten met elkaar gemeen gehad.

Ten eerste: zij accepteren de canon van het Nieuwe Testament. Ten tweede: zij erkennen de apostolische geloofsbelijdenis. En ten derde: zij houden zich aan een bepaalde vorm van het kerkelijk instituut. Maar al deze drie elementen, de canon, de belijdenis en de institutionele structuur, kregen hun huidige vorm pas tegen het einde van de tweede eeuw. Daarvóór waren er, zoals Irenaeus en anderen betuigen, onder de verschillende christelijke groeperingen talrijke evangeliën in omloop die varieerden van die in het Nieuwe Testament – Matteüs, Marcus, Lucas en Johannes – tot geschriften als het Evangelie van Thomas, het Evangelie van Filippus en het Evangelie van de Waarheid, alsook vele andere geheime leringen, mythen en gedichten die werden toegeschreven aan Jezus of zijn discipelen. Sommige hiervan werden klaarblijkelijk in Nag Hammadi ontdekt; vele andere zijn voor ons verloren gegaan. Zij die zichzelf als christenen zagen, hielden er vele radicaal uiteenlopende religieuze overtuigingen en praktijken op na. En de gemeenschappen, verspreid over de gehele bekende wereld, organiseerden zich op een manier die van groep tot groep zeer verschilde.

Tegen het jaar 200 had de situatie zich echter gewijzigd. Het christendom was een instituut geworden met aan het hoofd een drieledige hiërarchie van bisschoppen, priesters en diakenen, die zichzelf beschouwden als hoeders van het enige 'ware geloof'. De meerderheid van de kerken, waaronder de kerk van Rome een leidende rol innam, verwierp alle andere opvattingen als ketterij. Bisschop Irenaeus en zijn volgelingen, die de verscheidenheid van de beweging in vroeger tijden betreurden, beweerden nadrukkelijk dat er slechts één kerk kon zijn; buiten die kerk, zo verklaarde Irenaeus, is er geen heil. Alleen de leden van deze kerk zijn orthodoxe (letterlijk: rechtdenkende of rechtzinnige) christenen. En, zo beweerde hij, deze kerk moet *katholiek* zijn, dat wil zeggen: universeel. Wie dit punt van overeenstemming betwistte en in plaats daarvan een pleidooi hield voor andere vormen van de christelijke leer, werd uitgeroepen tot

9 Een geleerde die zelfs vóór de vondst van Nag Hammadi een dergelijke verscheidenheid vermoedde, is W. Bauer, wiens boek *Rechtgläubigkeit und Ketzerei im ältesten Christentum* in 1934 verscheen.

ketter en uitgestoten. Toen de orthodoxen de steun kregen van het militaire apparaat, enige tijd nadat keizer Constantijn in de vierde eeuw christen was geworden, werd de straf die op ketterij stond, verzwaard.

De pogingen van de meerderheid om elk spoor van ketterse 'blasfemie' te vernietigen bleken zo succesvol dat tot de ontdekking in Nag Hammadi bijna al onze inlichtingen over de alternatieve vormen van het vroege christendom afkomstig waren uit de uitgebreide orthodoxe aanvallen erop. Hoewel de gnostiek misschien de oudste en meest bedreigende ketterij is, kenden de geleerden slechts een handvol originele gnostische teksten, waarvan er geen vóór de negentiende eeuw was gepubliceerd. De eerste dook op in 1769 toen een Schotse toerist, James Bruce genaamd, in de buurt van Thebe (het hedendaagse Luxor) in Boven-Egypte een koptisch handschrift kocht. Het geschrift, dat pas in 1892 gepubliceerd werd, beweert een verslag te zijn van gesprekken van Jezus met zijn discipelen – een gezelschap dat hier zowel mannen als vrouwen omvat. In 1773 vond een verzamelaar in een boekhandel in Londen een oude, eveneens in het koptisch geschreven tekst die een dialoog tussen Jezus en zijn discipelen over de mysteriën bevatte. In 1896 kocht een Duitse egyptoloog, wiens belangstelling door de vroegere publicaties was gewekt, in Caïro een manuscript dat tot zijn verbazing naast drie andere teksten het Evangelie van Maria (Magdalena) bevatte. Drie exemplaren van een van die teksten, het Apocryphon (geheime boek) van Johannes, waren ook opgenomen in de gnostische bibliotheek die vijftig jaar later te Nag Hammadi werd gevonden.

Toch laten de tweeënvijftig in Nag Hammadi ontdekte geschriften maar een glimp zien van de complexe structuur van de vroeg-christelijke beweging. We beginnen nu in te zien dat wat wij het christendom noemen en wat wij identificeren als christelijke overlevering, in feite slechts een kleine selectie van bepaalde bronnen voorstelt, bronnen die waren gekozen uit tientallen andere. Wie stelde die selectie samen, en waarom? Waarom werden die andere geschriften uitgesloten en uitgebannen als 'ketterij'? Wat maakte ze zo gevaarlijk? Nu, voor het eerst, hebben we de gelegenheid uitgebreid kennis te nemen van de eerste christelijke ketterij; voor het eerst kunnen de ketters voor zichzelf spreken.

Ongetwijfeld brachten de gnostische christenen ideeën tot uitdrukking die de orthodoxen verafschuwden. Zo wordt in sommige van deze gnostische teksten betwijfeld of alle lijden, pijn en dood voortkomen uit de zonde van de mens die, volgens de orthodoxe versie, een oorspronkelijk volmaakte schepping bedierf. Andere teksten spreken over het vrouwelijke element in het goddelijke en vereren God als Vader én Moeder. Weer andere opperen dat de opstanding van Christus symbolisch moet worden opgevat, en niet letterlijk. Een paar radicale teksten gaan zelfs zo ver katholieke christenen zelf te bestempelen als ketters, die hoewel ze 'geen begrip hebben van mysteriën... zich erop beroepen dat het mysterie van de waarheid alleen hun toebehoort'.[10] Dergelijke gnostische gedachten fascineerden de psychoanalyticus C.G. Jung; hij meende dat zij 'de keerzijde van de geest' tot uitdrukking brachten, de spontane, onbewuste gedachten, waarvan elke orthodoxie eist dat ze door haar aanhangers worden onderdrukt.

Toch bevat het orthodoxe christendom, zoals de apostolische belijdenis het definieert, een paar ideeën die sommigen van ons heden ten dage misschien nog vreemder vinden. De belijdenis eist bijvoorbeeld dat christenen zich ertoe bekennen dat God volmaakt goed is, en desalniettemin schiep hij een wereld waartoe pijn, onrecht en dood behoren; dat de moeder van Jezus van Nazaret maagd was; en dat hij, na zijn executie op last van de Romeinse procurator Pontius Pilatus, opstond uit zijn graf 'op de derde dag'.

Waarom werden deze verbazingwekkende opvattingen niet alleen algemeen aanvaard door de christelijke kerken, maar ook vastgesteld als de enige ware vorm van de christelijke leer? Van oudsher hebben de historici ons verteld dat de orthodoxen bezwaar maakten tegen de visies van de gnostici op godsdienstige en wijsgerige gronden. Dat is zeker juist; maar het onderzoek van de nieuw ontdekte bronnen wijst op een andere dimensie van deze controverse. Het doet vermoeden dat deze godsdienstige discussies – vragen over het wezen van God, of van Christus – tegelijkertijd sociale en politieke implicaties inhouden die van doorslaggevende betekenis waren voor de ontwikkeling van het christendom als een geïnstitutionaliseerde religie. Zo eenvoudig mogelijk gezegd: opvattingen die implicaties inhouden die op vijandige voet staan met die ontwikkeling, worden van het etiket 'ketterij' voorzien; ideeën die er impliciet steun aan geven, worden 'orthodox' genoemd.

Het onderzoek van de teksten van Nag Hammadi, samen met de bronnen die al veel langer dan duizend jaar uit de orthodoxe overlevering bekend zijn, stelt ons in staat te zien hoe politiek en religie samenwerken in de ontwikkeling van het christendom. We kunnen bijvoorbeeld zicht krijgen op de politíéke implicaties van zulke orthodoxe leerstellingen als de opstanding van het lichaam, en hoe gnostische opvattingen over de op-

10 De hier gegeven vertalingen zijn gebaseerd op die in J. Brashler, *The Coptic Apocalypse of Peter: A Genre Analysis and Interpretation* (Claremont, 1977).

standing tegengestelde implicaties inhouden. Onderwijl is het ons mogelijk tot een nieuwe en ontstellende visie op de oorsprongen van het christendom te komen.

Wat verloren was, is gevonden

Een ruimere blik op het christendom en zijn oorsprong

Een interview met Elaine Pagels

Elaine Pagels is Harrington Spear Paine Professor of Religion aan Princeton University en auteur van de internationale bestseller *Ketters en Rechtgelovigen* (Servire, 2003) en ook van *De Gnostische Evangeliën* (Servire, 1980/2005) dat in de vs de National Book Critics Circle Award en de National Book Award won.

Waarom denkt u dat De Da Vinci Code *zo tot de verbeelding spreekt?*
Wat ik interessant vind aan Dan Browns boek is dat het een belangrijk vraagstuk aan de orde stelt: als zij – de kerkleiders – zo veel van de vroegchristelijke geschiedenis in de doofpot gestopt hebben, is er dan nog meer waarvan we niet op de hoogte zijn? Valt er nog meer te ontdekken? Als historica vind ik dat een belangrijke vraag omdat het antwoord zoveel betekent. Ik zeg dus liever niets negatiefs over *De Da Vinci Code*. Ik ben natuurlijk geen expert op het gebied van het boek, maar ik vind dat het een belangrijk vraagstuk aan de orde stelt.

Maar wat weten we nu over de oorsprong van het vroege christendom, dat een generatie geleden onbekend was?
De vroegste verslagen die we hebben over het leven van Jezus van Nazaret, werden op zijn vroegst twintig jaar na zijn dood geschreven en zijn afkomstig uit brieven. Dan hebben we de evangeliën van het Nieuwe Testament, en die werden misschien veertig tot zeventig jaar na zijn dood geschreven. Dus we beschikken alleen over beschrijvingen van later datum. Die verslagen zijn niet neutraal; ze zijn geschreven door mensen die ofwel Jezus waren toegedaan of een vijandige houding jegens hem aannamen, zoals de Romeinse historicus Suetonius, de Romeinse senator en historicus Cassiodorus en wat polemische joodse bronnen uit het einde van de eerste eeuw. Dus het is interessant dat we over niets anders beschikken dan latere verslagen, die hetzij uiterst positief hetzij uiterst negatief zijn.

Dankzij de Nag Hammadi-ontdekkingen in 1945 weten we nu dat de vroeg-christelijke beweging veel breder en gevarieerder was en dat de denkbeelden van Jezus veel meer omvatten dan we ooit dachten. Dat geldt zowel voor de klassieke visie op zijn discipelen als, en dat is hier van bijzonder belang, voor de later ontwikkelde leer dat Maria Magdalena een prostituee was. Maar in de bronnen die we nu hebben, waaronder de Evangeliën van Maria Magdalena, Thomas en Filippus, staat vroeg bewijs dat Maria niet alleen werd beschouwd als een van de vrouwen die bij de kring rond Jezus hoorden, maar dat ze door velen werd beschouwd als een belangrijke volgelinge en discipel. En we weten ook dat er nog anderen waren.

Is dat niet tegenstrijdig? Zouden de sociale en religieuze geloofssystemen van de joodse cultuur zich niet verzet hebben tegen vrouwen in een onafhankelijke rol als bekeerders?
In joodse groeperingen was het zeer atypisch dat vrouwen deelnamen en leerden en rondreisden met de mannen. Ik stel me de kring rond Jezus voor als een kring rond een rondtrekkende charismatische rabbi, en bij deze groep hoorden kennelijk zowel vrouwen als mannen. Dat moet zeer ongebruikelijk zijn geweest. De meeste rabbijnse bronnen – die van wat later dateren dan de tijd waarover we het nu hebben – vonden het volstrekt ongepast om vrouwen te onderrichten in de heilige geschriften. En zelfs in Grieks-Romeinse kringen hadden alleen de epicuristen en enkele andere filosofen vrouwelijke studenten, en dan een klein aantal. Veel vaker waren het uitsluitend mannen. Misschien is Maria Magdalena's reputatie als prostituee ontstaan omdat het idee van een reizende vrouw, of simpelweg een vrouw in het gezelschap van een groep mannen, zeer ongebruikelijk en dus verdacht was.

Is het mogelijk dat zij dichter bij Jezus stond dan de andere discipelen en was ingewijd in geheime kennis, zoals het Evangelie van Maria suggereert?
We kennen slechts weinig details, maar ze moet beslist een belangrijke relatie met Jezus hebben gehad. Er zijn wat hints van te vinden in het Evangelie van Maria, waarin wordt gezegd dat hij haar dingen vertelde die hij de andere discipelen niet vertelde en dat hij een speciale liefde voor haar had. Of Jezus haar inderdaad op de hoogte stelde van zaken waarover hij tegen de anderen zweeg is niet met zekerheid te zeggen, maar er zijn wel enkele aanwijzingen voor. In de bronnen die ik heb geraadpleegd zijn geen bewijzen te vinden dat er sprake was van een seksuele relatie tussen Jezus en Maria Magdalena. Dan Brown heeft een opmerking gevonden in het Evangelie van Filippus die suggereert dat Jezus meer van Maria Magdalena hield dan van de andere discipelen, en hij heeft dat geïnterpreteerd als

een seksuele relatie. Wanneer je echter de rest van het Evangelie van Filippus leest, duidt het seksuele taalgebruik volgens veel onderzoekers op een eenwording in mystieke en niet in letterlijke zin. Maria wordt in bepaalde passages beschreven als een symbool van goddelijke wijsheid en in andere passages als de kerk, dat wil zeggen de bruid van Christus. Zo wordt zij dus opgevat als de spirituele tegenhanger van Jezus.

Is het mogelijk dat er nog meer documenten gevonden worden die licht werpen op de relatie tussen Maria en Jezus, en tussen de orthodoxie en deze verloren traditie? En zo ja, waarom zijn bepaalde evangeliën behouden gebleven en andere niet?
Er waren vast talloze mensen die kopieën van deze teksten bewaarden. Maar omdat papyrus vergaat, behalve in de droogste delen van de wereld, zoals het deel van Egypte waar de Nag Hammadi-teksten werden gevonden, zullen de meeste kopieën verloren zijn gegaan. Om een antwoord te vinden op de vraag waarom bepaalde evangeliën in de loop der eeuwen werden doorgegeven terwijl andere werden verborgen, heb ik *De Gnostische Evangeliën* geschreven.

Ik denk dat, naarmate de orthodoxe traditie zich ontwikkelde en aan populariteit won, enkele leidende figuren zich geroepen voelden om uit te zoeken wat de ware leer van Jezus was en wat niet. Zij probeerden een immens aantal mensen te verenigen, mensen die zich bevonden in het tegenwoordige Turkije, Afrika, Spanje, Frankrijk, Engeland, Italië, Egypte – wat de Romeinen als de bekende wereld beschouwden. En enkele leiders, sommige bisschoppen bijvoorbeeld, zeiden: laten we de fundamentele leringen opnemen waarover we het allemaal eens zijn. En laten we van al dat andere, mystieke materiaal zeggen dat het niet relevant is. We hebben het niet nodig – het is misleidend en spoort de mensen aan eigen groepen te vormen, en dat willen wij niet want wij zijn per slot van rekening bisschoppen. Er is echter ook nog een serieuzere reden. De christelijke beweging werd vervolgd en uitgeroeid door de Romeinse staat en dus probeerde ze zich te consolideren en te verenigen. Maar we weten niet gedetailleerd hoe dat proces verliep en dus moeten we het proberen te reconstrueren. Dat is uitermate problematisch en ingewikkeld, maar dat is wat ik in mijn boeken probeer te doen.

Hoe ziet u op basis van deze reconstructie de verschillen tussen de erediensten van de mensen die deze verworpen teksten volgden en die van de volgelingen van de canonieke teksten van het Nieuwe Testament?
Ik geloof dat de Nag Hammadi-evangeliën werden geschreven door mensen die voelden dat ze visioenen, openbaringen en diepere inzichten had-

den. Een gedoopte christen in de tweede eeuw in Midden-Egypte had misschien een geestelijk leider nodig die verder ging dan de orthodoxie en zei: 'Ja, ik kan je verder brengen. Ik kan je inwijden in de diepere mysteriën en je kunt de Heilige Geest ontvangen zodat je persoonlijke openbaringen kunt krijgen.'

Deze kleinere groep, die zich toelegde op extatische gebeden en visioenen, zag weinig in trouw aan de plaatselijke bisschoppen, en daar waren die bisschoppen bepaald niet mee ingenomen. Zij vonden dus dat openbaringen en visioenen een bedreiging vormden voor de eenheid van de kerk. Dit probleem bestaat nog altijd: als er nu een katholiek opstaat die een visioen van de Maagd Maria beschrijft en zegt: 'De Maagd Maria heeft mij laten weten dat vrouwen geestelijken moeten worden,' dan zal hij of zij zeker een ketter worden genoemd.

Niettemin had het christendom zich niet kunnen verspreiden zonder openbaringen. De evangeliën van het Nieuwe Testament, vooral Lucas, staan bol van de dromen en openbaringen. De beweging barstte van de claims op visioenen en openbaringen. Maar later werden die problematisch omdat de leiders van de kerk zeiden: 'Wacht eens even, hoe maken we een onderscheid tussen ware en valse visioenen?' En vervolgens moesten er maatstaven worden opgesteld. De gevonden teksten, zoals het Evangelie van Filippus en het Evangelie van Maria, werden in Egypte aangetroffen, in een kloosterbibliotheek. En het was een bisschop die de monniken beval ze te vernietigen.

Kunt u de gnostische teksten voor ons samenvatten?
Hoewel het gangbaar werd om ze gnostische teksten te noemen wekt die term vaak de associaties met een negatieve, dualistische kijk op de wereld die niet terug te vinden is in die teksten. Ik gebruik de term gnostiek dus niet meer en spreek ook niet meer van gnostische teksten. Ik beoordeel ze bij voorkeur afzonderlijk.

Het Evangelie van Thomas introduceert de gedachte dat wanneer je voortbrengt wat in je is, datgene wat in je is je zal redden, maar wanneer je niet voortbrengt wat in je is, zal datgene je vernietigen. En de achterliggende gedachte is dat wanneer je iets voortbrengt vanuit jezelf, iets wezenlijk menselijks, je daarmee toegang hebt tot God.

Het Evangelie van Maria zegt in feite dat je de Zoon des Mensen in jezelf moet zoeken; met andere woorden: zoek veeleer het goddelijke in jezelf dan Jezus als Godmens te beschouwen. Je kunt de goddelijke bron vinden door je eigen wezen, dat uit dezelfde bron komt als Jezus. Dit lijkt op de boeddhistische leer. Voor priesters is dat uiteraard een ketterse denkwijze. Een priester benadrukt dat de enige toegang tot God in de kerk gevonden kan worden. Maar deze evangeliën impliceren dat je je eigen weg kunt gaan en het goddelijke in jezelf kunt ontdekken. Je hebt niet per se de kerk of een priester nodig. Je kunt ook gaan mediteren of een visioen krijgen.

Is het mogelijk dat een deel van het christendom werd beïnvloed door mysteriegodsdiensten, zoals Dan Brown suggereert?
Ja. Dan Brown heeft gelijk als hij stelt dat sommige mysteriegodsdiensten, zoals de sekte van de moedergodin, draaiden om de mysteriën van seksualiteit, dood en het overstijgen van de dood. Maar ik vind er geen sporen van in de gevonden teksten. Die zijn van een heel andere orde. Het is goed mogelijk dat christelijke rituelen invloeden van mysterieculten bevatten, maar ik zie er geen seksuele riten in. Het past in een roman, maar bij mijn weten is er gewoon geen bewijs voor.

Was seksualiteit een belangrijke kwestie voor de vroege kerkleiders?
Ja, het was zeker een kwestie voor Paulus, amper twintig jaar na Jezus' dood. Hij meende dat het beter was celibatair te zijn, zoals hij, om het evangelie te verkondigen. Veel mensen denken dat hij weduwnaar was en dus wel gehuwd was geweest. Petrus was getrouwd en had kinderen. Dat was uiteraard normaal voor de volgelingen van Jezus, omdat zij een joodse opvoeding hadden gehad waarin het huwelijk iets heiligs was.

Wat er volgens mij gebeurde is dat deze volgelingen van Jezus, zelfs degenen die geen joden waren, de joodse visie op seksualiteit aannamen: die stond in het teken van de voortplanting en elke seksuele relatie tussen een man en een vrouw kon kinderen tot gevolg hebben. Een seksuele relatie tussen mensen van hetzelfde geslacht werd door veel joden als een absolute gruwel beschouwd. Abortus was verboden. Dat gold ook voor het doden van zuigelingen, een gebruikelijke vorm van geboortebeperking in die dagen. Dus omdat de christenen niet van kinderen af konden, ook niet door abortus of contraceptie, moet voor wie zich wilde wijden aan het Koninkrijk en een leven wilde dat vrij was van de lasten van gezin, kinderen en geld verdienen, het celibaat de enige oplossing geweest zijn.

Terug naar het heden: hoe verklaart u de brede fascinatie voor deze spirituele kwesties in een tijd van rationaliteit en scepsis?
Allereerst geldt voor mij en vele anderen dat er een enorme behoefte bestaat aan spiritueel inzicht en een spirituele weg. En dat geldt zowel voor mensen die evangelisch zijn – ik houd niet van het woord *fundamentalisten* – als voor de baptisten in het zuiden van de vs en rooms-katholieke mystici en atheïsten. Veel mensen verdiepen zich echt in spirituele kwes-

ties, volgens mij omdat die een essentieel onderdeel zijn van een mensenleven en we ze nodig hebben. Of je nu gelooft dat de wereld in zes dagen werd geschapen of een andere filosofische opvatting bent toegedaan, ik denk dat ons hart, ons gevoel en onze houding ten opzichte van andere mensen de kern van die traditie uitmaken.

Denkt u dat deze teksten en uw werk mogelijk maken dat mensen in een geloofscrisis zeggen: 'O, er is hier nog een andere dimensie'?
Voor mij is dat erg belangrijk, omdat het christelijk geloof zoals dat vaak wordt onderwezen ronduit onverteerbaar is. Er zitten elementen in die, als je ze letterlijk moet nemen, voor de meeste mensen uiterst twijfelachtig zijn. Werd Jezus inderdaad uit een maagd geboren? Wat bedoelen we met de opstanding uit de dood? Dus, ja, mijn werk en wat ik in mijn boeken probeer te doen is een uitnodiging om te zeggen: 'We kunnen over deze dingen nadenken.' We kunnen ze historisch beschouwen. We kunnen naar de bijbel kijken, niet als iets wat in een gouden wolk uit de hemel is gekomen, maar als een boek waarin de inspanningen van velen zijn verzameld en waarin zeer krachtige waarheden te vinden zijn. Maar dat betekent niet dat we alles letterlijk moeten opvatten en voor zoete koek moeten slikken. We mogen erover nadenken en erover discussiëren. Zoals Jezus zegt: 'Laat hij die zoekt niet ophouden met zoeken, totdat hij vindt. Als hij vindt zal hij verontrust worden. Als hij verontrust is zal hij zich verwonderen.'[2] Dat is duidelijk een uitnodiging om deel te nemen aan een proces van studie – niet een simpele set geloofsovertuigingen die we ofwel aanvaarden ofwel verwerpen. We kunnen de elementen handhaven die ons lief zijn en zeggen dat het voor anderen misschien anders is. En dit nieuwe bewijs is volgens mij in dat opzicht een buitengewone kans.

Wat de Nag Hammadi-teksten ons melden over het 'bevrijde' christendom

Een interview met James M. Robinson

James Robinson is emeritus hoogleraar Religie van Claremont Graduate University en hoofdredacteur van de *Nag Hammadi Library*. Hij is een autoriteit op het gebied van

---

2 Dit is een citaat uit het Evangelie van Thomas (logion 2). De vertaling is ontleend aan die van J. Slavenburg en W. Glaudemans in *De Nag Hammadi-geschriften* (Ankh-Hermes, Deventer, 2004).

het vroege christendom en leidde het team van geleerden en vertalers dat de verloren evangeliën tot leven wekte.

Wat was uw reactie, als kenner van de verloren evangeliën, toen deze historische ideeën opeens de bestsellerlijst bereikten door de populariteit van De Da Vinci Code?

Het sensationele succes van het boek verontrust wetenschappers zoals ik, die proberen zich aan de feiten te houden. Ik denk dat één moeilijkheid is dat Browns boek een roman en dus fictie is, maar dat er tegelijkertijd zo veel feiten, bekende namen en zaken zoals de Nag Hammadi-vondst in genoemd worden, dat het feitelijk accuraat lijkt. Het is voor leken moeilijk te onderscheiden waar het ene begint en het andere ophoudt. Dus vanuit dat perspectief is het uitermate misleidend.

Bovendien is het mij duidelijk dat Dan Brown zich weinig gelegen laat liggen aan de wetenschappelijke benadering en bewijs sensationeler maakt dan het is. Zo verwijst hij bijvoorbeeld naar de Nag Hammadi-vondst als 'perkamentrollen',[1] maar dat zijn het niet. Het zijn codices – in een band bijeengehouden handschriften. Ze vormen de oudste bekende voorbeelden van in leer gebonden boeken. Op een andere plaats verwijst hij naar het Q-evangelie, waarbij hij opmerkt: 'Dat zou een boek met de leer van Jezus moeten zijn, misschien wel door hemzelf geschreven.' Het interessante is dat het geschrift wel genoemd wordt, maar dat er niet verder op ingegaan wordt – wellicht omdat het niet in zijn straatje past, want we weten dat het niet door Jezus is geschreven. Dat zijn slechts een paar van de ideeën die niet op feitelijke maar op sensationele wijze in het boek zijn verwerkt.

Hoe zou u de Nag Hammadi-teksten karakteriseren?

De canonieke Evangeliën van Matteüs, Marcus, Lucas en Johannes zijn een soort theologische biografie van Jezus. Daarentegen zijn de Nag Hammadi-evangeliën geen evangeliën in de traditionele betekenis van dat woord, namelijk 'verhalende geschiedenis', maar wat we nu 'spreukenevangeliën' noemen. Zo is het zogenoemde Evangelie van Filippus een samenraapsel van teksten. Het is geen oorspronkelijk document maar een verzameling fragmenten uit diverse bronnen. Het Evangelie van de Waarheid is een quasi-filosofisch theologisch traktaat, maar het vertelt in geen enkele zin van het woord het verhaal van Jezus. De enige die in zekere zin aanspraak kan maken op de benaming evangelie is de vierde Nag Hammadi-tekst (het Evangelie van Thomas), waaraan het woord 'evangelie' als een soort

---

1 Dit is in latere drukken van DVC en in de vertaling gecorrigeerd.

tweede titel aan het slot is toegevoegd. Het begin van de tekst noemt het echter 'geheime woorden'. Het is een verzameling spreuken, zoals de spreukenverzameling die een theoretische bron is van Matteüs en Lucas, en die wordt aangeduid als 'Q'. Deze wordt één keer in *De Da Vinci Code* genoemd.

Weten we iets over de mensen die deze teksten hebben geschreven?
Waarschijnlijk zijn ze geschreven door verschillende mensen in verschillende tijden. Als ze in de tweede en derde eeuw werden geschreven, waren de auteurs waarschijnlijk gnostici, deel van een gnostische beweging die met het opkomende orthodoxe christendom twistte over de ware vorm van het geloof. De orthodoxe beweging had boeken die evangeliën werden genoemd en die nu bekendstaan als Matteüs, Marcus, Lucas en Johannes. De gnostici voegden het woord evangelie toe aan sommige van hun traktaten, die eigenlijk geen evangeliën waren zoals die in het Nieuwe Testament omdat de canonieke evangeliën verhalen zijn die de theologische biografie van Jezus toelichten. De Nag Hammadi-evangeliën zijn meer een verzameling losse fragmenten.

Kunt u wat nader ingaan op die rivaliserende vormen van christendom?
De auteurs van deze codices probeerden invloed uit te oefenen op wat we het progressieve christendom kunnen noemen – enigszins vergelijkbaar met het moderne new-agefenomeen. Zij meenden dat de dominante kerk van die tijd (in *De Da Vinci Code* de rooms-katholieke kerk genoemd) te aards was, te werelds, te materialistisch en te fysiek. Die kerk miste de spirituele, allegorische, hogere, hemelse geheime betekenis van alles. En dat was nu precies waar zij voor stonden.

Over new age gesproken, wijst het woord metgezellin *in het Evangelie van Filippus er volgens u op, zoals volgens sommigen die deze documenten bestuderen, dat Jezus en Maria gehuwd waren? En dat ze elkaar zelfs kusten?*
Nee, het woord betekent niet automatisch gehuwd of ongehuwd. *Metgezel* wijst niet noodzakelijk op een seksuele verhouding, zoals de term tegenwoordig begrepen wordt. Het lijkt mij gewoon een manier om het verhaal aan te dikken. Wie het volledige Evangelie van Filippus leest, ontdekt al snel dat de auteur lichamelijke seks als beestachtig van de hand wijst, het zelfs letterlijk met dierlijk gedrag vergelijkt. In de vroege kerk was een kus een metafoor voor het baren. Er is veel te veel achter die kus gezocht. Die kus is ook wel de vredeskus genoemd en komt min of meer overeen met het ritueel in een moderne kerkdienst waarbij iedereen elkaar een hand geeft en zegt: 'De vrede van Christus zij met u.'

Over Maria Magdalena als Jezus' metgezellin stelt Brown dat kenners van het Aramees weten dat dit 'echtgenote' betekent. Maar het Evangelie van Filippus is in het Koptisch geschreven en vertaald uit het Grieks, dus er staat geen woord in dat kenners van het Aramees kunnen bestuderen.

Ik denk dat de enige relevante tekst voor historische informatie over Maria Magdalena het Nieuwe Testament is. Op basis daarvan valt niet te ontkennen dat ze deel uitmaakte van de kring vrouwen die de rondreizende Jezus en zijn mannelijke volgelingen vergezelde. Ik vermoed dat de zeven demonen die Jezus bij haar uitdreef, verwijzen naar een psychische ziekte of zenuwziekte, bijvoorbeeld epilepsie. Zij werd door die ziekte gekweld, hij genas haar en zij werd een discipel, trouw tot het bittere einde. Ik denk ook dat ze alleen was na de executie omdat de andere discipelen lafaards waren. Ze zouden wellicht zijn gearresteerd. De Romeinen vonden vrouwen niet belangrijk genoeg om te arresteren, dus lieten ze Maria treuren omdat ze dachten dat ze wel weer snel in de massa zou opgaan. Het Nieuwe Testament geeft ongetwijfeld een accurate beschrijving van al die Maria's die aanwezig waren bij de kruisiging en op paaszondag. Zelfs dermate accuraat dat je historisch gezien waarde kunt hechten aan alle verhalen over het lege graf.

U lijkt dus te geloven dat haar rol beperkter was dan sommige radicale interpretatoren denken. Zou u desondanks onderschrijven dat de schrijvers van de gnostische evangeliën vrouwen en hun rol in het spirituele leven een warmer hart toedroegen dan de orthodoxe traditie?
Ja, beslist. Ik denk dat de gnostici over veel kwesties vrijzinniger dachten – als ik die wat modernere term mag gebruiken. Zo waren hun opvattingen over vrouwen in de kerk meer gebaseerd op hun indruk van de kwaliteit van hun religieuze ervaringen dan op de verhoudingen tussen bisschoppen en leken of andere vormen van autoriteit. Zij geloofden dat vrouwen religieuze ervaringen, spirituele inzichten en zelfs visioenen hadden. Het idee dat de mannen de vrouwen klein hielden, is volgens mij een historisch accurate beschrijving van deze begintijd, en dat er enkele vrouwen waren die iedereen (ook de mannen) ervan wilden overtuigen dat zij als gelijken beschouwd moesten worden, is een historisch feit uit de tweede en derde eeuw. Het Evangelie van Maria staaft dat ook.

Dat gezegd hebbende, dient te worden benadrukt dat men bekende zaken niet moet inruilen voor speculaties. Zelfs met deze teksten in de hand is het niet raadzaam de specifieke rol van Maria een invulling te geven die verder gaat dan wat in het Nieuwe Testament over haar is vermeld – en het Nieuwe Testament zegt er helemaal niets over dat Jezus meer tijd doorbracht met Maria Magdalena dan met de andere discipelen. Dan komen we terecht in een sfeer van wishful thinking en daar dien je als historicus voor te waken. Het druist in tegen de wetenschappelijke methode om bewijsmateriaal te wegen met behulp van wensgedachten – als heilige of zondaar, gehuwde of ongehuwde. Dat is geen methode die wij historici kunnen toepassen.

Nederland en Nag Hammadi

Nederland heeft – net als Frankrijk – een bijzondere positie in het internationale onderzoek naar de vondsten bij Oxyrrhynchus[1] en Nag Hammadi, omdat Nederlandse onderzoekers er van meet af aan een cruciale rol in hebben gespeeld. De belangrijkste bijdrage is geleverd door prof. dr. Gilles Quispel, inmiddels emeritus hoogleraar van de theologische faculteit van de Rijksuniversiteit Utrecht.

Al tijdens de Tweede Wereldoorlog raakte de toenmalige promovendus Quispel door zijn proefschrift over de ketter Marcion gefascineerd door de gnosticus Valentinus. Na de oorlog raakte hij in contact met de zeer in gnostiek geïnteresseerde Carl Gustav Jung en met de Bollinger Foundation voor kunsten en wetenschappen, waarvan hij een beurs kreeg om in de bibliotheek van het Vaticaan onderzoek te doen naar het leven en werk van Valentinus.

Intussen werd bekend dat er in Egypte gnostische teksten waren gevonden, waaronder een Evangelie van de Waarheid, dat in de geschriften van de vroege ketterjager Irenaeus werd toegeschreven aan Valentinus. Antiquairs boden op de zwarte markt delen van de vondst te koop aan. Er werd zelfs materiaal Egypte uit gesmokkeld en in Amerika te koop aangeboden. Quispel leerde snel Koptisch en seinde de Bollinger Foundation in over het nieuws. In zijn eigen woorden: 'Zo werd in 1951 te Ascona besloten dat de Bollinger Foundation het geld voor de aankoop zou verschaffen en dat de Codex waar het Evangelie Waarheid in stond, naar Jung zou worden vernoemd en na uitgave aan de Egyptenaren zou worden te-

---

1 Griekse brokstukken van het Evangelie van Thomas en andere teksten werden al in de winter van 1886-87 in Egypte ontdekt door de Britse geleerden B.P. Grenfell en A.S. Hunt. Zij sloegen ongeveer 120 Britse mijlen ten zuiden van Caïro hun kamp op, op een afstand van 7 mijl van de Nijl, in de oase Fayoum. Dit was ooit, in de eerste eeuwen van onze jaartelling, de stad Oxyrrhynchus, de hoofdstad van een van de gouwen waarin Egypte was verdeeld. Er woonden daar destijds veel christenen. (Gilles Quispel, aanhef bij *Het Evangelie van Thomas*, In de Pelikaan, 2004)

ruggegeven.' In een interview voor het blad *Bres* beschreef Quispel hoe hij de *Codex Jung* op het spoor kwam:

Op een dag werd ik opgebeld door Josef Jansen, de egyptoloog, die vertelde dat een zekere Jean Doresse, een Fransman, bij hem was die iets over opgravingen in Egypte aan het vertellen was waar ik zeker belangstelling voor zou hebben. Ik erheen, en daar ontmoette ik Jean Doresse... [die] het over de papyrusvondsten had. En wel de vondst bij Nag Hammadi. Ik werd toen erg enthousiast en schreef daarover aan Jung, van wie ik wist dat hij er belangstelling voor koesterde. En toen de wetenschappelijke uitgaven van die belangrijke teksten volledig stopten omdat de Fransen daar in Egypte nogal erg koloniaal optraden en de Egyptenaren dus niet met de Fransen in zee wilden gaan (en zeker niet met Doresse, aan wiens kundigheid zij twijfelden), toen ben ik in staat geweest om dankzij de hulp van Jung en een van zijn medewerkers op 10 mei 1952 de *Codex Jung* te kopen, die anderhalf jaar in een hoek van deze kamer heeft gelegen. En er was geen hond die zich ervoor interesseerde.'[2]

Kort na Quispels aankoop werd het Egyptische koningshuis afgezet en mede daardoor verdwenen diverse Nag Hammadi-codices jarenlang in een kluis. Ondertussen werd er onderhandeld met de Egyptische regering over teruggave van de *Codex Jung*. Inzet daarbij was de belofte dat het onderzoek niet langer het exclusieve domein zou zijn van een groepje Franse wetenschappers, maar dat er een foto-uitgave van het materiaal zou komen, waardoor de vondst toegankelijk zou worden voor wetenschappers uit de hele wereld.

Koningin Juliana heeft zich persoonlijk met de zaak beziggehouden, waardoor Quispel alle medewerking kreeg van de Nederlandse gezant in Egypte. Mede door die steun kon Quispel de hand leggen op de tekst van het Thomas-evangelie. Toen in 1956 de Suezcrisis tot oorlog leidde, vluchtte Quispel met zijn vrouw halsoverkop aan boord van een Amerikaanse kruiser van Alexandrië naar Napels. In zijn koffer had hij echter een fotokopie van de tekst van het Thomas-evangelie meegesmokkeld. En hij zorgde er vervolgens voor dat deze gepubliceerd werd. Het duurde van 1972 tot 1977 voor de andere Nag Hammadi-geschriften gefotografeerd en wetenschappelijk uitgegeven werden.

Quispel legde als eerste verbanden tussen 'Thomas' en andere teksten en

---

2 J. Slavenburg, 'Hermes Trismegistos in Amsterdam. Interview met prof. Gilles Quispel' in *Bres* 145 (dec. 1990/jan. 1991).

lanceerde in 1957 op een wetenschappelijk congres in Oxford de theorie dat het Evangelie van Thomas twee bronnen had. Later stelde hij ook dat de huidige tekst in 140 n.Chr. was samengesteld uit meerdere lagen, waarbij de oudste laag vroeger gedateerd moest worden dan alle bekende evangelieteksten. Natuurlijk was niet elke geleerde dat met hem eens: Jacques Ménard – de hoofdredacteur van de Franse wetenschappelijke editie van de Nag Hammadi-teksten – dateert het hele Thomas-evangelie op de tweede eeuw na Christus. En de in Amerika invloedrijke wetenschapper Helmut Koester dateert heel Thomas op 50 na Christus.

Quispel was in 1951 op 35-jarige leeftijd benoemd tot hoogleraar kerkgeschiedenis. Desondanks werd hij in eigen land lang niet geëerd om zijn verdiensten voor de wetenschap. Zijn theorieën en ontdekkingen werden in de pers geridiculiseerd. Ook werd hij aangevallen door theologen uit Kampen en Leiden en werden zijn ontdekkingen zonder naamsvermelding genoemd door anderen – wat overigens ook internationaal gebeurde.

In zijn bijdrage aan *Geheimen van de Code* wijdt Quispel enige woorden aan de prestaties op dit gebied van de *godfathers* van het Amerikaanse Nag Hammadi-onderzoek: Koester en Robinson. Quispel is ook elders niet kinderachtig in zijn oordeel: 'Ik heb wel eens gedacht dat je Koptisch moet kennen om de 52 geschriften van Nag Hammadi te vertalen. Maar daar ben ik van teruggekomen sinds ik heb vastgesteld dat *The Nag Hammadi Library in English* van James Robinson koeien van fouten bevat. Dat komt omdat die vertalingen gemaakt zijn door protestantse theologen, wier denkvormen door hun dogmatische opleiding zijn beperkt.'[3]

Tijdens zijn rijke en lange loopbaan heeft Quispel grote invloed gehad als stichter en inspirator van de zogenaamde 'Utrechtse School'. In de woorden van Joost Ritman van de Bibliotheca Hermetica: 'In de tweede helft van de vorige eeuw kon onder het bezielende patronaat van Gilles Quispel aan de theologische faculteit van de Universiteit van Utrecht de studie van en naar de gnosis zich krachtig en baanbrekend ontwikkelen. Het gevolg was een stroom van publicaties, tentoonstellingen en vooral onderzoeksactiviteiten door een grote groep van wetenschappers op het gebied van de hermetische gnosis op internationaal niveau... [Hij] heeft zijn persoonlijke stempel gedrukt op het veld van onderzoek van zijn directe leerlingen en navolgers, van wie ik in het bijzonder Roelof van den Broek en Hans van Oort wil noemen.'[4]

---

3 Uit Quispels voorwoord bij *De Nag Hammadi-geschriften* van J. Slavenburg en W. Glaudemans.
4 Uit J.R. Ritmans voorwoord bij Gilles Quispels *Valentinus de Gnosticus en zijn Evangelie der Waarheid* (In de Pelikaan, Amsterdam, 2003).

Daarnaast heeft Quispel ook het onderzoek van zijn voorgangers Daniël Plooij en Anton Baumstark voortgezet en uitgebreid – onderzoek naar de verschillende versies van het middeleeuwse Diatesseron, ofwel in de landstaal gestelde Evangelieharmonieën (een Evangelieharmonie is een versmelting van de vier bijbelse evangeliën in één verhaal). Hetzelfde geldt voor zijn opvolgers Tjitse Baarda en Roel van den Broek, zodat Utrecht nu al meer dan zestig jaar het wereldcentrum is op het gebied van Diatesseronstudies.

Sinds 1985 heeft Gilles Quispel een vruchtbare samenwerking met de Bibliotheca Hermetica van Joost Ritman. Dat resulteerde in diverse baanbrekende publicaties over de gnosis, zoals de eerste Nederlandse vertalingen met toelichting van het *Corpus Hermeticum* (samen met R. van den Broek, 1990) en *Asklepius. De volkomen openbaring van Hermes Trismegistus* (1996).

Op 9 september 2002 kreeg Quispel bezoek van Joost Ritman en zijn dochter Esther. Ritman spoorde hem aan het boek over Valentinus en de vertaling van het Evangelie der Waarheid – dat Quispel ooit beloofd had aan Paul Mellon van de Bollinger Foundation, een belofte die hem al jaren kwelde – te schrijven. Dat boek werd *Valentinus de gnosticus en zijn Evangelie der Waarheid* (2003). En nog was het werk niet gedaan. Quispel zette zich aan Het Evangelie van Thomas (2004), waarin hij al zijn kennis van die tekst samenvatte. Op zijn negenentachtigste voltooide hij zijn wetenschappelijke levenswerk met een monumentale, eigenzinnige en zeer erudiete vertaling in een prachtig verzorgde uitgave.

Dit meesterwerk wijkt in vorm en visie af van de Amerikaanse bronnen van Dan Brown, doordat Quispel ook andere teksten bij zijn interpretaties betrekt en veel meer oog heeft voor de joods-christelijke traditie in Syrië en Alexandrië en bovendien meer brontalen beheerst dan zijn Amerikaanse tegenhangers. Wij menen dat dit bijzondere boek de aandacht van geïnteresseerden in *De Da Vinci Code* meer dan waard is. Daarom hebben wij fragmenten van Quispels Thomas-vertaling opgenomen naast dezelfde fragmenten uit de Thomas-vertaling in *De Nag Hammadigeschriften* van Willem Glaudemans en Jacob Slavenburg. Deze laatste staat dichter bij de vertalingen in *The Nag Hammadi Library in English* (die een van de bronnen van Glaudemans en Slavenburg was, naast Duitse, Franse, Nederlandse en andere bronnen), de bron van Dan Brown bij het schrijven van *De Da Vinci Code*.

Zo komen we op twee andere namen die niet mogen ontbreken als we spreken over Nederland en Nag Hammadi. Jacob Slavenburg is een cultuurhistoricus die in tal van publicaties het belang van deze vondst heeft uitgelegd en onderstreept, en Willem Glaudemans publiceerde onder meer een toelichting op het gnostische Evangelie der Waarheid (1997), een van de belangrijkste Nag Hammadi-teksten. Geholpen door de koptisante drs. B.G.M. Hogervoorst bezorgden zij de Lage Landen in 1994 en 1995 de eerste integrale vertaling van alle Nag Hammadi-teksten, uitgebreid met de teksten uit de *Berlijnse Codex*. Beide delen zijn in de loop der tijd meermalen herdrukt (het eerste deel zelfs viermaal), en in 2004 verscheen een fraai vormgegeven eendelige uitgave, met een geheel herziene en geactualiseerde vertaling. Deze heeft als basis gediend voor de Nag Hammadi-fragmenten die zijn opgenomen in *Geheimen van de Code*.

Naast boeken over en vertalingen van de Nag Hammadi-teksten heeft Jacob Slavenburg nog veel meer geschreven over gnostiek, hermetisme en esoterie. Ook heeft hij veel geschreven over het vroege christendom, de vorming van de canon en de kijk van de kerk op vrouwen en afwijkende meningen. Voor lezers van *De Da Vinci Code* is met name zijn boek *Valsheid in geschrifte* (Walburg Pers, 1995) interessant.

Valsheid in geschrifte gaat over de duizenden verschillen tussen de oudste bewaard gebleven versies van het Nieuwe Testament en over hoe latere bijbelschrijvers zijn omgegaan met die heilige teksten. Het gaat over de vele veranderingen van de teksten om ze af te stemmen op veranderende ideeën over zaken als de kerkleer, ketterij en het vrouwelijke. De zeer negatieve visie van achtereenvolgende kerkleiders op vrouwen – zoals ook geponeerd door Dan Brown – wordt ook door Slavenburg gesignaleerd. Hij ondersteunt zijn betoog hierover met krasse citaten als de uitspraken van Tertullianus die ook in hoofdstuk 5 van dit boek zijn opgenomen, maar ook met de wijsheid van de heilige Albertus Magnus:

> De vrouw is minder geschikt voor de zedelijkheid dan de man. De vrouw bevat namelijk meer vloeistof dan de man, en een eigenschap van vloeistof is: gemakkelijk op te nemen en moeilijk vast te houden. Vloeistof is gemakkelijk te bewegen. Daarom zijn de vrouwen onbestendig en nieuwsgierig. Wanneer de vrouw met een man geslachtsverkeer heeft, zou zij zo mogelijk tegelijkertijd onder een andere man willen liggen. De vrouw kent geen trouw... De vrouw is een mislukte man en bezit vergeleken met de man een defecte en foutieve natuur. Daarom is zij onzeker van zichzelf. (Albertus Magnus, *Quistiones Super de Animalibus* xv.11, geciteerd in U. Ranke-Heinemann, *Eunuchen*, p. 149)

Een andere, eerdere uitspraak die Slavenburg aanhaalt is van de latere heilige Odo, abt van Cluny:

Als de mensen alles wat zich onder de huid bevindt konden zien...
zou het aanzien van vrouwen slechts braken veroorzaken... Als wij
niet eens met het puntje van de vinger slijm en uitwerpselen willen
aanraken, waarom verlangen wij dan zo vurig het vat vol vuil zelf te
omarmen? (Odo van Cluny, *Collationes* 2,9, geciteerd in K. Deschner,
De kerk en haar kruis, p. 215)

Slavenburg en Glaudemans weten als geen ander dat een vertaling een interpretatie is, en dat geldt ook voor hun vertaling van de Nag Hammadi-
geschriften. Omdat zij veel meer (juist ook niet-Engelse) bronnen hebben
geraadpleegd voor hun vertaling dan is gebeurd voor de *Nag Hammadi
Library in English*, wijkt hun vertaling soms af van de Engelse. Ze stellen
in hun voorwoord verder onomwonden dat de koptische teksten regelmatig niet helder of onlogisch zijn. Soms komt dat door beschadigingen
van de papyrus, soms ook door verschrijvingen en interpretatiefouten.
Waar deze fouten overduidelijk zijn (bijvoorbeeld omdat van sommige
teksten elders ook Griekse fragmenten gevonden zijn) zijn ze hersteld. In
de verschillende Nag Hammadi-fragmenten is de volgende notatie aangehouden:

[...]	geeft aan dat er een tot drie woorden verloren zijn gegaan;
[ ]	markeert een aanvulling van de vertalers bij beschadigde tekstfragmenten;
( )	markeert een verduidelijkende toevoeging van de vertalers ten behoeve van de leesbaarheid;
< >	geeft aan waar een duidelijke verschrijving van een koptische kopiist is hersteld;
{ }	geeft aan wanneer tekstlacunes konden worden aangevuld vanuit een andere versie van hetzelfde geschrift.

Leestekens, witregels, alinea's en paragrafen zijn aangebracht door de vertalers. Uit ruimtegebrek is in *Geheimen van de Code* niet de poëtische re-
gelverdeling aangehouden die in *De Nag Hammadi-geschriften* is gevolgd.

De nieuwe queeste

Door Gilles Quispel

Dit fragment is met toestemming van de uitgever overgenomen uit *Het Evangelie van
Thomas*, vertaald en toegelicht door Gilles Quispel (Pimander, Texts and Studies pu-

blished by the Bibliotheca Philosophica Hermetica 10), Amsterdam, In de Pelikaan, 2004. Copyright © Bibliotheca Philosophica Hermetica, Amsterdam.

Thomas en de nieuwe queeste

In feite is onder invloed van het Evangelie van Thomas een nieuwe speurtocht naar de historische Jezus begonnen.

Dat is zo gegaan. Op 13 september 1957 lanceerde ik op het Patristisch Congres in Oxford mijn theorie dat het Evangelie van Thomas twee bronnen had: het joods-christelijke Evangelie der Hebreeën en het Alexandrijnse Evangelie der Egyptenaren. Op dat congres was ook de Amerikaan James Robinson aanwezig. Daar hoorde hij voor het eerst over de ontdekking van het Evangelie van Thomas. Hij ging vandaar naar Claremont in Californië, waar zich een instituut voor vroeg-christelijke letteren bevindt. Daar hield hij een voordracht over de nieuwe vondst en hij werd er benoemd tot professor in het Nieuwe Testament.

Hij was gepikeerd over mijn kritiek op Bultmann, maar zag ook wel in dat er een kern van waarheid in school. Hij zon op rehabilitatie. Zo begon hij, tegen de zin van de oude meester, zijn nieuwe queeste naar de historische Jezus. Hij ging Koptisch leren om het Evangelie van Thomas te verstaan. Met bewonderenswaardige energie en organisatorisch talent bracht hij een groep van theologen bijeen, die onder leiding van de grootmeester in het Koptisch, H.J. Polotsky uit Jeruzalem, hetzelfde deden. Zij ontcijferden gezamenlijk de 52 geschriften die in 1945 in de buurt van Nag Hammadi waren gevonden. Het resultaat was het niet geheel foutloze boek *The Nag Hammadi Library in English* (1984).

Robinson ging ook graven bij Nag Hammadi en vond niets. Zijn idee bij dit alles was dat Jezus een Leraar van Wijsheid was, zoals blijkt uit het Evangelie van Thomas en de Logienquelle (Q) van Matteüs en Lucas. Uiteindelijk gaf hij met een internationaal team van geleerden een reconstructie van de Griekse tekst van Q uit *The critical edition of Q*, Leuven, 2000. Dit alles 'without acknowledgement'.

Zijn geestverwant in Bultmann is Helmut Koester. Deze was na militaire dienst tijdens de oorlog en krijgsgevangenschap nadien professor in het Nieuwe Testament geworden aan Harvard. Aanvankelijk meende Koester, zoals iedereen destijds, dat 'Thomas' een gnostisch evangelie was dat afhing van de kerkelijke evangeliën. Van joods christendom wilde hij niets weten. Van Edessa had hij nog nooit gehoord. Tijdens mijn verblijf in Harvard in 1964-65 liet hij zich overtuigen dat Thomas soms wel degelijk onafhankelijke traditie bevat.

Hij merkte zelf op dat Thomas nooit de 'vingerafdrukken', de stilistische eigenaardigheden van de vier kerkelijke evangeliën vertoonde. En hij stelde vast dat Jezus zich in Thomas, in tegenstelling tot de Quelle (Q), nimmer Zoon des Mensen noemt, een titel voor een goddelijke Wereldrechter aan het einde der tijden.

Toen proclameerde hij, met het radicalisme dat hem eigen is, dat Thomas in zijn geheel onafhankelijk is van de kerkelijke evangeliën, dat dit evangelie heel vroeg is, ongeveer 70 n.Chr., dat het in Edessa is geschreven. Hij gelooft nog altijd dat Thomas gnostisch is. Nog altijd is het joodse christendom voor hem taboe.

Koester en Robinson domineren het onderzoek van het Nieuwe Testament in de Verenigde Staten. Zij zijn geen historici: zij construeren hun theorieën in het luchtledige. In *The critical edition of Q* van CVII + 581 bladzijden wordt aan niet één geschrift van de vroeg-christelijke letterkunde een plaats in tijd en ruimte toegewezen. Kennen zij Hebreeuws of Aramees, de talen die Jezus sprak? Ik heb hen nooit op een Hebreeuws of Aramees citaat kunnen betrappen. Hebben zij de joods-christelijke Pseudo-Clementinen[1] gelezen? In hun publicaties worden de evangeliecitaten uit dat werk nooit genoemd. Ik voel mij daarom wel genoopt mijn kaarten op tafel te leggen. Hoewel ik weet, dat alles hypothetisch is.

Beginselverklaring

Het Evangelie van Thomas werd vóór 140 n.Chr. gecomponeerd in Edessa, een Griekse stad in Mesopotamië, bijgenaamd het Athene van het Oosten. De oorspronkelijke taal was Grieks; daarvan zijn enige fragmenten bewaard van omstreeks 200 na Christus. De volledige tekst in Koptische vertaling werd in 1945 gevonden in de buurt van Nag Hammadi in Boven-Egypte.

Het Evangelie van Thomas is niet gnostisch, maar zeer ascetisch,[2] zoals alle geschriften die afkomstig zijn van het Aramese christendom, waarvan Edessa het centrum was. Dat de apostel Thomas, een van de twaalf apostelen van Jezus, de auteur ervan is, is niet onmogelijk, maar hoogst twijfelachtig. Het Evangelie van Thomas is een verzameling van spreuken, die alle aan Jezus worden toegeschreven. Deze worden meestal logia, in dit

---

1 Een roman uit de Oudheid, verdeeld in de *Homiliae* (Toespraken) en *Recognitiones* (Herkenningen), die tradities van de joodse christenen bevatten.
2 Geen vlees, geen wijn, geen seks.

boek echter logoi genoemd, allebei Griekse termen voor 'woord'. Wij hebben de tekst in 114 Woorden verdeeld.

Al in de tweede eeuw na Christus wordt het Evangelie van Thomas geciteerd in het Boek van Thomas de Athleet (= de Asceet), ook in 1945 gevonden bij Nag Hammadi en eveneens in Edessa ontstaan. Ook de auteur van de Syrische Handelingen van Thomas (ca. 220, Edessa) kende het Evangelie van Thomas... Naar mijn vaste overtuiging berust het Evangelie van Thomas op twee verloren geschriften:

1 een Judese bron, die omstreeks 40 n.chr. geboekstaafd werd en de evangelietraditie bevat van de oergemeente van Jeruzalem. Dit is het oudste christelijke document dat bekend is. De kerkelijke evangeliën zijn veel later (na 60 n.Chr.). Ofschoon deze Woorden door hun stijl vaak verraden dat zij uit het Aramees zijn vertaald, moeten wij aannemen dat de Judese bron van Thomas in het Grieks geschreven werd. Het staat echter voor ons vast dat deze verzameling van spreuken op generlei wijze afhangt van de kerkelijke evangeliën...

2 een Alexandrijnse bron, die zeer ascetisch was en sommige Woorden uit de Judese bron in de sfeer van een wereldstad overzette. Doubletten, Woorden aan Jezus toegeschreven die van elkaar verschillen maar dezelfde inhoud hebben, maken het mogelijk deze twee bronnen te onderscheiden en te identificeren. Daarnaast kunnen enkele toevoegingen aan de overgeleverde tekst van de hand van de auteur van het Evangelie van Thomas, die zoals gezegd in Edessa woonachtig was, worden vastgesteld.

Q

Q is de afkorting van het Duitse woord *Quelle*, bron. Het is de naam die gegeven is aan een niet meer bestaand geschrift, dat Woorden van Jezus bevatte. Het was geschreven in het Grieks, niet, zoals men veelal denkt, in het Aramees, de Semitische *lingua franca* van het Nabije Oosten, die door Jezus gesproken werd... Ook in de profane Griekse literatuur zijn er tal van dergelijke spreukenverzamelingen overgeleverd. Zij worden gnomologia genoemd, van het Grieks: *gnomè*, spreuk...

Eerst was er de spreuk, daarna de verhandeling. Het was in de Oudheid de gewoonte om zulke traktaten en redevoeringen aan iemand toe te schrijven om de situatie van dat moment weer te geven. Op soortgelijke wijze is Q verwerkt in het Evangelie van Matteüs en het Evangelie van Lucas. De bekendste verhandeling die aldus ontstond, is de Bergrede van Jezus bij Matteüs (5-7). De berg is zinnebeeldig, als de Sinaï, waarop Mozes de Wet ontving: de Bergrede is de Nieuwe Wet van het Koninkrijk van

God, de grondwet van de nieuwe gemeenschap. Het behoorde tot de wetten van het genre der geschiedschrijving om het aldus voor te stellen. Maar Jezus heeft het allemaal wel gezegd. Het Evangelie van Matteüs wordt veelal in Antiochië gelokaliseerd. Volgens de traditie kwam Lucas uit Antiochië. Beiden gebruikten Q. Daarom neem ik aan dat Q, hun beider bron, in Antiochië geboekstaafd is. De christelijke gemeente in die wereldstad in Syrië was geplant door hellenisten, joden uit de diaspora, die na de steniging van Stephanus in 36-37 n.Chr. vluchtten uit Jeruzalem, waar zij woonachtig waren.

Het was in Antiochië dat ook heidenen tot de nieuwe religie toetraden, het begin van de wereldzending. Een van de zendelingen van de gemeente Antiochië was Paulus van Tarsen. Op een gegeven ogenblik kwam de apostel Petrus, een van de Twaalven, naar Antiochië. Hij maaltijdde ook met heidenchristenen. Maar toen de spanningen in Jeruzalem toenamen, in de nerveuze tijden die aan de joodse opstand van 66 n.Chr. voorafgingen, zag hij daarvan af. Paulus nam hem dat kwalijk. Hij twistte met Petrus. Nergens wordt het vermeld, maar het was wel zo: Petrus won, hij werd later de eerste bisschop van Antiochië genoemd. En Paulus werd een *lone wolf* zonder basis voor zijn zending. Dat, zo komt het mij voor, is de kerkhistorische achtergrond van Q...

Evenals het Evangelie van Thomas schildert Q Jezus af als een leraar van wijsheid, beter gezegd, als de belichaming van de goddelijke Wijsheid. Daarnaast komt het voor dat Jezus als 'Zoon des Mensen' optreedt, als 'Wereldrechter', die zich op het einde der tijden zal richten en een laatste oordeel uitspreken. Soms heeft de auteur van Q de titel 'Zoon des Mensen' toegevoegd waar die in het Evangelie van Thomas ontbreekt. Wat betekent 'Zoon des Mensen' als titel van Jezus? Het is een vertaling van het Aramees, *bar anash*. Dat betekent, in het algemeen, 'een mens als ik'. En in het bijzonder, 'Mens' met een hoofdletter. Dan is het een aanduiding voor de *kabod*, de heerlijkheid of lichtglans van God, de 'gestalte met het uiterlijk van een mens', die de profeet Ezechiël eens in ballingschap aanschouwde in het jaar 584 v.Chr. in Mesopotamië. In het Evangelie van Thomas (86) komt de term in de eerste betekenis voor: de zoon des mensen, een man als ik, heeft geen plaats om zijn hoofd neer te leggen en te rusten. In Q betekent 'Zoon des Mensen' zonder enige twijfel Jezus als de Godmens, die als rechter eenmaal het laatste oordeel zal spreken. Betekent dat nu dat Jezus nooit zichzelf de Zoon des Mensen heeft genoemd? In het geheel niet. Het bewijst alleen, naar mijn inzicht, dat iemand in Antiochië eraan hechtte de titel 'Zoon des Mensen' in het spreukenboek met Woorden van Jezus toe te voegen.

Ik kan het gras niet horen groeien. Ik weet niet of de totstandkoming van Q zich in drie fasen heeft voltrokken, welke nog duidelijk te onderscheiden zijn. En of de erkenning dat Jezus de Zoon van God is, pas zeer laat en geleidelijk is doorgedrongen. Daarom waag ik mij niet aan halsbrekende beweringen op grond van één geschrift, Q, waardoor zichtbaar zou worden hoe een 'mediocer Cynisch philosooph' werd opgehemeld tot een god.

Dat hoef ik ook niet, omdat ik de Pseudo-Clementinen heb gelezen. Daarin staat een bekend Woord van Jezus, dat ook in Q voorkomt: 'Niemand kent de Vader dan de Zoon,' (Pseudo-Clementijnse *Homiliae* xviii, 4). In de joods-christelijke versie staat: 'Niemand kende' (Grieks: *egnô*) met een typisch Arameïsme, dat ook als: 'Niemand kent' vertaald kan worden. Matteüs zegt: 'Niemand heeft diepere kennis van de Vader dan de Zoon,' (11:27, *epiginôskei*). Lucas heeft de typisch hellenistische onderscheiding tussen 'weet, dat' en 'weet, wie' (10:22, *tis estin*, 'niemand weet, wie de Vader is'). De joodse christenen schijnen de oudste vorm van het Woord bewaard te hebben. En er is niets wat er nog op wijst, dat Jezus dit niet gezegd heeft. Wij hebben op grond van nieuwe gegevens als historici alle reden om aan te nemen dat Jezus, die blijkbaar iets stralends had, ervaren is als de *kabod*, de lichtende heerlijkheid Gods, of als de Naam (dat is de wezensopenbaring van de Onbekende God), of als dé Engel des Heren, of als de Wijsheid Gods. Dat zijn beelden om het mysterie aan te duiden van een man wiens menswording anno 2004 nog altijd het middelpunt van de tijd is.

Q en Thomas

Het is bijzonder moeilijk de verhouding tussen Q en het Evangelie van Thomas vast te stellen. Voor de verhouding van de Judese bron van Thomas tot Q geldt hetzelfde. Ongeveer 30 procent van de Woorden van Jezus in Thomas staat ook in Q. Niet één daarvan is volkomen gelijk aan de tekst van Q. Bovendien is Thomas uitgesproken ascetisch en Q niet. Men krijgt soms de indruk dat Q kleine stilistische onvolkomenheden in Thomas gladstrijkt. Het nevenschikkende verband van het Semitische taaleigen wordt vervangen door de onderschikking van de Griekse volzin. De eenvoudige tegenstelling tussen liefhebben en haten in logos 47 wordt vervangen door een Griekse stijlfiguur, het chiasme:

a b
b a

Een prachtig gedicht over de raven en de leliën des velds (de rode ane-
monen), die door God aangekleed worden, wordt onderbroken door een
opmerking over voedsel voor de ziel (Matteüs 6:25, Lucas 12:22). Maar Thomas (36) verklaart dat God wel voor kleding zal zorgen en dat één pak genoeg is. Dat is oorspronkelijk.

Soms krijgt men de indruk dat de auteur van Q de tekst van zijn bron
niet goed begrepen heeft. Het moeilijke woord 'zij kaarden niet' (*ouxanou-
si*) wordt vervangen door *auxanousi* ('zij vermeerderden', Matteüs 6:28-29,
Lucas 12:27).

Geheel onbegrijpelijk, zij het met eerbied gezegd, is zijn bewerking van
een Woord van Jezus over de Farizeeën. Het Evangelie van Thomas (39)
zegt daarover:

> De Farizeeën en de schriftgeleerden hebben de sleutels van de ken-
> nisse ontvangen, zij hebben die verborgen.

Jezus zegt hier met waardering dat de Farizeeën de sleutelen, namelijk de
Gnosis, ontvangen hebben. Dat wil zeggen dat zij als wettige erfgenamen
de *mishna*, de mondelinge uitleg van de Wet van Mozes ontvangen hebben. De Pseudo-Clementinen hebben dezelfde tekst als Thomas. Dat bewijst dat Thomas hier put uit zijn Judese bron. Het is hoogstwaarschijnlijk dat Jezus dat zo gezegd heeft. Q heeft naar alle waarschijnlijkheid
daarvan gemaakt:

> Wee U, Schriftgeleerden en Farizeeën, huichelaars, want gij sluit het
> Koninkrijk der Hemelen voor de mensen.
>
> Matteüs 23:13

Of:

> Wee U, gij Schriftgeleerden, want gij hebt de sleutelen van de ken-
> nisse weggenomen.
>
> Lucas 11:52

Wat de auteur van Q ook schreef, in ieder geval worden de Farizeeën en
Schriftgeleerden hier vervloekt: Wee U, wacht maar. Wordt hier niet een
heilloze weg ingeslagen, die tot een volkomen vertekening van de historische werkelijkheid van het farizeïsme moest leiden?

Wij schrijven hier niet een commentaar op Q, wij schrijven een commentaar op het Evangelie van Thomas. Daarom zij met enige weinige
opmerkingen volstaan. Het is echter duidelijk dat naar mijn inzicht de

Judese bron van het Evangelie van Thomas veel ouder is dan Q en on-
vergelijkelijk veel zuiverder.

De Judese bron

Deze bron weerspiegelt natuurgetrouw de situatie in agrarisch Galilea. Zij
was veel uitvoeriger dan uit het Evangelie van Thomas blijkt. Zij liet ook
haar sporen na in:

- de Westelijke Tekst van de evangeliën, de tweede uitgave van het Nieuwe Testament, die in Rome door bekwame grammatici werd geconstitueerd na 144 n.Chr., toen de gnostische crisis van Marcion en Valentinus was afgeweerd en de Petrinische factie aldaar zich tot de Ecclesia
Catholica Romana consolideerde;

- de evangeliecitaten van de apologeet Justinus Martyr, opgetekend in
Rome ongeveer 160 na Christus: zij vertonen een mengsel van Matteüs, Marcus en Lucas en een Judese bron, welke ook te vinden zijn in:

- de joods-christelijke bron van de Pseudo-Clementijnse *Homiliae* en *Recognitiones* (tweede eeuw na Christus);

- de bewaarde fragmenten van de joods-christelijke Evangeliën der Hebreeën (Egypte, tweede eeuw), der Nazoraeërs (Beroea/Aleppo, tweede eeuw) en het Evangelie der Ebionieten (tweede eeuw), dat citaten
uit de Judese bron van Thomas met sporen van Matteüs, Marcus en
Lucas vermengt... Aangezien het Evangelie der Nazoraeërs in het Aramees geschreven was, moet men aannemen dat er ook een Aramese
versie van de Griekse bron van Thomas bestond. Het is waarschijnlijk,
dat toen Tatianus ca. 170 n.Chr. uit Rome terugkeerde in zijn vaderland (Adiabene) en daar zijn Diatessaron of Evangelieharmonie in het
Aramees schreef, hij het Evangelie der Nazoraeërs als vijfde bron gebruikt heeft;

- de evangeliecitaten in de mysticus Macarias van Edessa (ca. 380), welke niet aan het Evangelie van Thomas ontleend zijn en met dezelfde
bewoordingen in de Pseudo-Clementinen te vinden zijn.

- De talrijke woorden van Jezus welke in Arabische schrijvers van isla-
mitisch geloof te vinden zijn, komen ten dele overeen met Woorden
uit het Evangelie van Thomas welke niet in het Nieuwe Testament
staan. Deze moeten ontleend zijn aan de Judees-christelijke evangelietraditie, welke in de Oriënt voortleefde...

- Ten slotte neem ik aan dat álle gelijkenissen van Jezus die overgeleverd
worden in het Nieuwe Testament en in Thomas, aan deze Judese bron
zijn ontleend. Zij getuigen van zo'n dichterlijke geest, liefde voor de

natuur en goddelijke eenvoud, dat zij met gelijkenissen der rabbijnen, die later leefden, eenvoudig niet te vergelijken zijn. Zoals er een epicus is geweest die de *Ilias* heeft gedicht, zo is er een parabolicus geweest die voor insiders de geheimenissen van het Koninkrijk Gods onder woorden heeft gebracht.

De vier kerkelijke evangeliën

Auteurschap en herkomst van Matteüs, Marcus, Lucas en Johannes zijn omstreden en onzeker... Naar mijn mening is de canon (Grieks voor: richtsnoer), die aangeeft welke boeken van het Nieuwe Testament gezaghebbend, geïnspireerd en heilig zijn, in Rome tot stand gekomen in de tweede eeuw na Christus. Daar was in 144 de gnosticus Marcion uit de kerk gezet. Ook Valentinus moest weg. Als reactie daarop wierp de katholieke factie drie dijken op:

De Waker: men stelde een geloofsbelijdenis op, waarin God als schepper werd erkend;

De Slaper: men proclameerde het monarchische episcopaat, waarbij alleen de bisschop de bijbel mocht uitleggen, en alleen de bisschop opvolger was van de apostelen (in Rome was dat de opvolger van Petrus);

De Dromer: men zocht geschriften uit, die tijdens de eredienst mochten worden voorgelezen.

En zo ontstond de Ecclesia Catholica Romana. In het judaïsme vond tegelijkertijd een soortgelijke ontwikkeling plaats. Ook daar waren gnostici die 'twee beginselen', een schepper onder God, leerden. Deze werden nu door de rabbijnen... tot ketters verklaard. Hun geschriften werden vernietigd, ook de liberale jood Philo van Alexandrië werd taboe, apocalyptische geschriften als 1 Henoch werden verwijderd en een canon van Hebreeuwse geschriften vastgesteld. Om zich te onderscheiden van de christenen, die de codex (boekvorm) gebruikten, behield men de rollen, tot op de huidige dag. En zo ontstond het rabbijnse jodendom, dat dus veel later is ontstaan dan het oerchristendom.

In Rome was dit proces van canonisering omstreeks 200 voltooid. Toen werd daar de zogeheten *Canon Muratori* geschreven, die bepaalde wat de Heilige Schrift was: de vier evangeliën, de Handelingen der Apostelen van Lucas, dertien brieven van Paulus, een brief van de broer van Jezus, Judas, de Eerste en Tweede Brief van Johannes en de Openbaring van Johannes.

'Van Arsinous, Valentinus of Miltiades nemen wij helemaal niets aan.'

Uit deze zinsnede blijkt, dat de canon op een keuze berust. Er waren destijds tal van evangeliën en handelingen van apostelen in omloop. Het Evangelie van Thomas was in Alexandrië al lang en breed bekend (er zijn drie verschillende fragmenten bekend uit de tweede eeuw). Maar dat alles werd aan de vergetelheid prijsgegeven. Het heeft tot 1945 moeten duren voor in Nag Hammadi geschriften van Valentinus en het Evangelie van Thomas opdoken.

Wel was in de tweede eeuw in Rome de Judese evangelietraditie bekend. Dat blijkt uit de zogenaamde Westelijke Tekst, zoals reeds eerder vermeld een tweede herziene uitgave van alle geschriften van het Nieuwe Testament behalve de Apocalyps van Johannes, welke in de tweede eeuw in Rome door bekwame grammatici werd geconstitueerd. Zij weefden nu en dan een betere lezing in de heilige tekst, die ook in het Evangelie van Thomas staat en aan diens Judese bron moet zijn ontleend.

Volgens de traditie was Marcus, ook wel Johannes Marcus genoemd, afkomstig uit Jeruzalem. Zijn moeder bezat daar een huis. Na de dood van Jezus kwamen de discipelen daar bijeen. Misschien stond dat huis op de heuvel Sion. Later stond daar een kerk, waar men de kathedra toonde van Jacobus, de broeder des Heeren en leider van de gemeente in Jeruzalem (een huis kan gemakkelijk tot synagoge worden omgebouwd). Nu staat op de Sion het Cenakel, waar Jezus zijn laatste nachtmaal zou hebben gehouden. Marcus begeleidde Petrus naar Rome. Daar, in het 'getto', onder de rook van het keizerlijk paleis, schreef hij zijn evangelie.

Het Evangelie van Marcus is ongeveer in dezelfde tijd geschreven als Q. Het geeft er geen blijk van, dat deze Spreukenverzameling aan de schrijver bekend was. En omgekeerd heeft de schrijver van Q het Evangelie van Marcus niet gekend. Wel geeft Marcus in zijn vierde hoofdstuk een aantal Woorden van Jezus weer. Dit kan erop duiden dat er al korte verzamelingen van Woorden van Jezus in omloop waren. Maar deze verschillen zo van Thomas dat zij niet aan diens Judese bron kunnen zijn ontleend....

Matteüs gebruikte het evangelie van Marcus als bron en verwerkte het op zijn eigen manier. Hetzelfde geldt voor Lucas. Dat wijst erop dat Marcus al vroeg groot aanzien genoot. Matteüs schenkt veel aandacht aan Petrus, de leidsman van de twaalf apostelen. Hij is de enige van de evangelisten die Jezus tot Petrus laat zeggen:

> Jij bent Petrus en jij bent de rots, waarop ik mijn gemeenschap zal bouwen.
>
> 16:18

Petrus was op een gegeven moment uit Jeruzalem naar Antiochië gekomen. Daar twistten hij en Paulus over de vraag of een jood samen met een
andersdenkende mag eten, nog altijd een pijnlijke kwestie. Paulus vertelt
dat in zijn Brief aan de Galaten. Hij zegt er niet bij dat Petrus won. Sindsdien was Petrus de Apostel in Antiochië. Verklaart dat het feit dat Marcus,
geschreven in Rome, in Antiochië werd opgenomen in het Evangelie van
Matteüs? Men zou haast denken dat een gezaghebbend persoon in Rome,
allicht Petrus, voor dit evangelie instond....

Lucas schijnt een Griek in Antiochië geweest te zijn... Hij vergezelde de
apostel Paulus op zijn reizen tot in Rome en deed daarover verslag in zijn
Handelingen der Apostelen. Ofschoon hij daarin tegenstellingen tussen
Paulus en de rest gladstrijkt, verdraait hij de feiten niet....

Lucas was een beschaafd en geletterd man, die goed Grieks schrijft. Hij
volgt zijn bron Q op de voet. Hij kan zijn evangelie geschreven hebben in
Caesarea, de Griekse havenstad... aan de kust van Judea.

Het Evangelie van Johannes is naar mijn inzicht in de eerste eeuw na
Christus geschreven in de prachtige stad Efese in Klein-Azië. Het is niet
afhankelijk van de drie andere evangeliën en biedt een onafhankelijke traditie van de Woorden van Jezus. Het heeft veel gemeen met de Openbaring van Johannes, bijvoorbeeld in zijn nadruk op het paaslam: 'zie het
Lam Gods, dat de zonden uit de wereld wegneemt'.

Ook de Apocalyps van Johannes is op Patmos bij Efese geschreven. Wie
de auteur van het Vierde Evangelie was, is onbekend. Hij zal wel Johannes geheten hebben, maar die naam kwam toen evenveel voor als de naam
Jan nu. Het kan niet de discipel van Jezus geweest zijn. Deze werd namelijk samen met zijn broeder Jacobus in Judea onthoofd op last van Agrip-
pa de Eerste, die van 40-44 koning was van heel Judea. Dat wordt door
talrijke getuigen uit de Griekse kerk vermeld. En vele bronnen uit de Aramese kerk van joodse oorsprong bevestigen dat.

Dit feit drong ook door tot de manicheeërs, een christelijke gnostische
kerk... zoals uit de kort geleden gevonden *Mani-Codex* blijkt. In een ma-
niche se psalm wordt gezegd:

> De twee zonen van Zebedeus werden gedwongen
> de beker van het martelaarschap te drinken.
>
> Allberry[3] 142, 22

Uit al deze getuigenissen blijkt dat de discipel Johannes niet de schrijver
van het Vierde Evangelie was. Maar in Efese leefde in de eerste eeuw ook

---

3 Allberry, C.R.C. (red.), *A Manichaean psalm-book*, Stuttgart, 1938.

een presbyter, de ouderling Johannes, die naar mijn vaste overtuiging uit Jeruzalem naar Efese was gekomen en op Patmos zijn Apocalyps schreef. Hij kan ook voor de christelijke gemeente van Efese een evangelie geschreven hebben over de doop, het onderwijs, de dood en de opstanding van Jezus. Dan moet dat evangelie wel in het haast onbegrijpelijke Grieks van de Apocalyps geschreven zijn geweest.

Een ghostwriter, of een secretaris, heeft, zo neem ik aan, dit geschrift voor Griekse lezers leesbaar gemaakt. Hij laat, naar de gewoonte van die dagen, Jezus een aantal redevoeringen houden. Daarin werden de Woorden van Jezus verwerkt en geparafraseerd, waarvan wij niet zelden kunnen bewijzen, dat zij aan de Judees-christelijke traditie zijn ontleend. Ook een collectie van wonderverhalen werd opgenomen en toegelicht. Dit wordt omlijst door een onafhankelijke beschrijving van de doop, de kruisiging en de opstanding van Christus. Ter inleiding wordt een al bestaande hymne toegevoegd over de Logos, die openbaring der verborgenheid en wereldrede ineen is: 'In den beginne was het Woord.' Die Logos, ook Zoon des Mensen genoemd, is als een lichtstraal uit een vuurtoren, die de kosmische nacht doorbreekt, even aan de aarde tipt en wederkeert tot zijn oorsprong. In het Hebreeuws heet hij... *kabod*, de heerlijkheid Gods. Het Evangelie van Johannes verraadt zeer archaïsche tradities, die aan de joodse mystiek herinneren. Jezus is de Naam, dat is de 'wezensopenbaring van God': 'bewaar hen in de Naam, die U mij gegeven hebt' (17:11). Zo is het Vierde Evangelie als een palimpsest, een oud handschrift, waarvan de tekst is weggekrabd om plaats te maken voor een andere tekst, en door bestraling weer zichtbaar wordt. Johannes is oppervlakkig gezien Grieks, maar als men goed kijkt, ontdekt men de Aramese onderlaag. Dit evangelie heeft veel met Thomas gemeen: beide erkennen de Godheid van Christus, beiden ervaren dat het Koninkrijk van God er al is, beide verheerlijken het Leven (eeuwigheidsleven, *zôé*, niet *bios*). Het verschil is dat Johannes de liefde predikt en Thomas de geheelonthouding.

De Johanneïsche traditie heeft drie feiten bewaard:
- Jezus stierf voor het paasfeest ('het was de dag voor Pasen', 19:14);
- Het laatste nachtmaal was een broodmaaltijd, geen paasmaal;
- Pasen en Pinksteren vielen op één dag ('Hij blies op hen en sprak tot hen: ontvangt de Heilige Geest,' 20:22)

Anders dan men gewend is, moet men bij de queeste naar de historische Jezus het Vierde Evangelie betrekken.

De Alexandrijnse Bron

De Alexandrijnse bron van Thomas weerspiegelt de middelplatonische en ascetische cultuur... In dit opzicht komt zij overeen met... de Sententies van Sextus, al in het Grieks bekend en tevens in het Koptisch gevonden in 1945 bij Nag Hammadi... Nog meer overeenkomst met Thomas vertoont... De Leer van Silvanus, eveneens in het Koptisch bij Nag Hammadi gevonden... Daarin staan typisch Judees-christelijke en middelplatonische logoi door elkaar en geven zo een duidelijk beeld van het Alexandrijnse christendom... dat zeker uit Jeruzalem afkomstig is en dus niet rooms-katholiek is. In de Alexandrijnse bron van Thomas zijn ook wat hermetische spreuken als Woorden van Jezus opgenomen, zoals April de Conick heeft aangetoond.

De logoi die tot deze bron behoren, kunnen door talrijke doubletten worden opgespoord. Niet zelden blijkt de Alexandrijnse helft van een doublet een bewerking te zijn van een Judese dito. Eenzelfde omzetting van Woorden met een Galilees, provinciaal karakter in de taal van de wereldstad is ook te vinden in het Evangelie der Egyptenaren (geen offers → geen seks). Blijkbaar was het Judese christendom voor een Griek of een gehelleniseerde jood onbegrijpelijk. Het is mogelijk, dat de Alexandrijnse jood Apollos, de tegenspeler van de apostel Paulus in diens Eerste Brief aan de Korintiërs, een soortgelijk helleens christendom verkondigde: hij was zeker een geslachtelijke geheelonthouder, die meende dat 'het goed voor een mens was een vrouw niet aan te raken'.

De 'apocriefe' Handelingen van Petrus (Antiochië), Paulus (Klein-Azië), Andreas (waarschijnlijk Alexandrië) en Johannes (Efese), alle uit de tweede eeuw... bevatten Woorden van Jezus, die ook in Thomas staan. Of zij uit de Alexandrijnse bron stammen, is moeilijk te zeggen... Hetzelfde geldt voor het *Liber graduum* (Boek van de graden tussen rechtvaardige en volmaakte christenen), dat... tal van parallellen bevat met Thomas, die ten dele in onze commentaren zijn verwerkt.

De Alexandrijnse bron van Thomas zal vóór 100 na Christus geschreven zijn.

Inleiding tot het Evangelie van Thomas

Door Helmut Koester

Het Evangelie van Thomas is een verzameling traditionele uitspraken van Jezus. Die uitspraken of kleine reeksen ervan worden doorgaans ingeleid met 'Jezus zei [tot hen]', soms door een vraag of bewering van de discipelen. Slechts in één geval wordt een uitspraak de aanleiding tot een langere discussie tussen Jezus en de discipelen...

Het auteurschap van dit evangelie wordt toegeschreven aan Didymus Judas Thomas, dat wil zeggen Judas 'de tweeling'. In de Syrische kerk was (Judas) Thomas bekend als de broer van Jezus die de oosterse kerken stichtte, met name die van Edessa (volgens een wat latere traditie reisde hij zelfs naar India). Andere christelijke geschriften van de oosterse kerken zijn toegeschreven aan dezelfde apostel.

Een groot aantal uitspraken in het Evangelie van Thomas vertoont overeenkomsten met die in de evangeliën van het Nieuwe Testament, zowel in de synoptische evangeliën (Matteüs, Marcus en Lucas) als in het Evangelie van Johannes (vooral de overeenkomsten daarmee zijn frappant).

Het thema van de zelfkennis komt nader aan bod in uitspraken over kennis van de eigen goddelijke oorsprong, die zelfs Adam niet bezat, hoewel 'hij door een grote macht tot aanzijn kwam...' De discipelen moeten 'voorbijgaan' aan het huidige corrumpeerbare bestaan. Het bestaan van de ideale gnostische discipel wordt gekarakteriseerd door de term *eenling*, wat degene aanduidt die alles heeft achtergelaten wat de mens aan de wereld bindt. Zelfs vrouwen kunnen dat doel bereiken als ze weten door te dringen tot de 'mannelijkheid' van het solitaire bestaan.

Het Evangelie van Thomas

Vertaald door Gilles Quispel

Dit fragment is met toestemming van de uitgever overgenomen uit Het Evangelie van Thomas, vertaald en toegelicht door Gilles Quispel (Pimander, Texts and Studies published by the Bibliotheca Philosophica Hermetica 10), Amsterdam, In de Pelikaan, 2004. Copyright © Bibliotheca Philosophica Hermetica, Amsterdam.

Logos 1, Grieks Papyrus Oxyrrhynchus 654

Dit zijn de geheime woorden, welke de levende Jezus eens sprak en die Juda Thoma opgeschreven heeft.
En hij zeide: Iedereen, die de diepere zin van deze mijne Woorden achterhaalt, zal de dood niet smaken.

Logos 2, Grieks Papyrus Oxyrrhynchus 654

Jezus zegt:
Laat iemand, die zoekt, niet ophouden te zoeken, totdat hij gevonden heeft
en als hij gevonden heeft, zal hij zich verwonderen
en als hij zich verwonderd heeft, zal hij als koning heersen
en als hij als koning geheerst heeft,
zal hij daarna ruste vinden.

Logos 3, Grieks Papyrus Oxyrrhynchus 654

Jezus zegt:
Als jullie leidslieden tot jullie zeggen:
Ziet, het Koninkrijk is in de hemel
dan zullen de vogelen des hemels jullie voor zijn.
Als zij tot jullie zeggen: Het is onder de aarde
dan zullen de vissen van de zee jullie voor zijn.

En (hij zegt):

Het Koninkrijk van God
is binnen in jullie en het is buiten jullie.
Iedereen, die zichzelf kent, zal het vinden.
En wanneer jullie jezelf zult kennen,
zullen jullie beseffen, dat jullie zonen zijn van de Levende Vader.
Maar als jullie jezelf niet zult kennen,
dan verkeren jullie in armoede
en zíjn jullie de armoede.

Logos 5, Grieks Papyrus Oxyrrhynchus 654

Jezus zegt:
Ken hem, die voor Uw aangezicht is
en wat voor U verborgen is, zal U geopenbaard worden.
En niets is begraven,
dat niet opgewekt zal worden.

Logos 16

Jezus zegt:
Misschien denken de mensen, dat ik gekomen ben om
vrede te brengen op de wereld
en weten zij niet,
dat ik gekomen ben om verdeeldheden op aarde tot stand te brengen
vuur, zwaard, oorlog.
Want er zullen vijf in een huis zijn,
drie tegen twee
en twee tegen drie,
de vader tegen de zoon,
en de zoon tegen de vader,
(de moeder tegen de dochter,
en de dochter tegen de moeder,
de schoonmoeder tegen haar schoondochter
en de schoondochter tegen haar schoonmoeder)[1]
en zij zullen leven als eenlingen.

Logos 37, Grieks Papyrus Oxyrrhynchus 655

Zijn leerlingen vroegen hem:
Wanneer zult U ons geopenbaard worden
en wanneer zullen wij U zien, zoals U werkelijk bent?
Hij sprak:
Als jullie je uitkleden en je niet schaamt

---

1 De tekst tussen haken is een reconstructie op basis van o.a. de Clementijnse roman. Quispel schrijft in zijn commentaar dat hij aanneemt dat de ascetische schrijver van Thomas het aan vrouwen gewijde deel van dit Woord dat in de Judese bron gestaan moet hebben (omdat het elders wel geciteerd wordt) heeft weggelaten.

en jullie kleren pakt
en ze onder jullie voeten legt als kleine jongens
en ze vertrapt,
dan zullen jullie de Zoon van de Levende God aanschouwen en geen angst
kennen.

Logos 70

Jezus zegt:
Als jullie baren,
wat in je zit,
zal dat, wat jullie in je hebben, je redden.
Als jullie dat niet in je hebben,
zal dat, wat jullie niet in je hebben, je doden.

Dit Woord vormt een doublet met logos 41:

Jezus zegt:
Wie heeft in zijn hand
hem zal gegeven worden
en wie niet heeft,
zelfs het weinige, dat hij heeft,
zal hem ontnomen worden.

Logos 114

Simon Petrus zei tegen hem:
Laat Maria (Magdalena) weggaan uit onze kring,
want vrouwen zijn het Leven niet waard.
Toen sprak Jezus:
Let goed op wat ik U zeg: Ik zal haar zó leiden, dat ik
haar mannelijk maak, dat ook zij een levende Geest
wordt en zo de gelijke van jullie mannen.
Want
iedere vrouw, die zich vermant,
kan ingaan tot het Koninkrijk der Hemelen.

Het Evangelie van Thomas

Vertaald door Willem Glaudemans en Jacob Slavenburg

De originele uitgave van *Geheimen van de Code* bevat een Engelse vertaling van Thomas O. Lambdin. Zijn vertaling diende (naast negen andere) als basis voor deze tekst in de volledig herziene en geactualiseerde Nederlandse dundrukeditie van de Nag Hammadi-codices en de *Berlijnse Codex*, getiteld *De Nag Hammadi-geschriften* (Ankh-Hermes, Deventer, 2004). Dit fragment is opgenomen met toestemming van de uitgever. Copyright © 2004 Uitgeverij Ankh-Hermes bv, Deventer.

Dit zijn de geheime woorden die de levende Jezus sprak en die Didymus Judas Thomas opschreef:

1 En hij zei: Ieder, die de betekenis van deze woorden vindt, zal de dood niet smaken.

2 Jezus zei: Laat hij die zoekt niet ophouden met zoeken, totdat hij vindt; en als hij vindt zal hij verontrust worden; en als hij verontrust is zal hij zich verwonderen en hij zal heersen over het Al.

3 Jezus zei: Als zij die jullie leiden zeggen: Zie, het Koninkrijk is in de hemel, dan zullen de vogelen des hemels jullie voor zijn. Als zij tot jullie zeggen: Het is in zee dan zullen de vissen jullie voor zijn. Maar het Koninkrijk is binnen jullie en buiten jullie. Als jullie jezelf kennen, zullen jullie ook gekend worden en zullen jullie weten dat jullie zonen van de Levende Vader zijn. Maar als jullie jezelf niet kennen dan zullen jullie in armoede zijn; dan zijn jullie de armoede.

5 Jezus zei:
Ken dat wat voor je aangezicht is, en wat voor je verborgen is zal je worden geopenbaard. Want niets is verborgen dat openbaar zal worden.

16 Jezus zei: Misschien denken de mensen, dat ik ben gekomen om vrede te brengen op de wereld en weten zij niet dat ik ben gekomen om verdeeldheid te brengen op aarde: vuur, zwaard en oorlog. Want er zullen vijf zijn in een huis, drie zullen zijn tegen twee, en twee tegen drie; vader tegen zoon en zoon tegen vader, en zij zullen leven als eenlingen.

37 Zijn leerlingen zeiden:
Op welke dag zult u zich aan ons openbaren
en op welke dag zullen wij u zien?
Jezus zei:
Als jullie je kleren aflegt zonder schaamte
en (dan) je kleren opneemt en ze onder je voeten legt
– zoals kleine kinderen –, en eroverheen loopt;
dan [zullen jullie] de Zoon van de Levende God [zien]

en zullen jullie niet bevreesd zijn.

70 Jezus zei:
Als jullie verwerven wat in jezelf is
zal wat je hebt je redden.
Als je het niet in je hebt,
zal dat, wat je niet hebt, je doden.

114 Simon Petrus zei tegen hem:
Laat Maria bij ons weggaan,
want vrouwen zijn het leven niet waardig.
Jezus zei:
Zie, ik zal haar leiden
zodat ik haar mannelijk maak
opdat ook zij een levende geest zal worden
gelijk jullie mannen.
Want iedere vrouw die zich zal vermannen,
zal ingaan tot het Koninkrijk der Hemelen.

Inleiding tot het Evangelie volgens Filippus

Door Wesley W. Isenberg

Het Evangelie van Filippus is een compilatie van uitspraken die vooral betrekking hebben op de betekenis en de waarde van de sacramenten in de context van een valentiniaanse opvatting van de hachelijke situatie waarin de mens verkeert en het leven na de dood. [De volgelingen van Valentinus verwierpen de wijze waarop de meeste christenen de bijbel interpreteerden als veel te letterlijk.]

Net als in de evangeliën van de nieuwtestamentische canon hebben deze uitspraken tal van literaire vormen: aforismen, analogieën, gelijkenissen, aanmaningen, polemieken, verhalende dialogen, goddelijke uitspraken, bijbeluitleg en dogmatische stellingen. Toch is het Evangelie van Filippus geen evangelie zoals de evangeliën in het Nieuwe Testament.

Weliswaar wordt hier en daar een woord of daad van Jezus vermeld... [Maar] deze weinige uitspraken van en verhalen over Jezus... zijn niet in een verhalend kader geplaatst zoals bij de evangeliën van het Nieuwe Testament. Feitelijk heeft het Evangelie van Filippus geen eenvoudig te schetsen structuur. Hoewel er enige continuïteit wordt bereikt door een associatie van ideeën, een serie contrasten en bepaalde trefwoorden, is de gedachtegang nogal onsamenhangend. Vaak wordt volstrekt onverwacht overgegaan op een ander onderwerp.

Het Evangelie volgens Filippus

Vertaald door Willem Glaudemans en Jacob Slavenburg

De originele uitgave van *Geheimen van de Code* bevat een Engelse vertaling van Wesley W. Isenberg. Zijn vertaling diende (naast tien andere) als basis voor deze tekst in de volledig herziene en geactualiseerde Nederlandse dundrukeditie van de Nag Hammadi-codices en de *Berlijnse Codex*, getiteld *De Nag Hammadi-geschriften* (Ankh-Hermes, Deventer, 2004). Overigens zijn er meer Nederlandse vertalingen van deze tekst: die van G.P. Luttikhuizen in *Gnostische Geschriften 1* (Kok, Kampen, 1985) is het vermelden waard. Onderstaande vertaling profiteert echter van nieuwe inzichten door twintig jaar wetenschappelijk onderzoek. Dit fragment is opgenomen met toestemming van de uitgever. Copyright © 2004 Uitgeverij Ankh-Hermes bv, Deventer.

[Dit is het evangelie met de befaamde passage over het kussen, die hier geaccentueerd is.]

Fragmenten zoals deze zijn de overblijfselen van de alternatieve evangeliën die in 1945 bij Nag Hammadi in de Egyptische woestijn gevonden werden. De fragmentarische aard van het Evangelie volgens Filippus is extra kwellend. De passage verwijst naar een destijds blijkbaar alom bekend feit (in gnostische kringen): Jezus kuste Maria Magdalena regelmatig op de m... De eerste letter van het koptische woord voor mond volgt, maar een gat in het perkament maakt de rest van het woord onleesbaar. Bron: INSTITUTE FOR ANTIQUITY AND CHRISTIANITY, CLAREMONT, CALIFORNIË.

... Christus is gekomen om sommigen vrij te kopen, anderen te bevrijden, en weer anderen te verlossen. Vreemdelingen kocht hij los en maakte ze tot de zijnen. En hij scheidde de zijnen, die hij overeenkomstig zijn wil als onderpand had achtergelaten. Hij heeft zijn ziel niet pas vrijwillig afgestaan toen hij verscheen, maar al sinds de wereld bestaat, heeft hij zijn ziel afgestaan.[1] Pas toen hij dat wilde, is hij gekomen om haar mee te nemen; omdat zij, toen ze als onderpand was afgestaan, in handen van rovers was gevallen en gevangengenomen,[2] Maar hij bevrijdde haar en verloste de goeden in de wereld evenals de slechten...

Licht en duisternis, leven en dood, de rechtsen en de linksen, zijn broers van elkaar. Zij kunnen niet van elkaar worden losgemaakt. Het is daarom dat noch de goeden goed zijn, noch de slechten slecht, leven alleen maar leven is en dood alleen maar dood. Daarom zal iedereen ontbonden worden tot zijn oorsprong in het begin. Maar zij die boven de wereld verheven zijn, kunnen niet eeuwig ontbonden worden; ze zijn eeuwig...

Sommigen zeggen: 'Maria is bevrucht door de Heilige Geest.' Ze dwalen. Ze weten niet wat ze zeggen. Wanneer is een vrouw ooit zwanger geworden door een vrouw?[3] Maria is de reine maagd die door geen macht is bezoedeld. Ze is een onaantastbaar heiligdom voor de Hebreeën[4] – dat zijn de apostelen en apostolischen. Deze maagd is door geen enkele macht bezoedeld. De machten [hebben alleen] zichzelf bevlekt.[5]

De Heer [zou niet] gezegd hebben: 'Mijn Vader [die in de] hemel is'[6] als hij niet [ook nog een andere] vader zou hebben; hij zou dan eenvoudig ['mijn Vader'] hebben gezegd[7]...

Drie vrouwen trokken altijd met de Heer op: Maria, zijn moeder, zijn zuster en Maria Magdalena, die zijn metgezellin wordt genoemd. Want zowel zijn zuster, als zijn moeder, als zijn gezellin heetten Maria...

1 Dit duidt op de preëxistentie van Christus [d.w.z. dat Christus al bestond voor de geboorte van Jezus en zij dus niet één en ondeelbaar zijn].
2 De verbinding met het *pleroma* (de Geest) werd niet meer begrepen en dreigde geheel los te raken [d.w.z. de mens verloor zichzelf in de gevangenis van deze onvolmaakte schepping].
3 De Heilige Geest wordt als vrouwelijk voorgesteld (in het Hebreeuws ook grammaticaal).
4 Hebreeër = jood.
5 Het is niet geheel duidelijk wat hiermee bedoeld wordt. Het zou kunnen slaan op Sophia/Eva als metafoor voor Maria. In sommige teksten zoals in Wezen van de Machten (*Nag Hammadi Codex* II.4) en Oorsprong van de Wereld (*NHC* II.5) uit dezelfde codex wordt de maagdelijke Sophia, het hemelse beeld van Eva, 'bevlekt' door de archonten.
6 Matteüs 16:17.
7 In paragraaf 73 wordt ook duidelijk gesproken over Jozef als vader van Jezus. Zie over deze kwestie J. Slavenburg, *De 'logische' Jezus*, vooral p. 38-39.

Vertrouwen[8] ontvangt, liefde[9] geeft. [Niemand zal kunnen ontvangen] zonder vertrouwen. Niemand zal kunnen geven zonder liefde. Vandaar dat we vertrouwen om te ontvangen en dat we liefhebben om echt te kunnen geven. Want als iemand niet uit liefde geeft, heeft hij zelf niets aan wat hij gegeven heeft. Wie de Heer niet ontvangen heeft, is nog een Hebreeër...

Sophia, die ze 'de onvruchtbare (wijsheid)' noemen, is de moeder [van de] engelen en **de metgezellin van de [Heer]; als zodanig heet ze Maria Magdalena.**[10] **[Jezus hield op een andere wijze] van Maria dan van [de andere] leerlingen, en hij kuste haar vaak.**[11] De overige [leerlingen zagen hoe hij van Maria hield] en vroegen hem: 'Waarom houdt u meer van haar dan van ons allemaal?'

De Heer antwoordde hun met de woorden: 'Waarom houd ik niet van jullie zoals van haar? Wel, als een blinde en iemand die kan zien samen in het donker zijn, verschillen ze niet van elkaar. Maar als het licht wordt, zal de ziende het licht zien en de blinde in het donker blijven.'...

Het mysterie van het huwelijk is groot. Want [zonder het huwelijk] zou de wereld niet [bestaan]. Het bestaan [van de wereld] berust op de mens en het bestaan van de mens berust op het huwelijk. Heb weet van de onbevlekte gemeenschap, want deze heeft grote macht. Haar beeld is dat van de lichamelijke bevlekking.[12]

Tussen de gestalten van onreine geesten zijn mannelijke en vrouwelijke. De mannelijke geesten hebben gemeenschap met zielen die in een vrouwelijke gedaante wonen; de vrouwelijke vermengen zich in gemeenschap met die welke in een mannelijke gedaante wonen. Niemand zal aan hen kunnen ontsnappen als hij nog vastgehouden wordt en als hij niet een mannelijke heilige kracht dan wel een vrouwelijke heilige kracht ontvangt, namelijk de bruidegom of de bruid. Die krachten nu ontvangt men vanuit het symbolische bruidsvertrek...

8 Grieks leenwoord: *pistis* (is ook: geloof).

9 Grieks leenwoord: *agapè*.

10 [Eerder] is al over Sophia als de onvruchtbare gesproken. Als bruid van Christus zal ze weer het *pleroma* betreden. De aardse bruid van Jezus was Maria Magdalena (zie daarvoor o.a. J. Slavenburg, *Een openvallend testament. Nieuwe bronnen over Jezus en de vrouw uit Magdala*). Het is een spiegeling van de hemelse bruiloft.

11 Noot van de uitgever: anders dan bij Isenberg en in de *Nag Hammadi Library in English* – de bron van Dan Brown – ontbreekt bij Slavenburg en Glaudemans de tekst 'op haar m[ond]' aan het eind van deze zin.

12 De lichamelijke eenwording (hier wat negatief 'bevlekking' genoemd) is een beeld van de geestelijke eenwording (het bruidsvertrek).

Een bruidsvertrek is er niet voor de dieren, evenmin voor de slaven, en ook niet voor hoeren[13]; het is er voor vrije mannen en maagden...

De wereld is door een val ontstaan, want wie haar schiep, wilde haar onvergankelijk en onsterfelijk maken. Hij maakte een val en bereikte niet waarop hij hoopte.[14] Daarom werd de wereld niet iets onvergankelijks, evenmin als hij, die de wereld geschapen heeft, onvergankelijk was. Want niets in hem is onvergankelijk. Onvergankelijk zijn alleen de kinderen (van God). Niemand zal tot onvergankelijkheid kunnen komen als hij niet weer tot kind wordt.

Wie niet in staat is om te ontvangen, zal nog minder in staat zijn om te geven.

Inleiding tot het Evangelie van Maria

Door Karen L. King

De ons resterende tekst van het Evangelie van Maria is eenvoudig in twee delen te splitsen. Het eerste deel (7:1-9:24) beschrijft de dialoog tussen de (opgestane) Verlosser en de discipelen. Hij beantwoordt hun vragen over het materiële en de zonde... De Verlosser stelt in feite dat de zonde geen morele categorie is, maar een kosmologische; de zonde is het gevolg van de vermenging van het materiële en het geestelijke. Uiteindelijk zullen alle dingen oplossen in hun eigen oorsprong. Na zijn verhandeling te hebben voltooid groet de Verlosser hen voor de laatste keer, hij drukt ze op het hart op hun hoede te zijn voor eenieder die hen op een dwaalspoor wil brengen en draagt ze op het evangelie van het Koninkrijk te verkondigen. Als hij vertrokken is treuren de discipelen echter en raken ze vertwijfeld en ontsteld. Maria Magdalena troost hen en richt hun harten op het Goede en op de woorden van de Verlosser.

Het tweede deel van de tekst... omvat een beschrijving door Maria van de bijzondere openbaring die haar door de Verlosser werd geschonken. Op verzoek van Petrus vertelt ze de discipelen over de dingen die voor hen verborgen bleven. De basis voor haar kennis is een visioen van de Heer en een gesprek onder vier ogen met hem. Helaas ontbreken er vier pagina's

---

13 Letterlijk: bezoedelde vrouwen.
14 Bedoeld wordt: de demiurg [noot van de uitgever: dit is de jaloerse oud-testamentische god en schepper].

van de tekst, waardoor alleen nog het begin en het eind van Maria's openbaring resteren.

De openbaring heeft de vorm van een dialoog. De eerste vraag die Maria aan de Verlosser stelt is hoe men een visioen ziet. De Verlosser antwoordt dat de ziel ziet door het bewustzijn dat zich tussen de ziel en de geest in bevindt. Op dat punt breekt de tekst af. Als de tekst weer begint... is Maria bezig met een beschrijving van de openbaring van de Verlosser over de verheffing van de ziel boven de vier machten. De vier machten dienen hoogstwaarschijnlijk te worden geïdentificeerd als de vier materiële elementen. De verlichte ziel, nu vrij van zijn beperkingen, verheft zich boven de vier machten, overweldigt ze met zijn gnosis en verwerft de eeuwige, stille rust.

Nadat Maria de discipelen deelgenoot heeft gemaakt van haar visioen, worden er door Andreas en Petrus om twee redenen vraagtekens geplaatst. Ten eerste, zegt Andreas, zijn deze leringen vreemd. Ten tweede, zo vraagt Petrus zich af, zou de Verlosser dergelijke dingen werkelijk aan een vrouw hebben verteld en ze voor zijn mannelijke discipelen verborgen hebben gehouden? Levi berispt Petrus dat hij met de vrouw als met een tegenstander wedijvert en erkent dat de Verlosser meer van haar hield dan van de andere discipelen. Hij zegt dat ze zich moeten schamen, hun edelmoedigheid moeten hervinden en over moeten gaan tot de verkondiging zoals de Verlosser hun heeft gevraagd. Ze vertrekken onmiddellijk om het evangelie te verkondigen, en daar eindigt de tekst.

De confrontatie tussen Maria en Petrus, een scenario dat ook te vinden is in het Evangelie van Thomas, de Pistis Sophia en het Evangelie van de Egyptenaren, weerspiegelt wat van de spanningen in het christendom van de tweede eeuw. Petrus en Andreas vertegenwoordigen de orthodoxe standpunten die de geldigheid van esoterische openbaringen ontkennen en de mogelijkheid verwerpen dat een vrouw onderricht kan geven. Het Evangelie van Maria valt deze standpunten frontaal aan door de manier waarop Maria Magdalena wordt neergezet. Zij is de geliefde van de Verlosser en beschikt over inzichten die superieur zijn aan die van de gangbare apostolische traditie. Haar superioriteit is gebaseerd op een visioen en een openbaring aan haar alleen en blijkt uit haar vermogen de weifelende discipelen te overtuigen en ze op het Goede te richten...

Het Evangelie van Maria werd oorspronkelijk ergens in de tweede eeuw in het Grieks geschreven. Helaas zijn de twee overgebleven exemplaren van het Evangelie van Maria uiterst fragmentarisch...

Het Evangelie volgens Maria

Vertaald door Willem Glaudemans en Jacob Slavenburg

De originele uitgave van *Geheimen van de Code* bevat een Engelse vertaling van George W. MacRae en R. McL. Wilson. Deze vertaling diende (naast zeven andere) als basis voor deze tekst in de volledig herziene en geactualiseerde Nederlandse dundrukeditie van de Nag Hammadi-codices en de *Berlijnse Codex*, getiteld *De Nag-Hammadi-geschriften* (Ankh-Hermes, Deventer, 2004). Overigens zijn er meer mooie Nederlandse vertalingen van deze tekst: o.a. die van G.P. Luttikhuizen in *Gnostische Geschriften 1* (Kok, Kampen, 1985). Onderstaande vertaling profiteert echter van nieuwe inzichten uit twintig jaar wetenschappelijk onderzoek. Dit fragment is opgenomen met toestemming van de uitgever. Copyright © 2004 Uitgeverij Ankh-Hermes bv, Deventer.

Petrus vroeg hem: 'Omdat u ons alles verteld heeft, zeg ons nu nog dit: wat is de zonde van de wereld?' De Verlosser zei: 'Zonde bestaat niet. Maar het zijn jullie die de zonde maken, namelijk wanneer jullie doen wat in wezen gelijk staat aan overspel, dat wat men "de zonde" noemt. Daarom is het goede in jullie midden gekomen, naar het (wezen) van iedere natuur, om deze weer in zijn wortel te herstellen.'

Toen ging hij voort en zei: 'Daarom [worden jullie ziek] en sterven jullie, omdat jullie [houden] van wat jullie [misleidt]. Wie het vatten kan, die vatte het![1] [De materie baarde] een begeerte die haar gelijke niet kent omdat zij uitgegaan is van iets tegennatuurlijks. Zo heerst er verwarring in het gehele lichaam.[2] Daarom heb ik jullie gezegd: "Heb goede moed." En als jullie moedeloos zijn, vat toch moed tegenover de verschillende vormen van de natuur. Wie oren heeft om te horen, die hore!'...

Toen hij dit gezegd had, ging hij heen.

Zij waren echter bedroefd. Ze huilden heftig en zeiden: 'Hoe moeten we naar de heidenen gaan en het evangelie van het Koninkrijk van de Zoon

---

1 In het Gesprek met de Verlosser (*Nag Hammadi Codex* III.5) zegt Jezus: 'Want het genot van de wereld is vals en haar goud en zilver zijn dwalingen.' De materiële wereld wordt voorgesteld als een illusie... En vasthouden aan een illusie ('wat jullie misleidt')... veroorzaakt ziekte en dood. Omdat dit niet voor iedereen te begrijpen is en het makkelijk wordt misverstaan, zegt Jezus: 'Wie het vatten kan, die vatte het,' zoals in vele geschriften (o.a. in de bijbel) waarin dan gezinspeeld wordt op een diepere betekenis.

2 Met het ontstaan van de materie is ook de begeerte daarnaar geboren. Zij is ontstaan uit iets wat hier 'tegennatuurlijk' wordt genoemd omdat het voortkomt uit de wereld van de ziele-krachten, zoals de demiurg en zijn archonten [noot van de uitgever: de jaloerse scheppergod en zijn hemelwachters]. Daarom heerst er ook verwarring in het hele lichaam van de mens die zich niet alleen bewust wordt van zijn lichamelijke, maar ook van zijn geestelijke afkomst, door gnostici voorgesteld als het *pleroma*.

des Mensen prediken? Als hij al niet werd gespaard, hoe zal men ons dan sparen?' Toen stond Maria (Magdalena) op en zij kuste hen allen en zei tegen haar broeders: 'Huil niet, wees niet bedroefd en twijfel niet, want zijn genade zal geheel met jullie zijn en jullie behoeden. Laten we liever zijn grootheid prijzen, want hij heeft ons voorbereid[3] en ons tot mens gemaakt.' Toen Maria dit zei, richtten zij hun harten op het Goede. En ze begonnen de woorden van de [Verlosser] te bespreken.

Petrus zei tegen Maria: 'Zuster, we weten dat de Verlosser meer van jou gehouden heeft dan van de andere vrouwen. Zeg ons de woorden van de Verlosser zoals jij je die herinnert, die jij kent (maar) die wij niet kennen en die we ook (nog) niet hebben gehoord.'

Maria antwoordde en zei: 'Wat voor jullie verborgen is, zal ik jullie bekendmaken.' En ze begon hun het volgende te vertellen: 'Ik,' zei ze, 'ik zag de Heer in een visioen en ik zei tegen hem: "Heer, ik zie u vandaag in een visioen." Hij antwoordde en sprak tot mij: "Gezegend ben je dat je niet wankelt bij mijn aanblik. Want waar het bewustzijn is, daar is de schat." Ik vroeg hem: "Heer, ziet hij die een visioen heeft, nu met de ziel of met de geest?" De Verlosser antwoordde en sprak: "Hij ziet noch met de ziel noch met de geest, maar met het bewustzijn, dat tussen die twee in ligt..."'

Toen Maria dit had gezegd, zweeg ze, want tot zover had de Verlosser met haar gesproken.

Maar Andreas nam het woord en zei tegen de broeders: 'Zeg eens, wat denken jullie over wat zij gezegd heeft? Ik zelf geloof niet dat de Verlosser dit heeft gezegd, want het is duidelijk dat het afwijkende ideeën zijn.'

Petrus nam het woord en sprak over deze zelfde dingen. Hij vroeg hun over de Verlosser: 'Zou hij werkelijk buiten ons om (en) niet openlijk met een vrouw gesproken hebben?[4] Moeten wij ons soms omkeren en allemaal naar haar luisteren? Heeft hij aan haar de voorkeur gegeven boven ons?'

Toen huilde Maria en zei tegen Petrus: 'Mijn broeder Petrus, wat denk je? Denk je dat ik het zelf in mijn hart bedacht heb of dat ik leugens vertel over de Verlosser?'

Levi nam het woord en zei tegen Petrus: 'Petrus, jij bent altijd zo heetgebakerd! En nu zie ik weer dat je redetwist met deze vrouw als met tegenstanders. Als de Verlosser haar waardig bevonden heeft, wie ben jij dan om haar te verwerpen? Zeer zeker kende de Verlosser haar erg goed en

---

3 Luttikhuizen vertaalt: '... hij heeft ons samengebracht'. Die vertaling is mede gebaseerd op de *Papyrus Oxyrrhynchus 3525*. De andere vertalers geven de koptische weergave, zonder verwijzing naar deze papyrus. In hun inleiding maken ze alleen gewag van de *Papyrus Rylands*.
4 *Pap. Rylands 463*, p. 21, geeft: 'Als hij over zulke zaken gevraagd werd zou de Verlosser dan in het geheim met een vrouw gesproken hebben en <niet> openlijk, opdat wij dat allemaal zouden horen?'

daarom heeft hij van haar meer gehouden dan van ons. We moesten ons eerder schamen en ons bekleden met de volkomen Mens en hem in ons zelf verwerven, zoals hij ons heeft opgedragen, en het evangelie verkondigen. En laten we daarbij geen andere bepaling of wet opleggen dan wat de Verlosser gezegd heeft.'

Toen Levi dit gezegd had, maakten ze zich op om te verkondigen en te prediken.[5]

Inleiding tot de Sophia van Jezus Christus

Door Douglas M. Parrott

Wat de vorm betreft is de Sophia van Jezus Christus een openbaringsverhaal, verteld door de opgestane Christus als antwoord op de vragen van zijn discipelen. Aan de hand van deze tekst wordt het proces zichtbaar waardoor een niet-christelijke tekst werd gewijzigd en getransformeerd in een christelijke, gnostische tekst... Het zou geen verrassing zijn als blijkt dat het geschrift korte tijd na de komst van het christendom in Egypte werd opgesteld – in de tweede helft van de eerste eeuw. Die mogelijkheid wordt gesteund door het feit dat de toon ervan niet bepaald polemisch is.

De Sophia van Jezus Christus was gericht aan een gehoor dat het christendom ervoer als een toegevoegd element aan hun religieuze belevingswereld (en dus niet als de hoofdzaak)... In dit geschrift komt de Verlosser (Christus) uit de bovenwereldse regionen. Sophia is degene die verantwoordelijk is voor het vallen van druppels licht uit het goddelijke rijk in de zichtbare wereld; en er bestaat een god die, met zijn ondergeschikte machten, rechtstreeks over deze wereld heerst tot schade van degenen die uit het goddelijke rijk afkomstig zijn.

Seks, zo wordt geïnsinueerd, is het middel waardoor de onderwerping aan de machten wordt bestendigd. Maar de Verlosser (Christus) verbrak de ketenen die door die machten waren opgelegd, en spoorde anderen aan hetzelfde te doen... Voorts moet worden opgemerkt dat de discipelen die in de Sophia van Jezus Christus worden genoemd – Filippus, Matteüs, Thomas, Bartolomeüs en Maria – een traditie binnen de gnostiek verte-

---

5 *Pap. Rylands 463*, p. 22, geeft: 'Toen hij dit gezegd had, vertrok Levi en begon...' De *Berlijnse Codex* geeft letterlijk: 'Toen [...] en zij begonnen...'

genwoordigen van discipelen die uitgesproken gnostisch waren en met enige regelmaat en op verschillende manieren worden gezet tegenover de 'orthodoxe' discipelen of 'orthodoxe discipelen die gnostisch werden' (met name Petrus en Johannes).

De Sophia van Jezus Christus

Vertaald door Willem Glaudemans en Jacob Slavenburg

De originele uitgave van *Geheimen van de Code* bevat een Engelse vertaling van Dou-glas M. Parrott. Parrotts vertaling is naast een Franse en twee Duitse geraadpleegd door de Nederlandse vertalers van deze tekst voor de volledig herziene en geactualiseerde dundrukeditie van de Nag Hammadi-codices en de *Berlijnse Codex*, getiteld *De Nag Hammadi-geschriften* (Ankh-Hermes, Deventer, 2004). Daarin is er overigens voor ge-kozen om de titel van dit geschrift geheel te vertalen: *Wijsheid van Jezus Christus*. Dit fragment is opgenomen met toestemming van de uitgever. Copyright © 2004 Uitge-verij Ankh-Hermes bv, Deventer.

Nadat hij opgestaan was uit de dood volgden zijn twaalf leerlingen en ze-ven vrouwen hem (en) gingen naar Galilea, de berg op die 'Plaats van oogst[1] en vreugde' wordt genoemd. Toen zij daar bijeen waren, waren zij verward over de oorsprong van het heelal, het plan, de heilige voorzie-nigheid, de macht van de overheden en over alles wat de Verlosser met hen in het geheim van het heilige plan voorheeft. De Verlosser verscheen niet in zijn eerste gedaante, maar onzichtbaar in de geest. En zijn gestalte was als een grote engel van licht, waarvan ik niet mag beschrijven hoe die eruitzag; geen sterfelijk vlees kan dat verdragen, maar slechts zuiver en vol-maakt vlees[2]; zoals dat waarover hij ons onderricht had op de berg, ge-naamd de 'Olijfberg', in Galilea.

En hij sprak: 'Vrede zij met jullie allen. Mijn vrede geef ik jullie.'

En zij waren verwonderd en bevreesd.

De Verlosser lachte en sprak tot hen: 'Waar denken jullie aan? (Waar-om) zijn jullie zo in de war? Waar zoeken jullie naar?' Filippus zei: 'Naar de oorsprong van het heelal en het plan.'[3]

---

1 Parrott leest hier 'waarzeggerij'.

2 Met zuiver volmaakt vlees wordt hier de gereinigde ziel bedoeld.

3 De *Berlijnse Codex* (BC) leest hier: 'Filippus zei: "Naar de oorsprong van het heelal en het plan van de Verlosser." Hij zei...'

De Verlosser sprak tot hen:[4] 'Jullie moeten weten dat alle mensen die op aarde geboren zijn, vanaf de grondvesting van de wereld tot nu toe, stof zijn. Zoekend naar God, wie Hij is en hoe Hij is, hebben zij Hem niet gevonden. De meest wijzen onder hen hebben gefilosofeerd over de grondslag van de ordening (kosmos) van de wereld en haar beweging. Maar hun speculaties hebben de waarheid niet bereikt. Want alle wijzen hebben gezegd dat de komos op drie manieren kan zijn ingericht. Ze zijn het dus niet met elkaar eens.

(1) Sommigen zeggen dat de wereld zichzelf bestuurt.

(2) Anderen zeggen dat het de voorzienigheid is die haar bestiert.

(3) Weer anderen zeggen dat het het noodlot is.

Wel, het is geen van allen. Van de drie opvattingen die ik zojuist heb weergegeven is er geen enkele dicht bij de waarheid. Zij komen van mensen. Maar ik, die gekomen ben vanuit het onbegrensde licht, ik ben hier, want ik ben degene die het licht kent, zodat ik met jullie kan spreken over de juiste aard van de waarheid.

Want alles wat uit zichzelf voortkomt is een bevlekt leven, omdat het niets meer voortbrengt dan zichzelf. En de voorzienigheid heeft geen wijsheid in zich. En het onvermijdelijke kent geen onderscheid.'[5]

Matteüs sprak tot hem: 'Heer, niemand kan de waarheid vinden dan door u. Leer ons daarom de waarheid.'

De Verlosser sprak: 'Hij-die-is is onuitsprekelijk. Geen grondbeginsel kende hem, noch (enige) oppermacht, noch (enige) onderdaan, noch enig schepsel, vanaf de grondvesting van de wereld, tot nu toe, behalve Hijzelf alleen. En iedereen aan wie Hij wenst te onthullen wie uit het Eerste Licht is. Van nu af ben ik de Grote Verlosser.[6] Want Hij is onsterfelijk en eeuwig. Hij nu is eeuwig omdat Hij niet geboren is; want ieder die geboren wordt zal vergaan. Hij is onverwekt en heeft geen begin; want ieder die een begin heeft, heeft een einde. Niemand heerst over Hem, aangezien Hij geen naam heeft; want ieder die een naam heeft, is de schepping van een ander.[7]

---

4 Hier gaat de tekst grotendeels parallel lopen met *Eugnostus*.

5 Tardieu leest hier: 'kent geen gevoel'.

6 BC geeft hier: 'Hij-die-is, de onuitsprekelijke, (Hij) die is, geen grondbeginsel kende hem, noch (enige) oppermacht, noch onderdaan, noch (enige) macht of schepsel vanaf de grondvesting van de wereld tot nu toe, behalve Hijzelf alleen. En iedereen van wie hij wenst (dat ze hem kennen) door mij, die van het Eerste Licht kwam. Van nu af aan wil Hij (dat) jullie onthullen, door mij. Ik ben de Grote Verlosser.'

7 BC volgt hier de twee overgeleverde versies van *Eugnostus* met de toevoeging: 'Hij is onnoembaar. Hij heeft geen menselijke gedaante; want ieder die een menselijke gedaante heeft, is de schepping van een ander.

Hij gelijkt op zichzelf, niet zoals (iets) wat je gezien of ontvangen hebt, maar van een vreemde gelijkenis die alles overtreft en beter is dan het Heel-Al. Hij ziet zichzelf van alle kanten en ziet zichzelf van binnenuit.

Aangezien hij geen grens heeft, is hij altijd onbegrijpbaar. Hij is onvergankelijk, aangezien hij geen gelijkenis heeft. Hij is onveranderlijk goed. Hij is foutloos. Hij is eeuwig. Hij is gezegend. Terwijl Hij niet gekend wordt, kent Hij zichzelf altijd. Hij is onmeetbaar. Hij is onnaspeurlijk. Hij is volmaakt en heeft geen gebrek. Hij is onvergankelijk gezegend. Hij wordt genoemd "De Vader van het HeelAl". ...

Mariamme[8] sprak tot hem: 'Heer, hoe zullen wij deze dingen dan weten?'

De volmaakte Verlosser sprak: 'Kom van de verborgenheden tot de voltooiing van het zichtbare, en de sterke uitstraling van het denkvermogen zal jullie onthullen hoe het vertrouwen in het onzichtbare werd gevonden in het zichtbare, dat wat behoort tot de Onverwerkte Vader.[9] Wie oren heeft om te horen, dat hij hore.' ...

Matteüs sprak tot hem: 'Heer, Verlosser, hoe werd de Mens tot aanzijn gebracht?'

De volmaakte Verlosser sprak: 'Jullie moeten begrijpen dat Hij die voor het Al in de grenzeloosheid werd onthuld, de uit zichzelf gegroeide, zelfopgerichte Vader is, die vervuld is van schitterend licht en (die) onuitsprekelijk is. In het begin besloot Hij de gestalte aan te nemen van een grote macht. Onmiddellijk werd het begin van dat licht tot aanzijn gebracht als een onsterfelijk, androgyn Mens. (Dit) opdat zij door die Onsterfelijke Mens hun verlossing zouden bereiken en (zouden) ontwaken uit de vergetelheid, door middel van de tolk die gezonden werd en die met jullie zal zijn tot het einde van de armoede van de rovers.

En zijn paargenote is de Grote Sophia die vanaf het begin bestemd was om met hem een paar te vormen. Dit door de Zelfverwekte Vader van de Onsterfelijke Mens, die als eerste verscheen in Goddelijkheid en Koningschap. Want de Vader die "Mens, Zelf-Vader" wordt genoemd, bracht hem tot aanzijn. Hij schiep voor zichzelf, overeenkomstig zijn grootheid, een grote eon, die Ogdoade (achtheid) genoemd wordt...

---

8 Een joodse naam voor Maria (Magdalena).

9 BC stelt dit in de tegenwoordige tijd. Dat doet ook *Papyrus Oxyrrhynchus 1081*, waar te lezen is: 'Kom [van] de verborgenheden [tot de voltooiing] van dat wat zichtbaar is, en de sterke uitstraling van het denkvermogen zal jullie tonen hoe vertrouwen – in het onzichtbare – gevonden kan worden door dat wat zich vertoont door de [Onverwerkte] Vader.'

Allen die in de wereld komen, als een lichtvonk, zijn door hem gezonden naar de wereld van de Almachtige, opdat zij door hem bewaakt zouden worden. En de band van zijn vergetelheid bond hem door de wil van Sophia. (Dit) opdat de materie daardoor zou kunnen worden <getoond> aan de ganse wereld in armoede. (Dit alles) met betrekking tot zijn arrogantie en blindheid, en de onwetendheid waarmee hij zich een naam gegeven heeft. Maar ik kwam van de plaatsen daarboven door de wil van het grote Licht; (ik) die ontsnapte uit die band, ik heb het werk van de rovers gestopt. Ik heb deze vonk, die door Sophia gezonden was, gewekt, opdat die door mij ruimschoots vrucht zou mogen dragen en vervolmaakt worden en niet tekort zou schieten maar door mij, de grote Verlosser, zou worden <verenigd>. Opdat zijn heerlijkheid zou worden geopenbaard. Zodat Sophia ook zou worden gerechtvaardigd met betrekking tot dat gebrek. Zodat haar zonen niet weer onvolkomen zouden zijn, maar eer en glorie zouden verwerven en opgaan naar hun Vader en de (wacht)woorden (zouden) kennen van het mannelijk licht. En jullie werden gezonden door de Zoon die gestuurd was opdat jullie licht zouden ontvangen en jullie je zouden kunnen losmaken uit de vergetelheid van de overheden, zodat die vergetelheid niet opnieuw zou verschijnen vanwege jullie, namelijk de onreine wrijving die er is van het verschrikkelijke vuur dat van hun vleselijk deel kwam. Vertrap hun kwade bedoeling.' ...

Mariamme zei tot hem: 'Heilige Heer, waar kwamen uw leerlingen vandaan en waar gaan zij heen en (wat) moeten zij hier doen?'[10]

De volmaakte Verlosser sprak tot hen: 'Ik wil dat jullie begrijpen dat Sophia, de moeder van het HeelAl en de paargenote, dit uit zichzelf tot stand wenste te brengen zonder haar mannelijke (wederhelft)...

Dit zijn de dingen die [de] gezegende Verlosser [zei]. [En hij ging] van hen [heen]. En [vanaf] die dag waren [alle leerlingen] in [grote onuitsprekelijke vreugde] in [de geest]. [En zijn leerlingen] begonnen [het] evangelie van God, [de] eeuwige, onvergankelijke [geest][11], te prediken.
Amen.

10 Vergelijk het Evangelie van Thomas, logion 21.
11 BC geeft hier: 'de eeuwige Vader'.

Inleiding tot het Gesprek met de Verlosser

Door Willem Glaudemans en Jacob Slavenburg

Het Gesprek met de Verlosser behoort tot de oudste christelijke geschriften en is alleen om die reden al bijzonder interessant. Het oudste gedeelte, dat ongeveer vijfenzestig procent van de tekst beslaat, is de dialoog tussen Jezus, Judas[1], Matteüs en Maria (Magdalena). Deze dialoog is nauw verwant aan de traditie van zogenaamde Jezus-woorden; uitspraken van Jezus, al dan niet als antwoord op vragen van zijn leerlingen. Deze traditie vinden we terug in een bron die de evangelisten Lucas en Matteüs gebruikten, de zogenaamde Q, en in het Evangelie van Thomas. Het is een traditie die ouder is dan de nieuwtestamentische evangeliën.[2] Het betreft uiterst waardevolle bronnen omdat ze oorspronkelijke uitspraken van Jezus kunnen bevatten die niet altijd in de latere redacties van de bijbelse evangeliën terug te vinden zijn. De uiteindelijke redactie van het Gesprek met de Verlosser wordt doorgaans geplaatst in de eerste helft van de tweede eeuw.

Om de eigenlijke dialoog heen is een raamwerk gemaakt van monologen van de Verlosser.[3] De dialoog zelf wordt gekenmerkt door soms hele korte vragen en antwoorden, zoals we die ook aantreffen in het Evangelie van Thomas. Ze zijn nog heel puur en nog niet opgesmukt met theologische discussies, zoals in latere werken als de Wijsheid van Jezus Christus en de Pistis Sophia.

In het fascinerende gesprek dat Jezus met Matteüs, Judas en Maria Magdalena voert, openbaart hij onder meer hoe de leerlingen de wachters, de archonten of de machten, aan de diverse hemelpoorten kunnen passeren. Soortgelijke leringen zien we in een enkel geval ook in het Evangelie van Thomas en bijvoorbeeld ook in de (Eerste) Openbaring van Jacobus. In de tweede eeuw wordt dit thema verder uitgewerkt en worden de archonten vaak met namen genoemd.

1 Of met Judas hier de apostel Judas Iskariot is bedoeld of een broer van Jezus (Judas Thomas) is niet bekend. Wij veronderstellen het laatste.
2 Het dialoog-gedeelte stamt volgens vele onderzoekers uit de tweede helft van de eerste eeuw, zeker nog voor de totstandkoming van het Evangelie volgens Johannes. Zie onder andere Helmut Koester, *Ancient Christian Gospels: Their History and Development*, SCM Press, Philadelphia, 1990, p. 173-187.
3 De benaming 'Verlosser' komen we overigens juist veelvuldig tegen in de jongere gedeelten van de teksten en in de latere redactie, en sporadisch in de oudste, meest oorspronkelijke gedeelten, waarin over 'Heer' gesproken wordt. Dit geldt ook sterk voor het Geheime boek van Jacobus.

In het Gesprek met de Verlosser onderwijst Jezus dat de mens in staat is door zelfkennis, door het onderkennen van de archontische invloeden in hemzelf, deze krachten te overwinnen; daarom, vertelt Jezus aan de ingewijde leerlingen in dit geschrift, hoeven ze ook niet bevreesd te zijn en kunnen ze ongehinderd passeren, want er is niets meer van de archonten (machten) in hen aanwezig.

De weg tot verlossing voert via het eigen zelf, leert Jezus. Als je deze weg gaat, zul je 'binnentreden in het bruidsvertrek'. Je beseft dan onderdeel te zijn van een eeuwig kosmisch proces. Je bent dan onsterfelijk. Richt je je uitsluitend op de materie, dan ben je iemand 'die uit de vrouw voortkomt', een lichaam dat de dood kent. Als het materiële wordt overstegen 'worden de werken van de vrouw opgelost'.

In het Gesprek met de Verlosser ligt evenwel niet de nadruk op ascese of op een vlucht uit de materie. Nee, 'als iemand niet in de duisternis staat, zal hij niet in staat zijn het licht te zien'. En 'als iemand niet begrijpt hoe het lichaam dat hij draagt is ontstaan, zal hij erin omkomen'. Het is nodig, zegt Jezus hier, het materiële te leren kennen, dan kun je er pas werkelijk afstand van doen. Als je de duisternis (in jezelf) niet leert kennen en doorgronden, kun je ook het licht niet wezenlijk kennen. Een opvatting die in de moderne psychotherapie volop in de belangstelling staat.

Helaas zijn de papyrusbladen waarop de originele tekst geschreven is nogal beschadigd, waardoor er vele lacunes vallen. Dat maakt een vlotte doorlezing van sommige passages niet erg gemakkelijk. Gelukkig echter zijn er ook gedeelten die bijna volledig behouden zijn. De Amerikaanse onderzoeker Stephen Emmel, die een wetenschappelijke uitgave van dit geschrift verzorgde, plaatste in zijn uitgave tussen vierkante haken [ ] woorden die 'slechts enigszins paleografisch onzeker' zijn; met andere woorden: met vrij grote zekerheid juist zijn; wij hebben dit gebruik in onderstaande vertaling gevolgd. Daarnaast zijn door Emmel, met grote voorzichtigheid, nogal wat hiaten opgevuld door een minutieuze reconstructie van halve woorden (en soms slechts enkele letters) en door een nauwgezette interpretatie van omliggende tekstgedeelten; deze zijn hier weergegeven tussen accolades { }.

Het gesprek met de Verlosser

Vertaald door Willem Glaudemans en Jacob Slavenburg

In de originele uitgave van *Geheimen van de Code* ontbreekt een fragment uit deze eveneens bij Nag Hammadi gevonden koptische tekst, hoewel juist deze – zeer beschadigde – codex Maria's positie als volledig ingewijde leerling van Jezus benadrukt. Ook dit fragment uit *De Nag Hammadi-geschriften* van J. Slavenburg en W. Glaudemans (Ankh-Hermes, Deventer, 2004) is opgenomen met toestemming van de uitgever. Copyright © 2004 Uitgeverij Ankh-Hermes bv, Deventer.

[Maria] groette haar broeders {en zei}: 'Waar zijn jullie van plan {deze dingen} te laten waarover jullie de Zoon van de {Mens} vragen?'

[De Heer zei] tot haar: 'Zuster, {niemand} zal in staat zijn naar deze dingen te vragen {behalve hij die} iets heeft om ze in zijn [hart] te plaatsen {en die in staat is uit deze kosmos} tevoorschijn te komen en {de plek van leven} binnen te gaan, zodat [hij] niet teruggehouden kan worden {in} deze verarmde wereld.'

[Matteüs] zei: 'Heer, ik wil die plek van leven [zien], {de plek} waar geen {duisternis} is, [maar alleen] het pure [licht].'

De Heer [antwoordde]: 'Broeder [Matteüs], je zult deze niet kunnen zien [zolang je] met het vlees [bekleed bent].'

[Matteüs zei]: 'Heer, {als ik} niet {in staat ben} het te zien, laat me {het dan kennen}!'

De Heer [zei]: '[Iedereen] die zichzelf heeft gekend, heeft [het] gezien {in} alles wat hem {alleen} gegeven is...

Hij die de vervolmaking [niet] kent, [kent] niets.

Als iemand niet in de duisternis staat, zal hij niet in staat zijn het licht te zien.

Als [iemand] niet [begrijpt hoe] het vuur ontstond, zal hij erin opbranden, omdat hij de wortel ervan niet kent.

Als iemand niet eerst het water begrijpt, zal hij niets kennen.

Wat betekent het dan voor hem daaruit de doop te ontvangen?

Als iemand niet begrijpt waar de wind die blaast vandaan komt, zal hij erin meelopen.

Als iemand niet begrijpt hoe het lichaam dat hij draagt is ontstaan, zal hij erin [omkomen].

En hoe wil iemand die {de Zoon} [niet] kent, {de Vader} kennen?

En voor hem die de [wortel] van alle dingen niet zal kennen, zullen ze verborgen blijven.

Hij die de wortel van het slechte niet leert kennen, is er ook geen vreemde voor.

Hij die niet begrijpt hoe hij kwam, zal ook niet begrijpen hoe hij zal gaan en hij is geen [vreemde] voor deze wereld, die {zal} [...] en die zal worden vernederd.'

Toen {nam} hij Judas en Matteüs en [Maria] [...] aan de rand van de hemel [en] de aarde. En toen hij zijn {hand} op hen legde, hoopten ze dat ze het mochten {zien}. Judas sloeg zijn ogen op; hij zag een uitzonderlijk hoge plaats en ook zag hij de plaats van de afgrond beneden... [Toen] waren [zijn leerlingen] verwonderd over alle dingen die hij hun vertelde en zij ontvingen ze in [vertrouwen]. En zij besloten dat het nutteloos is om acht te slaan op de verdorvenheid...

Maria zei: 'Dit met betrekking tot "De verdorvenheid van alledag" en "De arbeider die zijn voedsel waardig is" en "De leerling die op zijn leraar lijkt". Deze woorden sprak ze als een vrouw die het Al kende.[1]...

Maria zei: 'Vertel me, Heer, waarom ben ik op deze plaats gekomen; om baat te vinden of schade te lijden?'

De Heer antwoordde: 'Jij maakt de overvloed van de openbaarder[2] duidelijk.'

Maria zei tot hem: 'Heer, is er dan een plaats die [...] [...] of beroofd is van de waarheid?'

En de Heer antwoordde: 'De plaats waar ik niet ben.'

Maria zei: 'Heer, u bent vreeswekkend en wonderbaar en [...] {keerden zich af van} hen die {u} niet kennen.' ...

Ze vroegen aan hem: 'Wat is de plaats waar we naartoe zullen gaan?'[3]

De [Heer] antwoordde: 'Ga staan op de plaats die je kunt bereiken!'

Maria zei: 'Is alles {op deze wijze} ingesteld? Is het gezien?'

De Heer [zei]: 'Ik heb jullie verteld [dat] hij die ziet ook diegene is die [openbaart].' ...

---

1 Dit kan een metafoor zijn voor 'een volledig ingewijde'. Zoals we eerder zagen neemt Maria Magdalena een prominente plaats in onder de leerlingen van Jezus.

2 De Verlosser.

3 In het Evangelie van Thomas (*Nag Hammadi Codex* II.2) antwoordt Jezus licht ironisch op de vraag van de leerlingen hoe hun einde zal zijn: 'Hebben jullie dan al het begin ontdekt, dat jullie naar het einde vragen? Want daar waar het begin is, is het einde. Gezegend is hij die aan het begin staat; hij zal het einde kennen en de dood niet smaken.' (logion 18)

Judas zei: 'U heeft dit tegen ons gezegd uit de geest van de waarheid. Als wij bidden, hoe zullen wij dan bidden?'

De Heer antwoordde: 'Bid op de plek waar geen vrouw is.'

Matteüs zei: ' "Bid op de plek waar [geen vrouw] is"; hij bedoelt ons te vertellen: "Vernietig de werken van de vrouw", niet omdat er een andere [manier van baren] is, maar opdat zij zullen ophouden [met baren].'[4]

Maria zei: 'Zij zullen nooit worden uitgewist!'

De Heer zei: '[Wie] weet of zij zich [niet] zullen oplossen en {de werken van de vrouw wel vernietigd zijn}?'

Hier antwoordt Jezus: 'Ga staan op de plek die je kunt bereiken!'

Met andere woorden: probeer niet verder te springen dan je polsstok lang is. Verlies je niet in diepzinnige beschouwingen maar sta op de goede manier in het leven. Doe wat je te doen staat 'om het te doen {gelijken} op zijn [goedheid]' (zie vers 30). Niet meer, maar ook niet minder.

---

4 In het apocriefe Evangelie van de Egyptenaren zegt Jezus: 'Ik ben gekomen om een eind te maken aan de werken van de vrouw.' Op een andere plek in dat evangelie vraagt Salome: 'Hoe lang zal de dood nog macht hebben?' Jezus antwoordt dan: 'Zolang jullie, vrouwen, kinderen baren.'

Er was in het vroege, vooral Judees-Syrische, christendom een sterk ascetische groep die men de enkatieten noemde; zij wezen de geslachtsgemeenschap af, evenals het eten van vlees en het drinken van wijn. Het is aannemelijk dat deze mensen woorden van Jezus in ascetische zin hebben uitgelegd en wellicht ook ingepast hebben in hun 'bewerking' van diverse christelijke geschriften, zoals vrijwel zeker bij de latere redactie van het Evangelie van Thomas het geval is. In de context van dit geschrift is de passage over 'de werken van de vrouw (of: het vrouwelijke)' op te vatten als een tegenstelling tussen de aardse, aan de dood onderworpen, en de geestelijke, onsterfelijke, mens. Zoals in de inleiding werd gesteld: richt een mens zich uitsluitend op de materie, dan is hij iemand 'die uit de vrouw voortkomt'; een lichaam dat de dood kent. Als het lichamelijke wordt overstegen 'worden de werken van de vrouw opgelost'.

4 De vroege vormen van christendom

Eén vorm van christendom... kwam als overwinnaar uit de strijd die in de tweede en derde eeuw werd gevoerd. Deze éne vorm van christendom bepaalde wat de 'correcte' christelijke zienswijze was, wie gezaghebbend mocht heten in kwesties die het geloof en handelen van de christen betroffen, en welke vormen van christendom gemarginaliseerd, opzijgeschoven en vernietigd konden worden. Hij bepaalde ook welke boeken canoniek zouden worden voor de Heilige Schrift en welke als 'ketters' konden worden afgedaan...
Slechts zevenentwintig van de vroeg-christelijke boeken werden uiteindelijk in de canon opgenomen en in de loop der eeuwen door schrijvers gekopieerd. Het waren díé boeken die in tal van talen werden vertaald en hun weg vonden naar de boekenkast van vrijwel iedere Amerikaan en Europeaan. Andere boeken werden verworpen, genegeerd, belasterd, verbrand of aan de vergetelheid prijsgegeven.

Bart D. Ehrman

In den beginne was er niet één, maar waren er vele vormen van christendom. Daartoe behoorde een vermaarde traditie van gnostiek, een van de 'ketterijen' waarop Dan Brown de plot van *De Da Vinci Code* baseert. De heilige wortels en de twintig eeuwen van primaatschap in de westerse wereld hebben tot de algemeen heersende opvatting geleid dat het moderne christendom min of meer rechtstreeks ontspringt aan de leringen van Jezus. De westerse beschaving neigde naar het beeld van een natuurlijke progressie: de leringen van Jezus, de getuigenissen van de apostelen zoals in het Nieuwe Testament opgetekend, de vestiging van de kerk door Petrus, de erkenning door Constantijn de Grote en het Concilie van Nicea en de verspreiding over het hele Romeinse rijk, over Europa enzovoort tot in de huidige tijd. Wat betreft geschillen en heresie binnen het christelijke denken zijn historici en geesteswetenschappers geneigd de nadruk te leggen op de betrekkelijk recente ervaring van de reformatie.

De Da Vinci Code van Dan Brown beoogt de lezer in te lichten over de
minder bekende, zelfs 'verborgen' kant van het verhaal, over de vragen
rond de vroege geschiedenis van het christendom die nog onbeantwoord
bleven:

- Wie was Jezus?
- Wie was Maria Magdalena?
- Hoe kon het dat de mensen concepten als een maagdelijke geboorte
  en de verrijzenis accepteerden?
- Wilden Jezus en zijn joodse medestanders een koerswijziging in het judaïsme bewerkstelligen of waren ze uit op het stichten van een nieuwe religie?
- Hoe geloofwaardig zijn de vier geaccepteerde evangeliën als ze onderling niet stroken?
- Hoe moet er worden aangekeken tegen alle overige verslagen en getuigenissen die niet in het Nieuwe Testament werden opgenomen?

De vroege geschiedenis van het christendom loopt uit op een wanordelijk
verhaal vol feilen, wazigheden, politiek en persoonlijk gekonkel, tegenstrijdigheden en een aanzienlijke dosis van wat in het huidige politieke
jargon 'mannetjesmakerij' zou worden genoemd. Het resultaat is dat de
geschiedenis van het christendom er in de eerste plaats een is van wijdverbreide en dikwijls zeer uiteenlopende opvattingen over het juiste christelijke geloof, en vrij fanatieke opsporing en vervolging van diegenen die
andere en dus onjuiste opvattingen huldigen. Deze onderlinge verschillen
gaan wellicht terug tot het prille begin van de Jezusbeweging. Zoals overal in dit boek aan de orde komt zijn de verschillen tussen Petrus en anderen, de vragen rond de rol van Maria Magdalena en de vragen en twijfels van Jezus zelf door de huidige wetenschappelijke bemoeienissen, door
de tekstanalyse en de archeologie, inmiddels duidelijker dan ze de afgelopen zestien eeuwen waren.

Academici weten al sinds jaar en dag dat er tussen de dood van Jezus
en het schrijven van het eerste evangelie een hiaat ligt van ruwweg veertig jaar (misschien iets minder, maar misschien ook veel meer). Gedurende die periode bestendigden de volgelingen van Jezus hun overtuigingen via de mondelinge overlevering en bepaalden ze wie Jezus was en wat
zijn leven en dood betekenden. Elk evangelie verhaalt de geschiedenis vanuit een iets andere positie die terug te voeren is op de omstandigheden en
het gehoor van de verteller. Uiteindelijk werden er vier evangeliën en
drieëntwintig andere teksten gecanoniseerd (opgenomen in de Heilige
Schrift) in de bijbel. Dit vond evenwel pas in de zesde eeuw plaats.

Zoals Deirdre Good in haar verhandelingen over Maria Magdalena en

De Da Vinci Code stelt: 'Praktisch iedereen in het Nieuwe Testament moet als jood worden beschouwd, tenzij met bewijzen te staven is dat ze geen jood waren.' De meeste deskundigen zijn het erover eens dat Jezus een jood was. Uit menig nieuwtestamentisch verslag blijkt zijn betrokkenheid bij het joodse tempelleven – van zijn voorlijke mening over de tempeldienst toen hij nog een kind was tot zijn aanval op de geldwisselaars in de tempel als volwassene. Steeds weer is het de traditionele joodse tempel waarmee hij zich inlaat, en die hij aanspoort tot veranderingen in overeenstemming met zijn opvattingen.

In het jodendom van die dagen gistte en borrelde het dermate hevig – diverse culten, sekten, clans, clubs, profeten, valse profeten, rabbi's, leraren, zij die door de Grieken waren beïnvloed, zij die door de Romeinen waren beïnvloed – dat de Jezusbeweging aanvankelijk wellicht niet als radicaal nieuw of anders werd beschouwd. De joodse gemeenschappen die verspreid waren over Egypte, Turkije, Griekenland, Syrië, Irak en elders hadden allemaal hun eigen tradities met hun eigen overtuigingen en invloeden die samenhingen met de culturen waardoor ze werden omgeven. Het judaïsme van die dagen was een grote tent waarbinnen een chaotische, nukkige, bittere en zelfs fatale verdeeldheid heerste.

Het zal zeker zo zijn geweest dat de volgelingen van Jezus tot lang na zijn dood niet als gelovigen van een fundamenteel afwijkende religie werden beschouwd. Wat christendom zou gaan heten was aanvankelijk een steeds afwijkender vorm van judaïsme die door joden aan andere joden werd verkondigd. In sommige kringen van Jezus-volgelingen, soms door joden Nazareeërs genoemd en door niet-joden christenen, gold de eis dat de mannen werden besneden en dat de joodse riten en dieetvoorschriften werden gevolgd, maar ze beleden ook het geloof dat Jezus de zoon van God en de enige weg tot verlossing was – overtuigingen die op gespannen voet stonden met de joodse orthodoxie. Volgens de Ebionieten, recentelijk omschreven als 'christenen die nog altijd uit hun joodse schulp kruipen', was het noodzakelijk jood te zijn om tot hun beweging te kunnen behoren. Bart Ehrman, een hedendaags deskundige op het gebied van verloren gegane christelijke overtuigingen en geschriften, stelt evenwel dat de Ebionieten diep in Jezus geloofden, maar hem zagen als 'de joodse Messias die de joden door de joodse God werd gezonden ter vervulling van de joodse Heilige Schrift'. De Ebionieten geloofden dat Jezus een sterfelijke maar dermate rechtschapen mens was dat God hem als zijn zoon aannam en dat zijn offer de zonden van de mensheid kon wegnemen.

Saulus, een Griekse jood, stond recht tegenover de Nazareeërs, maar op weg naar Damascus kreeg hij een visioen waarin Jezus hem opdroeg de rest van zijn leven aan het verspreiden van het evangelie onder de niet-joden te wijden. Saulus veranderde zijn naam in Paulus. Zijn overtuigingen verschilden op significante wijze van de opvattingen van andere groepen die uit de joodse traditie naar voren traden: Paulus was van mening dat mannelijke bekeerlingen niet besneden hoefden te worden en dat het niet noodzakelijk was de joodse wetten te volgen; daarmee luidde hij een van de eerste christelijke conflicten in. Paulus richtte zijn inspanningen op het bekeren van niet-joden terwijl anderen hun bekeerpogingen vanuit de joodse gemeenschap ondernamen. Paulus maakte uitgebreide reizen en stichtte kerken in het gehele oostelijke Middellandse-Zeegebied. IJveriger nog dan de volgelingen van Paulus waren de Marcionieten, die zich geheel en al van hun joodse erfgoed wilden bevrijden, waarin ze zo ver gingen dat ze de joodse God gingen beschouwen als een god die gefaald had.

De apostelen, en later hun volgelingen, gingen voort met het verspreiden van 'de blijde boodschap' (de evangeliën). De verbreiding van het christendom was een langdurig, gecompliceerd en dikwijls onbetamelijk proces dat niet los gezien kan worden van de politieke omstandigheden van die tijd, de tijd van het Romeinse rijk. Naarmate dit rijk zich geografisch uitbreidde, werden er bevolkingsgroepen in opgenomen waarvan de religieuze overtuigingen in de eerste plaats heidens en naturalistisch waren, stevig verbonden met de Griekse en Egyptische mythologie. Deze bestonden naast elkaar, waarbij de staat zich niet aan een bepaalde zijde schaarde.

In deze theologische mengelmoes ontstond het christendom. Tegenover de overheersend polytheïstische godsdiensten stonden het monotheïstische christendom en jodendom die een volstrekt andere verhouding van de mens tot God (en niet van de mens tot de goden) predikten, en ook een volstrekt andere weg naar verlossing. Gaandeweg ontstonden er diverse interpretaties van het christelijk geloof, doordat er elementen in werden opgenomen van de heidense tradities waardoor de gelovigen werden omgeven; zelfs doctrines die tot de kern van het christendom behoorden werden afwijkend geïnterpreteerd.

Tegen de commotie die door dat alles werd opgeroepen zou zich nog een andere richting aftekenen – een richting die met name relevant is voor degenen die geïnteresseerd zijn in de ware achtergrond van de historische versie die aan *De Da Vinci Code* ten grondslag ligt – de gnostiek. Gnostici zochten kennis in een mystieke, kosmologische en verborgen zin. Zij neigden naar een versmelting van het christendom als levensbeschouwing met meer Griekse, Egyptische, mythische en zelfs oosterse elementen. De gnostici schijnen zeer onderlegd te zijn geweest en werden beïnvloed door de Griekse en rabbijnse tradities om scholen op te zetten die ruimte boden voor gedachtewisselingen en het ontwikkelen en delen van inzichten.

Aangezien in die tijd disciplines als religie, wetenschap, filosofie, politiek, dichtkunst, kosmologie en mystiek in één oersoep samenvloeien, wekt het nauwelijks verbazing dat de gnostici een overweldigende hoeveelheid documenten, heilige teksten en verkondigingen het licht deden zien. En omdat zij een variant van het christendom vertegenwoordigden die op zeer gespannen voet stond met het steeds dominanter wordende paulinische christendom, werden de gnostici tot ketters verklaard die beteugeld en bestreden moesten worden.

Sommige gnostici richtten gemeenschappen op die zich in de bergen of woestijnen terugtrokken, ver van de razende horden die waren ondergedompeld in een ander wereldbeeld. Wellicht werd die isolatie ingegeven door de wens hun speurtocht zo zuiver mogelijk gestalte te geven, maar het kan ook zijn dat ze zich terugtrokken uit angst dat hun praktijken en inzichten de ergernis zouden wekken van leden van de heersende christelijke en Romeinse stromingen.

In de loop van de eerste twee eeuwen veranderde het christendom van een overtuiging die door rondtrekkende evangelisten werd verkondigd in een serie kleine gemeenschappen van gelovigen die zich in plaatselijke kerken organiseerden – elk met eigen leiders, geschriften en overtuigingen – zonder overkoepelende autoriteit of hiërarchie. Aanvankelijk langzaam doch steeds voortvarender trad er een formele hiërarchie aan de dag, en daarmee de behoefte aan dogmatische uniformiteit. Bisschoppen kwamen voor vergaderingen bijeen om af te kondigen wat wel en niet tot de geaccepteerde doctrine behoorde. Andere opvattingen werden afgedaan als ketterijen die moesten worden uitgeroeid.

In 313 verklaarde keizer Constantijn dat het 'zegenrijk en gepast' was dat het Romeinse rijk 'volledige vrijheid' gaf aan eenieder die 'zijn geest ondergeschikt had gemaakt aan hetzij de cultus van het christendom' of aan een andere soortgelijke cultus. Met dit edict van Milaan diende een einde te komen aan de officiële vervolging van het christendom en de christenen. Er is vaak beweerd dat Constantijn zich tot het christendom bekeerde, maar de meeste geleerden weten dat daarvan pas veel later sprake was, kort voor zijn dood. Veel historici menen dat het besluit van Constantijn als een schrandere politieke zet moet worden beschouwd – een zet die rekening hield met de toenemende macht van het christendom, en een manier om die macht aan zijn zijde te krijgen. Het was een besluit dat behalve vanuit politieke oogmerken ook werd ingegeven door een fascinerende mengeling van mystiek en bijgeloof, van krijgskundige en filosofische impulsen. Zoals de historicus Paul Johnson opmerkt was Constantijn 'een zonaanbidder, een van de vele heidense sekten die bepaalde riten gemeen hadden met die van de christenen. Zo aanbaden de volgelingen van Isis bijvoorbeeld een madonna die haar heilige kind zoogt,' en de volgelingen van Mithras, waartoe veel oud-militairen behoorden, loofden hun godheid op dezelfde wijze als christenen hun Christus loven. 'Constantijn was vrijwel zeker een vereerder van Mithras... Veel christenen maakten geen helder onderscheid tussen deze zonnesekte en hun eigen sekte. Ze hadden het over Christus die met zijn strijdwagen langs de hemel trok' en vierden op vijfentwintig december een feest, de datum die wordt beschouwd als de geboortedag van de zon, de winterzonnewende. Hoe het ook zij, het was een gewichtig keerpunt in de geschiedenis van het christendom. Toen de staat althans in naam christelijk werd, werden de gezaghebbende bisschoppen naast autoriteiten inzake de bijbel tevens autoriteiten in gerechtelijke en bestuurlijke kwesties. Zowel Constantijn als de kerk wonnen aan macht.

Een bron van ergernis voor Constantijn was de voortdurende twist met de volgelingen van Arius (arianen), die de opvatting verwierpen dat Jezus in essentie gelijk was aan de Vader. Alleen de Vader was God, stelden Arius en zijn volgelingen; Christus was geen godheid. Constantijn wilde dat deze kwestie zou worden beslecht en dus belegde hij in 325 het Concilie van Nicea, waarin het arianisme als ketterij werd afgedaan. Er was altijd gestreden tegen wat volgens de vroeg-christelijke kerk ketterijen waren (zie hoofdstuk 5), en dat zou zo blijven – van de Sabelliaanse dwaalleer die stelde dat de Vader en de Zoon veeleer verschillende aspecten waren van het Ene dan afzonderlijke personen, tot de inquisitie en de heksenprocessen van Salem. Hoewel de opvattingen van arianen en donatisten en andere ketterse groeperingen voor ons in nevelen gehuld zijn, is het historisch gezien duidelijk dat Constantijn zich actief met deze kwesties heeft ingelaten. Hij zat het Concilie van Nicea persoonlijk voor en ontwikkelde zelfs een deel van de taal waarin het laatste woord over de twistpunten werd geveld. Wat er wel en niet plaatsvond tijdens het Concilie van Nicea is een onderwerp van discussie tussen Dan Brown in *De Da Vinci Code* en hetgeen vele religieus georiënteerden en geleerden geloven. Maar de versie van Dan Brown is in één opzicht zeer fascinerend en overtuigend: hier was sprake van een machtsstrijd met als inzet de geestelijke infrastructuur die de komende duizend jaar een belangrijk deel van de politiek en het denken in Europa zou beheersen. Nicea ging niet over de waarheid of waarheidsgetrouwheid van een religieuze of morele visie. De aanvaarding of verwerping van bepaalde ideeën werd in de eerste plaats ingegeven door overwegingen die te maken hadden met politiek en macht. Van Constantijn in Nicea tot paus Gregorius bijna drie eeuwen later (en in een groot deel van de tussenliggende tijd) kan in elk geval achteraf worden gesteld dat het voortdurend draaide om de ontwikkeling van de geestelijke en politieke infrastructuur van Europa voor de volgende duizend jaar. Je zou kunnen zeggen dat het in die periode ging om de codificatie van de code.

Dit hoofdstuk zal de lezer een beter inzicht geven in de documenten, hypothesen en scenario's waarop Dan Brown de plot van zijn boek heeft gebaseerd, van de heidense fundamenten van de moderne theologie tot de kortstondige bloei van de gnostiek alvorens die stroming werd 'gedwongen' ondergronds te gaan.

De heidense mysteriën achter het vroege christendom

Door Timothy Freke en Peter Gandy

Uit *The Jesus Mysteries: Was the "Original Jesus" a Pagan God?* door Timothy Freke en Peter Gandy, copyright © 1999. Opgenomen met toestemming van Harmony Books, een onderdeel van Random House, Inc.

Wij delen ons hele leven al een obsessie voor de mystiek, wat ons er onlangs toe bracht ons te verdiepen in de spiritualiteit in de klassieke Oudheid. De gangbare inzichten wijken onvermijdelijk sterk af van de laatste stand van het wetenschappelijk onderzoek, en net als de meeste mensen kampten ook wij aanvankelijk met een onjuiste en achterhaalde opvatting van het paganisme. In onze voorstelling was het heidendom verbonden met het beeld van een primitief bijgeloof, het vereren van afgodsbeelden, bloederige offers en dorre filosofen in lange jurken die tastend voortstruikelen in de richting van wat we tegenwoordig *wetenschap* noemen. We waren op de hoogte van diverse Griekse mythen, die ons de al te menselijke, wispelturige aard van de goden en godinnen op de Olympus voorschotelden. Het paganisme was kortom doortrokken van primitiviteit en wist weinig meer dan bevreemding te wekken. Na vele jaren van studie zijn onze inzichten echter aanzienlijk veranderd.

De heidense spiritualiteit bleek in feite het doorwrochte product van een hoogontwikkelde cultuur te zijn. De officiële religies, zoals de Griekse verering van de olympische goden, behelsden weinig meer dan het uiterlijke vertoon. De ware spiritualiteit van de mensen kwam daarentegen tot uitdrukking in de levendige en mystieke 'mysteriegodsdiensten'. Die mysteriën werden aanvankelijk verspreid in geheime en ketterse bewegingen die in het hele Middellandse-Zeegebied van de Oudheid floreerden en de grootste geesten van de heidense wereld inspireerden, die ze beschouwden als de oerbron van de beschaving.

Elke mysterietraditie had exoterische, uiterlijke mysteriën, die bestonden uit mythen die algemeen bekend waren, en rituelen waaraan ieder die dat wenste kon deelnemen. Er waren evenwel ook esoterische, innerlijke, geheime mysteriën, die uitsluitend bekend waren bij diegenen die een geducht inwijdingsproces hadden ondergaan. De ingewijden was de mystieke betekenis van de rituelen en mythen van de uiterlijke mysteriën geopenbaard, een proces dat tot persoonlijke transformatie en spirituele verlichting leidde.

De filosofen van de Oudheid waren de spirituele meesters van de innerlijke mysteriën. Zij waren de mystici en wonderdoeners die meer weg hadden van hindoeïstische goeroes dan van stoffige studeerkamergeleerden. Zo wordt de Griekse filosoof Pythagoras herinnerd vanwege zijn vermaarde stelling, terwijl slechts weinigen een beeld hebben van hoe hij werkelijk was: een flamboyante wijsgeer van wie werd aangenomen dat hij de wind op miraculeuze wijze tot bedaren kon brengen en de doden tot leven kon wekken.

In het hart van de mysteriën waren mythen te vinden betreffende de dood en opstanding van een godmens die onder veel verschillende namen bekendstond. In Egypte werd hij Osiris genoemd, in Griekenland Dionysus, in Klein-Azië Attis, in Syrië Adonis, in Italië Bacchus, in Perzië Mithras. In de grond vormen al deze godmensen hetzelfde wezen... Wij zullen de gecombineerde naam Osiris-Dionysus gebruiken om zijn universele en samengestelde natuur aan te duiden, en de specifieke naam wanneer we verwijzen naar een specifieke mysterietraditie.

Vanaf de vijfde eeuw voor onze jaartelling hadden filosofen als Xenophanes en Empedocles het letterlijk nemen van de verhalen over goden en godinnen geridiculiseerd. Zij beschouwden ze als metaforen voor de geestelijke ervaring van de mens. De mythen van Osiris-Dionysus moesten niet louter worden opgevat als intrigerende sprookjes, maar als een symbooltaal die de mystieke leringen van de innerlijke mysteriën in gecodeerde vorm presenteert. Om die reden is de mythe van Osiris-Dionysus in essentie gelijk gebleven, al werden de details in de loop van de tijd aangepast aan de uiteenlopende culturen waarin die mythe aan de dag trad.

De diverse mythen van de verschillende godmensen van de mysteriën delen wat de invloedrijke mytholoog Joseph Campbell 'dezelfde anatomie' noemde. Al is iedere mens lichamelijk gezien uniek, het is niettemin mogelijk te spreken van een algemene anatomie van het menselijk lichaam; analoog hieraan is het ook mogelijk van de verschillende mythen zowel het unieke als de fundamentele gelijkheid te doorzien. Een bruikbare vergelijking is te vinden in de verhouding tussen Shakespeares *Romeo en Julia* en Bernsteins *West Side Story*. *Romeo en Julia* is een zestiende-eeuwse Engelse tragedie over vermogende Italiaanse families en *West Side Story* een twintigste-eeuwse Amerikaanse musical over straatbendes. Op het eerste gezicht lijken er weinig overeenkomsten te zijn, maar in de kern gaat het om één en hetzelfde verhaal. Zo zijn ook de verhalen over de god-mensen van de heidense mysteriën in essentie gelijk, al nemen ze zeer uiteenlopende vormen aan.

Hoe meer we de verschillende versies van de Osiris-Dionysus-mythe bestudeerden, hoe duidelijker het ons werd dat het verhaal van Jezus alle kenmerken heeft van dit telkens weer opduikende verhaal. Stukje bij beetje merkten we dat we in staat waren de biografie van Jezus te construeren vanuit de mythische motieven die voorheen verbonden waren met de Osiris-Dionysus-mythe:

Osiris-Dionysus is de vleesgeworden God, de redder en 'Zoon van God'.

Zijn vader is God en zijn moeder is een sterfelijke maagd.

Hij wordt geboren in een grot of een eenvoudige stal op vijfentwintig december in aanwezigheid van drie herders.

Hij biedt zijn volgelingen de kans via een docoprite opnieuw geboren te worden.

Tijdens een bruiloft verandert hij op wonderbaarlijke wijze water in wijn.

Hij rijdt triomfantelijk op een ezel een stad binnen terwijl de mensen met palmbladeren wuiven om hem te eren.

Hij sterft in de paastijd als een offer voor de zonden van de wereld.

Na zijn dood daalt hij af naar de hel om na drie dagen uit het dodenrijk te verrijzen en naar de hemelse glorie op te stijgen.

Zijn volgelingen wachten op zijn terugkeer als rechter op de dag des oordeels.

Zijn dood en opstanding worden gevierd met een rituele maaltijd van brood en wijn die zijn lichaam en bloed symboliseren.

Dit zijn slechts enkele grondthema's die zowel te vinden zijn in de Osiris-Dionysus-mythe als in de biografie van Jezus. Hoe kwam het dat deze opmerkelijke overeenkomsten geen gemeengoed waren? Omdat, zoals we later zouden ontdekken, de Vroeg-Romeinse kerk alles in het werk stelde om te voorkomen dat die overeenkomsten aan de dag traden. De sacrale, heidense geschriften werden systematisch vernietigd in een meedogenloze poging de mysteriën met wortel en tak uit te roeien, een poging die dermate doortastend werd uitgevoerd dat het paganisme tegenwoordig als een 'dode' religie wordt beschouwd.

Hoewel ze voor ons uiterst verrassend zijn, waren de overeenkomsten tussen de nieuwe christelijke religie en de oude mysteriën voor schrijvers in de eerste eeuwen van onze jaartelling overduidelijk. Heidense critici van het christendom, zoals de satiricus Celsus, klaagden dat deze recente religie niet meer dan een fletse afspiegeling van hun eigen oude leringen was. Vroege 'kerkvaders', zoals Justinus de martelaar, Tertullianus en Irenaeus, waren begrijpelijkerwijs verontrust en zochten hun toevlucht tot de wanhopige beschuldiging dat deze overeenkomsten het resultaat waren van duivelse na-aperij. Gebruikmakend van een van de absurdste argumenten die ooit zijn ontwikkeld beschuldigden ze de duivel van 'anticiperend plagiaat': het op slinkse wijze overnemen van de ware gebeurtenissen rond Jezus nog voordat die daadwerkelijk plaatsvonden, in een poging de lichtgelovigen een rad voor ogen te draaien. Deze kerkvaders troffen ons als even onoprecht als de duivels die ze in diskrediet hoopten te brengen.

Andere christelijke commentatoren beweerden dat de mythen van de mysteriën een soort 'voor-echo's' waren van de feitelijke komst van Jezus, zoiets als een voorgevoel of een profetie. Al is dit een iets ruimhartiger versie van de theorie van de duivelse na-aperij, in onze ogen blijft ze even ridicuul. Slechts culturele vooringenomenheid deed ons denken dat het verhaal van Jezus letterlijk het culminatiepunt is van de vele mythische voorlopers die eraan voorafgingen. Zonder vooringenomenheid beschouwd leek het slechts een volgende versie van hetzelfde basisverhaal.

De voor de hand liggende verklaring is dat toen het vroege christendom uitgroeide tot de overheersende macht in een voorheen heidense wereld, populaire aspecten van de heidense mythologie met de biografie van Jezus werden verbonden. Deze mogelijke gang van zaken is zelfs door veel christelijke theologen geopperd. Zo wordt bijvoorbeeld de maagdelijke geboorte dikwijls beschouwd als een latere, externe toevoeging die niet letterlijk moet worden opgevat. Dergelijke thema's werden van het paganisme 'geleend', zoals ook de heidense feesten werden opgenomen in de heiligenkalender. Deze theorie is gemeengoed voor degenen die zoeken naar de 'echte' Jezus, die schuilgaat achter een dikke muur van mythologische overblijfselen.

Hoe verleidelijk deze verklaring aanvankelijk ook lijkt, in onze ogen is ze toch ontoereikend. We waren op zo'n omvangrijke hoeveelheid overeenkomsten gestuit dat er nauwelijks nog belangwekkende elementen in de biografie van Jezus te vinden waren die geen equivalent in de mysteriën hadden. Bovendien ontdekten we dat zelfs de leringen van Jezus niet oorspronkelijk waren maar al bij de heidense wijzen aangetroffen konden worden! Als er een 'ware' Jezus achter dat alles schuilging, zouden we moeten erkennen dat we volstrekt niets van hem wisten, omdat alles wat er over hem bekend is latere heidense toevoegingen zijn! Een dergelijke stand van zaken leek absurd. Er moest toch zeker een elegantere oplossing voor deze raadselachtige kwestie te vinden zijn?

De gnostici

Terwijl we deze ontdekkingen overpeinsden begonnen we vraagtekens te plaatsen bij het beeld dat ons door de vroeg-christelijke kerk was voorgeschoteld en we besloten zelf de bewijzen te onderzoeken. We ontdekten dat de heiligen en martelaren geen homogene gemeenschap vormen, zoals de traditie ons wil doen geloven. De jonge christelijke gemeenschap bestond in werkelijkheid uit een uitgebreid spectrum van groeperingen die grofweg tot twee verschillende scholen kunnen worden gerekend. Aan de ene kant bevonden zich degenen die we de *letterknechten* zullen noemen, omdat zij het verhaal van Jezus als een letterlijk verslag van historische gebeurtenissen beschouwen. Het was deze richting binnen het christendom die in de vierde eeuw door het Romeinse rijk werd opgenomen en uitgroeide tot het rooms-katholicisme, inclusief alle zijtakken die daaraan ontsproten. Aan de andere kant bevonden zich echter de radicaal andere christenen die als *gnostici* bekendstaan.

Deze vergeten christenen werden in de loop van de tijd zo duchtig weggemoffeld en uitgewist door de letterknechten van de roomse kerk, dat we tot voor kort alleen van hun bestaan af wisten door de geschriften van hun bestrijders. Slechts een handjevol originele gnostische teksten is bewaard gebleven, waarvan er niet één eerder dan in de negentiende eeuw werd gepubliceerd. Deze situatie veranderde echter ingrijpend door een opmerkelijke ontdekking in 1945, toen een Egyptische boer in een grot in de buurt van Nag Hammadi een uitgebreide gnostische bibliotheek vond. Door deze vondst kregen geleerden toegang tot vele teksten die in vroeg-christelijke kringen rijkelijk circuleerden maar met opzet buiten de canon van de nieuwtestamentische evangeliën werden gehouden. Het waren evangeliën die aan Thomas en Filippus worden toegeschreven, teksten die verslag doen van de daden van Petrus en de twaalf discipelen, openbaringsgeschriften die aan Paulus en Jacobus worden toegeschreven enzovoort.

Het leek ons hoogst opmerkelijk dat er een hele bibliotheek van vroegchristelijke documenten kon worden ontdekt, waarvan wordt beweerd dat ze de leringen van Christus en zijn discipelen bevatten, en dat slechts een zeer gering aantal volgelingen van Jezus in onze tijd op de hoogte is van het bestaan van die geschriften. Hoe kan het dat niet iedere christen er onmiddellijk toe is overgegaan kennis te nemen van deze recentelijk ontdekte woorden van de Meester? Hoe komt het dat ze zich beperken tot de weinige evangeliën die voor opname in het Nieuwe Testament werden geselecteerd? Het heeft er alle schijn van dat zelfs nu er twee millenia zijn verstreken na het uitwissen van de gnostici, een periode waarin de kerk van Rome de protestanten en duizenden andere groeperingen heeft moeten laten gaan, de gnostici nog altijd niet worden gezien als een legitieme christelijke stroming.

Zij die er wel toe overgaan kennis te nemen van de gnostische evangeliën, ontdekken een vorm van christendom die aanzienlijk afwijkt van de religie waarmee ze vertrouwd zijn. We bestudeerden vreemde esoterische verhandelingen met titels als *De hypostase van de archonten* en *Gedachten van Norea*. We hadden het gevoel in een aflevering van *Star Trek* te zijn beland – en in zekere zin was dat ook zo. De gnostici waren inderdaad 'psychonauten' die stoutmoedig de laatste grenzen van de innerlijke ruimte verkenden en zochten naar de oorsprong en de betekenis van het leven. Deze mensen waren mystici en creatieve vrijdenkers. Het werd ons duidelijk waarom ze werden verafschuwd door de bisschoppen die zich met alle geweld aan de letter wilden houden.

Voor de letterknechten waren de gnostici gevaarlijke ketters. In antignostische werken – die onbedoeld getuigen van de macht en invloed van de gnostiek binnen het vroege christendom – werden ze afgeschilderd als christenen die 'zich hadden ingelaten met de plaatselijke traditie en gebruiken'. Ze waren besmet geraakt door het heidendom waardoor ze werden omgeven, heette het, en waren afgedwaald van het zuivere en ware geloof. Op hun beurt beschouwden de gnostici zichzelf als vertegenwoordigers van de oorspronkelijke christelijke traditie, en de orthodoxe bisschoppen als vertegenwoordigers van een 'namaakkerk'. Ze beweerden de geheime innerlijke mysteriën van het christendom te doorgronden die de letterknechten niet bezaten.

Naarmate we de overtuigingen en praktijken van de gnostici beter leerden kennen, raakten we er steeds meer van overtuigd dat de letterlijken in elk geval in één ding gelijk hadden: de gnostici verschilden slechts in geringe mate van de heidenen. Evenals de filosofen van de heidense mysteriën geloofden ook zij in reïncarnatie, vereerden ze de godin Sophia en lieten ze zich in met de mystieke Griekse filosofie van Plato. Gnostici betekent 'kenners', een naam die ze kregen omdat ze, zoals de ingewijden van de heidense mysteriën, geloofden dat hun geheime leringen de kracht hadden *gnosis* te schenken: de rechtstreeks ondervonden 'kennis van God'. Zoals het doel van de heidense ingewijde erin bestond een god te worden, zo bestond het doel van de christelijke initiatie er voor de gnostici in een Christus te worden.

Wat ons in het bijzonder verblufte was dat de gnostici zich niet bezighielden met de historische Jezus. Ze beschouwden het verhaal van Jezus zoals de heidense filosofen de mythen van Osiris-Dionysus opvatten – als een allegorie waarin de geheime mystieke leringen in gecodeerde vorm besloten lagen. Dit inzicht riep bij ons een opmerkelijke mogelijkheid op. Misschien had de verklaring voor de overeenkomsten tussen de heidense mythen en de biografie van Jezus de hele tijd vlak voor onze neus gelegen, maar werden we te zeer beïnvloed door traditionele denkwijzen om haar te doorzien...

Het heersende vroeg-christelijke denken betekende niet slechts het volgen van Jezus

Door Lance S. Owens

Lance S. Owens is zowel praktiserend arts als priester. Tevens beheert hij de website www.gnosis.org. Copyright © 2004 Lance S. Owens.

In de eerste eeuw van onze jaartelling verwees de term *gnostisch* naar een heterodox segment van de nieuwe, niet bepaald homogene christelijke gemeenschap. Het schijnt dat er onder de vroege volgelingen van Christus groepen waren die zich apart plaatsten van de grote gemene deler van de kerk door te stellen dat ze niet slechts in Christus en zijn boodschap geloofden, maar ook op een 'speciale wijze' kennis en ervaring van het goddelijke hadden. Het was die ervaring of gnosis die de ware volgeling van Christus onderscheidde, stelden ze. Stephan Hoeller verklaart dat deze christenen aanhangers waren van de 'overtuiging dat rechtstreekse, persoonlijke en absolute kennis van de oorspronkelijke waarheden van het bestaan voor de mens toegankelijk is, en dat het verwerven van die kennis bovendien de hoogste vervulling van de mens inhoudt'.

Wat de 'oorspronkelijke waarheden van het bestaan' volgens de gnostici waren zal hieronder kort worden weergegeven, maar het kan nuttig zijn eerst een historisch overzicht te schetsen van de vroeg-christelijke kerk. In de eerste anderhalve eeuw van het christendom – de periode waarin mel-

ding wordt gemaakt van het bestaan van gnostische christenen – was er
nog geen eenduidige en algemeen aanvaarde vorm van christelijk denken
gedefinieerd. Gedurende deze begintijd was de gnostiek een van de vele
stromingen in de diepe wateren van de nieuwe religie. De uiteindelijke
richting die het christendom, en daarmee de westerse cultuur, zou krijgen, stond op dat moment nog niet vast. De gnostiek was één van de ru-
dimentaire invloeden die aan die bestemming vorm zouden geven.

Dat de gnostiek in elk geval voor korte tijd tot de hoofdstroom van het
christendom behoorde wordt bevestigd door het feit dat een van de invloedrijkste leraren van de gnostiek, Valentinus, halverwege de tweede
eeuw mogelijk kandidaat was voor de positie van bisschop van Rome. Valentinus werd rond het jaar 100 in Alexandrië geboren en al op jonge leeftijd stond hij binnen de hoogontwikkelde en heterogene christelijke gemeenschap van Alexandrië bekend als een bijzonder begaafd leraar en
leider. Toen hij van middelbare leeftijd was trok hij van Alexandrië naar
het zich tot kerkelijke hoofdstad ontwikkelende Rome, waar hij zich actief bezighield met kwesties die van maatschappelijk en politiek belang
waren. Een hoofdkenmerk van de gnostici was dat ze er aanspraak op
maakten de bewakers te zijn van sacrale tradities, waarheden, rituelen, suc-
cessies en andere esoterische zaken waarvan veel christenen eenvoudigweg
onvoldoende op de hoogte waren of waartoe ze zich niet geroepen voelden. Valentinus, trouw aan deze gnostische neiging, schijnt te hebben verklaard dat hem een speciale apostolische erkenning was verleend door
Theudas, een discipel van de apostel Paulus die door hem was ingewijd,
om de doctrines en rituelen te bewaken die werden genegeerd door de
groep die zich tot de christelijke orthodoxie zou ontwikkelen. Hoewel hij
halverwege de tweede eeuw een invloedrijk lid van de roomse kerk was,
werd Valentinus tegen het einde van zijn leven naar de achtergrond gedrongen en door de zich ontwikkelende orthodoxe kerk als heiden gebrandmerkt.

Ofschoon de historische en theologische details veel te complex zijn om
ze hier uiteen te zetten, kan worden gesteld dat halverwege de tweede eeuw
het tij zich tegen de gnostiek keerde. Geen enkele gnosticus na Valentinus
zou ooit nog in de buurt komen van diens prominente positie binnen de
kerk. De gnostiek, met zijn nadruk op de persoonlijke ervaring, zijn aan-
houdende openbaringen en productie van nieuwe geschriften, zijn asce-
tisme en zijn losbandige houding die daar weer haaks op stond, werd steeds
meer gewantrouwd. Tegen het jaar 180 voerde Irenaeus, bisschop van Lyon, zijn eerste aanvallen uit op de door hem als ketters gekwalificeerde
gnostiek, en deze bezigheid vond in de hele volgende eeuw in steeds fel-
lere bewoordingen navolging bij de kerkvaders.

Het orthodoxe christendom werd in de tweede en derde eeuw diep-gaand beïnvloed door de strijd die het voerde tegen de gnostiek. De formuleringen van vele centrale tradities in de christelijke theologie werden in hoge mate bepaald door de confrontaties met de gnostiek. Maar tegen het einde van de vierde eeuw was de strijd in feite gestreden: de tot ontwikkeling gekomen kerk had de macht van de politieke correctheid toegevoegd aan de dogmatische veroordeling en met dit zwaard werd de vermeende ketterij op meedogenloze wijze uit het christelijke lichaam weggesneden. De gnostiek als christelijke traditie was goeddeels uitgeroeid, de overgebleven leraren werden uitgestoten en de heilige gnostische boeken werden vernietigd. Wat restte voor onderzoekers die in latere eeuwen probeerden een beter zicht te krijgen op de gnostiek, waren de denunciaties en fragmenten die bewaard bleven in de verhandelingen van de kerkvaders over de ketterij. Zo leek het althans tot het midden van de twintigste eeuw.

Uiteenlopende visies op het mythische begin

Was Genesis geschiedschrijving met een moraal, of een mythe met betekenis?

Door Stephan A. Hoeller

Fragment uit *Gnosticism: New Light on the Ancient Traditions of Inner Knowing* door Stephan A. Hoeller. Copyright © 2002, Stephan A. Hoeller, Quest Books/The Theosophical Publishing House, Wheaton, Ill.

De meeste westerlingen nemen aan dat de westerse cultuur slechts één scheppingsmythe kent: de mythe die in de eerste drie hoofdstukken van het boek Genesis wordt beschreven. Slechts weinigen schijnen zich ervan bewust te zijn dat er sprake is van een alternatief: de scheppingsmythe van de gnostici. Deze mythe kan ons als nieuw en opzienbarend treffen maar voorziet ons tevens van beschouwingen over de schepping en ons eigen leven die de moeite van het overwegen meer dan waard zijn.

William Blake, de gnostische dichter uit het begin van de negentiende eeuw, schreef: 'We lezen allebei dag en nacht in de bijbel, maar jij leest zwart waar ik wit lees.' Woorden van gelijke strekking kunnen door de eer-

ste gnostici zijn gesproken tegen hun opponenten uit de gelederen van het
judaïsme en het christendom. De niet-gnostische of orthodoxe vertegenwoordigers van het christendom beschouwden het grootste deel van de
bijbel, met name Genesis, als geschiedschrijving met een moraal. Adam
en Eva waren historische figuren en de tragische overtreding die ze be-
gingen leidde tot de zondeval, en de mensen die na hen kwamen dienden
daaruit de ontzagwekkende morele lessen te trekken. Een van de consequenties van deze interpretatie van Genesis was de op zijn best ambiva-
lente status van de vrouwen: zij werden beschouwd als medeschuldig met
Eva aan de ongehoorzaamheid in het paradijs. Tertullianus, een van de
kerkvaders die de gnostici verfoeiden, schreef aan een groep christelijke
vrouwen:

> Het vonnis van God over uw sekse leeft nog in deze tijd; dus moet
> ook de schuld voortleven. U bent de poort des duivels, u bent de ont-
> wijdster van gindse boom: u bent de eerste verwaarlozer van Gods
> wet. U bent het die hém hebt overgehaald, die de duivel niet kon aan-
> vallen; zo gemakkelijk hebt u Gods evenbeeld, de man, ten val ge-
> bracht. Om wat u verdiend hebt – dat wil zeggen: de dood – moest
> ook de Zoon van God sterven. En u denkt erover om u te versieren
> met meer dan [kleren van] dierenvellen? (*De Cultu Feminarum*, boek
> I)[1]

De gnostische christenen, wier nalatenschap we vinden in de gewijde teksten van de imposante Nag Hammadi-bibliotheek, interpreteerden Genesis niet als geschiedschrijving met een moraal maar als een mythe met een
betekenis. Zij beschouwden Adam en Eva niet als historische figuren maar
als vertegenwoordigers van twee geestelijke principes die in iedere mens
aan te treffen zijn. Adam was de dramatische belichaming van het levens-
principe of de 'ziel': het geest/emotie-complex waaraan denken en gevoel
ontsprongen. Eva stond voor *pneuma* of 'geest', voor het hogere, transcen-
dentale bewustzijn.

Er zijn twee bijbelse beschrijvingen die de schepping van de eerste
vrouw betreffen. De ene vertelt ons dat Eva uit een rib van Adam werd
geschapen (Genesis 2:21); de andere dat God het eerste mensenpaar, man
en vrouw, naar zijn beeld schiep (Genesis 1:26-27). Het tweede verhaal
suggereert dat de Schepper zelf een tweevoudige aard heeft waarin zo-

---

1 De vertaling is deels ontleend aan *De vrouwelijke tooi* (Wereldbibliotheek, Amsterdam, 1955) en
deels aan *Over den Tooi der Vrouwen* in de wetenschappelijke uitgave *Oud-Christelijke Geschriften XLVI* (A.W. Sijthoff's Uitgeversmaatschappij, Leiden, 1931).

wel mannelijke als vrouwelijke kenmerken aanwezig zijn. Deze versie werd algemeen door de gnostici onderschreven en ze ontwikkelden er diverse interpretaties van. Deze variant onderschrijft de gelijkheid van de vrouw, terwijl de versie van Adams rib haar ondergeschikt maakt aan de man.

Voor de gnostici was het conventionele beeld van Eva niet geloofwaardig. Dat beeld stelt haar voor als degene die op een dwaalspoor werd gebracht door de duivelse slang en die, met haar verleidelijke vrouwelijke charme, Adam aanzette tot ongehoorzaamheid aan God. Volgens hun opvatting was Eva geen onnozele domkop die zich tot een verleidster ontwikkelde; veeleer was zij een wijze vrouw, een ware dochter van Sophia, de hemelse wijsheid. In die hoedanigheid was zij degene die de slapende Adam deed ontwaken. In het Apocryphon van Johannes zegt Eva:

> Ik drong binnen midden in hun gevangenis die de gevangenis van het lichaam is, en ik zei: 'Hij die hoort, laat hem opstaan uit zijn zware slaap!' En hij [Adam] weende en stortte menige bittere traan... Hij zei: 'Wie is het die mijn naam roept en vanwaar is deze hoop tot mij gekomen terwijl ik in de ketenen van deze gevangenis verblijf?' En ik zei: 'Ik ben de Voorzienigheid van het zuivere licht. Ik ben de gedachte van de maagdelijke Geest... Sta op en onthoud... en volg je wortel – dat ben ik, de barmhartige... En waak voor de diepe slaap.'[2]

In een ander heilig geschrift, Over de oorsprong van de wereld, wordt Eva voorgesteld als dochter van, en vooral als boodschapper van, de goddelijke Sophia. Het is in de hoedanigheid van boodschapper dat ze zich als een meesteresse tot Adam richt en hem doet ontwaken uit zijn bewusteloze slaap. In de meeste gnostische geschriften dient Eva zich aan als Adams meerdere. De conclusie die uit die teksten volgt wijkt duidelijk af van de conclusie die door kerkvaders als Tertullianus werd getrokken: de man dankt het aan de vrouw dat hij tot leven en bewustzijn werd gebracht. Je moet je wel afvragen hoe de westerse houding ten opzichte van vrouwen zich ontwikkeld zou hebben als de gnostische opvatting over Eva gemeengoed was geworden.

---

2 Uit het Geheime boek van Johannes (ook wel het Apocryphon van Johannes genoemd), vertaling: J. Slavenburg en W. Glaudemans, *De Nag Hammadi-geschriften* (Ankh-Hermes, Deventer, 2004).

Over slangen en mensen

Eva's misstap, zo stelt de orthodoxe opvatting, was dat ze luisterde naar de duivelse slang, die haar ervan overtuigde dat het fruit van de boom zowel haarzelf als Adam wijs en onsterfelijk zou maken. Een verhandeling uit de gnostische Nag Hammadi-collectie, het Evangelie van de Waarheid, herroept die interpretatie. In plaats van de belichaming van het kwaad wordt de slang juist beschouwd als het wijste wezen in het paradijs. De tekst verheerlijkt de wijsheid van de slang en brengt de Schepper ernstig in diskrediet door te vragen: 'Hoe is het dan met hem gesteld, met die God?' Het antwoord luidt dat Gods verbod betreffende het fruit van de boom op afgunst is gebaseerd, omdat hij niet wil dat de mens tot hogere kennis geraakt.

Ook de toorn en de dreigementen van de oud-testamentische Schepper moeten het ontgelden. Het Evangelie van de Waarheid laat ons weten dat hij zich een 'afgunstige kwaadspreker' heeft betoond, een jaloerse God die degenen die hem ergeren wreed en onredelijk straft. In de tekst volgt de toelichting: 'Maar dit zijn dingen die hij gezegd (en gedaan) heeft tegen degenen die in hem geloven en hem dienen.' De heldere implicatie is dat je met een dergelijke God geen vijanden meer nodig hebt, en wellicht ook de duivel niet.

Een ander geschrift uit dezelfde verzameling, De hypostase van de archonten, informeert ons dat niet alleen Eva maar ook de slang werd geïnspireerd en geleid door de goddelijke Sophia. Sophia stond het haar wijsheid toe tot de slang in te gaan. Daarmee werd de slang een leraar die Adam en Eva op de hoogte stelde van hun ware oorsprong. Ze begonnen te doorzien dat ze geen lage wezens waren die waren geschapen door de Demiurg (in dit geval de Schepper in het Genesis-verhaal), maar dat ook hun spirituele zelf aan gene zijde van deze wereld ontsprong, in de volheid van de ultieme godheid.

Terwijl de gangbare interpretatie van Genesis stelt dat Adam en Eva na het eten van de verboden vrucht uit de paradijselijke genade werden gestoten, stelt de gnostische versie dat 'hun ogen werden geopend' – een metafoor voor gnosis. De eerste mensen konden toen voor het eerst zien dat de goden door wie ze geschapen waren er weerzinwekkend uitzagen, met dierlijke gezichten, en ze deinsden vol vrees terug bij hun aanblik. Ofschoon ze werden vervloekt door de Demiurg en zijn archonten, had het eerste mensenpaar het vermogen tot gnosis verworven. En ze konden dat vermogen doorgeven aan hun nakomelingen die bereid waren het te ontvangen. Eva schonk de gnosis aldus aan haar dochter Norea, en Adam schonk haar aan zijn derde zoon, Seth...

De aard van de gnostische exegese

Wat zette de gnostische uitleggers van Genesis ertoe aan een zo onge-bruikelijke versie van het scheppingsverhaal te verkondigen? Waren ze er slechts op uit bittere kritiek te leveren op de God van Israël, zoals de kerk-vaders ons wilden doen geloven? De mogelijke redenen die kunnen wor-den aangevoerd sluiten elkaar niet noodzakelijkerwijs uit en in sommige gevallen vullen ze elkaar aan.

Allereerst beschouwden de gnostici, samen met sommige andere vroe-ge christenen, de oud-testamentische God als een beschamend wezen. De leden van de meer intellectuele rangen van het vroeg-christelijke denken waren mensen van een zekere geestelijke verfijning. Ze waren op de hoog-te van de denkbeelden van Plato, Philo, Plotinus en andere denkers en ze zouden de grootste moeite hebben gehad met een wraakzuchtige, ver-toornde, jaloerse en xenofobe God met autoritaire aanspraken...

Ten tweede neigden de gnostici ertoe, zoals eerder opgemerkt, de oude geschriften symbolisch op te vatten. Moderne theologen als Paul Tillich stellen eveneens dat het verhaal van de zondeval als een symbool moet worden beschouwd van de existentiële situatie van de mens en niet als een beschrijving van een historische gebeurtenis...

Ten derde kunnen de gnostische interpretaties van Genesis verbonden zijn geweest met visionaire ervaringen van de gnostici. Door hun onder-zoekingen en ervaringen van goddelijke mysteriën zijn de gnostici moge-lijk tot het inzicht gekomen dat de godheid waarover in Genesis wordt ge-sproken niet de ware en enige God was, zoals de bijbel beweert, maar dat er een God boven hem moest staan...

De gnostici vatten het scheppingsverhaal in Genesis op als een mythe, en een mythe is altijd aan interpretatie onderhevig. De Griekse filosofen beschouwden hun mythen als allegorieën terwijl het gewone volk ze zag als een soort quasi-geschiedenis, en de *mystae* (de ingewijden) van de Eleusische en andere mysteriën brachten de mythen via visionaire erva-ringen tot leven. Er is geen reden om aan te nemen dat de gnostici de my-then op een volstrekt andere manier benaderden...

De scheppingsmythen van de verschillende culturen laten hun sporen na op de geschiedenis van volken en staten. De gnostici deden kennelijk een heldhaftige poging om de jeugdige westerse cultuur te bevrijden van de schaduwen die er door de joods-christelijke scheppingsmythe overheen werden geworpen. Als de alternatieve mythe die ze ervoor in de plaats wil-den stellen ons radicaal toeschijnt, is dat alleen te wijten aan het feit dat we gedurende zo veel eeuwen gewend zijn geraakt aan de Genesis-versie. Veel implicaties van de gnostische versie zouden nut kunnen hebben voor de cultuur van de eenentwintigste eeuw.

Onjuiste weglatingen en toevoegingen in *De Da Vinci Code*
Door Bart D. Ehrman

1. Het leven van Jezus werd beslist niet 'door duizenden volgelingen in het hele land vastgelegd'. Hij had geen duizenden volgelingen, en al zeker niet zo veel die konden schrijven.

2 Het is onwaar dat er tachtig evangeliën waren die 'in aanmerking kwamen om in het Nieuwe Testament te worden opgenomen'. Zo lijkt het of er een prijsvraag was uitgeschreven waaraan je door een inzending deel kon nemen.

3. Het is absoluut onwaar dat Jezus pas vanaf het Concilie van Nicea als goddelijk werd beschouwd en voordien slechts als 'een sterfelijke profeet'. De grote meerderheid van de christenen aan het begin van de vierde eeuw erkende hem als goddelijk.

4. Constantijn gaf geen opdracht voor een 'nieuwe bijbel' waarin verwijzingen naar de menselijke trekken en eigenschappen van Jezus werden weggelaten. Ten eerste heeft hij een dergelijke opdracht niet gegeven en ten tweede stonden de boeken die al waren opgenomen vol met verwijzingen naar zijn menselijke trekken en eigenschappen. (Hij wordt wel degelijk hongerig, moe, boos; hij raakt verontrust; hij bloedt, hij sterft...)

5. De Dode-Zeerollen werden niet 'in de jaren vijftig' gevonden, maar in 1947. En in de Nag Hammadi-documenten is niets over het verhaal van de graal te vinden; evenmin benadrukken ze de menselijke kenmerken van Jezus. Integendeel.

6. Het 'joodse decorum' verbood geenszins dat 'een joodse man ongetrouwd was'. Het is zelfs zo dat de meeste leden van de gemeenschap achter de Dode-Zeerollen ongehuwde, celibataire mannen waren.

7. De Dode-Zeerollen behoorden niet tot 'de vroegste christelijke teksten'. Ze zijn joods en omvatten niets christelijks.

8. Er is niets bekend over de afkomst van Maria Magdalena; er is niets wat haar met het 'huis van Benjamin' verbindt. En zelfs als dat wel zo was, zou dat haar nog niet tot een afstammelinge van David maken.

9. Maria Magdalena was zwanger bij de kruisiging?!? Dat is een goeie.

10. Het 'Q'-document is geen geheime bron die door het Vaticaan wordt achtergehouden, noch is het een boek dat zogenaamd door Jezus geschreven zou zijn. Het is een hypothetisch document waarvan

geleerden veronderstellen dat Matteüs en Lucas erover beschikten – voornamelijk een verzameling uitspraken van Jezus. Rooms-katholieke geleerden denken er hetzelfde over als niet-katholieke; er is niets geheimzinnigs aan.

Bart D. Ehrman is hoogleraar religie aan de universiteit van North Carolina en auteur van *Lost Christianities: The Battle for Scripture and the Faiths We Never Knew.*

5 Consolidatie of doofpotaffaire?

De vestiging van het Ene Ware Geloof

Een van de belangrijkste spelers in deze doofpotoperatie was een fi- guur die Eusebius heette. Aan het begin van de vierde eeuw stelde hij uit allerlei legenden en verzinsels, en door een beroep te doen op zijn eigen fantasie, de enige geschiedenis van het vroege christendom sa- men die ook vandaag de dag nog bestaat... Iedereen die er een ande- re opvatting ... op na hield werd als ketter gebrandmerkt en wegge- vaagd. Op die manier zijn onwaarheden die in de vierde eeuw bijeen werden gebracht, als feiten aan ons doorgegeven...

Timothy Freke en Peter Gandy

De eigentijdse 'filosoof-theoloog' Yogi Berra heeft eens gezegd: 'Als je op je weg bij een splitsing aankomt, neem die dan.' Het metaforische verbin- dingspunt van de christelijke theologie en de strijd om de controle van de kerk heeft zich in de eerste vijf of zeshonderd jaar na de dood van Chris- tus voorgedaan als een reeks splitsingen in de weg. Waarheen die wegen voerden, hoe ze met elkaar botsten en wat de openbare en verborgen be- tekenis van het resultaat was, is het onderwerp van dit hoofdstuk.

Om het primaatschap te verwerven geloofden de eerste kerkvaders dat ze van het christendom een macht moesten maken om het rijk te verster- ken en te verenigen, dat ze het in overeenstemming moesten brengen met de waarden, de politiek en de sociale en militaire infrastructuur van het rijk. Degenen in het Romeinse rijk die hierbij vooropliepen waren ervan overtuigd dat het een van hun belangrijkste taken was om een kernideo- logie en -kosmologie te distilleren uit de uiteenlopende ideeën die tezamen de christelijke boodschap vormden. Al doende kozen ze ervoor bepaalde evangeliën te prijzen die bij hun versie van de christelijke boodschap pas- ten – en zelfs bepaalden ze welke evangeliën in de bijbel moesten worden opgenomen en in welke volgorde – terwijl ze tegelijkertijd alles wat niet in hun straatje paste als ketters afdeden.

De gnostici, ver weg van de centra in Rome en Constantinopel, werden in deze strijd in een verdedigende rol gedwongen. Zoals Timothy Freke en Peter Gandy stellen, elimineerde de kerk systematisch gnostische en andere 'ketterse' invloeden – ook als ze wellicht nauwer aansloten bij de overtuigingen en praktijken van de oorspronkelijke revolutie die door Jezus in gang was gezet – ten gunste van de stromingen die dienstbaar waren aan een gestandaardiseerde, hiërarchische, machtige kerk. De ene richting voert naar mystici die extatische ervaringen hebben in de woestijn; de andere naar machtige pausen, indrukwekkende kathedralen, boeren die hun leven leven met uitzicht op de hemel of de hel, en gemotiveerde christelijke soldaten die klaarstaan voor de strijd.

Zoals Bart Ehrman opmerkt in het interview verderop in dit hoofdstuk: 'Zodra Constantijn zich tot een orthodoxe vorm van christendom bekeert, en als de staat eenmaal macht heeft, en de staat is christelijk, begint de staat invloed uit te oefenen op het christendom. Tegen het einde van de vierde eeuw zijn er dan ook daadwerkelijk wetten tegen ketters. Het rijk dat aanvankelijk volstrekt antichristelijk was, wordt dus christelijk, en niet alleen dat, maar het probeert ook te dicteren hoe dat christendom eruit dient te zien.'

Dit hoofdstuk onderwerpt deze historische twist aan een nadere beschouwing. De strijd tegen de vermeende ketters is terug te vinden in de citaten die hier zijn opgenomen van enkelen van de invloedrijkste auteurs uit de tweede en derde eeuw: Tertullianus, Irenaeus en Eusebius.

Deze individuen waren echte, historisch goed gedocumenteerde personen in de vroeg-christelijke kerk. Ze speelden een doorslaggevende, zij het soms onachtzame rol bij het selecteren van de evangeliën en teksten die moesten worden opgenomen in wat uiteindelijk het Nieuwe Testament en de moderne christelijke canon zouden worden, alsmede bij het wegvagen – in geestelijke, ideologische en fysieke zin – van de 'ketterse' christelijke bewegingen van die dagen. Hoewel hun namen tegenwoordig nauwelijks bekend zijn bij de doorsnee-christen, beschikten zij over uitzonderlijk veel macht bij het bepalen van de uiteindelijke inhoud van het moderne christendom. Zij waren zogezegd de redacteuren van de bijbel. Reagerend op de onverbiddelijke onderdrukking van de christenen waarvan zij getuigen waren, ontwikkelden deze kerkvaders hun eigen vooroordelen. Zij dienen in hun eigen context te worden begrepen. En zodra je enkele van hun uitspraken in dit hoofdstuk leest, zul je begrijpen hoe duister en afgrijselijk de tijd was waarin ze leefden en werkten.

Dankzij de afstand van meer dan zestien eeuwen zien sommige deskundigen nu dat de gnostische 'ketters' die door de officiële kerk werden gehekeld, in feite een meer humanistische, betekenisvolle, feministische en 'christelijke' weg volgden dan degenen die uiteindelijk triomfeerden. Als er ooit één zaak is geweest waarvan de overwinnaars de geschiedenis konden herschrijven zoals zij die zagen, dan is deze het. Het resultaat van dit gewichtige keerpunt was dat er een klein aantal evangelische waarheden aan de ene zijde kwam en een grote hoeveelheid ketterse documenten aan de andere.

De zestien eeuwen geleden op de spits gedreven veroordelingen door de kerk van de ketterij zouden duizend jaar later opnieuw door de inquisitie in stelling worden gebracht. De *Malleus Maleficarum*, geschreven in 1487 als een politiek programma van de inquisitie, wortelt in de vroegere strijd tegen vermeende ketterijen; we geven er hier enkele angstaanjagende woorden van weer.

De theologische en vurige veroordeling van het gebeurde door degenen die de tweede weg namen – die primair in de gnostiek uitdrukking vond – is te vinden in de geschriften van Timothy Freke en Peter Gandy en bij veel andere postmoderne commentatoren. Freke en Gandy zien de intens spirituele, mythische, poëtische, romantische, met de godinnensekte verbonden, sacraal vrouwelijke wortels van het christendom verdelgd worden door deze venijnige anti-ketterse campagnes. Zij gaan zo ver dat ze stellen dat 'er geen bewijs voor bestaat dat Jezus ooit leefde'. Jezus was er één in de lange reeks van mythische godmensen die in harmonie met de Godin leefden. Zij beschouwen de pogingen om de evangelische waarheden te selecteren en de bewerking van de rijke geschiedenis van de christelijke oorsprongen tot een middel ter versterking van het rijk als de vernietiging van de vrouwelijke kant van het geheel, als een vernietigende breuk met het collectief onderbewuste en het collectieve verleden. 'Sommige dingen die we in de mond van Jezus leggen kwamen oorspronkelijk uit de mond van de godin,' stellen zij.

Twee eminente godsdienstgeleerden plaatsen deze interpretatiestrijd in een zeker perspectief. Elaine Pagels onderzoekt hoe het woord van God het woord van de mens werd door de selectie van de evangeliën die in de bijbel werden opgenomen. Bart Ehrman onderzoekt de 'andere vormen van christendom' en de religieuze, politieke en culturele implicaties van de overwinning van de kerk en het verlies van de gnostici.

Gaandeweg komen er nog vele andere gezichtspunten aan bod, naarmate we de schil van de tijd laag voor laag verwijderen van dat wat Leigh Teabing ten overstaan van Sophie Neveu karakteriseert als 'de grootste doofpotaffaire in de geschiedenis van de mensheid'.

De Jezus-mysteriën

Door Timothy Freke en Peter Gandy

Uit *The Jesus Mysteries: Was The "Original Jesus" a Pagan God?* door Timothy Freke en Peter Gandy. Copyright © 1999. Opgenomen met toestemming van Harmony Books, onderdeel van Random House, Inc.

De traditionele versie van de geschiedenis die ons door de autoriteiten van de roomse kerk is nagelaten, stelt dat het christendom gebaseerd was op de leringen van een joodse messias en dat de gnostiek een latere deviatie was. Wat zou er gebeuren, vroegen we ons af, als het beeld zou worden omgekeerd en de gnostiek als het authentieke christendom werd beschouwd, precies zoals de gnostici beweerden? Was het mogelijk dat het orthodoxe christendom een latere afwijking van de gnostiek was en dat de gnostiek een synthese inhield van het judaïsme en de heidense mysterie-religie? Zo ontstond de hypothese van de Jezus-mysteriën.

Scherp gesteld zag het beeld dat voor ons opdoemde er als volgt uit. We wisten dat de meeste mediterrane culturen in de Oudheid de oude mysteriën hadden opgenomen en op hun eigen cultuur hadden toegesneden, waarmee ze een eigen versie ontwierpen van de mythe van de dood en de opstanding van de godmens. Misschien hadden ook sommige joden de heidense mysteriën opgenomen en er hun eigen versie van gesmeed, die we nu als gnostiek kennen. Misschien hadden de ingewijden van de joodse mysteriën het rijke symbolisme van de Osiris-Dionysus-mythe omgezet in een eigen mythe, waarin de held de joodse stervende en herrijzende godmens Jezus werd.

Als dit zo was dan was het Jezus-verhaal helemaal geen biografie, maar een bewust geconstrueerde vorm die geschikt was voor de verbreiding van gecodeerde geestelijke leringen die door joodse gnostici waren ontwikkeld. Evenals bij de heidense mysteriën zou de initiatie in de kern van de mysteriën de allegorische betekenis van de mythe aan het licht brengen. Misschien waren de mensen die niet ingewijd waren, de Jezus-mythe gaan beschouwen als een verslag van daadwerkelijke, historische gebeurtenissen en werd daarmee het christendom van de letterknechten in het leven geroepen. Misschien onthulden de mysteriën van het christendom, die door de gnostici werden onderwezen maar door de letterknechten werden ontkend, dat het Jezus-verhaal geen feitelijk verslag was van Gods enige bezoek aan de aarde, maar een mystiek verhaal dat werd ontworpen om ons te helpen een Christus te worden.

Het Jezus-verhaal heeft alle kenmerken van een mythe, dus zou het kunnen dat het ook daadwerkelijk een mythe is? Immers, geen mens die de recent ontdekte gnostische evangeliën onder ogen kreeg, had de fantastische vertellingen als letterlijke verslagen beschouwd; ze worden van meet af aan als mythen gezien. Het is slechts aan onze culturele vooringenomenheid te wijten dat we niet in staat zijn de evangeliën van het Nieuwe Testament in datzelfde licht te zien. Als die evangeliën eveneens voor ons verloren waren gegaan en ze pas recentelijk waren ontdekt, zouden we dan bij onze eerste lezing van die verhalen geloven dat we te maken hadden met historische verslagen over een man die uit een maagd werd geboren, die over het water liep en uit de dood herrees? Waarom zouden we de verhalen over Osiris, Dionysus, Adonis, Attis, Mithras en andere redders uit de heidense mysteriën als fabels beschouwen, terwijl we wanneer we in essentie op hetzelfde verhaal stuiten dat in een joodse context wordt verteld, opeens geloven dat we te maken hebben met de levensbeschrijving van een timmerman uit Betlehem?

We waren allebei christelijk opgevoed en waren verrast toen we merkten dat, hoewel we jarenlang op onbevooroordeelde wijze onderzoek hadden gedaan, we toch het gevoel kregen dat het op de een of andere manier gevaarlijk was dergelijke gedachten zelfs maar te overwegen. Vroege indoctrinatie reikt zeer diep. We stelden immers dat Jezus een heidense god was en dat het christendom het ketterse product was van het heidendom! Dat leek ongehoord. Intussen verklaarde deze theorie wel op een inzichtelijke en elegante manier de overeenkomsten tussen de verhalen van Osiris, Dionysus en Jezus Christus. Ze maken deel uit van één zich ontvouwende mythe.

De hypothese van de Jezus-mysteriën verklaarde vele raadsels maar zorgde ook voor nieuwe dilemma's. Is er geen onomstotelijk historisch bewijs te vinden voor het bestaan van de mens Jezus? En hoe kon de gnostiek het oorspronkelijke christendom zijn als Paulus, de vroegste christen die we kennen, zo fel gekant was tegen de gnostici? En is het echt geloofwaardig dat een op zichzelf gericht en anti-heidens volk als de joden de heidense mysteriën overnam? En hoe had het kunnen gebeuren dat een bewust gecreëerde mythe als een reeks historische gebeurtenissen werd beschouwd? En als de gnostiek het ware christendom vertegenwoordigt, hoe kon het christendom van de letterknechten dan de wereld zijn gaan domineren als de invloedrijkste religie ooit? Al deze moeilijke vragen zouden een bevredigend antwoord moeten krijgen alvorens we zo'n radicale theorie als de hypothese van de Jezus-mysteriën van ganser harte konden omarmen.

De grote verhulling

Ons nieuwe relaas over de oorsprongen van het christendom leek ons alleen maar onwaarschijnlijk omdat het in tegenspraak was met het beeld dat ons was bijgebracht. Toen we ons onderzoek voortzetten, begon het traditionele beeld voor ons volkomen in duigen te vallen. We werden betrokken bij een wereld van scheuring en machtsstrijd, van vervalste documenten en valse identiteiten, van brieven die waren bewerkt en waaraan zaken waren toegevoegd, en van de massale vernietiging van historische bewijzen. We richtten ons met kracht op de schamele hoeveelheid feiten die we konden vertrouwen, alsof we speurders waren die op het punt stonden door te dringen tot de sensationele ontknoping van een detectiveverhaal, of, en misschien is dat accurater gesteld, alsof we bezig waren een oude en niet-erkende rechterlijke dwaling aan het licht te brengen. Want telkens wanneer we de onomstotelijke bewijzen kritisch onder de loep namen, kwamen we tot de conclusie dat de geschiedenis van het christendom zoals die was doorgegeven door de roomse kerk een grove verdraaiing van de waarheid was. De bewijzen bekrachtigden in alle opzichten de hypothese van de Jezus-mysteriën. Het werd steeds duidelijker dat we moedwillig waren misleid, dat de gnostici inderdaad de oorspronkelijke christenen waren en dat hun anarchistische mysticisme was gekaapt door een autoritair instituut dat er een dogmatische religie uit vervaardigde en vervolgens op nietsontziende wijze was overgegaan tot de grootste doofpotactie in de geschiedenis.

De Jezus-mysteriën

Een van de belangrijkste spelers in deze doofpotoperatie was een figuur die Eusebius heette. Aan het begin van de vierde eeuw stelde hij uit legenden en verzinsels, en door een beroep te doen op zijn eigen fantasie, de enige geschiedenis van het vroege christendom samen die ook vandaag de dag nog bestaat. Alle geschiedenissen die daarna werden geschreven, waren gedwongen zich te baseren op de twijfelachtige beweringen van Eusebius, omdat er verder nauwelijks informatie aanwezig was. Iedereen die er een andere opvatting over het christendom op na hield werd als ketter gebrandmerkt en weggevaagd. Op die manier zijn onwaarheden die in de vierde eeuw bijeen werden gebracht, als feiten aan ons doorgegeven.

Eusebius werd aangesteld door de Romeinse keizer Constantijn, die het christendom tot staatsgodsdienst van het rijk maakte en het christendom van de letterknechten de macht gaf die het nodig had om het heidendom en de gnostiek met wortel en tak uit te roeien. Constantijn wilde 'één God, één religie' om er zijn vordering van 'één rijk, één keizer' mee te verstevigen. Hij zag erop toe dat de geloofsbelijdenis van Nicea in het leven werd geroepen, die tot op de huidige dag in de kerken wordt herhaald, en de christenen die weigerden deze belijdenis te onderschrijven werden uit het rijk verbannen of hun werd anderszins het zwijgen opgelegd.

De 'christelijke' keizer keerde toen van Nicea terug naar huis, waar hij zijn vrouw door verstikking om het leven liet brengen en zijn zoon liet vermoorden. Hij zag er doelbewust van af zich te laten dopen tot hij op zijn sterfbed lag, zodat hij door kon gaan met zijn gruweldaden omdat zijn zonden hem toch zouden worden vergeven en hij kon rekenen op een plaats in de hemel door zich op het laatste moment te laten dopen. Hoewel hij zijn 'mannetjesmaker' Eusebius een passende levensbeschrijving liet samenstellen waarin hij als plichtsgetrouw en gehoorzaam werd afgeschilderd, was hij in werkelijkheid een monster, net als vele Romeinse keizers die hem voorgingen. Is het dan werkelijk zo verrassend dat een 'geschiedenis' van de oorsprongen van het christendom, die werd opgesteld door een employé van een Romeinse tiran, slechts een verzameling leugens blijkt te zijn?

De geschiedenis wordt inderdaad geschreven door de overwinnaars. Het voortbrengen van een geschikte geschiedenis heeft altijd deel uitgemaakt van het arsenaal van de politieke manipulatie.

Heeft Jezus echt bestaan?

Een interview met Timothy Freke

In hoofdstuk 2 is Timothy Freke nader ingegaan op de archetypen van het heilig vrouwelijke. Hier, in een vervolg van dat interview, gaat hij in op de vraag of er daadwerkelijk een historische Jezus heeft bestaan.

Is er volgens u enig bewijs dat Jezus echt heeft bestaan?
Geen enkel. Het enige bewijs waarover we beschikken is een vervalsing. Ik zou expliciet willen stellen dat er geen enkel bewijs is voor het bestaan van de historische Jezus, terwijl er talloze indicaties zijn voor de stelling dat het evangelieverhaal een mythe is. Als iemand het Jezus-verhaal in een grot had gevonden, zoals de Nag Hammadi-teksten, en zou hebben gezegd: 'Kijk, ik heb hier een verhaal over een man die uit een maagd werd gebo-

ren, over het water kon lopen, verbluffende geestelijke inzichten verkondigde en die na zijn dood is opgestaan,' dan vermoed ik dat iedereen zou zeggen: 'Dat is overduidelijk een mythe, daar zijn er talloze van.' Het is alleen maar omdat we er zo vertrouwd mee zijn dat we dat wat zonneklaar is over het hoofd zien. Honderdvijftig jaar geleden geloofden de mensen dat Adam en Eva echte mensen geweest zijn – en sommige mensen geloven dat nog steeds. Maar de ontwikkelden onder ons weten dat ze dat niet waren, dat het om een mythe gaat, een krachtige, belangrijke allegorische mythe over een transformatie. Het is geen geschiedenis en hetzelfde zal waarschijnlijk binnen enkele decennia voor het Jezus-verhaal gelden. Het is slechts dat het ons zo is ingeprent dat het een historisch verhaal is, dat we er niet met onbevooroordeelde blik naar kunnen kijken. Toen de gnostische christenen in de vierde eeuw werden uitgeroeid, wisten deze mysteriën zich te handhaven in geheime genootschappen – dat zijn de wortels van veel van de geheime genootschappen waar Dan Brown het over heeft. Daarin heeft hij gelijk; maar hij slaat de plank mis als hij beweert dat die genootschappen iets te maken hebben met de afstamming van koningen en koninginnen.

De stroming van het christendom die zich wist te handhaven en floreerde, brandmerkt u als het christendom van de letterknechten. *Wat zijn de gevolgen geweest van die letterlijke interpretatie van het Jezus-verhaal?*
De nalatenschap van het christendom van de letterlijken is verschrikkelijk geweest. Enerzijds was het de holocaust uit naam van God, en anderzijds is het de holocaust voor vrouwen geweest, de heksenprocessen. Het is wat er gebeurt door de verwerping van het vrouwelijke, en de ironie is dat de kerk de gnostici stigmatiseerde als wereldverzakers – terwijl het een feit is dat het de kerk was die vrouwen verdoemde, de seksualiteit verdoemde, kloostergemeenschappen in het leven riep waar mannen zich konden onttrekken aan de vrouwen en de wereld en al die mensen in de Middeleeuwen aanspoorde tot zelfkastijding. Dat alles is te danken aan de Romeinse letterknechten, omdat je immers wilt lijden zoals Jezus letterlijk heeft geleden in plaats van te begrijpen dat het allemaal een metafoor is, een allegorie. De behandeling van vrouwen is pas in de laatste paar eeuwen veranderd – en pas in de laatste decennia op ingrijpende wijze – en dat is uitermate ironisch omdat de mensen die het Jezus-verhaal ontwierpen deel uitmaakten van de pythagorische traditie die bekendstond om de respectvolle behandeling van mensen. Veel vroegchristelijke gnostische werken zijn opgedragen aan vrouwen, zij die de gnostische kennis overbrachten waren vaak vrouwen, hun leiders waren vaak vrouwen. En deze traditie werd vernietigd door de afschuwelijke

Romeinse muiterij waardoor we het heilig vrouwelijke verloren, wat niet alleen slecht is voor vrouwen, maar evenzeer voor mannen. Als man is het erg moeilijk een erotische verhouding te hebben met het goddelijke als je niet beschikt over een vrouwelijk beeld waartoe je je kunt verhouden.

Het Woord Gods of woorden van mensen?

Door Elaine Pagels

Een fragment uit *Beyond Belief: The Secret Gospel of Thomas* van Elaine Pagels. Copyright © 2003 Elaine Pagels. Opgenomen met toestemming van Random House, Inc. Dit boek verscheen als *Ketters en rechtgelovigen* in een vertaling van Vivian Franken (Servire, Utrecht, 2003). Opgenomen met toestemming van de uitgever. Copyright © 2003 voor de Nederlandse taal Kosmos-Z&K Uitgevers B.V.

Nog geen eeuw na Jezus' dood had een aantal van zijn trouwste volgelingen besloten een breed scala aan christelijke bronnen uit te sluiten, om maar te zwijgen over de overname van elementen uit andere religieuze tradities, hoewel – en ook dat hebben we gezien – dit niet ongebruikelijk was. Maar waarom en onder welke omstandigheden meenden deze vroege kerkleiders dat de beweging dit nodig had om te kunnen overleven? En waarom werd de latere traditie gedomineerd door degenen die beweerden dat Jezus 'Gods eniggeboren zoon' was, zoals het Evangelie van Johannes zegt, terwijl andere christelijke visies, zoals die van Thomas, die de discipelen aanspoort zichzelf net als Jezus te beschouwen als 'kinderen Gods', werden onderdrukt?

Christelijke theologen beweren traditioneel dat 'de Heilige Geest de kerk naar de waarheid leidt' – waarmee volgens velen wordt bedoeld dat alles wat zich heeft weten te handhaven wel juist moet zijn. Sommige godsdiensthistorici rationaliseren deze overtuiging door te zeggen dat in de geschiedenis van het christendom, net als in die van de wetenschap, onjuiste ideeën een vroege dood sterven terwijl de sterke, waardevolle ideeën blijven bestaan. De overleden Raymond Brown, een vooraanstaand kenner van het Nieuwe Testament en rooms-katholiek sulpiciaans geestelijke, zei hierover kort maar krachtig: wat de orthodoxe christenen afwezen was niet meer dan 'rommel uit de tweede eeuw' – en, zo voegde hij eraan toe, 'het is nog steeds rommel'.[1] Maar dergelijke polemische uitspraken vertellen ons niet hoe en waarom de vroege kerkleiders de grondbeginselen van de christelijke leer vastlegden. Om te begrijpen wat er gebeurde moeten we ons verdiepen in de specifieke problemen – en gevaren – waarmee de gelovigen in de beslissende jaren tussen 100 en 200 n. Chr. werden geconfronteerd, en in de vraag hoe degenen die de architecten van de christelijke traditie zouden worden deze problemen aanpakten.

De Noord-Afrikaanse bekeerling Tertullianus, die in de havenstad Carthago leefde, ongeveer tachtig jaar nadat de evangeliën van Johannes en Thomas waren geschreven, omstreeks het jaar 190 (of, zoals Tertullianus en zijn tijdgenoten gezegd zouden hebben, tijdens de regering van keizer Commodus), erkende dat de christelijke beweging talloze nieuwe leden aantrok, tot grote schrik van veel buitenstaanders:

Zij roepen luidkeels dat de staat erdoor overspoeld wordt; dat op de velden, in de steden en op de eilanden christenen zijn; dat mensen van beiderlei sekse, elke leeftijd, leefomstandigheid, ja zelfs elke klasse, tot deze naam overgaan. (Tertullianus, *Apologeticum*, 1.7)

Tertullianus bespotte de niet-christelijke meerderheid om hun wilde verdenkingen en hekelde de magistraten omdat zij daar geloof aan hechtten:

[Wij worden] monsters van het kwaad [genoemd] en ervan beschuldigd een heilige rite te beoefenen waarin we een klein kind doden en opeten, waarin we, na het feestmaal, incest bedrijven terwijl de honden, onze pooiers, de lampen omgooien en ons het schaamteloze duister gunnen om onze lusten te bevredigen. *Hiervan worden wij telkens weer beschuldigd,* en toch neemt gij niet de moeite achter de waarheid te komen... *Gij denkt dat de christen tot elke misdaad in staat is – een vijand van de goden, van de keizer, van de wetten, van de goede zeden, van de totale natuur.* (Tertullianus, *Apologeticum*, 11)

Het ergerde Tertullianus dat overal in het rijk, van zijn eigen woonplaats in Afrika tot Italië, Spanje, Egypte en Klein-Azië, en in de provincies Germanië en Gallië, christenen het doelwit van willekeurige uitbarstingen van geweld waren geworden. De Romeinse magistraten negeerden deze incidenten of namen er zelfs aan deel. In de stad Smyrna bijvoorbeeld, aan de kust van Klein-Azië, werd de bekeerling Germanicus gelyncht door een

---

1 Raymond E. Brown, S.J., in een parafrase van het slot van zijn recensie van *The Gnostic Gospels* in de *New York Times*, november 1979.

menigte die 'Grijp de goddelozen!' schreeuwde en – met succes – eiste dat de autoriteiten een vooraanstaande bisschop, Polycarpus, zouden arresteren en onmiddellijk terechtstellen.

Wat de buitenstaanders precies zagen, hing voor een belangrijk deel af van de christelijke groepering waarmee ze in aanraking kwamen. Plinius, gouverneur van Bithynië in het huidige Turkije, probeerde groepen ervan te weerhouden subversieve elementen in bescherming te nemen en gaf zijn soldaten opdracht mensen te arresteren die ervan werden beschuldigd christen te zijn. Om aan informatie te komen folterden de soldaten twee christelijke vrouwen, beide slavin, die onthulden dat leden van deze specifieke sekte 'gewoon waren op een vastgestelde dag bijeen te komen en een lied te zingen tot Christus als tot een god'. Hoewel het gerucht de ronde deed dat ze mensenvlees aten en mensenbloed dronken, kwam Plinius tot de conclusie dat ze slechts 'alledaags en onschuldig voedsel' tot zich namen. Aan keizer Trajanus rapporteerde hij dat, hoewel hij geen bewijzen van een werkelijke misdaad had gevonden, 'ik bevolen heb hen... weg te voeren [ter executie]. Want ik twijfelde er niet aan, wat het ook was dat zij bekenden, dat hun koppigheid en onbuigzame halsstarrigheid bestraft moest worden.'[2] Maar twintig jaar later ondervroeg Rusticus, de stadsprefect van Rome, een groep van vijf christenen die op hem niet zozeer de indruk maakten leden van een sekte te zijn als wel van een wijsgerig seminar. De filosoof Justinus Martyr, die samen met zijn leerlingen was gearresteerd, gaf tegenover de prefect toe dat hij en gelijkdenkende gelovigen elkaar ontmoetten in zijn Romeinse appartement 'boven het badhuis van Timoteüs' om te praten over 'christelijke filosofie'.[3] Toch dacht Rusticus, net als Plinius, aan verraad. Toen Justinus en zijn pupillen weigerden gehoor te geven aan zijn bevel om aan de goden te offeren, liet hij hen geselen en vervolgens onthoofden.

Dertig jaar na de dood van Justinus schreef een andere filosoof, Celsus, die de christenen verafschuwde, het boek *Alèthès logos* ('Het ware woord'), waarin hij hun beweging aan de kaak stelde en sommigen ervan beschuldigde zich te gedragen als onbezonnen volgelingen van vreemde goden zoals Attis en Cybele, bezeten door geesten. Anderen, beweerde Celsus, gebruikten aanroepen en bezweringen, zoals magiërs, terwijl een derde groep de door veel Grieken en Romeinen als barbaars aangemerkte oosterse praktijken van de joden aanhingen. Celsus beweerde bovendien dat op de

---

2 Plinius x, 96, 7 en 3.
3 *Het martelaarschap van de heilige Justinus en zijn metgezellen*, Recensie A.3.2. De plaatsnaam is in de manuscripten verbasterd; ik volg hier de lezing van Herbert Musurillo, *The Acts of the Christian Martyrs*, Oxford, 1972, p. 45.

grote landgoederen overal in het rijk christelijke wolbewerkers, schoen-
lappers en wasvrouwen, mensen die, naar hij zei, 'normaal gesproken bang
zijn om te spreken in aanwezigheid van hun meerderen', niettemin de
goedgelovigen – slaven, kinderen en 'domme vrouwen' – in hun werkplaatsen verzamelden om te luisteren naar verhalen over de wonderen die
Jezus had verricht en over zijn herrijzenis uit het graf na zijn dood.[4] Bij
respectabele burgers wekten de christenen dezelfde verdenking van geweld, promiscuïteit en politiek extremisme waarmee geheime sekten nog
steeds worden geassocieerd, vooral door mensen die bang zijn dat hun
vrienden of familieleden zich ertoe aangetrokken zullen voelen.

Ondanks de verschillende uitingen van het vroege christendom – of
misschien wel juist daardoor – verbreidde de beweging zich snel, zodat tegen het eind van de tweede eeuw overal in het rijk christelijke groepen op-
bloeiden, ondanks pogingen om ze de kop in te drukken. Tertullianus
pochte tegen buitenstaanders: 'Wij vermenigvuldigen ons telkens wanneer
we door jullie worden neergemaaid; het bloed van de christenen is zaad'.[5]
Maar tartende retoriek bood geen oplossing voor het probleem waarmee
hij en de andere christelijke leiders werden geconfronteerd: hoe deze zeer
diverse en wijdverbreide beweging te versterken en te verenigen, zodat ze
haar vijanden kon overleven?

Irenaeus, een jongere tijdgenoot van Tertullianus die vaak wordt aangeduid als bisschop van Lyon, had de vijandigheid waarover Tertullianus
sprak aan den lijve ervaren, eerst in zijn geboortestad Smyrna (het huidige Izmir in Turkije), en vervolgens in het ruige provinciestadje Lyon in
Gallië (het huidige Frankrijk). Bovendien was Irenaeus getuige van de ho-
peloze verdeeldheid van de christelijke groeperingen. Als jongen had hij
ingewoond bij zijn leraar Polycarpus, de eerbiedwaardige bisschop van
Smyrna die zelfs door zijn vijanden de leraar van Klein-Azië werd genoemd.[6] Hoewel hij wist dat de christenen in talloze kleine groepen verspreid waren over de hele wereld, deelde Irenaeus de hoop van Polycarpus dat alle christenen overal zichzelf zouden gaan beschouwen als leden
van één enkele kerk, die zij katholiek noemden, wat 'universeel' betekent.
Om deze wereldwijde gemeenschap te verenigen drong Polycarpus er bij
de leden op aan dat ze alle afwijkende varianten zouden afwijzen. Volgens
Irenaeus vertelde Polycarpus graag hoe zijn eigen leraar, 'Johannes, de discipel van de Heer' – de man die door de traditie wordt geëerd als auteur
van het Evangelie van Johannes – ooit naar de openbare baden in Efese

---

4 Origenes, *Contra Celsum*, 3.54.
5 Tertullianus, *Apologeticum* L, 13.
6 *Martyrium Polycarpi*, 12.

ging, maar toen hij Cerinthus zag, die hij als een ketter beschouwde, 'het badhuis uit rende zonder gebaad te hebben, terwijl hij uitriep: "Laten we vluchten voor het geval het badhuis instort, want Cerinthus, de vijand van de waarheid, is binnen."' Aan dit verhaal voegde Irenaeus een tweede toe om te laten zien hoe Polycarpus zelf met ketters omging. Toen de invloedrijke maar controversiële christelijke leraar Marcion de bisschop tegenkwam en hem vroeg: 'Weet u wie ik ben?' antwoordde Polycarpus: 'Ja, ik weet wie u bent: de eerstgeboren zoon van Satan!'[7]

Irenaeus zegt dat hij deze verhalen vertelt om aan te tonen dat de apostelen en hun discipelen 'ervan gruwden om zelfs maar te spreken met hen die de waarheid geweld aandeden'.[8] Maar uit zijn verhalen blijkt ook wat Irenaeus dwarszat: dat zelfs twee generaties nadat de auteur van het Evangelie van Johannes de aanspraken van de Petruschristenen ter discussie had gesteld en de Thomaschristenen had weerlegd, de beweging nog steeds twistziek en verdeeld was. Polycarpus zelf hekelde de mensen die, naar hij zei, 'vanuit kwade misleiding de naam [van christen] dragen'[9] omdat wat zij verkondigden vaak afweek van wat hij van zijn eigen leraren had geleerd. Irenaeus geloofde op zijn beurt dat hij het ware christendom vertegenwoordigde omdat hij direct verbonden was met de tijd van Jezus via Polycarpus, die de leer van Jezus had gehoord uit de mond van Johannes, 'de discipel van de Heer', in eigen persoon.[10] Irenaeus, die ervan overtuigd was dat deze discipel het Evangelie van Johannes had geschreven, was een van de eersten die dit evangelie verdedigde en het in één adem noemde met die van Marcus, Matteüs en Lucas. Zijn tijdgenoot Tatianus, een briljante Syrische leerling van de filosoof Justinus Martyr, die door Rusticus ter dood was gebracht, koos voor een andere benadering: hij probeerde de verschillende evangeliën met elkaar te verenigen door ze te redigeren en om te vormen tot één tekst.[11] Irenaeus liet de teksten intact maar verklaarde dat alleen Matteüs, Marcus, Lucas en Johannes sámen – en uitslúítend deze vier evangeliën – het vollédige evangelie vormden, dat hij het 'vierledige evangelie' noemde.[12] Alleen deze vier evangeliën waren volgens Irenaeus geschreven door ooggetuigen van de gebeurtenissen waarmee God de mensheid de verlossing had ge-

---

7 Irenaeus, *Adversus Haereses* III.3.4, hierna geciteerd als *AH*.

8 Irenaeus, *AH* III.3.4.

9 Polycarpus, *Brief aan de christenen van Filippi*, 6.3.

10 Irenaeus, *AH* III.3.4.

11 Zie voor een bespreking van Tatianus' *Diatessaron* en verwijzingen Helmut Koester, *Ancient Christian Gospels*, pp. 403-430.

12 Irenaeus, *AH* III.11.8.

13 Markus Bockmuehl, '"To Be or Not to Be": The Possible Futures of New Testament Scholarship', *Scottish Journal of Theology* 51:3 (1998), pp. 271-306.

zonden.[13] Deze canon van vier evangeliën zou een machtig wapen worden in Irenaeus' campagne om de christelijke beweging tijdens zijn leven te verenigen en te consolideren, en hij is altijd een van de grondslagen van de orthodoxe leer gebleven...

Toen Irenaeus in Rome Florinus ontmoette, een jeugdvriend uit Smyrna, die net als hij een leerling van Polycarpus was geweest, vernam hij tot zijn schrik dat zijn vriend zich intussen had aangesloten bij een groep die werd geleid door Valentinus en Ptolemaeus – geleerde theologen die zich desondanks, net als de nieuwe profeten, vaak door dromen en openbaringen lieten leiden.[14] Hoewel ze zichzelf spirituele christenen noemden, beschouwde Irenaeus hen als gevaarlijke andersdenkenden. In de hoop zijn vriend te kunnen overhalen om van gedachten te veranderen schreef Irenaeus hem een brief, waarin hij hem waarschuwde dat 'deze opvattingen, Florinus, mild uitgedrukt, niet deugdelijk zijn; ze stemmen niet overeen met de kerk en betrekken hun aanhangers in de grootste onvroomheid en zelfs ketterij'.[15] Irenaeus was onthutst te moeten horen dat een toenemend aantal goed opgeleide christenen dezelfde weg waren ingeslagen.

Toen Irenaeus uit Rome terugkeerde naar Gallië, bleek zijn eigen gemeente vrijwel weggevaagd te zijn. Ongeveer dertig mensen waren op wrede wijze gefolterd en in de arena ter dood gebracht om de burgers met dit schouwspel te vermaken. Nu bisschop Pothinus dood was, verwachtten de resterende leden van zijn groep dat Irenaeus hun nieuwe leider zou worden. Hoewel hij zich bewust was van het gevaar stemde hij toe, vastbesloten de overlevenden bijeen te houden. Maar hij merkte dat de leden van zijn eigen 'kudde' verdeeld waren over talrijke splintergroepen – die stuk voor stuk beweerden geïnspireerd te zijn door de Heilige Geest.

Hoe moest hij een lijn ontdekken in deze strijdige beweringen en een vorm van orde opleggen? Het was een enorme, ontzagwekkende opgave. Irenaeus geloofde zonder enige twijfel dat de Heilige Geest de christelijke beweging in gang had gezet. Vanaf het ontstaan, ongeveer honderdvijftig jaar eerder, hadden zowel Jezus als zijn volgelingen beweerd dat ze openbaringen ontvingen van de Heilige Geest – dromen, visioenen, verhalen, stemmen, toespraken in extatische trance – waarvan er veel mondeling waren overgeleverd en veel waren opgeschreven – een afspiegeling van de

14 Zie voor de wijzen van openbaring David E. Aune, *Prophecy in Early Christianity and the Ancient Mediterranean World*, Grand Rapids, 1983; zie over Valentinus het gezaghebbende boek van Christoph Markschies, *Valentinus Gnosticus? Untersuchungen zur valentinianischen Gnosis mit einem Kommentar zu den Fragmenten Valentins*, Tübingen, 1992.
15 Eusebius, *Historia Ecclesiae* 5.20.4.

vitaliteit en diversiteit van de beweging. De evangeliën van het Nieuwe Testament bevatten talloze visioenen, dromen en openbaringen, zoals het visioen dat volgens Marcus het begin betekende van Jezus' openbare optreden:

> In die tijd kwam Jezus vanuit Nazaret, dat in Galilea ligt, naar de Jordaan om zich door Johannes te laten dopen. Op het moment dat hij uit het water omhoogkwam, zag hij de hemel openscheuren en de Geest als een duif op zich neerdalen, en er klonk een stem uit de hemel: 'Jij bent mijn geliefde Zoon, in jou vind ik vreugde.' (1:9-11)

Lucas voegt aan zijn versie van het verhaal een verslag over Jezus' geboorte toe, waarin elke belangrijke gebeurtenis wordt voorafgegaan door een visioen, vanaf het moment waarop de engel Gabriël verscheen aan de bejaarde priester Zacharias en later aan Maria, tot de nacht (2:8-13) waarin 'een engel van de Heer' aan de herders verscheen om hun te vertellen over de geboorte van Jezus, en hun de stuipen op het lijf joeg met zijn onverwachte, stralende gestalte die de nachtelijke hemel deed oplichten...

Irenaeus zegt dat hij zijn uiterste best had gedaan om, op verzoek van een vriend, de leer van [zijn tegenstander, de profeet, dus niet de evangelist] Marcus te onderzoeken, met de bedoeling hem als charlatan en zwendelaar te ontmaskeren. Want door discipelen om zich heen te verzamelen, inwijdingen te verrichten en een speciale leer aan te bieden aan 'spirituele' christenen, was Marcus een bedreiging voor Irenaeus' poging om alle christenen uit de omgeving te verenigen in één homogene kerk. Irenaeus beschuldigde Marcus ervan een magiër te zijn, 'de heraut van de antichrist' – een man wiens fictieve visioenen en pretenties van spirituele macht zijn ware identiteit als apostel van Satan moesten verhullen. Hij dreef de spot met Marcus' bewering dat hij 'de diepe zaken Gods' onderzocht en hekelde hem omdat hij wijdelingen aanspoorde zelf naar openbaringen te streven:

> Hoewel zij deze dingen zeggen over de schepping, produceert ieder van hen dagelijks iets nieuws, naar vermogen; want onder hen wordt niemand als 'rijp' [of 'ingewijd'] beschouwd die niet zelf een aantal gigantische leugens bedenkt. (Irenaeus, *AH* 1.18.1.)

Irenaeus zegt ontsteld te zijn dat ook veel andere leraren binnen de christelijke gemeenschappen 'een onbeschrijfelijk aantal geheime en onwettige geschriften introduceren, die zijzelf vervalst hebben, om domme mensen die onkundig zijn van de ware geschriften op een dwaalspoor te brengen'.[16] Hij citeert een aantal van hun geschriften, waaronder een deel van een bekende en invloedrijke tekst die het Geheime boek van Johannes wordt genoemd (en die in 1945 ontdekt werd tussen de zogenoemde gnostische evangeliën van Nag Hammadi), en verwijst naar een groot aantal andere, waaronder een Evangelie der Waarheid (misschien datgene dat bij Nag Hammadi is gevonden), dat hij toeschrijft aan Valentinus, de leraar van [zijn tegenstander] Marcus, en zelfs een Evangelie van Judas. Irenaeus besloot dat het indammen van deze stroom van 'geheime geschriften' een essentiële eerste stap zou zijn om de woekering van 'openbaringen' tegen te gaan die, naar hij vermoedde, frauduleus of, erger nog, door duivels ingefluisterd waren.

Toch bewijzen de vondsten van Nag Hammadi hoe wijdverbreid de poging was om 'God te zoeken' – niet alleen onder degenen die deze 'geheime geschriften' schreven maar vooral onder de velen die ze lazen, kopieerden en vereerden, zoals de Egyptische monniken die ze tweehonderd jaar nadat Irenaeus ze had veroordeeld nog steeds zorgvuldig in hun kloosterbibliotheek bewaarden. Maar in 367 deed Athanasius, de overijverige bisschop van Alexandrië – en bewonderaar van Irenaeus – een paasbrief het licht zien, waarin hij van de Egyptische monniken eiste dat ze al dit soort geschriften zouden vernietigen, behalve de met name genoemde die 'aanvaardbaar' of zelfs 'canoniek' waren – een lijst die vrijwel het gehele huidige 'Nieuwe Testament' omvat.[17] Maar iemand – misschien een monnik van het klooster van de heilige Pachomius – verzamelde tientallen boeken die Athanasius wilde laten verbranden, nam ze weg uit de kloosterbibliotheek, stopte ze in een zware aardewerken pot van anderhalve meter hoogte, verzegelde die en begroef hem op een nabijgelegen helling in de buurt van Nag Hammadi. Daar struikelde een Egyptische dorpeling genaamd Mohammed Ali erover, zestienhonderd jaar later.

Nu we zelf een aantal van deze geschriften kunnen lezen, die door Irenaeus werden verafschuwd en door Athanasius in de ban gedaan, zien we dat vele ervan de hoop uitspreken een openbaring te krijgen en 'degenen die God zoeken' aanmoedigen. De auteur van het Geheime boek van Jacobus, bijvoorbeeld, geeft een *nieuwe interpretatie* van de beginscène uit de Handelingen van het Nieuwe Testament, waarin Lucas vertelt van Jezus' hemelvaart...

---

16 Irenaeus, *AH* 1.20.1.

17 ... verschillende geleerden hebben hierover geschreven, bijv. David Brakke, 'Canon Formation and Social Conflict in Fourth Century Egypt', *Harvard Theological Review*, 87:4 (1994), p. 359-419, en zijn verhelderende boek *Athanasius and the Politics of Asceticism*, Baltimore en Londen, 1995.

Degenen die dit 'bewijs vanuit de profetieën' bekritiseren, zeggen echter dat christenen zoals Justinus denkfouten maken – onder andere door een misleidende vertaling aan te zien voor een wonder. De auteur van het Evangelie van Matteüs bijvoorbeeld, die de profetie van Jesaja kennelijk in een Griekse vertaling had gelezen, nam aan dat er stond dat 'een *maagd* (in het Grieks *parthenos*) zwanger zal worden'. Justinus zelf geeft toe dat joodse interpretatoren die met de volgelingen van Jezus redetwistten erop hadden gewezen dat de profeet in de oorspronkelijke Hebreeuwse tekst slechts had geschreven dat 'een *jonge vrouw* (*almahl*) zwanger zal worden en een zoon baren' – waarmee slechts gebeurtenissen in de nabije toekomst werden voorspeld, die betrekking hadden op de opvolging van de koning.[18]

Toch lieten Justinus en Irenaeus, net als veel christenen vandaag de dag, zich door deze argumenten niet overtuigen en geloofden ze dat oude profetieën Jezus' geboorte, dood en wederopstanding voorspelden, en dat het bewijs van hun goddelijke inspiratie geleverd was door de feitelijke gebeurtenissen. Ongelovigen vinden deze bewijzen vaak vergezocht, maar voor de gelovigen bewijzen ze Gods 'heilsgeschiedenis'. Justinus zette zijn leven op het spel voor deze overtuiging en hij meende dat hij zijn filosofische theorieën had verruild voor een waarheid die even empirisch bewijsbaar was als die van een natuurkundige wiens experiment de verwachte resultaten te zien geeft.

Aangezien Irenaeus het bewijs op grond van profetieën zag als een oplossing voor het probleem hoe men kon weten welke profetieën – en openbaringen – afkomstig waren van God, voegde hij een aantal geschriften van 'de apostelen' toe aan die van 'de profeten', omdat hij net als Justinus geloofde dat deze twee bronnen samen een onmisbare getuigenis van de waarheid vormden. Net als andere christenen uit hun tijd dachten Justinus en Irenaeus wanneer ze spraken over 'de Schrift' in de eerste plaats aan de Hebreeuwse bijbel: de verzameling van teksten die wij het Nieuwe Testament noemen bestond nog niet. Hun overtuiging dat Gods waarheid geopenbaard wordt in de gebeurtenissen van de verlossingsgeschiedenis vormt de essentiële schakel tussen de Hebreeuwse bijbel en wat Justinus 'de memoires van de apostelen' noemde, die wij kennen als de evangeliën van het Nieuwe Testament.

Voorzover we weten was Irenaeus de voornaamste ontwerper van de canon van de vier evangeliën, het kader dat in de nieuwtestamentische collectie de Evangeliën van Matteüs, Marcus, Lucas en Johannes omvat. Om te beginnen wijst Irenaeus de verschillende christelijke groepen af die

---

18 Justinus, *Dialoog met rabbi Tryphon*, 43.

zich concentreren op slechts één evangelie, zoals de Ebionitische christenen, die, naar hij zegt, alleen Matteüs gebruikten, en de volgelingen van Marcion, die alleen Lucas gebruikten. Al even misleid waren volgens Irenaeus degenen die zich op een groot aantal evangeliën beriepen. Sommige christenen, zegt hij, 'gaan er prat op dat zij meer evangeliën hebben dan er in feite bestaan... maar zij beschikken werkelijk niet over één evangelie dat niet vol godslastering staat'.[19] Irenaeus besloot het woud van 'apocriefe en onwettige' geschriften – teksten zoals het Geheime boek van Johannes en het Evangelie van Maria – uit te dunnen en alleen de vier 'pijlers' overeind te laten.[20] Hij verklaarde ronduit dat het 'evangelie', dat de gehele waarheid bevat, alleen door deze vier 'pijlers' gesteund wordt – namelijk de evangeliën die worden toegeschreven aan Matteüs, Marcus, Lucas en Johannes. Ter verdediging van zijn keuze verklaarde hij dat 'het niet mogelijk is dat er meer of minder dan vier' zijn, want 'zoals er in het heelal vier richtingen en windstreken zijn', verlangt de kerk zelf 'slechts vier pijlers'.[21] En zoals de profeet Ezechiël Gods troon had gezien, gedragen door vier levende wezens, werd ook het heilige woord Gods door dit 'vierledige evangelie' gedragen. (In navolging van Irenaeus kozen de christenen van latere generaties de verschijningsvorm van deze vier 'levende wezens' – de leeuw, de stier, de adelaar en de mens – als symbool voor de vier evangelisten.) Dat deze evangeliën betrouwbaar zijn, beweerde hij, komt doordat de auteurs ervan, onder wie naar hij dacht Jezus' discipelen Matteüs en Johannes, daadwerkelijk getúíge waren geweest van de gebeurtenissen waarover ze schreven; verder hadden Marcus en Lucas, die volgelingen van Petrus en Paulus waren, slechts opgeschreven wat ze van de apostelen zelf hadden gehoord.

Weinig moderne kenners van het Nieuwe Testament zullen het met Irenaeus eens zijn; we weten niet wie deze evangeliën geschreven hebben, net zomin als we weten wie de evangeliën van Thomas en Maria hebben geschreven. We weten alleen dat al deze 'evangeliën' worden toegeschreven aan discipelen van Jezus. Toch koppelde Irenaeus... niet alleen het Evangelie van Johannes aan de veel vaker geciteerde evangeliën van Matteüs en Lucas, maar prees hij Johannes zelfs als het grootste evangelie. Voor Irenaeus was Johannes niet het víérde evangelie, zoals de christenen het tegenwoordig noemen, maar het éérste en belángrijkste, omdat hij meende dat alleen Johannes begreep wie Jezus werkelijk is: God in mensengedaante. Wat God openbaarde op dat uitzonderlijke moment dat hij 'vlees'

19 Irenaeus, *AH* I.11.9.
20 Irenaeus, *AH* I.10.1.
21 Irenaeus, *AH* I.11.8.

werd, overtrof elke openbaring die door gewone mensen was ontvangen – zelfs profeten en apostelen, laat staan de overigen van ons.

Irenaeus kon natuurlijk niemand ervan weerhouden zelf te streven naar een openbaring van de goddelijke waarheid – en dat was ook niet zijn bedoeling, zoals we hebben gezien. Per slot van rekening weten religieuze tradities zich alleen langdurig te handhaven wanneer hun aanhangers ze herbeleven en zich er voorstellingen van maken – en ze daarmee voortdurend transformeren. Maar door de eeuwen heen hebben Irenaeus en zijn opvolgers onder de kerkleiders getracht alle gelovigen te dwingen zich te onderwerpen aan het 'vierledige evangelie' en wat zij de apostolische traditie noemden. Daarom moesten alle 'openbaringen', om de steun van de christelijke leiders te krijgen, overeenstemmen met de evangeliën die werden opgenomen in wat men het Nieuwe Testament zou gaan noemen. Natuurlijk zijn deze evangeliën in de loop der eeuwen een bron van inspiratie geweest voor een enorm scala aan christelijke kunst, muziek, poëzie, theologie en legenden. Maar zelfs de spiritueelste heiligen van de kerk, zoals Theresia van Ávila en Johannes van het Kruis, waakten voor het overschrijden – laat staan ontstijgen – van de gestelde grenzen. Tot op de dag van vandaag denken veel traditioneel georiënteerde christenen dat alles wat buiten de canonieke instructies valt een 'boosaardige leugen' is, afkomstig van het de mens aangeboren kwaad of van de duivel.

Irenaeus begreep echter dat het in de ban doen van alle 'geheime geschriften' en het instellen van een canon van vier evangelieverhalen op zich de christelijke beweging onvoldoende beschermde. Want stel dat iemand de 'goede' evangeliën op een verkeerde manier las – of op véle verkeerde manieren? Wat als christenen diezelfde evangeliën gebruikten als inspiratie – of zaad, zoals de bisschop zou zeggen – voor nieuwe 'ketterijen'? Dat gebeurde in zijn eigen congregatie – en hij reageerde daarop... met het uitwerken van een constructie die hij orthodox (letterlijk: 'rechtdenkend') christendom noemde.

De strijd om de Heilige Schrift en de overtuigingen die we niet hebben leren kennen

Een interview met Bart D. Ehrman

Bart D. Ehrman bekleedt de leerstoel Religieuze Studies aan de Universiteit van North Carolina en is een autoriteit op het gebied van de vroeg-christelijke kerk en het leven van Jezus. Zijn recentste boek is getiteld *Lost Christianities: The Battle for Scripture and the Faiths We Never Knew.*

Een belangrijk aspect in De Da Vinci Code *is dat er behalve de katholieke kerk een tweede traditie is geweest– met een eigen kijk op de betekenis van het leven van Jezus – die ons tweeduizend jaar lang onbekend is gebleven. Hoe kijkt u aan tegen dat vraagstuk?*
Er waren in werkelijkheid veel verschillende stromingen binnen het christendom. Wellicht krijgen we daar een beter zicht op door er drie nader te belichten: de Ebionieten, de Marcionieten en de gnostici. Dit zijn christelijke sekten die onderling zeer verschillend zijn.

De Ebionieten waren joodse christenen die het belang ervan benadrukten om zowel joods als christelijk te zijn. De Marcionieten waren anti-joods en waren de mening toegedaan dat alle joodse zaken tot de god van het Oude Testament behoren, die niet de ware God was. De gnostici geloofden in het bestaan van een aantal verschillende goden.

Al die groepen beriepen zich op Jezus, wat betekent dat ze waarschijnlijk spoedig na de dood en opstanding van Jezus zijn ontstaan of in elk geval binnen enkele decennia na die gebeurtenissen. Zo maakten de Ebionieten er bijvoorbeeld aanspraak op dat hun leringen waren afgeleid van Jacobus 'de Rechtvaardige', de broer van Jezus, en wie kon er beter op de hoogte zijn van wat Jezus leerde dan zijn eigen broer? En misschien hadden ze daar inderdaad gelijk in – mogelijk verkondigden zij inderdaad de leringen van Jacobus. Hun richting vond echter geen ruime verbreiding, misschien voor een deel vanwege hun overtuiging dat niet-joden joods moesten worden om christenen te kunnen worden, wat inhield dat mannen zich moesten laten besnijden. Het is voorstelbaar dat ze om die reden niet erg veel bekeerlingen wonnen.

De Ebionieten benadrukten de joodsheid van het christendom. Hoe zat dat met de Marcionieten?

De Marcionieten waren volgelingen van de halverwege de tweede eeuw levende Griekse filosoof en leraar Marcion, die circa vijf jaar in Rome aan zijn theologische systeem had gewerkt. Hij geloofde dat de apostel Paulus het ware inzicht in het christendom bezat omdat Paulus een onderscheid maakte tussen de wet en het evangelie. Marcion dreef die opvatting op de spits door te stellen dat als er een onderscheid is tussen wet en evangelie, ze door twee verschillende goden aan de mensheid moeten zijn gegeven – de god die de wet gaf is de god van het Oude Testament, terwijl de god die de mensen van de wet redde de god van Jezus is. De god der gramschap van het Oude Testament is de god die deze wereld schiep en Israël uitverkoos en ze zijn wet gaf, terwijl de god van Jezus degene is die de mensen redt van die god door voor hun zonden te sterven.

Marcion had een grote schare volgelingen, zelfs nadat hij was geëxcommuniceerd (wellicht als eerste). Hij trok naar Klein-Azië, naar het huidige Turkije, om er kerken te stichten. Het christendom van de Marcionieten vormde een echte bedreiging voor de andere vormen – het scheelde weinig of ze hadden het hele christendom overgenomen.

En de gnostici?

Allerlei zeer uiteenlopende groeperingen worden tegenwoordig door wetenschappers tot de gnostici gerekend. Die groeperingen waren echter zo verschillend dat sommige geleerden, waaronder de historica Elaine Pagels, zich afvragen of we ze nog wel met de verzamelnaam gnostici kunnen aanduiden. In de regel zijn gnostici de mening toegedaan dat deze materiële wereld waarin we leven, een kosmische catastrofe is waarin op de een of andere manier vonken van het goddelijke gevangen zijn en waaruit ze moeten ontsnappen – en ze kunnen ontsnappen als ze werkelijk inzicht in hun situatie verkrijgen. Het gnostische systeem voorziet ze van de kennis die nodig is om te kunnen ontsnappen, dus de verlossing kan worden bereikt door de ware kennis op te doen die daarvoor noodzakelijk is.

Waar de gnostici zich precies op baseren is moeilijk te traceren. Ze lijken een soort versmelting van verscheidene godsdiensten te vertegenwoordigen, waaronder het judaïsme, het christendom en de Griekse filosofie, met name het platonisme. Ze lijken uit die verschillende godsdiensten en filosofieën elementen te hebben genomen en ze tot één groot religieus systeem te hebben samengevoegd. We weten dat er in de tweede eeuw een florerende gnostische gemeenschap was, waarschijnlijk in het begin of in de eerste helft van die eeuw, dus precies in de tijd waarin Marcion leefde. Het is moeilijk vast te stellen of de gnostiek zijn oorsprong in Alexandrië of in Palestina had, of waar dan ook, maar er zijn bewijzen dat er ook in Syrië en Egypte gnostici zijn geweest. Uiteindelijk wisten ze tot Rome door te dringen.

De volgende logische vraag is dan hoe de gnostici en die andere sekten verdwenen? Zijn ze eenvoudigweg uitgestorven?
Hoewel er verschillende historische en culturele redenen kunnen worden aangevoerd, zijn de meeste van die groepen waarschijnlijk uitgestorven omdat ze werden aangevallen – succesvol aangevallen, op theologische gronden – en ze waren niet bijster effectief in hun eigen propagandacampagnes. Ze slaagden er niet in nieuwe bekeerlingen te rekruteren. De orthodoxe groepen werkten daarentegen aan een hechte structuur door hun opvattingen op allerlei manieren onder de aandacht te brengen, onder andere met brievencampagnes, en hun retoriek overtuigde mensen.

Maar wat de overwinning bovenal veilig stelde was dat de Romeinse keizer Constantijn zich bekeerde tot de vorm van het christendom die in die tijd domineerde. Zodra Constantijn zich tot een orthodoxe vorm van christendom bekeert, en als de staat eenmaal macht heeft, en de staat is christelijk, begint de staat invloed uit te oefenen op het christendom. Tegen het einde van de vierde eeuw zijn er dan ook daadwerkelijk wetten tegen ketters. Het rijk dat aanvankelijk volstrekt antichristelijk was, wordt dus christelijk, en niet alleen dat, maar het probeert ook te dicteren hoe dat christendom eruit dient te zien.

De gevolgen van die veranderingen zijn uiteraard enorm. Het zelfbeeld van de westerse wereld en de manier waarop de mensen tegen de dingen aankijken verandert radicaal. Denk bijvoorbeeld alleen maar aan het concept van schuld: als er een andere groep had gewonnen, was alles waarschijnlijk volstrekt anders geweest.

En was het gedaan met de debatten toen de kerk tijdens het Concilie van Nicea de rijen sloot?
Er kwam geen einde aan de debatten, maar ze werden anders. Ten tijde van het Concilie van Nicea waren er al geen grote groepen gnostici, Marcionieten of Ebionieten meer. Die maken dan deel uit van de oude geschiedenis. Maar de debatten verstomden daarmee niet. Ze werden slechts verfijnder, en meer verhit. Zo ging het Concilie van Nicea over een vorm van christendom die arianisme werd genoemd en die volgens de maatstaven van de tweede of derde eeuw volstrekt orthodox was. In de vierde eeuw echter, als de theologen hun overtuigingen hebben gezuiverd, wordt het arianisme als gevaarlijke ketterij bestempeld. De aanhangers van het arianisme geloofden dat Jezus ondergeschikt moest zijn geweest aan de

Vader; hij bidt immers tot de Vader en houdt zich aan Zijn wil. Bijgevolg is hij een ondergeschikte god. Maar de arianen werden verslagen door de christenen die volhielden dat Christus geen ondergeschikte god is, maar dat hij eeuwig goddelijk is geweest en altijd al in verhouding heeft gestaan tot God. Christus is dus geen goddelijk wezen dat ontstaat – hij is altijd goddelijk geweest en is één met de substantie van God de Vader zelf.

De theologische verschuivingen waren minder belangrijk dan een andere verschuiving die plaatsvond toen Constantijn christen werd. Nu kon hij, een gezaghebbend politiek leider, uitmaken welke soort christendom acceptabel was en welke niet. Plotseling werd alles wat verband hield met de kerk niet alleen een religieuze kwestie maar ook een politiéke. Sommige mensen denken dat Constantijn zich tot het christendom bekeerde omdat hij dacht dat de christelijke kerk mogelijk in staat was bij te dragen aan het verenigen van het rijk omdat, anders dan het heidendom, waarbinnen tal van goden op tal van manieren werden vereerd, het christendom vasthield aan één god en één manier. Dat is mogelijk de reden waarom Constantijn het Concilie van Nicea bijeenriep: als de kerk de rol kreeg het rijk te verenigen, moest de kerk zelf verenigd zijn. Dat is wanneer, waarom en hoe het een politieke kwestie werd.

Ketters, vrouwen, magiërs en mystici

De strijd om het Ene Ware Geloof te worden

De vroegste geschiedenis van het christendom was een geschiedenis die eerder mondeling dan schriftelijk werd overgedragen, van apostel tot discipel, van persoon tot persoon, van generatie op generatie en, in sommige gevallen, vanuit de ene taal in de andere. Er waren nog geen kerken of formele ontmoetingsplaatsen, zodat het Woord zich alleen kon verbreiden via brieven en rondtrekkende gelovigen. Er bestond niet één kerk. Er bestond geen kerkelijke hiërarchie. Kleine groepen in afgelegen gebieden geloofden in verschillende gradaties in talloze varianten van de boodschap die was overgebracht door de apostelen en discipelen van Jezus – of in een van de honderden varianten van de mengeling van heidendom, oude godsdiensten en nieuwe leringen.

Het ontbreken van een samenhangende doctrine waaraan alle gelovigen zich konden onderwerpen was voor velen geen probleem, maar voor sommigen wel. Weldra begon die minderheid zich te organiseren. Ze vormden groepen, stelden hiërarchieën in en ze gaven het Woord via apostelen actief door aan de 'ongelovigen'. Tegen het einde van de eerste eeuw waren er al lieden die verkondigden te weten wat juist was en dat al het andere niet alleen verkeerd was, maar gevaarlijk en zo snel mogelijk diende te worden uitgeroeid. Deze vroege pogingen om de kerk van ketterijen te zuiveren waren een voorbode van de de kruistochten en de inquisitie.

Tot de ketterij behoren grofweg die opvattingen die op gespannen voet staan met de officiële versie van de kerkleer. Het hartstochtelijk beleden geloof van de een ziet een ander als godslastering. Zo was het ook voor Irenaeus, Tertullianus en Eusebius, de drie vroeg-christelijke schrijvers die hielpen vaststellen wat christelijk was en elimineren wat niet christelijk was. En vanaf dat punt was het een millennium later nog maar een kleine sprong naar de hel van de *Malleus Maleficarum* – het boek dat, zoals Dan Brown het uitdrukt, 'de wereld [had] doordrongen van "de gevaren van vrijdenkende vrouwen" en de geestelijkheid geïnstrueerd hoe ze gevonden, gemarteld en vernietigd moesten worden'.

In hun drang naar vroomheid waren de vroege auteurs, net als die van de *Malleus*, het erover eens dat vrouwen de grootste bedreiging voor de kerk vormden. Hoewel sommige vrouwen, zoals de moeder van Jezus en later de martelares Perpetua, op een voetstuk werden geplaatst, werd van de meeste vrouwen gedacht dat ze intrinsieke gevaarlijke trekjes en ideeën hadden en van nature tot het kwade geneigd waren. Terwijl het heidendom en een groot deel van de gnostiek draaiden om het evenwicht tussen de krachten van het mannelijke en het vrouwelijke, was de rol van de vrouw in het vroeg-christelijke wereldbeeld volledig anders, ambivalenter, zoals we in de volgende fragmenten zullen tonen.

De mentaliteit van het 'wij versus zij' kreeg waarschijnlijk om te beginnen een formeel religieus fundament door de geschriften van Irenaeus. Irenaeus was een theoloog en polemist uit de tweede eeuw die fulminerend ten strijde trok tegen 'valse kennis'. Met zijn *Adversus Haereses* (*Tegen de ketters*), geschreven in 187, leverde hij een belangrijke bijdrage aan de eerste systematische formulering van het katholieke geloof – credo, canon en apostolische successie.

Tertullianus, een vroege kerkvader die geboren werd tijdens Irenaeus' leven, ging nog een stap verder in de heiligverklaring van de evangeliën door te stellen dat ze goddelijk geïnspireerd waren, álle waarheden bevatten en voorzagen in datgene waarvan de kerk 'haar geloof drinkt'. Hij ging nog heviger tekeer tegen de gnostici dan Irenaeus.

Eusebius (die leefde tot 357[?]) systematiseerde deze en andere kennis in een omvangrijk compendium, de *Historia Ecclesiastica*. Hij werd later zo beroemd en gerespecteerd dat hij werd geroepen om een leidende rol te vervullen bij het Concilie van Nicea (325). De 'confessie' die hij voor-stelde, werd de basis van de geloofsbelijdenis van Nicea.

Ondanks deze vroege pogingen tot unificatie en eliminatie bleven zich ketterse stromingen aandienen, vooral in de Middeleeuwen en aan het be-gin van de Renaissance toen, in 1487, de *Malleus Maleficarum* voor het eerst werd gepubliceerd – het ultieme 'wij versus zij'.

Hoewel het onder één noemer vangen van deze drie christelijke schrij-vers een grove versimpeling is van de historische pogingen van de kerk om met theologische en politieke middelen ongekende macht en invloed te verwerven, tonen de opgenomen selecties uit hun geschriften aan hoe-zeer discipline en waakzaamheid escaleerden naarmate het Ware Geloof steeds meer bedreigd leek te worden. Het proza in de fragmenten lijkt voor de huidige lezer een lastig te omzeilen obstakel, maar deze werken verte-genwoordigen de grootste inzichten van die tijd en bieden een manier om daadwerkelijk 'in de hoofden te kruipen' van enkele van de eerste christe-nen.[1]

Irenaeus

Het magnum opus van Irenaeus, *Adversus Haereses*, vond zeer ruime ver-spreiding en kreeg een zodanige invloed dat sommige geleerden hem – af-hankelijk van hun overtuigingen bewonderend of vol afkeuring – in zijn eentje verantwoordelijk achten voor het elimineren van de gnostiek als se-rieuze theologische bedreiging voor de leidende positie van het katholie-ke christendom.

In zijn boek waarschuwt hij zijn lezers in de eerste plaats voor het kwaad dat in het hart van de mens op de loer ligt:

> Omdat er lieden zijn die de waarheid inruilen voor bedrieglijke le-ringen en ijdele 'geslachtsregisters, die leiden meer tot speculaties dan tot de vervulling van de taak die God met het geloof gegeven heeft', zoals de apostel[2] zegt, en die door middel van de listig gefor-muleerde aannemelijkheden onervarenen misleiden en boeien, heb ik het noodzakelijk geacht... geliefde vriend, het volgende traktaat te schrijven, zodat u op uw hoede kunt zijn voor de 'diepte' der onwe-tendheid en de lastering jegens Christus. Deze mannen zijn kwade uitleggers geworden van de voortreffelijke woorden, die de uitspra-

---

1 Veel van deze teksten zijn eenvoudig via internet te raadplegen.
2 Bedoeld wordt Paulus, het voorgaande is een citaat uit 1 Timoteüs 1:4.

ken des Heeren vervalsen. Zij richten velen te gronde door hen onder het voorwendsel van kennis af te leiden... Door hun plausibele
redeneringen leiden zij slinks de eenvoudigen van geest op in hun
systeem, maar desondanks verderven zij hen, door hen in te wijden
in hun lasterlijke en goddeloze gezindheid.[3] (*Adversus Haereses*, Inleiding)

Vervolgens richt hij zich tegen hen die door hun 'kunstig geconstrueerde
aannemelijkheden' beogen anderen waarde te laten hechten aan het woord
en niet aan de geschreven documenten, waarmee ze zich willens en we-
tens te buiten gaan aan godslastering.

Als zij... uit de Schriften weerlegd worden, wenden zij zich tot een
aanklacht tegen de Schriften zelf, alsof die het niet bij het rechte eind
hadden of gezaghebbend waren, omdat zij dubbelzinnig zouden zijn
en omdat de waarheid er niet in gevonden kan worden door wie de
overlevering niet kennen. Want [zij beweren] dat de (waarheid) niet
schriftelijk overgeleverd zou zijn, maar door middel van de levende
stem... En elk hunner beweert dat het deze wijsheid is, die hij uit zichzelf gevonden heeft: een verdichtsel wel te verstaan, opdat de waarheid op waardige wijze aan hun kant mocht zijn, hoewel die nu eens
bij Valentinus, dan weer bij Marcion, dan weer bij Cerinthus, daarna eindelijk bij Basilides geweest is, of wie ook hun heilloze tegenstanders mogen zijn. Niet een van hen schaamt zich immers, volstrekt
pervers, om zelf te preken en de regel van de waarheid te verknoei-
en... Tegen zodanigen hebben wij te strijden... die als slangen op glib-
berige wijze naar alle zijden proberen te ontkomen. (*Adversus Haereses*, Boek III:2)

De weinig verrassende oplossing was dat christenen zich moesten verenigen onder één geloof, één god en één groep apostelen:

De Kerk immers, hoewel verstrooid over de hele bewoonde wereld
tot aan de einden der aarde, (heeft) van de apostelen en hun leerlingen overgenomen het geloof in één God, de Almachtige Vader, die de
hemel en de aarde en de zeeën en alles daarin geschapen heeft, en in
één Jezus Christus, de Zoon van God, die vlees geworden is om ons

---

3 De citaten uit *Adversus Haereses* zijn bewerkingen van de tekst in *Weerlegging en afwending der
valschelijk dusgenaamde Wetenschap* in de wetenschappelijke uitgave *Oud-Christelijke Geschriften
xxvi* (A.W. Sijthoff's Uitgeversmaatschappij, Leiden, 1918).

te verlossen, en in de Heilige Geest, die bij monde van de profeten het heil en de toekomst verkondigd heeft: de geboorte uit een maagd, het lijden en de opwekking uit de dood en de vleselijke hemelvaart van de geliefde Jezus Christus, onze Heer, en zijn toekomstige verschijning uit de hemelen in de heerlijkheid van de Vader om alles weer een te maken... (*Adversus Haereses*, Boek 1:10)

Tertullianus

Net als Irenaeus was ook Tertullianus een vroege kerkvader die de aanval opende op de gnostici. Sommigen zien hem als de drijvende kracht achter de poging van de kerk om het bestaan van een robuuste andere traditie in de doofpot te stoppen (zie de passages van Freke en Gandy aan het begin van dit hoofdstuk). De gnostici vormden in menig opzicht de meest verontrustende groepering voor de kerk, omdat de gnostiek onmiskenbaar prechristelijke (in feite heidense) ideeën had opgenomen én alleen de naam ervan al verwees naar het concept van geheime kennis.

Vrouwen droegen een zo mogelijk nog grotere zondelast. 'Het vonnis van God over uw sekse leeft nog in de tijd,' stelt Tertullianus met klem, 'dus moet ook de schuld voortleven. Jullie zijn de poort des duivels.' En hij voegt er nog meer aan toe. 'Het moet duidelijk worden ingezien dat er bij het ontstaan van de eerste vrouw sprake was van een onvolkomenheid, omdat zij werd gevormd uit een gebogen rib, dat wil zeggen een rib uit de borst, die als het ware gebogen is in een richting die tegengesteld is aan de man. En omdat ze door dit gebrek een onvolmaakt dier is, neigt ze voortdurend tot bedrog.'

Tertullianus werd in Afrika geboren (tussen 150 en 160) en was de zoon van een Romeins soldaat. Hij schreef drie boeken in het Grieks en had een juristenpraktijk. Hij werd tot op middelbare leeftijd als een heiden beschouwd die 'de heidense vooroordelen deelde' en zich 'zoals andere heidenen wentelde in schaamteloos genot', aldus de *Catholic Encyclopedia*. Tertullianus bekeerde zich in 197 tot het christendom, en, om de *Catholic Encyclopedia* nog eens te citeren, 'hij omhelsde het Geloof met de vurigheid van zijn onstuimige natuur'. Een decennium later brak hij echter met de katholieke kerk en werd hij de leider en gepassioneerd pleitbezorger van het montanisme, dat stelde dat er nieuwe openbaringen doorkwamen via Montanus en twee vrouwelijke profeten. Tertullianus bleef echter doorgaan met het bestrijden van wat hij als ketterij beschouwde.

Als christen geloofde hij dat we God slechts leren kennen wanneer we een leven leiden van strikte discipline en soberheid. De macht die deze impuls in de man ondermijnde was de vrouw, die volgens Tertullianus de zonde in de wereld bracht. 'Weten jullie niet,' vroeg hij retorisch, 'dat jullie stuk voor stuk een Eva zijn?'

Het vonnis van God over uw sekse leeft nog in deze tijd; dus moet ook de schuld voortleven. Jullie zijn de poort des duivels, jullie zijn de ontwijdster van gindse boom: jullie zijn de eerste verwaarlozer van Gods wet. Jullie zijn het die hém hebben overgehaald, die de duivel niet kon aanvallen; zo gemakkelijk hebben jullie Gods evenbeeld, de man, ten val gebracht. Om wat jullie verdiend hebben – dat wil zeggen: de dood – moest ook de Zoon van God sterven. En jullie denken erover om je te versieren met meer dan [kleren van] dierenvellen?[4] (*De Cultu Feminarum*, Boek I)

Hij geloofde dat er ketters in de wereld waren om het geloof op de proef te stellen. Die ketterijen dienden zich om twee redenen aan. De eerste was de verlokking waarmee filosofen kwamen aanzetten, zoals Plato, die zich slechts bezighield met het stellen van eindeloos veel vragen in plaats van het Woord te aanvaarden:

Dit zijn de leringen van mensen en demonen, voor jeukende oren geboren uit het vernuft van de wereldse wijsheid, die de Heer 'dwaasheid' noemt en die hij gekozen heeft tot beschaming van de filosofie zelf. Want dat is namelijk het materiaal der wereldse wijsheid, de roekeloze verklaarster van Gods natuur en beschikking. Ten slotte komen de ketterijen zelf voort uit de filosofie... Ketters en filosofen houden zich bezig met dezelfde onderwerpen, in eindeloze herhalingen: waar komt het kwaad vandaan en waarom is het er? En waar komt de mens vandaan? En op welke wijze (ontstond hij)? ... Waar komt God vandaan? ... [Ze hebben een] menselijke wijsheid, de na-aapster en vervalser der waarheid... veeldelig door de verscheidenheid van elkaar onderling bestrijdende sekten.
Weg met alle pogingen om een aangetast christendom te produceren, met een stoïcijnse en een Platonistische en een dialectische inslag. Na Jezus Christus hebben wij geen nieuwsgierigheid meer nodig, en na het evangelie geen onderzoek. Wanneer wij geloven, verlangen wij niets boven het geloven. Dit namelijk geloven wij al-

---

4 De vertaling is deels ontleend aan *De vrouwelijke tooi* (Wereldbibliotheek, Amsterdam, 1955) en deels aan *Over den Tooi der Vrouwen* in de wetenschappelijke uitgave *Oud-Christelijke Geschriften XLVI* (A.W. Sijthoff's Uitgeversmaatschappij, Leiden, 1931).

lereerst, dat er niets is wat wij verder zouden moeten geloven.[5] (*De Praescriptione Haereticorum*, paragraaf 7)

Beteugel derhalve je nieuwsgierigheid, of je eindigt als de ketters die de 'leringen van Christus verdraaien'. En beteugel vooral ook je nieuwsgierigheid naar hun gedrag, want dat is zeer zondig – vooral dat van die vrouwen:

> Ik moet ook niet vergeten te beschrijven hoe de ketters zich gedragen, hoe frivool, hoe werelds, hoe menselijk ze zijn, zonder ernst, zonder gezag, zonder discipline, zoals strookt met hun geloof... De vrouwen zelf zijn ketters, die – hoe driest! – durven onderrichten, discussiëren, duivels uitdrijven, genezen, misschien zelfs dopen. Hun wijdingen zijn roekeloos, lichtvaardig, veranderlijk. Nu eens stellen zij novices aan, dan weer mensen met een wereldlijk ambt, dan weer van ons afvalligen, om hen door roem aan zich te binden, omdat zij dat niet met de waarheid kunnen. (*De Praesciptione Haereticorum*, paragraaf 41)

Eusebius

Eusebius was een bisschop uit Caesarea in Palestina (waar hij Constantijn ontmoette, terwijl hij de bijbel herschreef). Hij wordt vaak de vader van de kerkgeschiedenis genoemd vanwege zijn nauwgezette weergave van het ontstaan van de evangeliën, de rol van de apostelen en de ketterijen waar de vroeg-christelijke kerk mee te kampen had. Hij wordt ook geacht in de archieven van Edessa de brieven te hebben gevonden van wat de correspondentie zou zijn tussen koning Abgar en Jezus Christus.

Volgens Eusebius diende de leer onlosmakelijk verbonden te zijn met het dagelijks leven; de sleutel tot het geloof bestond er derhalve in te weten welke geschriften wel of niet moesten worden opgenomen.

Daarvoor was het nodig te weten welke 'heilige geschriften' aanvaardbaar waren en welke niet. Eusebius stelde zich ten taak de vele evangeliën en andere boeken te schiften. De lijst die hij opstelde, werd later met geringe verschillen gecanoniseerd en mondde uit in de bijbel.

Eusebius nam ook de taak op zich de ketterijen van de gnostici gron-

---

5 De citaten uit *De Praescriptione Haereticorum* zijn bewerkingen van de tekst in *Proces tegen de ketters* in de wetenschappelijke uitgave *Oud-Christelijke Geschrifen* XLIII (A.W. Sijthoff's Uitgeversmaatschappij, Leiden, 1929).

diger in kaart te brengen dan ooit tevoren en spande zich er tegelijkertijd voor in de invloed en omvang van de katholieke kerk te bevorderen:

(Er was) een andere ketterij, die van de Gnostici. Weliswaar wilde deze groep de magische kunsten van Simon niet geheim houden... maar ze dachten het goed om die praktijken openbaar te maken. En zo kwam het dat ze gingen opscheppen over hun liefdesdranken, hun beschermgeesten die zo goed dromen konden opwekken en meer van dat soort magische activiteiten. In overeenstemming hiermee onderwezen ze dat de smerigste dingen gedaan moesten worden door mensen die volmaakt wilden worden in de kennis der geheimenissen; zo zouden ze maximaal hun dwaasheden leren kennen. Ze zeiden gewoonlijk dat er geen andere manier was om aan de heerschappij van de 'wereldheersers' te ontkomen dan deze smerigheid door allen te laten volbrengen... De ene sekte na de andere kwam op en verdrong de voorgaande, de ene ontwikkelde zich zus, de ander zo, in allerlei vormen van fantasie en verzinsel. Maar de uitstraling van de katholieke en enig ware Kerk werd steeds groter en sterker; in alle opzichten bleef ze zichzelf steeds gelijk; dat weerspiegelde haar waardigheid, haar ernst, haar vrijheid, haar bescheidenheid; het zuivere licht van dat godzalig leven en denken kon daardoor alle volken beschijnen, zowel Griekse als Barbaarse.[6]

Malleus Maleficarum

In tijd en plaats is er een grote afstand tussen de geschriften van Eusebius en de *Malleus Maleficarum* (*Heksenhamer*), die in 1486 werd geschreven door Heinrich Kramer en Jacob Spenger, twee monniken in Duitsland. Onderzoek wijst er echter op dat een theologisch verband aannemelijk is. De argumentatie is dat het geen grote stap is van intolerantie, verkettering en verbanning naar systematische uitroeiing.

Ketterijen staken steeds weer de kop op, vooral in de Middeleeuwen en de vroege Renaissance, en naarmate ze krachtiger tot uitdrukking werden gebracht, werd de reactie ook feller. Als fijngevoelige naturen verrast en zelfs geschokt worden door de geschriften van de vroege kerkvaders, raken ze wellicht van afschuw vervuld door de gedetailleerde beschrijvingen van de misdaden en bestraffingen van heksen in de *Malleus Maleficarum*.

De *Heksenhamer* was destijds waarschijnlijk bekender dan *De Da Vin-*

6 *Kerkgeschiedenis*, 4.7, naar de vertaling van dr. Chr. Fahner.

ci Code in onze tijd (in elk geval verhoudingsgewijs) en stond veel langer op de 'bestsellerlijst'. En dat terwijl dat werk niet half zo mild was. Er volgden binnen de kortste keren talloze edities van het boek en het werd in heel Europa en Engeland verspreid. De enorme invloed van het werk – dat uiteindelijk zowel door katholieken als protestanten werd gebruikt – leidde in Europa bijna twee eeuwen lang tot heksenprocessen. In de Amerikaanse koloniën werd het gebruikt als basis voor de heksenprocessen in Salem, Massachusetts.

Het werk bestaat uit drie delen. Het eerste deel beoogt te bewijzen dat hekserij bestaat (en dat vrouwen vatbaarder zouden zijn voor de verlokkingen van de duivel dan mannen). Het tweede deel beschrijft de vormen van hekserij (van de vernietiging van de oogst tot de vraag of demonen bij een heks kinderen konden verwekken). Het derde deel voorziet in een gedetailleerde handleiding voor het opsporen, verhoren en straffen van heksen.

Dat vrouwen vatbaarder waren voor hekserij stond vast, en volgens de *Malleus Maleficarum* was de reden daarvoor duidelijk: 'Dat er meer heksen te vinden zijn onder degenen die tot het zwakke geslacht behoren dan onder mannen is een onweerlegbaar feit dat, nog afgezien van de mondelinge getuigenissen door geloofwaardige getuigen, ook door de ervaring wordt gestaafd.'

De *Malleus Maleficarum* is volledig doortrokken van dit beeld van de vrouw als wezenlijk gebrekkig en zwak. Verderop heet het:

Anderen hebben andere redenen aangevoerd waarom er meer bijgelovige vrouwen dan mannen zijn. En de eerste reden is dat ze goedgeloviger zijn; en omdat het hoofddoel van de duivel erin bestaat het geloof te verzwakken, richt hij zijn pijlen in de eerste plaats op hen... De tweede reden is dat vrouwen van nature ontvankelijker en meer bereid zijn de invloed van een onstoffelijke geest te ondergaan; en dat ze indien ze dat vermogen op de juiste manier gebruiken, zeer rechtschapen zijn, maar indien ze het misbruiken zijn ze zeer verdorven... De derde reden is dat ze zeer loslippig zijn, waardoor ze de dingen die ze door de zwarte kunsten aan de weet zijn gekomen niet voor andere vrouwen geheim kunnen houden; en omdat ze zwak zijn, beschikken ze in de hekserij over een gemakkelijke en geheime manier om zichzelf te rechtvaardigen... (Deel 1, Vraag 6)

Er zijn uiteraard wel goede vrouwen. De *Malleus* laat weten dat er 'voor goede vrouwen zeer veel lof is, en we kunnen lezen dat ze ook veel goede dingen voor de mensheid hebben gedaan, dat ze naties, gebieden en steden hebben gered; zoals duidelijk is wanneer we denken aan Judit, Debora en Ester.' Het is duidelijk dat de christelijke theologie rijkelijk voorziet in de tweedeling goed en kwaad, goed en slecht, hoer en maagd.

Evenals Tertullianus lang daarvoor huldigt de *Malleus Maleficarum* de opvatting dat alles door Eva verkeerd begon te gaan: 'Een verdorven vrouw is van nature sneller van haar geloof af te brengen en ze zal het sneller afzweren, en dat is de oorsprong van de hekserij.'

Het laatste deel van de *Malleus Maleficarum* is gericht op de wijze waarop een zaak voor het gerecht kan worden gebracht, de procedure die men bij het proces dient te volgen (geruchten volstaan om iemand voor het gerecht te dagen en een krachtige verdediging betekent schuld; een gloeiende pook en andere martelwerktuigen mogen worden ingezet om de verdachte te laten bekennen), en, in zestien hoofdstukken, de verschillende schuldniveaus en bijbehorende straffen.

Het was niet moeilijk een beschuldiging te uiten:

De eerste vraag is wat de geschikte methode is om uit naam van het geloof een proces tegen heksen te beginnen. Het antwoord op die vraag luidt dat er overeenkomstig het canoniek recht drie geoorloofde methoden zijn. De eerste is wanneer iemand een persoon ten overstaan van een strafrechter beschuldigt van ketterij of van het beschermen van ketters, aanbiedt dat te bewijzen en zichzelf aan weerwraak onderwerpt indien hij daar niet in slaagt. De tweede methode is wanneer iemand een persoon beschuldigt maar niet aanbiedt de beschuldiging te bewijzen en niet bereid is zich verder met de zaak in te laten, maar zegt dat hij informatie voorlegt uit geloofsijver, of vanwege een veroordeling tot excommunicatie door de ordinarius of zijn vicaris; of vanwege de tijdelijke straf die de seculiere rechter oplegt aan hen die geen informatie weten te geven.
Bij de derde methode is een inquisitie betrokken, dat wil zeggen als er geen aanklager of informant is, maar een algemene mare dat er heksen zijn in een bepaalde stad of plek; in dat geval dient de rechter op te treden, niet op verzoek van een partij maar uit hoofde van zijn ambt... (Deel 3, Vraag 1)

Daarmee is niet gezegd dat er totaal geen richtlijnen waren. De regel was dat een heks alleen kon worden geëxecuteerd na te hebben bekend, 'want het reguliere recht eist dat een heks niet ter dood mag worden veroordeeld tenzij ze op basis van haar eigen bekentenis schuldig wordt bevonden'.

Uiteraard waren ze niet altijd tot een vlotte bekentenis bereid:

Vanwege de grote moeilijkheden die het gevolg zijn van het koppige zwijgen van heksen, zijn er diverse aspecten waarop de rechter acht dient te slaan... Het eerste is dat hij een heks niet te snel aan een onderzoek onderwerpt, maar moet letten op bepaalde tekenen die hierna besproken worden. En hij moet daar niet te snel toe overgaan om de volgende reden: tenzij God, via een heilige Engel, de duivel noopt zijn steun aan de heks te onthouden, zal zij zo ongevoelig zijn voor de martelingen dat ze nog liever haar ledematen stuk voor stuk zal laten afrukken dan de waarheid op te biechten.

Maar marteling mag om die reden niet worden verwaarloosd, want ze zijn niet allemaal met datzelfde vermogen begiftigd, en ook kan de duivel ze soms toestaan hun misdaden te bekennen zonder daar door een heilige Engel toe te zijn gedwongen.

En uiteindelijk kunnen het de tranen zijn die licht op de hele kwestie werpen, want als de rechter wil achterhalen of de vrouw met heksenmacht is begiftigd om te blijven zwijgen, laat hem er dan op letten of ze in staat is tranen te plengen in zijn aanwezigheid, of wanneer ze wordt gemarteld. Want we hebben uit de woorden van waardige oude mannen en uit onze eigen ervaring kunnen opmaken dat dit een onfeilbaar teken is, en het is gebleken dat zelfs wanneer ze door allerlei dwangmaatregelen wordt gedwongen tranen te plengen, ze daar niet toe in staat zal blijken als ze een heks is – hoewel ze zal proberen tranen te simuleren door haar wangen en ogen met speeksel te bevochtigen; derhalve dient ze goed in de gaten te worden gehouden door de bewakers.

Bij het vellen van het vonnis mag de rechter of geestelijke methoden zoals de volgende gebruiken om echte tranen bij haar op te roepen als ze onschuldig is of haar de valse tranen te laten onderdrukken als ze schuldig is. Laat hem zijn hand op het hoofd van de verdachte leggen en zeggen: uit naam van de bittere tranen die onze Verlosser Jezus Christus plengde aan het Kruis voor de verlossing van de wereld, en uit naam van de brandende tranen die in het avonduur over Zijn wonden werden vergoten door de meest verheven Maagd Maria, Zijn moeder, en de tranen die werden geweend door de Heiligen en de Uitverkorenen van God, van wie Hij alle tranen nu heeft weggewassen, roep ik u op, indien u onschuldig bent, nu uw tranen te vergieten, wat u, indien u schuldig bent, in geen geval zult doen. In de naam van de Vader en de Zoon en de Heilige Geest, Amen. (Deel 3, Vraag 13)

Heksen waren gevaarlijk, en rechters 'dienen ervoor te waken lichamelijk te worden aangeraakt door de heks en vooral het contact met hun blote armen of handen te mijden'. De rechters, adviseert de *Malleus Maleficarum*,

> moeten altijd wat zout bij zich dragen dat op palmzondag is gewijd, en ook enkele gezegende kruiden. Want deze kunnen bijeengehouden in wat gezegende was rond de hals worden gedragen, zoals we in het tweede deel hebben verduidelijkt toen we spraken over de remedies tegen kwalen en ziekten die door toverij worden veroorzaakt; en dat ze een uitstekende beschermende werking hebben weten we niet alleen door de getuigenissen van heksen, maar ook door het gebruik en de toepassing door de kerk, die dergelijke zaken juist voor dit doel heeft gezegend, zoals is aangetoond in uitdrijvingsceremoniën waar ze werkzaam worden genoemd voor het verjagen van alle macht van de duivel enzovoort.
> Maar laat niet worden gedacht dat het lichamelijke contact met de gewrichten of de ledematen het enige is waarvoor gewaakt moet worden, want soms, met Gods instemming, zijn ze met hulp van de duivel in staat de rechter te beheksen, louter door het geluid van de woorden die ze uiten, vooral op het moment waarop ze aan martelingen worden blootgesteld. (Deel 3, Vraag 15)

Tot slot waarschuwt de *Malleus Maleficarum* dat aangeklaagde heksen met grote omzichtigheid moeten worden behandeld wanneer ze voor de rechter worden gebracht.

> Indien het maar enigszins mogelijk is dient de heks achterwaarts aan de rechter en zijn raadgevers te worden voorgeleid... en alle delen van haar hoofd en lichaam dienen geschoren te zijn. De reden daarvoor is dezelfde als de reden om haar van haar kleding te ontdoen, zoals we eerder hebben gezegd; want om hun macht om te zwijgen te behouden verstoppen ze soms geheime objecten in hun kleding of in hun haar, of zelfs in de meest geheime delen van hun lichaam die niet nader moeten worden genoemd. (Deel 3, Vraag 15)

In *De Da Vinci Code* moet Robert Langdon aan de *Malleus Maleficarum* denken als hij in de Salles des Etats van het Louvre staat en naar de *Mona Lisa* kijkt. Hij noemt de *Malleus* 'het meest bloeddoordrenkte werk uit de menselijke geschiedenis'. Dan Brown schat het aantal slachtoffers op vijf miljoen; anderen hebben de tol die wereldwijd door de inquisitie werd geëist, geschat op tussen de zeshonderdduizend en negen miljoen slachtoffers. Volgens de wetenschappers ging het daarbij in bijna alle gevallen om vrouwen, oud en jong, vroedvrouwen, jodinnen, dichteressen en zigeuners – om mensen die niet voldeden aan het op dat ogenblik heersende beeld van de vrome christen.

Waarom werden de gnostici als een ernstige bedreiging beschouwd?

Door Lance S. Owens

Lance S. Owens is zowel praktiserend arts als priester. Tevens beheert hij de website www.gnosis.org. Dit fragment komt uit een verhandeling die hij voor zijn website schreef. Copyright © 2004 Lance S. Owens. Opgenomen met toestemming van *The Gnosis Archive*, www.gnosis.org.

Wat maakte de gnostici tot zulke gevaarlijke ketters? De complexiteiten die met de gnostiek verband houden zijn dermate talrijk, dat generalisaties onmiddellijk en terecht argwaan wekken. Hoewel er in de loop der jaren diverse methodieken zijn voorgesteld om de gnostiek te definiëren en te categoriseren, was er niet één die op algehele instemming mocht rekenen. Niettemin bestaat er over vier algemene kenmerken van de gnosis wel overeenstemming.

Het eerste wezenlijke kenmerk is dat de gnostiek verzekert dat 'rechtstreekse, persoonlijke en absolute kennis van de oorspronkelijke waarheden van het bestaan voor de mens bereikbaar is' en dat verwerving van die kennis voor de mens de hoogste levensvervulling inhoudt. Gnosis staat niet voor rationele, propositionele, logische inzichten, maar voor kennis die door ervaring wordt verworven. De gnostici waren niet bijzonder geïnteresseerd in een dogmatische of coherente, rationele theologie – een omstandigheid die de studie van de gnostiek met name lastig maakt voor individuen met een 'boekhoudersmentaliteit'. De gnostiek valt gewoonweg niet op te delen in syllogistische, dogmatische premissen. De gnostici koesterden de gestaag toenemende kracht van de goddelijke openbaring – gnosis betekende de creatieve ervaring van openbaring, een meeslepende voortgang van inzicht, niet een statische overtuiging...

In zijn studie *The American Religion* duidt de vermaarde literatuurcriticus Harold Bloom een tweede kenmerk van de gnostiek aan dat ons kan helpen bij de begripsmatige omschrijving van de mysterieuze kern ervan.

De gnostiek, aldus Bloom, 'is een kennen door en van een ongeschapen zelf, of zelf-van-het-zelf, en die kennis leidt tot vrijheid...' Het meest onthullende en ingrijpende inzicht dat een gnosticus kon bereiken was de bewustwording dat er iets in hem was dat niet geschapen was. De gnostici noemden dat 'ongeschapen zelf' de goddelijke kiem, de parel, de vonk van kennis: bewustzijn, intelligentie, licht. En die geestelijke kiem was gelijk aan de substantie van God en vormde de oorspronkelijke werkelijkheid van de mens, de glorie van de band tussen het menselijke en het goddelijke... De mens kon weliswaar rationeel beschouwd niet met God vereenzelvigd worden, maar toch was hij in wezen goddelijk. Deze geheimzinnige kwestie was een gnostisch mysterie, en het kennen ervan was hun schat...

Dit brengt ons bij het derde prominente element van onze beknopte samenvatting van de gnostiek: de achting van de gnostici voor geschriften die niet door de orthodoxie werden aanvaard. De gnostische ervaring was mythisch georiënteerd: in verhalen en metaforen, en misschien ook in rituelen, probeerden de gnostici subtiele, visionaire inzichten tot uitdrukking te brengen die niet in rationele stellingen of dogmatische beweringen konden worden weergegeven. Voor de gnostici was openbaring de kern van de gnosis. Geërgerd door hun overdaad aan 'geïnspireerde teksten' en mythen klaagt Irenaeus in zijn klassiek geworden afwijzing van de gnostici dat 'ieder van hen dagelijks iets nieuws produceert, naar vermogen; want onder hen wordt niemand als "rijp" beschouwd die niet zelf een aantal gigantische leugens bedenkt'.

Het vierde kenmerk... is uiterst lastig op beknopte wijze uiteen te zetten en het is tevens het kenmerk dat de meeste beroering wekte bij de eropvolgende orthodoxe theologie. Dit draait om het beeld van God als een bivalentie of dualiteit. Hoewel ze de ultieme eenheid en integriteit van het goddelijke onderschreven, werden de gnostici in hun ervaringsbenadering geconfronteerd met contrasterende manifestaties en kwaliteiten. In veel van de gnostische teksten van Nag Hammadi wordt God voorgesteld als tweevoudig, met vrouwelijke en mannelijke elementen... Diverse richtingen binnen de gnostiek zagen in God een vereniging van twee ongelijksoortige naturen, een vereniging die rijkelijk wordt verbeeld met seksuele symboliek. De gnostici vereerden de vrouwelijke natuur en Elaine Pagels heeft er plausibele redenen voor aangevoerd dat vrouwelijke, gnostische christenen in sociaal en religieus opzicht als veel gelijkwaardiger werden behandeld dan hun orthodoxe zusters. Jezus zelf, zo leerden enkele gnostici, had die mystieke verhouding al aangekondigd: Zijn meest geliefde discipel was een vrouw, Maria Magdalena, zijn partner...

Christus was gekomen om de scheiding ongedaan te maken... en de twee componenten te herenigen; en het leven te schenken aan diegenen die door de scheiding waren gestorven en ze met elkaar te verbinden... We zijn aangewezen op ons dichterlijk voorstellingsvermogen om te achterhalen wat dit zou kunnen betekenen. Hoewel orthodoxe polemisten de gnostici dikwijls beschuldigden van onorthodox seksueel gedrag, blijft historisch gezien onduidelijk hoe die ideeën en beelden precies gerealiseerd werden binnen de menselijke verhoudingen...

Het kraken van *De Da Vinci Code*

Dus de goddelijke Jezus en het nimmer falende Woord zijn voortgekomen uit een machtsstrijd in de vierde eeuw? Geloof je het zelf?

Door Collin Hansen

Copyright © *Christianity Today*. Opgenomen met toestemming van het tijdschrift *Christian History*. Deze en andere bronnen zijn te raadplegen op www.christianhistory.com.

Het boek *De Da Vinci Code* van Dan Brown is een bestseller geworden, vormde de aanleiding voor een speciale televisie-uitzending van ABC News en bracht debatten op gang over de legitimiteit van de westerse en christelijke geschiedenis.

Hoewel de uitzending van ABC News zich richtte op Browns fascinatie voor het vermeende huwelijk tussen Jezus en Maria Magdalena, zijn er in *De Da Vinci Code* veel meer (even dubieuze) beweringen te vinden over de historische wortels van het christendom en de theologische ontwikkeling. De centrale bewering die in Browns roman wordt gedaan over het christendom luidt dat 'vrijwel alles wat onze vaders ons over Christus hebben verteld onjuist is'. Waarom? Vanwege één bisschoppenvergadering in 325 in de stad Nicea in het huidige Turkije. Daar, zo stelt Brown, ontwierpen kerkelijke leiders die hun machtsbasis wilden verstevigen (hij noemt dit anachronistisch 'het Vaticaan' of 'de rooms-katholieke kerk') een goddelijke Christus en een onfeilbare Heilige Schrift – twee noviteiten waar de christenen tot op dat moment geen weet van hadden gehad.

Brown heeft er gelijk in dat er in de loop van de christelijke geschiedenis slechts weinig gebeurtenissen aan te wijzen zijn die zo lang op de voorgrond zijn gebleven als het Concilie van Nicea in het jaar 325. Toen de pas daarvoor bekeerde Romeinse keizer Constantijn de bisschoppen uit alle windstreken bijeenriep in Nicea, had de kerk een keerpunt in de geschiedenis bereikt. Onder leiding van een theoloog uit Alexandrië, Arius genaamd, stelde één denkrichting dat Jezus ongetwijfeld een opmerkelijk leidsman was geweest, maar dat hij niet de vleesgeworden God was. In *De Da Vinci Code* beschouwt Brown Arius blijkbaar als degene die het christendom van vóór het Niceaanse Concilie vertegenwoordigt. Onder verwijzing naar het Concilie van Nicea stelt Brown: 'tot op dat moment in de geschiedenis werd Jezus door Zijn volgelingen gezien als een sterfelijke profeet – een groot en machtig man, maar niettemin een mán'.

In werkelijkheid was er bij de vroege christenen sprake van een overweldigende verering van Christus als hun verrezen Redder en Heer. Zo namen de christenen bijvoorbeeld het Griekse woord *kyrios* over, dat 'goddelijk' betekent, om er vanaf de vroegste dagen van de kerk Jezus mee aan te duiden.

Het Concilie van Nicea liet de controversen rond de leringen van Arius niet volledig verstommen en evenmin werd de kerk een vreemde doctrine opgelegd omtrent de goddelijkheid van Christus. De deelnemende bisschoppen bevestigden slechts de historische en gangbare christelijke overtuigingen, die één front moesten vormen tegen toekomstige pogingen om het geschenk van Christus' verlossing af te zwakken.

De bijbel speelt een centrale rol in het christendom, en daarom brengt de vraag naar de historische geldigheid van de Heilige Schrift enorme implicaties met zich mee. Brown stelt dat Constantijn een commissie instelde en financierde die tot taak had bestaande teksten te manipuleren om de menselijke Christus te vergoddelijken. Doch om een aantal redenen zijn de speculaties van Brown niet steekhoudend. Brown wijst er terecht op dat 'de bijbel niet per fax uit de hemel is gekomen'. De compositie en consolidatie van de bijbel heeft in de ogen van bepaalde christenen inderdaad meer weg van mensenwerk dan ze lief is. Maar Brown gaat voorbij aan het feit dat het menselijke proces van het canoniseren al eeuwen vóór Nicea gaande was en dus al voor Nicea en voor Constantijns ratificatie van het christendom in 313 tot een vrijwel volledige canon van de Heilige Schrift leidde.

Ironisch genoeg werd er een begin gemaakt met het proces van het verzamelen en ratificeren van de bijbelboeken toen een rivaliserende sekte met een eigen quasi-bijbelse canon aan de dag trad. Rond het jaar 140 begon een leider van de gnostici, Marcion genaamd, de theorie te verspreiden dat het Nieuwe en Oude Testament niet over dezelfde God gingen. Marcion stelde dat de God van het Oude Testament de wet en de gramschap vertegenwoordigde, terwijl de God van het Nieuwe Testament, vertegenwoordigd door Christus, voor liefde stond. Het resultaat was dat Marcion het Oude Testament verwierp, alsmede de onverholen joodse geschriften in het Nieuwe Testament, waaronder Matteüs, Marcus, Handelingen en Hebreeën. Andere boeken werden door hem gemanipuleerd om de joodse tendensen ervan af te zwakken. Hoewel de kerk van Rome in 144 zijn opvattingen als ketters veroordeelde, wist de leer van Marcion niettemin een nieuwe sekte in het leven te roepen. Als reactie op de bedreiging die Marcion vormde, begonnen kerkelijke leiders zich serieus bezig te houden met het opstellen van een eigen definitieve lijst met heilige boeken, waartoe zowel het Oude als het Nieuwe Testament behoorden.

Ten tijde van Nicea debatteerden de leiders van de kerk nog maar over de legitimiteit van enkele boeken die we tegenwoordig aanvaarden, met name Hebreeën en Openbaring, omdat er twijfels bleven bestaan over de vraag wie de auteurs ervan waren. De vragen naar het auteurschap waren voor degenen die zich inspanden om de canon vast te stellen van eminent belang. De vroege leiders van de kerk beschouwden brieven en ooggetuigenverslagen uitsluitend als gezaghebbend en bindend wanneer ze waren geschreven door een apostel of een directe discipel van een apostel. Op die manier konden ze verzekerd zijn van de betrouwbaarheid van de documenten. Als predikanten zagen ze ook welke boeken daadwerkelijk opbouwend waren voor de kerk – een goed teken, meenden zij, dat die boeken tot de geïnspireerde Schrift behoorden. De resultaten spreken voor zich: de boeken van de huidige bijbel hebben ervoor gezorgd dat het christendom zich verspreidde, floreerde en zich wereldwijd kon handhaven.

6 Geheime genootschappen

Wat verborgen is, gaat de heer onze God aan; maar wat geopenbaard is, gaat voor altijd ons en onze kinderen aan...

Deuteronomium 29:28

Zoals in een goede thriller wordt de lezer van *De Da Vinci Code* van het ene verbluffende geheim naar het andere gevoerd, van een historische samenzwering naar samenzweringen in onze eigen tijd. Gaandeweg komen er enkele uiterst fundamentele geheimen uit het archaïsche verleden van de menselijke cultuur aan het licht, en zelfs archaïsche gebieden in het brein zelf, waar de oermythen en jungiaanse archetypen ronddartelen en verborgen angsten, neurosen en oude trauma's verblijf houden.

Dan Brown heeft gezegd dat Robert Ludlum tot zijn favoriete schrijvers behoort, en in *De Da Vinci Code* is inderdaad een vleugje van de rijpe Ludlum terug te vinden: begin met zeer intrigerende, tot de verbeelding sprekende geheimen, voer een gewone man ten tonele (en een mooie vrouw) die in een snelle opeenvolging van spannende voorvallen die geheimen beetje bij beetje ontrafelt tegen de achtergrond van een tikkende klok die een bedreiging voor de beschaving symboliseert. Confronteer de personages met duistere, machtige geheime genootschappen waarvan niemand vermoedde dat ze nog bestonden, en houd de lezer zodanig in de ban van ingewikkelde samenzweringen dat hij de verdere loop van de gebeurtenissen niet kan voorzien; lardeer dat alles met snelle actiemomenten om de lezer te laten vergeten dat de personages van bordkarton zijn en de plot vol gaten zit.

De rol van geheime genootschappen in dergelijke intriges – hetzij die van Ludlum, Le Carré, J.K. Rowling, J.R.R. Tolkien of van Dan Brown – moet niet worden onderschat.

In dit hoofdstuk kijken we met name naar drie geheime genootschappen die in *De Da Vinci Code* aan bod komen: de tempeliers, de Priorij van Sion en het Opus Dei. Gaandeweg staan we stil bij diverse geheime riten en praktijken, van eigentijdse gnostici die de *hiëros gamos*-riten vieren in het New York van de eenentwintigste eeuw, tot de overvloed aan geheime genootschappen die ontsproten aan het bloedbad van de tempeliers in de veertiende eeuw.

Zoals *De Da Vinci Code* laat zien is iedereen dol op samenzweringen. Iedereen vindt het interessant om te worden ingewijd in een verbijsterend geheim. De drie prominentste geheime genootschappen in *De Da Vinci Code* – de tempelridders, de Priorij en het Opus Dei – vormen elk op zich al een fascinerend geheel. In het boek wordt de kern van die drie geheime genootschappen teruggebracht tot een soort eenvoudig te begrijpen achtergrondmateriaal. Maar vervolgens wordt de macht, de invloed en de geschiedenis van die genootschappen zeer dik aangezet en overdreven.

Zo hielden de tempeliers er in de Middeleeuwen misschien enkele cultachtige praktijken op na die als gewijde seksriten te interpreteren zijn. Maria Magdalena zou een belangrijker rol in hun cultuur bekleed kunnen hebben dan haar in het huidige christendom is toebedeeld. En het is mogelijk dat ze rijkdommen verwierven in Jeruzalem en een netwerk van macht en invloed opbouwden. Maar het is zeer twijfelachtig dat ze ook maar iets gaven om de theorie van het heilig vrouwelijke of dat ze geloofden dat de heilige graal iets te maken had met de baarmoeder van Maria Magdalena en de koninklijke stamboom waar ze al dan niet toe behoorde.

De Priorij van Sion is, hoewel het aardig is erover te speculeren, misschien nooit meer geweest dan een onbeduidende politieke tak van de tempeliers in hun hoogtijdagen. Het denkbeeld van de Priorij kan in zijn twintigste-eeuwse gedaante volkomen uit de duim gezogen zijn. Misschien heeft Leonardo da Vinci zich ingelaten met geheime sekten, heidense filosofieën en ongebruikelijke seksuele praktijken – en zijn schilderijen beoogden mogelijk geheime kennis door te geven aan toekomstige generaties (of in elk geval verborgen betekenissen die grappig zijn voor insiders). Maar het is uiterst onwaarschijnlijk dat Leonardo een 'grootmeester' was van een actieve geheime organisatie zonder daarvan ook maar één bewijsstuk achter te laten in de tienduizenden bladzijden omvattende notities die hij het nageslacht naliet. Hetzelfde kan worden gezegd van de andere vermeende grootmeesters. Met alles wat er over de levens van Victor Hugo, Jean Cocteau, Newton en Debussy bekend is, zou je toch denken dat er een snippertje bewijs te vinden moet zijn dat een dergelijke stelling zou staven? En hoe kon het, voor een organisatie waar het heilig vrouwelijke zo hoog in aanzien stond (in elk geval volgens het boek), dat er zo weinig prominente vrouwen op de lijst staan?

Het Opus Dei is stellig rijk, machtig en gesloten. Het zou zich zeker verbonden kunnen hebben met een religieuze filosofie en zelfs met een reeks politieke doelstellingen die voor velen een gruwel zouden zijn. Het mag dan een zeer boeiende geschiedenis hebben vol onduidelijke banden met de CIA, de financiën van het Vaticaan, en met rechtse doodseskaders in de burgeroorlogen van Latijns-Amerika. Maar het zendt geen albino monniken de straten van Parijs in om mensen te vermoorden omwille van religieuze geheimen uit de Oudheid.

Daarmee is niet gezegd dat de zorgen en angsten die sommige mensen mogelijk ervaren in verband met deze of andere geheime groeperingen per se ongegrond zijn. Integendeel: Dan Brown, zoals zo veel auteurs, overdrijft tot het uiterste en geeft de verbeelding ruim baan met de bedoeling de juiste metaforen en de juiste gedachteprovocaties op te roepen om uit te stijgen boven het geraas van deze van informatie en amusement verzadigde wereld. Die benadering heeft aantoonbaar succes geboekt. Hij heeft onze aandacht gekregen voor geheime genootschappen en esoterische kennis waarover we vaag hadden gehoord maar waarvan we erg weinig wisten.

Welkom in de onderwereld van de geheime genootschappen van *De Da Vinci Code*.

Herinneringen aan een gnostische mis

Door John Castro

John Castro is auteur en woont in New York.

Koud en gespannen sta ik in een helder verlichte hal.

Ik draag geen schoenen.

Een man in een zwart spijkerpak heeft de aanwezigen zojuist gevraagd hun schoenen uit te trekken uit respect voor de tempel die we op het punt staan binnen te gaan. We hebben gehoor gegeven aan zijn verzoek. Als we klaar zijn vraagt de man ons te wachten tot de ceremonie een aanvang zal nemen. Terwijl ik wacht luister ik. Er zijn stelletjes, groepjes vrienden, mensen die elkaar al jaren lijken te kennen. Om de tijd te doden richt ik mijn aandacht op enkele gesprekjes.

Een aantrekkelijke jonge Spaanse vrouw, van eenentwintig of tweeëntwintig, kwebbelt in haar mobieltje: '... ja, ja, ja. Drie keer. Nee, dit is mijn derde keer. Bij mijn volgende inwijding word ik Minervaal...'

Een magere, gespierde man met van brillantine voorzien, achterovergekamd haar en een sikje komt de hal binnen en sluit zich bij ons aan. Hij wacht een ogenblik, laat zijn oog vallen op een ernstige jonge vrouw met een halsketting om waaraan een pentagram hangt en knoopt een gesprek met haar aan. 'Drieënnegentig,' zegt hij.

'Drieënnegentig,' antwoordt ze glimlachend.

Met gedempte stemmen en gebogen hoofden zetten ze het gesprek voort.

'Man, ik heb gehoord dat Jimmy Page komt als hij in New York is,' zegt een heavy-metalfan die in de dertig lijkt en een lange paardenstaart heeft. Zijn kleine, gedrongen vriend knikt futloos en onverschillig. Ik zwijg – ik ben hier helemaal alleen – en wacht tot we naar binnen mogen.

Dit zijn mijn herinneringen aan een ceremonie die ik eind 2002 bezocht. Ik was een waarnemer van en een opmerkelijk nerveus deelnemer aan een ritueel dat was georganiseerd door de Ordo Templis Orientalis, een organisatie die vele jaren werd aangevoerd door Aleister Crowley. Dé Aleister Crowley – dichter, tovenaar, beeldenstormer, drugsverslaafde en morele gesel van Groot-Brittannië, de esoterische magiër die zichzelf 'Great Beast 666' noemde.

Tijdens het lezen van *De Da Vinci Code* borrelden er veel herinneringen aan die gebeurtenis bij me op. Die herinneringen zijn bijna twee jaar oud. Ik weet dat bepaalde details aan me voorbij zijn gegaan en dat ik me andere mogelijk niet goed herinner. Maar net als bij Sophie Neveu zijn ook bij mij de herinneringen aan wat ik zag zeer levendig gebleven.

De tempel bevindt zich in een kleine ruimte. De muren zijn zwartgeverfd, de ruimte wordt schaars verlicht door kleine lampen die aan het plafond hangen en door tientallen kaarsen die op de altaarverhoging aan de rechterzijde van de ruimte staan. Het altaar is een grote constructie die je via drie treden beklimt en waarvan het hoogste punt bestaat uit een stenen plaat waarin hiërogliefen zijn gebeiteld. Het altaar wordt omgeven door een lange stang waaraan een geopend gordijn hangt.

Aan de andere kant van de ruimte, tegenover het altaar, staat een langwerpige kist die zo hoog en breed is als een uit de kluiten gewassen man en waar een klein gordijn voor hangt dat de voorzijde bedekt. Op gelijke afstanden tussen het altaar en de kist staan twee zwarte kisten op de vloer, die elk zijn voorzien van een wierrookbrander, boeken en een mengkom.

Aan weerszijden van dit gangpad staan rijen stoelen voor de congregatie. We gaan langzaam en enigszins opgelaten naar binnen. We zijn met ongeveer zestig personen en maken nogal wat lawaai als we onze schoenen, tassen en jassen onder onze stoelen opbergen.

Koud heb ik het niet meer – ik begin zelfs al te transpireren. Als we allemaal op onze stoel hebben plaatsgenomen zitten we opeengepakt en voelen we de warmte die van onszelf en van de kandelaars afstraalt. Ik ben verrast door het aantal en de verscheidenheid van de aanwezigen – lieden van uiteenlopende leeftijd en etnische achtergrond, met een palet van uiterlijk en kleding dat uiteenloopt van de goed in het pak zittende yup tot het schoolvoorbeeld van de draken-en-kerkers-look.

Een in een ruim, wit gewaad gehulde man met een pover baardje staat met zijn gezicht naar het altaar gericht. Hij slaat een kruis tussen zijn voorhoofd, borst en schouders en bij elke aanraking spreekt hij een woord dat mij als Hebreeuws in de oren klinkt.

Hij gooit zijn armen naar voren, drukt zijn handen tegen elkaar en begint langzaam met grote passen door de ruimte te schrijden. Hij ademt zwaar, op zijn gezicht staan inspanning en concentratie te lezen terwijl hij voorbij de muren van de tempel tuurt. Op vier punten in de ruimte blijft hij staan om een woord of een zin uit te spreken – ik heb geen idee in welke taal – en tekent hij theatraal de vorm van een pentagram in de lucht.

Wanneer de vier punten van het onzichtbare pentagram zijn voorzien, wendt hij zich weer naar het altaar. Hij reciteert de namen van engelen: Gabriël, Michaël, Rafaël en Uriël... Hij bekruisigt zich nog eens, wendt zich naar de bijeengekomenen, spreidt zijn armen wijd uiteen en haalt diep adem. Hij houdt zijn adem in, ademt dan langzaam uit, ontspant zich en glimlacht. De door een sitarspeler voortgebrachte muziek zoekt zich een weg door de duisternis.

De man in het witte gewaad intoneert: 'Doe Wat Gij Wilt zal het geheel van de wet zijn.'

De congreganten antwoorden met: 'Liefde is de Wet, Liefde onder de Wil.'

Wat de man reciteert doet me denken aan een bekend onderdeel van de katholieke eucharistieviering – een reeks belijdenissen die doen denken aan de geloofsbelijdenis van Nicea. In het midden van de belijdenis komt een zin voor die me de rillingen over de rug doet lopen, al weet ik niet waarom:

'En ik geloof in het Serpent en de Leeuw, Mysterie van Mysterie, in Zijn naam BAPHOMET.'

Een vrouw in witte en blauwe kleding zoekt traag haar weg door het middenpad, waarbij ze haar ogen op de vloer gericht houdt. Achter haar lopen een man in een zwart en een vrouw in een wit gewaad. De voorste vrouw draagt aan haar zijde een in de schede gestoken zwaard. Ze is in de veertig, heeft donker roodbruin haar en is mollig en aantrekkelijk. Ze gaat voor de rechthoekige kist staan en schuift met het zwaard het gordijn op-zij.

Uit de kist stapt een stoere jongeman die gekleed is in een wit gewaad. Hij houdt een lange lans voor zich.

De vrouw besprenkelt hem met water dat haar door een van haar die-naren is aangereikt. Dan pakt ze de ketting waaraan de wierrookbrander hangt en ze bekruisigt hem. Ze spreken onafgebroken. De man met de lans verkondigt dat hij het niet waard is de riten uit te voeren, de vrouw eist fluisterend dat hij zuiver van lichaam en ziel dient te zijn. Ze laat haar ge-opende handen langs zijn lichaam glijden, zonder hem aan te raken. Dan hult ze hem in een rood gewaad en tooit zijn hoofd met een kroon. Hij laat de lans naar voren hellen en houdt zijn ogen op het altaar gevestigd.

Zij knielt en laat haar handpalmen een keer of tien in de lengterichting over de lans gaan. Uit haar hele houding spreekt eerbied en beheersing. 'De Heer is onder ons!' roept ze uit.

De congregatie knielt nu op de vloer, met de armen in de lucht, han-den die de handen van de buurvrouw of -man vastgrijpen. Rechts van mij bevindt zich een jonge vrouw met lang blond haar en aan mijn linkerzij-de een kalende Afro-Amerikaanse man met een peper-en-zoutkleurige baard. Alle andere aanwezigen hebben dezelfde houding aangenomen, met in elkaar grijpende handen. Mijn armen beginnen pijn te doen. Ik vraag me af of de anderen ook aan de pijn in hun armen en rug denken. Ik ver-lang naar een teken van medegevoel maar vind het niet – de meeste an-deren staren naar het altaar of houden hun ogen devoot gesloten. Ik pro-beer heimelijk tegen mijn stoel te leunen, maar dat blijkt zinloos; mijn buren weigeren iets achterover te hellen. Vervolgens probeer ik mijn aan-dacht op het altaar gericht te houden.

De man met de lans staat op de eerste trede van het altaar. Het gordijn is gesloten; een ogenblik voordien zat de vrouw met het zwaard op het al-taar, maar nu is ze aan het oog onttrokken.

De man met de lans spreekt in verzen tegen de vrouw achter het gor-dijn; en een ogenblik later antwoordt de vrouw op dezelfde manier van achter het voorhangsel.

Ik kan me niet concentreren. Ik begin te zweten en het enige waaraan ik kan denken, behalve aan de brandende pijn in mijn armen en rug, is dat het zweet van mijn arm, die tegen de arm van de blonde vrouw is ge-perst, nu ook langs haar arm druppelt.

Er bevindt zich een naakte vrouw op het altaar.

We gaan weer staan en kijken naar haar op. De man met de lans heeft net het gordijn opengeschoven en we zien de vrouw met het zwaard – ze zit naakt op het altaar met haar gezicht naar ons toe en met haar benen over de rand. Ik probeer het hele tafereel in me op te nemen maar blijf mijn ogen afwenden.

Het dunne stemmetje in mijn hoofd – een overblijfsel van mijn katholieke opvoeding met de plechtige communie, het biechten en de godsdienstlessen op woensdag na school – wordt luider en dwingender: *Er zit een naakte vrouw op het altaar. Wat doe je hier in hemelsnaam?*

De man reikt haar zijn lans aan. Ze neemt hem aan, kust hem misschien wel een keer of tien en drukt hem dan tussen haar borsten. De man valt vóór haar op zijn knieën en gooit zijn armen op het altaar naast haar benen. Vol adoratie begint hij langzaam haar knieën en dijen te kussen.

In mijn jonge jaren was ik altijd bang een fout te maken tijdens de communie. Hoe moest ik de gewijde hostie precies aannemen? Welke woorden diende ik tegen de pastoor te zeggen? Vanavond overkomt me dat bijna opnieuw.

De aanwezigen lopen achter elkaar langs de rijen stoelen en via het middenpad naar het altaar om van de naakte priesteres de hostie te ontvangen. Ze lopen traag en plechtig en met hun armen voor hun borst gekruist. Ik volg ze op dezelfde wijze.

Zodra ik het altaar bereik concentreer ik me op de ogen van de naakte vrouw; ik wil haar niet in verlegenheid brengen door naar haar te staren. Het doet er niet toe. Het is meer mijn probleem dan het hare en ik struikel bijna over de altaartreden. Er ligt een fascinerende gelukzaligheid in haar ogen en uit haar blik spreekt oprechte openheid en bemoediging. Ik heb niet echt het gevoel dat ze naar mij kijkt en ik voel mij daar op de een of andere manier prettig onder. Ik neem de hostie aan: een zoet en stevig stukje brood, en voor ik het opeet spreek ik dezelfde woorden uit die ik de anderen heb horen zeggen:

'Er is geen deel van mij dat niet van de goden is.'

Het laatste deel van de mis dat ik me herinner betreft een gedicht, gezongen door de congregatie. Het was geschreven door Crowley en ik herinner me slechts een paar regels:

MANNEN: Glorie zij U uit Gulden Tombe!
VROUWEN: Glorie zij U uit Wachtende Schoot!
MANNEN: Glorie zij U uit ongeploegde aarde!
VROUWEN: Glorie zij U van gezworen maagd!

De gebeurtenis ontroerde me. De aanwezigen kenden de woorden uit hun hoofd; het koorachtige effect was meeslepend.

Nu sta ik terugblikkend stil bij de verbanden met *De Da Vinci Code*.

Er was duidelijk sprake van overeenkomsten: het noemen van Baphomet; een verwijzing naar de tempelridders; ceremoniële rituelen waarin orthodoxe praktijken doorklinken; diepere verwijzingen naar een synthese van vele oudere Egyptische, Hebreeuwse en Griekse tradities; echo's van de vrijmetselarij en de Rozenkruisers. En tot slot is er de nadrukkelijke bereidheid om een vrouw in het centrum van de ceremonie te plaatsen en de duidelijke, openlijke verwijzingen naar seksualiteit in de symboliek van de gebeurtenis.

De Ordo Templis Orientalis is een geheim genootschap (hoewel het op het web te vinden is, compleet met de volledige tekst van de gnostische eredienst). Zoals bij zo veel occulte en esoterische genootschappen die in *De Da Vinci Code* de revue passeren dien je een ingewijde te zijn om ze goed te kunnen plaatsen. Het uiterlijk vertoon van de mis is dan wellicht verbonden met de onderwerpen van het boek, maar ik erken dat de 'ware' betekenis van de eredienst – de betekenis ervan voor de leden zelf – mij ontgaat. En die betekenis zal me blijven ontgaan, tenzij ik me bij ze zou aansluiten en zelf een zwijgende deelnemer zou worden.

Wat ik wel weet is dat wat ik gezien heb een uiting was van een oprechte overtuiging en toewijding van de congregatie. Als ik mijn reactie op de gebeurtenis in mijn herinnering terugroep, vraag ik me af: met welke onzekere reacties en vlagen van nerveus gelach en ongemak kampten de eerste christenen in Rome? En is dat niet altijd het geval met elke nieuwe god?

De openbaring van de tempeliers

Door Lynn Picknett en Clive Prince

Lynn Picknett en Clive Prince zijn in Londen woonachtige schrijvers, onderzoekers en sprekers over het paranormale, het occulte en over historische en religieuze mysteriën. Hun boek *The Templar Revelation*, waaruit de volgende passage afkomstig is, is een van de sleutelwerken in de bibliografie van *De Da Vinci Code* en de originele bron van een aantal van theorieën daarin over Leonardo, de tempeliers en de Priorij van Sion. Opgenomen met toestemming van Lavinia Trevor Literary Agency, namens de auteurs. Copyright © 1997 Lynn Picknett en Clive Prince. Dit fragment is afkomstig uit de vertaling van Bert van Rijswijk, getiteld *Het geheime boek der Grootmeesters* (Tirion, Baarn, 1997). Opgenomen met toestemming van de uitgever. Copyright © 1997/2004 voor de Nederlandse taal: Tirion Uitgevers BV, Baarn.

De namen van Leonardo da Vinci en Jean Cocteau komen voor op de lijst van grootmeesters van een genootschap dat er aanspraak op maakt een van de oudste en invloedrijkste geheime genootschappen van Europa te zijn – de Prieuré de Sion, de Priorij van Sion. Velen betwijfelen of dit uiterst controversiële genootschap eigenlijk wel bestaat, en daarom zijn de vermeende activiteiten ervan regelmatig het onderwerp van spot en worden hun implicaties genegeerd. In het begin hadden wij begrip voor dit soort reacties, maar uit ons verder onderzoek bleek zonneklaar dat de zaak niet zo eenvoudig lag.

De Priorij van Sion kwam pas in 1982 onder de aandacht van de Engelssprekende wereld door de bestseller *The Holy Blood and the Holy Grail* van Michael Baigent, Richard Leigh en Henry Lincoln, hoewel in het land van vestiging van de Priorij, Frankrijk, al vanaf begin jaren zestig geleidelijk berichten over haar bestaan waren verspreid. Het is een quasi-vrijmetselaars- of ridderorde met bepaalde politieke ambities en naar het schijnt een aanzienlijke macht achter de schermen. Dat neemt niet weg dat het uiterst moeilijk is de Priorij in een categorie onder te brengen, misschien omdat de hele operatie in wezen iets schimmigs heeft...

De onderliggende macht van de Priorij van Sion is althans ten dele te danken aan de claim dat haar leden de hoeders zijn, en altijd al waren, van een groot geheim – een geheim dat, indien openbaar gemaakt, zowel kerk als staat op hun grondvesten zou doen schudden. De Priorij van Sion, soms ook bekend als de Orde van Sion of de Orde van Onze-Lieve-Vrouw van Sion en ook onder andere bijkomstige namen, beweert te zijn opgericht in 1099, tijdens de Eerste Kruistocht – en zelfs toen ging het om niet meer dan het formaliseren van een groep die als hoedster van deze explosieve kennis al veel eerder was ontstaan.[1] Zij beweerden achter de oprichting van de tempeliers te zitten – die merkwaardige groepering van middeleeuwse soldaat-monniken met een sinistere reputatie. De Priorij en de tempeliers werden, zo wordt beweerd, nagenoeg één organisatie onder leiding van dezelfde grootmeester, totdat zij in 1188 een schisma doormaakten en hun eigen weg gingen. De Priorij bleef onder de hoede van een reeks grootmeesters, onder wie enkele van de beroemdste namen uit de geschiedenis, zoals Sir Isaac Newton, Sandro Filipepi (bekend als Botticelli), de Engelse occulte filosoof Robert Fludd – en natuurlijk Leonardo da Vinci die, zo wordt beweerd, de laatste negen jaar van zijn leven de leiding had over de Priorij. Onder de meer recente leiders waren Victor Hugo, Claude Debussy, en de kunstenaar, schrijver, toneelschrijver en fil-

---

[1] Over de oorsprong van het genootschap – volgens de Priorij van Sion zelf – zie Baigent, Leigh en Lincoln, *Het Heilige Bloed en de Heilige Graal*, hoofdstukken 4-7.

mer Jean Cocteau.[2] En hoewel zij geen grootmeesters waren, heeft de Priorij naar eigen zeggen in de loop der eeuwen ook andere beroemdheden aangetrokken zoals Jeanne d'Arc, Nostradamus (Michel de Notre-Dame) en zelfs paus Johannes xxiii.

Afgezien van zulke beroemdheden zouden ook enkele van de belangrijkste koninklijke en aristocratische families van Europa van generatie op generatie deel hebben uitgemaakt van de Priorij van Sion. Daaronder de d'Anjous, de Habsburgs, de Sinclairs en de Montgomeries.

Het doel van de Priorij is naar verluidt de bescherming van de nakomelingen van de oude Merovingische dynastie van koningen in wat nu Frankrijk is, die heerste van de vijfde eeuw tot de moord op Dagobert ii aan het eind van de zevende eeuw. Anderzijds beweren critici echter dat de Priorij van Sion pas bestaat sinds de jaren vijftig van de twintigste eeuw en niet meer omvat dan een handvol ziekelijke fantasten zonder echte macht – royalisten met een grenzeloze grootheidswaan.[3]

Enerzijds hebben we dus de eigen beweringen van de Priorij betreffende haar afkomst en bestaansreden en anderzijds de beweringen van mensen die haar betekenis kleineren...

Elk mysterie dat samenhangt met de Priorij van Sion heeft echter ook te maken met deze soldaat-monniken [de tempeliers] en daarom vormen zij een intrinsiek onderdeel van dit onderzoek.

Een derde van alle Europese bezittingen van de tempeliers was eens te vinden in de Languedoc, en die ruïnes dragen alleen maar bij aan de wilde schoonheid van de streek. Volgens een schilderachtige lokale legende verschijnen er telkens wanneer 13 oktober op een vrijdag valt (de dag en datum van het plotselinge en brute verbod op de orde) vreemde lichten in de ruïnes en kan men er duistere figuren zien dwalen. Jammer genoeg zagen en hoorden wij niets op de vrijdagen dat wij in die streek waren, behalve het schrikbarende lawaai van wilde zwijnen, maar uit het verhaal blijkt hoezeer de tempeliers deel van de lokale legende zijn geworden.

De tempeliers leven voort in de herinnering van de plaatselijke bevolking, en die herinnering is geenszins negatief. Nog in de twintigste eeuw vermeldde de beroemde operazangeres Emma Calvé, die afkomstig was uit de Aveyron in het noorden van de Languedoc, in haar memoires dat

2 Voor een complete lijst van de vermeende grootmeesters van de Priorij van Sion, zie de Appendix van *Het Heilige Bloed en de Heilige Graal.*
3 Zie bijvoorbeeld 'The Myth of the Priory of Sion' van de Britse onderzoeker Paul Smith, *The Rennes-le-Château Observer*, nr. 1.7 (maart 1995).

de plaatselijke bevolking over een bijzonder goed uitziende of intelligente jongen placht te zeggen: 'Hij is een ware zoon van de tempeliers.'

De voornaamste feiten betreffende de tempelridders zijn simpel. De orde die officieel bekend was als de Orde van de Arme Ridders van de Tempel van Salomo werd in 1118 gesticht door de Franse edelman Hugues de Payens als ridderescorte voor pelgrims naar het Heilige Land. De eerste negen jaar bestond zij uit slechts negen ridders, maar vervolgens stelde de orde zich open voor anderen en weldra werd zij een macht waarmee rekening moest worden gehouden, niet alleen in het Midden-Oosten maar ook in Europa.

Na de erkenning van de orde begaf Hugues de Payens zich op een Europese reis om koningen en edellieden om land en geld te verzoeken. In 1129 bezocht hij Engeland, waar hij in Londen het eerste tempelierscentrum van dat land stichtte, op de plek waar zich nu metrostation Holborn bevindt.

Net als alle andere monniken legden de ridders de geloften van armoede, kuisheid en gehoorzaamheid af, maar zij waren in en van de wereld en daarom beloofden zij ook om indien nodig het zwaard te gebruiken tegen de vijanden van Christus. En zo raakte het beeld van de tempeliers onlosmakelijk verbonden met de kruistochten die werden georganiseerd om de ongelovigen uit Jeruzalem te jagen en het christelijk te houden.

In 1128 erkende het Concilie van Troyes de tempeliers officieel als een religieuze en militaire orde. De belangrijkste figuur achter deze stap was Bernard van Clairvaux, het hoofd van de cisterciënzerorde, die later heilig werd verklaard. Maar zoals Bamber Gascoigne schrijft:

Hij was agressief, hij was grof... en hij was een sluw politicus die volstrekt geen scrupules kende in de methoden die hij gebruikte om zijn vijanden ten val te brengen.

Het was Bernard die de regel van de tempeliers schreef – die was gebaseerd op die van de cisterciënzers – en het was een van zijn beschermelingen die, als paus Innocentius III, in 1139 verklaarde dat de tempelridders vanaf dat moment alleen verantwoording verschuldigd waren aan de paus. Daar de tempeliers en de cisterciënzerorde zich parallel ontwikkelden, valt er een zekere mate van welbewuste samenwerking tussen hen te zien. Zo schonk de heer van Hugues de Payens, de graaf van Champagne, Bernard het land in Clairvaux waarop hij zijn monastieke 'rijk' vestigde. En opmerkelijk is ook dat André de Montbard, een van de eerste negen tempelridders, een oom van Bernard was. Men heeft wel gesuggereerd dat de tempeliers en de cisterciënzers samenwerkten volgens een vooraf opgesteld plan om het christendom over te nemen, maar daarin zijn zij nooit geslaagd.

Het is moeilijk het prestige en de financiële macht van de tempeliers op het hoogtepunt van hun invloed in Europa te overdrijven. Er was nauwelijks een belangrijk centrum van beschaving waar zij geen afdeling hadden – zoals nog steeds blijkt uit de wijde verspreiding in Engeland van namen als Temple Fortune en Temple Bar (Londen) en Temple Meads (Bristol). Naarmate echter hun imperium groeide, groeide ook hun arrogantie en begon deze hun relaties met zowel seculiere als kerkelijke autoriteiten te vergiftigen.

De rijkdom van de tempeliers was deels een gevolg van hun regel: alle nieuwe leden moesten hun bezittingen overdragen aan de orde. Voorts verwierven zij zich een groot fortuin doordat veel koningen en edelen hun ruimschoots land en geld schonken. Hun geldkisten puilden weldra uit, niet het minst omdat zij ook een indrukwekkende financiële handigheid hadden opgebouwd. Dat leidde ertoe dat zij de eerste internationale bankiers werden van wier oordeel de kredietwaardigheid van anderen afhing. Het was een zekere manier om zichzelf tot een belangrijke macht te maken. In een kort tijdsbestek verwerd hun titel 'arme ridders' tot holle schijn, ook al bleven de gewone soldaten waarschijnlijk onbemiddeld.

Naast deze duizelingwekkende rijkdom waren de tempeliers befaamd om hun vaardigheid en moed in de strijd – soms tot op het punt van roekeloosheid. Zij hadden speciale regels om hun gedrag als soldaten te bepalen. Zo was het hun verboden zich over te geven, tenzij ze tegen een drievoudige overmacht stonden, en zelfs dan nog hadden zij de goedkeuring van hun commandant nodig. Zij waren de commando's van hun tijd, een elitestrijdmacht met God – en geld – aan hun kant.

Ondanks de buitengewone inspanningen van de tempeliers veroverden de Saracenen stukje bij beetje het Heilige Land, totdat in 1291 ook het laatste christelijke territorium, de stad Accra, in vijandelijke handen viel. De tempeliers konden niets anders doen dan terugkeren naar Europa en plannen maken voor hun eventuele herovering van het Heilige Land, maar helaas was tegen die tijd de steun voor een dergelijke campagne verdwenen bij de koningen die haar hadden kunnen financieren. Hun voornaamste reden van bestaan was de tempelieren ontvallen. Zonder emplooi maar nog steeds rijk en arrogant werden zij overal met ergernis bekeken omdat zij waren vrijgesteld van belastingen en alleen trouw waren aan de paus.

Dus kwam in 1307 onvermijdelijk het moment dat zij uit de gratie raakten. De machtige Franse koning Filips de Schone begon met stilzwijgende medewerking van de paus, die hij toch al volledig in zijn macht had, de val van de tempeliers te orkestreren. Aan de aristocratische vertegenwoordigers van de koning werden geheime orders uitgevaardigd en op vrijdag 13 oktober werden de tempeliers bijeengejaagd, gearresteerd, gefolterd en verbrand.

Dat is althans het verhaal dat in de meeste standaardwerken over dit onderwerp wordt verteld. Je krijgt het idee dat de hele orde op die dag lang geleden op een afschuwelijke wijze de ondergang vond en dat de tempeliers doeltreffend voor altijd van de aardbodem werden weggevaagd. Dat is echter ver bezijden de waarheid.

Om te beginnen werden er in feite betrekkelijk weinig tempeliers terechtgesteld, hoewel de meesten die gevangen werden genomen 'de duimschroeven werd aangedraaid' – een alledaagse uitdrukking voor het ondergaan van ondraaglijke folteringen. Betrekkelijk weinigen van hen belandden op de brandstapel; tot die weinigen behoorde met name hun grootmeester Jacques de Molay, die op het Ile de la Cité, in de schaduw van de Notre Dame, langzaam werd doodgeroosterd. Van de duizenden anderen werden alleen degenen gedood die weigerden te bekennen of hun bekentenis introkken...

De verslagen over de bekentenissen van de tempeliers zijn op zijn zachtst gezegd kleurrijk. Wij lazen dat ze een kat zouden hebben aanbeden of zich zouden hebben overgegeven aan homoseksuele orgieën als deel van hun ridderlijke plichten of een boze geest met de naam Baphomet en/of een afgehakt hoofd zouden hebben vereerd. Ook werd beweerd dat zij in een inwijdingsrite het kruis hadden vertrapt en bespuwd...

Dat is nauwelijks verrassend, want het lukt maar weinig slachtoffers van foltering hun tanden op elkaar te klemmen en niet in te stemmen met de woorden die de folteraars hun in de mond leggen. Maar in dit geval steekt er meer achter het verhaal. Enerzijds zijn er aanwijzingen dat alle tegen de tempeliers ingebrachte beschuldigingen werden verzonnen door mensen die jaloers waren op hun rijkdom en zich ergerden aan hun macht, en dat deze beschuldigingen de Franse koning een goed excuus boden zichzelf te bevrijden van zijn economische problemen door zich meester te maken van hun rijkdom. Anderzijds zijn er echter aanwijzingen dat de tempeliers, ook al waren de beschuldigingen tegen hen misschien niet helemaal waar, iets geheimzinnigs, en misschien wel 'duisters' in de occulte zin van het woord, in hun schild voerden...

Aan discussies over de tegen de tempeliers ingebrachte beschuldigingen en hun bekentenissen is heel wat inkt verspild. Hadden zij de dingen die zij bekenden, echt gedaan of verzon de inquisitie de beschuldigingen vooraf om vervolgens de ridders gewoon te folteren tot zij instemden? (Sommige ridders getuigden bijvoorbeeld dat hun was verteld dat Jezus een 'valse profeet' was.) Het is onmogelijk op deze vragen een afdoende antwoord te geven...

Zeker is in elk geval dat de Priorij van Sion beweert de macht achter de creatie van de tempeliers te zijn geweest: als dat zo is, is het een van de best bewaarde geheimen van de geschiedenis. Anderzijds wordt ook beweerd dat beide orden vrijwel niet van elkaar te onderscheiden waren voordat zij in 1188 een schisma doormaakten – en vervolgens elk hun eigen weg gingen. Dat wekt toch op zijn minst de indruk van een soort samenzwering met betrekking tot het ontstaan van de tempeliers. Volgens het gezonde verstand zouden er meer dan de oorspronkelijke negen ridders nodig zijn geweest om alle pelgrims die het Heilige Land bezochten te beschermen en een toevlucht te bieden, vooral gedurende négen jaar; bovendien zijn er nauwelijks aanwijzingen dat zij daar ooit een serieuze poging toe deden...

Een tweede met hun begin verbonden mysterie betreft het feit dat er aanwijzingen zijn dat de orde in feite al ruim voor 1118 bestond, al blijft het onduidelijk waarom de datum werd vervalst. Veel commentatoren suggereren dat het eerste verslag over hun ontstaan – van Willem van Tyrus en ruim vijftig jaar nadien geschreven – niet meer was dan een verdoezeling van de feiten. (Hoewel Willem uiterst vijandig stond tegenover de tempeliers, vertelde hij het verhaal vermoedelijk zoals hij het had begrepen.) Maar nogmaals, wát het wilde verdoezelen is een kwestie van speculatie.

Hugues de Payens en zijn negen metgezellen waren allemaal óf uit de Champagne óf uit de Languedoc afkomstig... en het is volkomen duidelijk dat zij naar het Heilige Land gingen met een speciale missie in gedachten. Misschien gingen zij, zo heeft men wel geopperd, op zoek naar de ark van het verbond of naar een andere oude schat of naar documenten die hun erheen konden leiden, of naar een soort geheime kennis die hun macht zou geven over mensen en hun rijkdom...

Onderzoek naar de diepste geheimen van de westerse beschaving

Een interview met Lynn Picknett en Clive Prince

In de loop van dit hele boek vindt de lezer bijdragen van Lynn Picknett en Clive Prince. Hun werk maakte deel uit van de bronnen die Dan Brown gebruikte bij het schrijven van *De Da Vinci Code*. Voor ons boek hebben we de twee onderzoekers per e-mail vragen gesteld die mogelijk bij de lezers opkomen nadat ze kennis hebben genomen van hun bevindingen. Hier volgen fragmenten van dat schriftelijke interview.

Wat zijn de Dossiers secrets *die zich in de Bibliothèque Nationale in Parijs bevinden, en waarom geeft Dan Brown ze zo'n prominente rol in* De Da Vinci Code*?*
Dossiers secrets is een geschikte term die door Baigent, Leigh en Lincoln werd gebruikt in *Het Heilige Bloed en de Heilige Graal* voor zeven met elkaar verband houdende, onderling in lengte verschillende documenten – in totaal minder dan vijftig pagina's – die tussen 1964 en 1967 bij de bibliotheek in bewaring zijn gegeven.

Die documenten gaan over onderwerpen als de Priorij van Sion, het mysterie van Rennes-le-Château, Maria Magdalena en de Merovingers. Het doel van de documenten is het vaststellen van het bestaan van de Priorij van Sion en de rol ervan als bewaker van historische en esoterische geheimen, maar de *Dossiers secrets* geven slechts summiere aanwijzingen omtrent de aard ervan.

Iedereen die beschikt over een lezerspas van de Bibliothèque Nationale kan de originelen inzien. Ook zijn er toegankelijkere facsimile-edities, die in de jaren negentig van de vorige eeuw zijn gepubliceerd door de Franse onderzoeker Pierre Jarnac. Ze worden nu mogelijk niet meer herdrukt, maar ze waren op grote schaal beschikbaar in Frankrijk.

In Het geheime boek der Grootmeesters *beweren jullie dat de* Dossiers secrets*, die Dan Brown gebruikt om diverse grote geheimen in* De Da Vinci Code *met elkaar te verbinden, volstrekt onzinnig lijken te zijn. Waarom?*
Dat zeggen wij omdat ze in onze ogen en op het eerste gezicht inderdáád volstrekt onzinnig lijken. Aangezien veel zaken die erin te vinden zijn in strijd zijn met de algemeen geaccepteerde geschiedschrijving, is het verleidelijk ze als pure fantasieproducten af te doen. Maar zo eenvoudig is het toch niet. Hoewel bepaalde informatie aantoonbaar onjuist en opzet-

telijk misleidend is, is er verrassenderwijs ook steekhoudende informatie
in te vinden.

Al met al zijn de *Dossiers* zeer ontgoochelend. De teksten zijn, anders
dan wat Dan Brown beweert, géén romantische oude perkamenten doch
eenvoudige getypte of gedrukte vellen papier. Het is moeilijk voorstelbaar
dat er op zulke armzalige stukjes papier grote geheimen worden onthuld.

Wat is de rechtstreekse relatie tussen de tempelridders en de Priorij van Sion?
De centrale paradox van de Priorij van Sion is dat er geen bewijzen zijn
dat ze vóór 1956 al bestond, terwijl er niettemin wordt gesteld dat ze er geweest is sinds de Middeleeuwen. De laatste jaren heeft het verhaal van de
Priorij een verandering ondergaan en heet het dat ze in de achttiende eeuw
zou zijn gesticht.

De conclusie die wij na het schrijven van *Het geheime boek der Grootmeesters* hebben getrokken is dat de Priorij van Sion, die zichzelf in 1956
aan de wereld bekendmaakte, ook tóén werd uitgevonden, zij het als façade voor een netwerk van onderling verbonden geheime genootschappen
en esoterische orden die inderdaad op een authentieke wordingsgeschie-
denis kunnen bogen. Deze façade heeft ze in staat gesteld bepaalde zaken
op semi-openbare wijze te doen, zonder te onthullen wie of wat er werkelijk achter zit.

In de *Dossiers secrets* beweert de Priorij van Sion dat ze een zusterorga-
nisatie van de tempeliers was, maar er is geen bewijs voor een dergelijke
relatie. In elk geval heeft de Priorij van Sion haar eerdere aanspraken herroepen (als ze in de achttiende eeuw werd gesticht, is het duidelijk dat er
geen relatie bestaat!).

Er is een 'Order of Our Lady of Mount Sion' geweest, die behoorde tot
de abdij met dezelfde naam in Jeruzalem, en die abdij onderhield enig contact met de tempeliers. Er is wel beweerd dat de Priorij van Sion de voort-
zetting is van die orde, maar helaas is daarover verder niets bekend.

Wel bestaat er een nauwe band tussen de modérne Priorij van Sion en
geheime genootschappen die er aanspraak op maken terug te gaan op de
middeleeuwse tempelridders. Deze neotempeliersgroepen zijn allemaal te
herleiden tot een achttiende-eeuws genootschap dat de 'Strict Templar Ob-
servance' heette en er – met enig recht – aanspraak op maakte dat het de
oorspronkelijke erfgenaam was van de geheimen van de middeleeuwse
tempeliers. En de organisatie onder leiding van Pierre Plantard [die bekendstaat als de grootmeester van de Priorij van Sion in recentere tijden]
werpt zich op als het aanspreekpunt van die groepen.

Waardoor zijn de tempeliers zo beroemd geworden? Welke geheime informatie zouden zij hebben bewaakt?

Historisch gezien geldt het als aanvaard dat de tempeliers buitengewoon vaardig waren op het vlak van de geneeskunde, de diplomatie en de krijgskunde – zij golden in hun tijd als de elitetroepen. Veel van die vaardigheden deden ze op tijdens hun reizen, vooral in het Midden-Oosten, en van hun vijanden, de Saracenen, die vermaard waren om hun wetenschappelijke kennis. (Een van de redenen waarom de Saracenen zo'n grote voorsprong hadden op de Europeanen is dat alle wetenschappelijke experimenten door de kerk in de ban waren gedaan.)

Er bestaat geen twijfel over dat de tempeliers ook gericht waren op esoterische en spirituele kennis – hoewel er in de reguliere geschiedschrijving weinig te vinden is over dat aspect van hun *raison d'être*. De tempeliers waren dermate gesloten dat er niets met zekerheid bekend is over hun verborgen agenda's: dat is een onderwerp waarover slechts te speculeren valt. Ze zijn met van alles en nog wat in verband gebracht, van de ark van het verbond en de heilige graal tot de verloren evangeliën en de Lijkwade van Turijn. Niemand die het met zekerheid weet.

Echter, ons onderzoek heeft uitgewezen dat de tempeliers in hoge mate een organisatie binnen een organisatie vormden: het merendeel van de ridders werd gevormd door de goede christenen die ze geacht werden te zijn. Maar de ridders die de grondleggers waren en de kern van de organisatie vormden, lijken er een andere – en zeer ketterse – agenda op na te hebben gehouden. Het is bekend dat er een groot geheim was omtrent Baphomet, het hoofd waarvan wordt beweerd dat het door de ingewijde tempeliers werd aanbeden. Was Baphomet echt een hoofd – een bebaard, streng hoofd, zoals sommige ridders beweerden? En als dat zo is, wie of wat zou het dan representeren?

Hoe zijn de vrijmetselaars met dit alles verbonden?

De vrijmetselarij heeft zo veel scheuringen, zwenkingen en herzieningen ondergaan dat je niet echt kunt spreken van dé vrijmetselarij – er zijn erg veel onderling afwijkende groeperingen. Maar we denken wel dat de verbinding tussen de tempeliers en de oorsprong van de vrijmetselarij – bij tempeliers die ondergronds gingen nadat de orde was opgeheven – zo duidelijk bewezen is als iets op dit vlak maar bewezen kan worden. Het netwerk van orden achter de Priorij van Sion is nauw vervlochten met bepaalde vormen van vrijmetselarij, zoals de 'Recified Scottish Rite'.

Wat is de belangrijkste doelstelling van de vrijmetselaars?
In de huidige tijd hangt dat af van de vraag welke vrijmetselaarsorde je bedoelt. De meeste orden zullen beweren niets meer te zijn dan een welwillende filosofische en morele organisatie, terwijl hun critici stellen dat de hele organisatie slechts het wederzijdse commerciële en sociale voordeel van de leden dient. Oorspronkelijk was het doel van de vrijmetselarij het verwerven en doorgeven van kennis, voornamelijk esoterische kennis (verlichting). Sommige orden houden die traditie tot op de dag van vandaag in ere.

Wie is Pierre Plantard?
Pierre Plantard (ook wel Pierre Plantard de Saint Clair genoemd) was tot zijn dood in 2000 grootmeester van de Priorij van Sion. Hij was het gezicht van het genootschap. Met hem trad de Priorij van Sion in de openbaarheid, voornamelijk door interviews die hij gaf aan Michael Baigent, Richard Leigh en Henry Lincoln, de auteurs van *Het Heilige Bloed en de Heilige Graal* – het boek dat indirect leidde tot het boek van Dan Brown. Over de vraag wie momenteel de grootmeester is, en of er nog wel een is, valt slechts te speculeren.

Het is belangrijk te benadrukken dat hij [Plantard] nooit iets heeft gezegd over de stamboom van Jezus en Maria Magdalena. Dat was een hypothese van Baigent, Leigh en Lincoln. Nadat hun tweede boek, *De Messiaanse erfenis*, was uitgekomen [in Groot-Brittannië in 1986, in Nederland in 1991] verwierp Plantard die veronderstelling met klem. [Dan Brown lijkt daar niet van op de hoogte te zijn!]

Gezien de beroemdheden die in het verleden grootmeesters van de Priorij van Sion zouden zijn geweest, om welke namen gaat het dan in de huidige tijd?
Als de Priorij van Sion een dekmantel is van andere politiek-esoterische genootschappen heeft zij in zekere zin geen eigen leden. Er zijn allerlei namen mee in verband gebracht, tot en met president François Mitterand. Maar het probleem met een geheim genootschap is dat niet kan worden aangetoond dat iemand er deel van uitmaakt. En zijn zij de bewakers van een groot historisch geheim, zoals Dan Brown suggereert? Of hebben zij een of andere politieke doelstelling waarvan ze niet willen dat anderen daarvan op de hoogte zijn?

Wat is de Merovingische lijn en hoe verhoudt die zich tot Jezus?
De Merovingers vormden een dynastie van Frankische koningen die heersten over delen van het huidige noorden van Frankrijk, Duitsland en België tussen de vijfde en de achtste eeuw. Zij werden van hun troon gesto-

ten door de Karolingers die samenzweerden met de kerk.

Het centrale standpunt van de *Dossiers secrets* is dat de Merovingische lijn niet is uitgestorven, zoals de geschiedenisboeken stellen, en dat de Priorij van Sion de telgen ervan door de eeuwen heen tot op heden heeft beschermd. Er wordt gesuggereerd dat zij de wettige koningen van Frankrijk zijn en dat het doel van de Priorij van Sion is ze weer op de Franse troon te brengen. Dat is allemaal volstrekte onzin. Zelfs als de Merovingers het overleefd hebben, wat uiterst twijfelachtig is, dan nog zouden ze geen enkele aanspraak op de troon kunnen maken – die bovendien helemaal niet meer bestaat in de Franse republiek.

De centrale theorie van *Het Heilige Bloed en de Heilige Graal* is het geheim van de Merovingische stamboom en dat die terug zou gaan op de kinderen van Jezus en Maria Magdalena. Dat is de gedachte die met name *De Da Vinci Code* heeft geïnspireerd. We kunnen niet genoeg benadrukken dat dit *geheel en al* de hypothese is van Baigent, Leigh en Lincoln. In de *Dossiers secrets* is daarover níéts te vinden, noch in enig ander document dat op de Priorij betrekking heeft, en ook Pierre Plantard heeft die hypothese met nadruk van de hand gewezen.

Waarop is de gedachte gebaseerd dat de heilige graal via de baarmoeder van Maria Magdalena de stamboom van Jezus vertegenwoordigt?
Baigent, Leigh en Lincoln stellen dat de heilige graal, de 'beker' die Jezus' bloed en zaad bevatte, een gecodeerde verwijzing is naar de baarmoeder waarin Maria Magdalena de kinderen van Jezus gedragen zou hebben. Dat is een intrigerende maar zeer discutabele hypothese, vooral omdat de 'beker'-gedachte van de graal niet overeenstemt met de oorspronkelijke vorm. De eerste verhalen spreken niet van de mysterieuze heilige graal als iets specifieks, óf hij wordt als een *steen* beschreven.

We zijn het volstrekt oneens met de theorie dat de graal de baarmoeder van Maria Magdalena zou zijn. Die gedachte is nadrúkkelijk verworpen door de Priorij van Sion zelf en is de centrale misvatting van zowel *Het Heilige Bloed en de Heilige Graal* als, minder ernstig, *De Da Vinci Code*, omdat dat laatste boek per slot van rekening een werk van fictie is.

Kunt u nog iets zeggen over Leonardo da Vinci en zijn banden met een geheim genootschap?
Het is bekend dat Leonardo da Vinci een ketter was die geïnteresseerd was in esoterische ideeën. De Priorij van Sion noemde hem hun negende grootmeester – maar of hij dat daadwerkelijk was is onmogelijk te zeggen, al is het in elk geval uiterst onwaarschijnlijk. Er is geen enkel do-

cument uit die tijd dat in die richting wijst, maar aangezien we het over een geheim genootschap hebben ligt dat natuurlijk ook niet erg voor de hand.

Wat wel duidelijk is, is dat Leonardo symbolische elementen in zijn werk opnam die overeenstemmen met de thema's die in de *Dossiers secrets* zijn aangetroffen, wat in elk geval duidelijk maakt dat ze allebei bij dezelfde traditie aanknopen.

Zoals wij in ons boek *Het geheime boek der Grootmeesters* uiteenzetten bestaat de kern volgens ons uit Leonardo's opwaarderen van Johannes de Doper tot hij superieur lijkt te zijn aan Jezus en zelfs de 'eigenlijke Christus' is. Ironisch genoeg ging het hoofdstuk in ons boek dat we de titel 'De geheime code van Leonardo da Vinci' hadden gegeven (doet dat een belletje rinkelen?) niét over een vermeende stamboom van Jezus, maar juist over deze 'johannieter' ketterij.

Het Heilige Bloed en de Heilige Graal

Door Michael Baigent, Richard Leigh en Henry Lincoln

Michael Baigent, Richard Leigh en Henry Lincoln, de auteurs van *De Messiaanse erfenis* (Tirion, Baarn, 1988), waren meer dan tien jaar op hun eigen soort queeste naar de heilige graal, naar de geheime geschiedenis van het vroege Frankrijk. Dat leidde tot *Holy Blood, Holy Grail*, dat vanaf de Brits/Amerikaanse publicatie in 1982 uitgroeide tot een internationale bestseller. Copyright © 1982 Michael Baigent, Richard Leigh en Henry Lincoln. Opgenomen met toestemming van Dell Publishing, onderdeel van Random House, Inc. De Nederlandse titel is een letterlijke vertaling van de iets afwijkende Britse titel: *Het Heilige Bloed en de Heilige Graal* (Tirion, Baarn, 1982). Dit fragment – een herziene versie van de vertaling van Minze bij de Weg en Jan Smit – is opgenomen met toestemming van de uitgever. Copyright © 1999/2004 voor de Nederlandse taal: Tirion Uitgevers B.V., Baarn.

Het Heilige Bloed en de Heilige Graal is het boek 'waarmee het allemaal begon', de eindtwintigste-eeuwse fascinatie voor de verbonden geheimen en samenzweringen van het huwelijk van Jezus en Maria Magdalena, hun veronderstelde bloedlijn, de verloren evangeliën, de tempeliers, de Priorij van Sion, Leonardo da Vinci, de *Dossiers secrets*, het mysterie van Rennes-le-Château en Abbé Saunière, etc. Wie het boek leest, stuit vanzelf op plekken waarbij men denkt: dit heeft Dan Brown onderstreept of van een geeltje voorzien en gezegd: 'Aha! Dit moet ik gebruiken!'

Maar zoals een aantal artikelen in dit boek aangeven, zijn er in de loop der jaren serieuze vragen gerezen over de research, de methodiek en de conclusies van *Het Heilige Bloed en de Heilige Graal*. De meeste academici met kennis van de vakgebieden waaraan het boek raakt, vinden het ofwel op zijn best onwaarschijnlijk, ofwel een steun voor de mystificatie van de hele Priorij van Sion, zoals veel experts hem beschouwen.

Het Heilige Bloed en de Heilige Graal is beslist de aandacht van de lezer waard. Of het nu waar is of niet, of hoeveel ervan waar mag zijn, laten we over aan het oordeel van elke lezer. Laten we gewoon zeggen dat Dan Brown een goed idee had toen hij dit fascinerende materiaal verwerkte in zijn fictie.

De volgende tekst is slechts een proefje van de vele fascinerende zaken in het boek. Veel van het materiaal is duister en moeilijk te volgen zonder alles dat eraan voorafging. Ons doel hier is om de lezer te laten proeven van deze oertekst voor *De Da Vinci Code*. Voor wie het interesseert, is ons advies: koop *Het Heilige Bloed en de Heilige Graal* en lees het helemaal!

Eerlijk is eerlijk, Guillaume [de Tyr] voorziet ons wel van wat basale informatie, en op die informatie zijn alle volgende verslagen over de tempeliers, alle verklaringen van hun stichting en alle verhalen over hun activiteiten gebaseerd. Maar vanwege Guillaumes vaagheid en schetsmatigheid, vanwege de tijd waarin hij schreef [1175-85], vanwege het gebrek aan gedocumenteerde bronnen, is hij een wankele fundering voor het opbouwen van een definitief beeld. Guillaumes kronieken zijn zeker nuttig. Maar het is een vergissing – en een die vele historici gemaakt hebben – om ze te beschouwen als onbetwistbaar en geheel accuraat. De Britse historicus Sir Steven Runciman benadrukt dat zelfs zijn data 'onduidelijk en soms aantoonbaar foutief zijn'.[1]

Volgens Guillaume de Tyr werd de Orde van de Arme Ridders van Christus en de Tempel van Salomo opgericht in 1118. Als stichter werd genoemd Hugues de Payen, een edelman uit de Champagne en vazal van de graaf van Champagne. Met acht kameraden meldde Hugues zich op zekere dag ongevraagd bij koning Boudewijn 1 van Jeruzalem, wiens oudere broer Godfried van Bouillon de Heilige Stad negentien jaar daarvoor had veroverd. Ze werden hartelijk ontvangen door Boudewijn en ook door de patriarch van Jeruzalem, de religieuze leider van het nieuwe koninkrijk en de speciale afgezant van de paus.

---

1 Runciman, *History of the Crusades*, dl. 2, p. 477.

De opdracht van de tempeliers was 'zover het in hun mogelijkheden lag de straten en hoofdwegen te beveiligen... en speciaal over de veiligheid van de pelgrims te waken'.[2] Dit doel werd blijkbaar zo belangrijk geacht, dat de koning een hele vleugel van het paleis ontruimde en ter beschikking van de tempeliers stelde. Ondanks hun eed van armoede betrokken zij deze weelderige accommodatie. Volgens de overlevering waren hun kwartieren gebouwd op de fundamenten van de tempel van Salomo en daaraan ontleende de jonge orde zijn naam.

Guillaume de Tyr vertelt ons dat de negen ridders negen jaar lang geen nieuwe kandidaten tot hun orde toelieten. Ze werden geacht in armoede te leven; op officiële zegels worden twee ridders op één paard afgebeeld, waarmee niet alleen hun broederschap werd bedoeld, maar ook dat ze te arm waren om elk een paard te bezitten. Dat zegel wordt vaak als het beroemdste en kenmerkendste devies van de tempeliers beschouwd, en het zou uit hun begindagen stammen. In werkelijkheid dateert het van een eeuw later, toen men de tempeliers moeilijk meer arm kon noemen, als ze dat ooit geweest zijn.

Volgens Guillaume de Tyr, die een halve eeuw later schreef, werd de orde in 1118 opgericht en betrok hij het koninklijk paleis. Wellicht ondernam men vandaaruit reizen om de pelgrims op de straten en paden van het Heilige Land te beschermen. In die dagen was er echter ook een officiële geschiedschrijver in dienst van de koning. Hij heette Foulques de Chartres en hij schreef niet vijftig jaar na stichting van de orde, maar in diezelfde dagen. Vreemd genoeg vermeldt Foulques de Chartres noch Hugues de Payen en diens metgezellen, noch iets dat ook maar in de verte in verband kan worden gebracht met de tempeliers. Er heerst inderdaad een verpletterende stilte over de bezigheden van de tempeliers in hun begindagen. Ze worden zeker nergens in verband gebracht met de bescherming van pelgrims – ook later niet. En men kan zich afvragen hoe die kleine groep mannen deze gigantische taak, die ze zichzelf hadden opgelegd, wilde uitvoeren. Negen mannen om de pelgrims op de doorgangswegen van het Heilige Land te beschermen? Maar negen? En álle pelgrims? Als dat hun doel was, hadden ze ongetwijfeld nieuwe recruten verwelkomd. Toch lieten ze volgens Guillaume de Tyr negen jaar lang geen nieuwe kandidaten toe.

Desondanks lijkt de roem van de tempeliers zich binnen tien jaar over Europa verspreid te hebben. Kerkelijke autoriteiten prezen hen en hun christelijke onderneming. In of kort na 1128 werden in een traktaat hun

---

2 Guillaume de Tyr: *Historia rerum in partibus transmarinis gestarum (Historie van daden begaan voorbij de zee)*, dl. 1, p. 525ev.

deugden en kwaliteiten geprezen. Dat traktaat, *Ter ere van een nieuwe rid-derschap*, werd uitgegeven door niemand minder dan de heilige Bernard, de abt van Clairvaux en in die tijd de belangrijkste woordvoerder van het christendom. Hij noemde de tempeliers het ware voorbeeld en de apotheose van de christelijke waarden.

Na negen jaar, in 1127, keerden de meeste ridders terug naar Europa, waar ze triomfantelijk werden ingehaald. De stimulator hiervan en ook van het concilie dat in 1128 in Troyes, de zetel van de graaf van Champagne, werd gehouden, was de heilige Bernard. Op dit concilie werden de tempeliers officieel als religieus-militaire orde erkend. Hugues de Payen ontving de titel van grootmeester. Hij en zijn ondergeschikten zouden soldaat-monniken zijn, soldaat-mystici, die de strenge discipline van het klooster combineerden met een bijna fanatieke geloofsijver, de 'militia van Christus' zoals zij in die tijd werden genoemd. Het was opnieuw Bernard die met een enthousiaste inleiding de gedragsregels van de ridders hielp ontwerpen. Deze waren gebaseerd op die van de cisterciënzer kloosterorde, waarin Bernard een overheersende rol speelde.

De tempeliers legden een gelofte af van armoede, kuisheid en gehoorzaamheid. Ze waren verplicht hun haren te knippen en hun baarden te laten staan, waarmee ze zich onderscheidden van hun tijdgenoten, die in het algemeen gladgeschoren waren. Voeding, kleding en andere aspecten van het dagelijkse leven werden in overeenstemming gebracht met de vereisten van de militaire praktijk en kloosterpraktijk. Alle leden van de orde moesten witte kleding, wapenrok en mantel dragen; hieruit ontwikkelde zich de speciale mantel waar de tempeliers beroemd om waren. Hun regels stelden: 'Het is niemand toegestaan witte kleding te dragen, of witte mantels te bezitten, behalve... de Ridders van Christus.[3] ... Aan ieder die de geloften heeft afgelegd, zowel in de zomer als in de winter, geven wij, als daarin kan worden voorzien, witte kledij, zodat zij die een donker leven achter zich hebben gelaten mogen weten dat zij een zuiver en wit leven aan hun schepper kunnen opdragen.'[4]

Naast deze details bestond er een tamelijk losse administratieve hiërarchie, een onsamenhangend apparaat. De regels voor het gedrag op het slagveld waren weer strikter. Bijvoorbeeld een tempelier die gevangen was genomen mocht niet om genade of een losgeld vragen; ze moesten vechten tot de dood. En ze mochten zich pas terugtrekken bij een drie-tegen-één overmacht.

3 Addison, *History of the Knights Templar*, p. 19. Voor de tekst van het oorspronkelijke handvest, zie Curzon, *La Règle du Temple*.
4 Addison, idem.

In 1139[5] gaf Innocentius II, een vroegere cisterciënzer monnik en beschermeling van de heilige Bernard, een pauselijke bul uit. Daarin werd meegedeeld dat de tempeliers aan geen andere kerkelijke of wereldlijke macht trouw behoefden te zweren dan aan de paus. Met andere woorden, ze werden onafhankelijk gemaakt van koningen, prinsen en prelaten, alsmede van de tussenkomst van politieke of religieuze autoriteiten. Ze stonden in feite boven de wet en hadden hun eigen internationale rijk.

In de twintig jaar die volgden op het Concilie van Troyes, breidde de orde zich met ongekende snelheid en op ongekende schaal uit. Toen Hugues de Payen in 1128 Engeland bezocht, werd hij 'met grote eerbied' ontvangen door koning Hendrik I. In heel Europa verdrongen jongere zoons van adellijke families elkaar om tot de orde toe te treden en uit alle hoeken van het christendom werden enorme giften ontvangen in geld, goederen en land. Hugues de Payen schonk al zijn bezittingen; ieder die lid wilde worden van de orde moest hetzelfde doen...

Veel tijdgenoten [van de tempeliers] ontliepen hun omdat ze dachten dat de ridders in contact stonden met duistere machten. Al in 1208, bij het begin van de kruistocht tegen de Albigenzen, had paus Innocentius III de tempeliers vermaand wegens onchristelijk gedrag en uitdrukkelijk gewag gemaakt van zwarte kunst. Anderzijds waren er personen die hen buitensporig prezen. Tegen het eind van de twaalfde eeuw bracht Wolfram von Eschenbach, de grootste middeleeuwse minnezanger of romancier, speciaal een bezoek aan Outremer om de orde in actie te zien. In zijn epische roman *Parzival*, die hij tussen 1195 en 1220 schiep, kende hij de tempeliers een zeer verheven status toe. In dat gedicht waren zij de bewakers van de heilige graal, het graalkasteel en de graalfamilie.[6]

Na de vernietiging van de tempeliers bleef deze mystiek bestaan. De geschiedenis van de orde eindigt met het verbranden van de laatste grootmeester, Jacques de Molay, in maart 1314. Er wordt gezegd dat hij vanuit de vlammen, terwijl de rook van het zwakke vuur zijn laatste levensgeesten versmoorde, een vervloeking heeft uitgesproken. Volgens de overlevering riep hij zijn vervolgers, paus Clemens en koning Filips, toe dat zij zich binnen een jaar met hem voor Gods rechtbank zouden moeten verantwoorden. Paus Clemens was binnen een maand dood, waarschijnlijk door een plotselinge aanval van dysenterie. Tegen het eind van het jaar was ook Filips door een tot nu toe onbekende oorzaak overleden. We hoeven natuurlijk niet aan een bovennatuurlijke uitleg te denken. De tempeliers hadden grote ervaring met gif en er waren ongetwijfeld genoeg mensen die

5 Deze datum wordt betwist. Er wordt beweerd dat hij niet ouder kan zijn dan 1152.
6 Wolfram von Eschenbach, *Parzival*, p. 251.

wraak wilden nemen: gevluchte ridders die incognito bleven, sympathi-
santen of verwanten van vervolgde broeders. De klaarblijkelijke vervulling
van de vloek versterkte echter het geloof aan de occulte vermogens van de
ridders. De vloek was hiermee bovendien niet vervuld, maar bleef volgens
de overlevering nog lang als een schaduw boven het Franse koningsge-
slacht hangen. Zo weerklonken door de eeuwen heen de echo's van deze
veronderstelde mystieke krachten van de tempeliers.

Tijdens de achttiende eeuw prezen vele geheime en semi-geheime broederschappen de tempeliers als hun voorgangers en ingewijden in de mystiek. Vele vrijmetselaars uit die tijd beschouwden de tempeliers als hun
wegbereiders. Vele riten en gebruiken van de vrijmetselaars zouden rechtstreeks van de orde komen en oude geheimen bevatten. Soms waren dit
belachelijke beweringen, soms bevatten deze misschien een kern van waarheid – bijvoorbeeld als zij te maken hadden met het overleven van de orde in Schotland – zelfs als de toegevoegde verfraaiingen van het verhaal
grotendeels vals waren.

Tegen 1789 hadden de verhalen die de tempeliers omgaven mythische
afmetingen aangenomen en werd de historische werkelijkheid verduis-
terd door een aura van verwarring en romantisering. De tempeliers werden beschouwd als ingewijden in het occultisme, verlichte alchemisten,
tovenaars en wijzen, meesters van de vrijmetselaars, echte supermensen
die over een eerbiedwekkend arsenaal van geheime kennis en macht beschikten. Ze werden beschouwd als helden en martelaars, de voorlopers
van de antikerkelijke geest van die tijd; veel Franse vrijmetselaars die mee-
deden aan de samenzwering tegen Lodewijk XVI hadden het gevoel dat
zij hielpen de vloek van Jacques de Molay te vervullen. Toen het hoofd
van de koning onder de guillotine viel, sprong volgens ooggetuigen een
man op het schavot. Hij doopte zijn hand in het bloed van de koning,
sprenkelde het rondom over de menigte en riep: 'Jacques de Molay, gij
zijt gewroken!'

Sinds de Franse Revolutie is het aureool dat de tempeliers omgeeft niet
zwakker geworden. Ten minste drie hedendaagse organisaties noemen zichzelf tempeliers en beweren over een stamboom te beschikken die teruggaat
tot 1314 en over handschriften waarvan de echtheid nooit is aangetoond.
Sommige loges van de vrijmetselaars hebben de graad van 'tempelier' ingesteld en rituelen en namen aangenomen die van de oorspronkelijke orde zouden stammen. Tegen het eind van de negentiende eeuw werd in
Duitsland en Oostenrijk een duistere Nieuwe Orde van de Tempeliers opgericht, die de swastika als een van zijn symbolen gebruikte. Mensen als
H.P. Blavatsky, stichtster van de theosofie, en Rudolf Steiner, stichter van
de antroposofie, hadden het over een 'traditie' van esoterische 'wijsheid'

die via de Rozenkruisers terugging tot de katharen en de tempeliers, op hun beurt weer bewaarders van oudere geheimen...

Het belangrijkste van al de in eigen beheer uitgegeven en in de Bibliothèque Nationale in Parijs bewaarde documenten is een verzameling papieren die de naam *Dossiers secrets* (*Geheime dossiers*) draagt. Deze verzameling heeft catalogusnummer 4° lm¹249 en is nu op microfiche vastgelegd. Tot voor kort was het een dun, onopvallend werk, een map met harde omslagen die een verzameling papieren bevatte die ogenschijnlijk niets met elkaar te maken hadden: krantenknipsels, brieven die op een vel papier waren gelijmd, pamfletten, veel stambomen en af en toe een gedrukte pagina die blijkbaar uit een ander werk was gehaald. Soms verdwenen er bladen, dan weer werden er andere toegevoegd. Af en toe werden er in een minuscuul handschrift verbeteringen of toevoegingen aangebracht. Dergelijke vellen werden dan later vervangen door nieuwe, gedrukte waarop alle veranderingen voorkwamen.

Het grootste deel van de *Dossiers*, dat uit stambomen bestaat, wordt toegeschreven aan Henri Lobineau; zijn naam wordt op de titelpagina vermeld. Op twee andere bladen in de map wordt meegedeeld dat Henri Lobineau eveneens een pseudoniem is, misschien ontleend aan de rue Lobineau in Parijs in de buurt van Saint-Sulpice, en dat de stambomen in werkelijkheid waren samengesteld door Leo Schidlof, een Oostenrijkse historicus en antiquair die in Zwitserland gewoond zou hebben en in 1966 was gestorven. We besloten na te gaan wat we te weten konden komen over Leo Schidlof.

In 1978 spoorden we zijn dochter op, die in Engeland woonde. Haar vader was inderdaad Oostenrijker, zei ze, maar hij was geen genealoog, historicus of antiquair, maar kenner van en handelaar in miniaturen, die over dat onderwerp twee boeken had geschreven. Hij had zich in 1948 in Londen gevestigd, waar hij woonde tot hij in 1966 in Wenen overleed; het jaar en de plaats die in de *Dossiers* worden genoemd.

Mevrouw Schidlof ontkende ten stelligste dat haar vader ooit belangstelling had gehad voor genealogie, de Merovingische vorsten of mysteries in Zuid-Frankrijk. Toch waren er mensen die dat klaarblijkelijk dachten, zei ze. In de jaren zestig had hij vele telefoontjes en brieven ontvangen van anonieme personen in Europa en de Verenigde Staten, die met hem over zaken wilden praten waarvan hij niets afwist. Na zijn dood kwam er een nieuwe stroom boodschappen, die meestal naar zijn papieren informeerden.

De zaak waarin de vader van mevrouw Schidlof tegen zijn wil werd betrokken, raakte blijkbaar een gevoelige snaar bij de Amerikaanse regering. In 1946, tien jaar voor de *Dossiers secrets* werden samengesteld, vroeg Leo

Schidlof een visum aan voor de Verenigde Staten. Dit werd hem gewei- gerd omdat hij met spionage of clandestiene activiteiten te maken zou hebben gehad. Later werd de zaak blijkbaar rechtgetrokken, want Schid- lof kreeg toen toch zijn visum. Misschien was het alleen maar een admi- nistratieve fout, maar mevrouw Schidlof dacht klaarblijkelijk dat het te maken had met de geheimzinnige activiteiten die aan haar vader werden toegeschreven.

Het verhaal van mevrouw Schidlof deed ons twijfelen. Misschien was het weigeren van het visum toch niet helemaal toevallig, want in de *Dos- siers secrets* werd de naam Leo Schidlof in verband gebracht met een vorm van internationale spionage. Intussen was er in Parijs echter een nieuw pamflet opgedoken, waarvan de inhoud in de volgende maanden door an- dere bronnen werd bevestigd. Volgens dat pamflet was Henri Lobineau toch niet Leo Schidlof, maar een Franse aristocraat van hoge afkomst, graaf Henri de Lénoncourt.

De ware identiteit van Henri Lobineau was niet het enige raadsel van de *Dossiers secrets*. Er was ook iets met de 'leren aktetas van Leo Schidlof'. Die aktetas scheen geheime papieren te hebben bevat die te maken had- den met Rennes-le-Château tussen 1600 en 1800. Die tas zou kort na de dood van Schidlof in handen zijn gegeven van een koerier, een zekere Fak- har ul Islam. Deze moest in februari 1967 in Oost-Duitsland de tas toe- vertrouwen aan een 'agent van Genève'. Voordat de transactie kon worden uitgevoerd werd Fakhar ul Islam echter uit Oost-Duitsland gezet, waarna hij naar Parijs terugkeerde om 'verdere orders af te wachten'. Op 20 fe- bruari werd hij uit de trein Parijs-Genève gegooid en zijn lichaam werd nabij Melun op de spoorbaan gevonden. De aktetas schijnt verdwenen te zijn.

We probeerden dit lugubere verhaal zoveel mogelijk te controleren. Het werd grotendeels bevestigd door artikelen in Franse kranten van 21 fe- bruari.[7] Er was op de spoorbaan nabij Melun inderdaad een onthoofd li- chaam gevonden, dat werd geïdentificeerd als het lichaam van de jonge Pakistaan Fakhar ul Islam. De man was om onduidelijke redenen Oost- Duitsland uitgezet en reisde van Parijs naar Genève; waarschijnlijk was hij verwikkeld in een spionagezaak. Volgens de kranten dachten de autoritei- ten aan misdaad; de zaak werd onderzocht door de DST, de contraspio- nagedienst.

De kranten meldden echter niets over Leo Schidlof, een leren aktetas of iets dat verband hield met het geheim van Rennes-le-Château. We moes-

---

7 *Le Monde* (21 feb. 1967), p. 11; *Le Monde* (22 feb. 1967), p. 11; *Paris-Jour* (21 feb. 1967), no. 2315, p. 4.

ten dus proberen een paar vragen te beantwoorden. Het was natuurlijk mogelijk dat de dood van Fakhar ul Islam te maken had met Rennes-le-Château en dat het bericht in de *Dossiers secrets* gebaseerd was op informatie van ingewijden, waarvan de kranten niets wisten. Het bericht in de *Dossiers secrets* kon echter evengoed een bewuste mystificatie zijn. Men hoeft slechts op een onverklaarde of verdachte dood te wachten en die achteraf aan zijn eigen stokpaardje toe te schrijven. Wat zou in dat geval echter de bedoeling zijn? Waarom zou iemand een sfeer van duistere samenzwering rond Rennes-le-Château proberen te creëren? Wat was daarmee te winnen? En wie had er belang bij?

Die vragen verbijsterden ons des te meer omdat de dood van Fakhar ul Islam geen opzichzelfstaand geval scheen te zijn. Binnen een maand werd er opnieuw een in eigen beheer gedrukt werk in de Bibliothèque Nationale gedeponeerd. Het heette *Le Serpent rouge* (*De rode slang*) en was, symbolisch en betekenisvol genoeg, gedateerd op 17 januari. Volgens de titelpagina waren er drie auteurs: Pierre Feugère, Louis Saint-Maxent en Gaston de Koker.

Le Serpent rouge is een merkwaardig werk. Het bevat een stamboom van de Merovingers, twee kaarten van Frankrijk in de Merovingische tijd en een vluchtig commentaar. Het bevat ook een plattegrond van Saint-Sulpice in Parijs, waarop de kapellen van de verschillende heiligen staan aangegeven. Het grootste deel van de tekst wordt echter gevormd door dertien korte prozagedichten van een indrukwekkende literaire kwaliteit; vele doen aan het werk van Rimbaud denken. De stukken zijn niet langer dan één alinea en elk correspondeert met een teken van de dierenriem; een dierenriem van dertien tekens, waarvan het dertiende, Ophiuchus of de Slangendrager, tussen Schorpioen en Boogschutter is gevoegd.

De dertien prozagedichten, die alle in de eerste persoon staan, vormen een soort symbolische, allegorische pelgrimstocht, die begint bij Waterman en eindigt bij Steenbok; de tekst vermeldt uitdrukkelijk dat daaronder 17 januari valt. In de verder cryptische tekst komen bekende verwijzingen voor naar de familie De Blanchefort, naar de versieringen in de kerk van Rennes-le-Château, naar sommige inscripties van Saunière, naar Poussin en het schilderij *Les Bergers d'Arcadie*, naar het motto op de grafsteen 'Et in Arcadia Ego'. Eén keer wordt er gesproken over een rode slang, 'genoemd in de perkamenten', die zich door de eeuwen ontrolde; het lijkt een duidelijke verwijzing naar een geslacht of afstamming. De raadselachtige paragraaf bij Leeuw is de moeite van het citeren waard:

Van haar die ik wens te bevrijden waait naar mij de geur van de parfum over die het Graf doordringt. Sommigen noemden haar vroeger

ISIS, koningin van al het goede. KOMT ALLEN TOT MIJ DIE LIJDT EN
BEDROEFD ZIJT, EN IK ZAL U RUST GEVEN. Voor anderen is zij MAG-
DALENA, van de beroemde kruik gevuld met helende balsem. De in-
gewijden kennen haar ware naam: NOTRE DAME DES CROSS.[8]

De implicaties van deze paragraaf zijn zeer interessant. Isis is natuurlijk
de Egyptische moedergodin, de beschermvrouwe van de mysteriën, de
'Witte Koningin' in haar goedgunstige aspecten, de 'Zwarte Koningin' in
haar kwaadwillende. Vele schrijvers op het gebied van mythologie, antro-
pologie, psychologie en theologie hebben de cultus van de moedergodin
van heidense tot christelijke tijden onderzocht. Volgens hen leeft ze onder
het christendom voort in vermomming – als de Maagd Maria. De He-
melkoningin noemde de heilige Bernard haar, een naam die in het Oude
Testament gegeven wordt aan de moedergodin Astarte, het Fenicische
equivalent van Isis. Volgens *Le Serpent rouge* is echter niet de Maagd maar
Maria Magdalena de moedergodin van het christendom, Magdalena aan
wie de kerk van Rennes-le-Château is gewijd en aan wie Saunière zijn toren wijdde...

De grootmeesters en de ondergrondse stroom

De volgende reeks personen wordt in de *Dossiers secrets* als grootmeesters
van de Prieuré de Sion genoemd, of om hun officiële benaming te gebruiken: *Nautonnier*, een oud-Frans woord voor schipper of bootsman:

Jean de Gisors	1188-1220
Marie de Saint-Clair	1220-1266
Guillaume de Gisors	1266-1307
Edouard de Bar	1307-1336
Jeanne de Bar	1336-1351
Jean de Saint-Clair	1351-1366
Blanche d'Evreux	1366-1398
Nicolas Flamel	1398-1418
René d'Anjou	1418-1480
Iolande de Bar	1480-1483
Sandro Filipepi	1483-1510
Leonardo da Vinci	1510-1519
Connétable de Bourbon	1519-1527

8 Feugère, Saint-Maxent en Koker, *Le Serpent rouge*, p. 4.

Ferdinand de Gonzague	1527-1575
Louis de Nevers	1575-1595
Robert Fludd	1595-1637
J. Valentin Andrea	1637-1654
Robert Boyle	1654-1691
Isaac Newton	1691-1727
Charles Radclyffe	1727-1746
Karel van Lotharingen	1746-1780
Maximiliaan van Lotharingen	1780-1801
⸱ Charles Nodier	1801-1844
Victor Hugo	1844-1885
Claude Debussy	1855-1918
Jean Cocteau	1918-[9]

Deze lijst wekte onmiddellijk onze argwaan op. Aan de ene kant komen er namen op voor die je automatisch op een dergelijke lijst zou verwachten, namen van beroemde personen die met 'occulte' en 'esoterische' zaken in verband worden gebracht. Aan de andere kant staan er ook bekende en onwaarschijnlijke personen op, die wij nooit als hoofd van een geheim genootschap zouden bedenken. Veel twintigste-eeuwse organisaties gebruiken juist dit soort namen om dubieuze 'stambomen' op te zetten. De moderne 'Rozenkruizers' in Californië, AMORC, hebben bijvoorbeeld een lijst samengesteld waarop bijna iedereen voorkomt die in de westerse geschiedenis en cultuur een belangrijke rol heeft gespeeld. Als de normen van deze personen maar enigszins overeenkomen met die van de orde, zelfs al is er maar sprake van een toevallige overlapping, wordt er meteen gedacht aan een 'ingewijd lid'. Men krijgt te horen dat Dante, Shakespeare, Goethe en vele anderen 'Rozenkruisers' waren, waarmee wordt gesuggereerd dat ze lid van de organisatie waren.

Wij stonden in het begin even sceptisch tegenover bovenstaande lijst. Zoals gezegd stonden er voorspelbare namen op, die in verband worden gebracht met 'occulte' en 'esoterische' bezigheden. Nicolas Flamel bijvoorbeeld is de beroemdste en meest beschreven middeleeuwse alchemist. De zeventiende-eeuwse filosoof Robert Fludd hield zich bezig met het hermetische gedachtengoed en andere esoterische zaken. Johann Valentin Andrea, een Duitse tijdgenoot, vervaardigde onder andere de werken die de mythe van de legendarische Christian Rosenkreuz hielpen verspreiden. Maar er staan ook de namen op van Leonardo da Vinci en Sandro Filipepi, beter bekend als Botticelli, en van bekende wetenschappers als Robert

9 Henry Lobinau, *Dossiers secrets*, planche nr. 4, Ordre de Sion.

Boyle en Isaac Newton. De laatste twee eeuwen zouden bekende literaire en culturele figuren als Victor Hugo, Claude Debussy en Jean Cocteau grootmeesters van de Prieuré de Sion zijn geweest.

Het opnemen van dergelijke namen maakte de lijst alleen maar verdacht. We konden ons moeilijk voorstellen dat sommige van de genoemde personen voorzitter waren geweest van een geheim genootschap, laat staan van een genootschap dat zich met 'occulte' en 'esoterische' zaken bezighield. Daarmee worden mensen als Boyle en Newton in de twintigste eeuw helemaal niet geassocieerd. Van Hugo, Debussy en Cocteau was wel bekend dat ze bij dergelijke zaken betrokken waren, maar het leek onwaarschijnlijk dat ze grootmeester waren geweest van een geheim genootschap, zonder dat daarvan ooit iets uitlekte.

Er komen echter niet alleen bekende namen op de lijst voor. Een aantal behoort tot vooraanstaande adellijke families, maar is vaak zelfs de beroepshistoricus onbekend. Bijvoorbeeld Guillaume de Gisors, die de Prieuré de Sion in 1306 tot een 'hermetische vrijmetselarij' zou hebben omgevormd. Of zijn grootvader, Jean de Gisors, de eerste onafhankelijke grootmeester van Sion na het 'omhakken van de olm' in Gisors en de afscheiding van de tempeliers in 1188. Er bestaat geen twijfel over dat hij heeft bestaan. Hij werd in 1133 geboren en stierf in 1220. Zijn naam wordt op oorkonden vermeld en hij was in ieder geval in naam heer van het beroemde fort in Normandië waar de Engelse en Franse koning elkaar traditiegetrouw ontmoetten en waar in 1188 de olm werd omgehakt. Hij schijnt een machtig en rijk landeigenaar te zijn geweest en was tot 1193 onderdaan van de Engelse koning. Hij had bezittingen in Sussex in Engeland en bezat ook het landgoed Titchfield in Hampshire.[10] De *Dossiers secrets* melden dat hij in 1169 in Gisors een ontmoeting had met Thomas Becket maar vertellen niet waarom. We konden nagaan dat Thomas Becket in 1169[11] inderdaad in Gisors is geweest. Een ontmoeting tussen de beide mannen is dus waarschijnlijk, hoewel we daar geen bevestiging van konden vinden.

Kortom, op een paar aardige details na is er niets bekend over Jean de Gisors. Het enige spoor dat hij heeft nagelaten is zijn bestaan en zijn titel.

---

10 Loyd, *Origins of Anglo-Norman Families*, p. 45 e.v. en Powicke, *Loss of Normandy*, p. 340.
11 Roger de Hoveden, *Annals*, dl. 1, p. 322. Hier staat: 'Thomas, aartsbisschop van Canterbury, en enkelen van zijn mede-ballingen hadden een gesprek met de gezanten, op de octaafdag van de H. Martinus, tussen Gisors en Trie...' Deze ontmoetingsplaats tussen de twee naburige kastelen was de plek van de beroemde iep die later is omgehakt. In zijn *Voyages Pittoresques* (*Normandy*, dl. 2, p. 138) schrijft Charles Nodier dat 'St. Thomas de Canterbury zich daar (onder de iep van Gisors) voorbereidde op zijn martelaarschap.' Het is niet duidelijk wat hij precies bedoelde, maar het is wel intrigerend.

We konden niet ontdekken waaraan hij enige roem of het recht op het grootmeesterschap van Sion zou kunnen ontlenen. Aangenomen dat die lijst van de grootmeesters authentiek was, waaraan dankte Jean de Gisors zijn plaats dan? En als die lijst van latere makelij was, waarom zou een obscuur iemand als hij er dan op geplaatst zijn?

Wij konden maar één verklaring bedenken, die echter niet veel verhelderde. Net als de andere aristocratische personen op de lijst kwam Jean de Gisors voor in de ingewikkelde stambomen die elders in de 'Prieuré-documenten' te vinden waren. Klaarblijkelijk behoorde hij met die andere vrijwel onbekende edelen tot hetzelfde dichte woud van stambomen – die uiteindelijk, naar men zei, terug te voeren waren op de Merovingische dynastie. Het leek ons daarom duidelijk dat de Prieuré de Sion tot op grote hoogte een familieaangelegenheid was. De orde was blijkbaar nauw verbonden met een geslacht en de afstammelingen daarvan. Wellicht verklaarde hun verwantschap met dit geslacht de vele adellijke namen op de lijst met grootmeesters.

Het lijkt erop dat de grootmeestertitel van Sion voortdurend door twee duidelijk onderscheiden groepen bezet werd. Aan de ene kant belangrijke personen die door middel van kunst, wetenschap en esoterie hun stempel hebben gedrukt op de westerse traditie, geschiedenis en cultuur. Aan de andere kant leden van een specifiek en onderling verbonden netwerk van adellijke en soms koninklijke families. Deze vreemde tegenstelling vergrootte op de een of andere manier de geloofwaardigheid van de lijst. Voor iemand die een fictieve stamboom wilde samenstellen, zou het opnemen van zo veel onbekende en lang vergeten aristocraten weinig zin hebben gehad. Wie zou op een dergelijke lijst een man als Karel van Lotharingen hebben gezet, de zwager van keizerin Maria Theresia, een onbekwaam Oostenrijks veldheer uit de achttiende eeuw die de ene nederlaag na de andere leed tegen Frederik de Grote?

In dit opzicht deed de Prieuré de Sion tenminste bescheiden en realistisch aan. Ze pretendeerde niet onder leiding te hebben gestaan van buitengewone genieën, bovenmenselijke 'meesters', verlichte 'ingewijden', heiligen, wijzen of onsterfelijken. Er wordt integendeel toegegeven dat de grootmeesters feilbare mensen waren. Het is een dwarsdoorsnee van de mensheid: een paar genieën, een paar vooraanstaande figuren, een paar 'gemiddelde mensen', een paar onbenullen en zelfs een paar dwazen.

Waarom zou een geconstrueerde lijst een dergelijk beeld te zien geven, bleven we ons afvragen. Als je een lijst met grootmeesters wilt bedenken, zet je er toch allemaal bekende personen op? Waarom wel Leonardo da Vinci, Newton en Victor Hugo genoemd en niet Dante, Michelangelo, Goethe en Tolstoj, in plaats van obscure figuren als Edouard de Bar en

Maximiliaan van Lotharingen? Bovendien, waarom staan er zo veel 'kleinere lichten' op de lijst? Waarom wel een tweederangs schrijver als Charles Nodier en niet zijn tijdgenoten Byron of Poesjkin? Waarom geen gerenommeerde mannen als André Gide of Albert Camus in plaats van een 'zonderling' als Jean Cocteau? En waarom is Poussin weggelaten, die toch al met het mysterie in verband was gebracht? Die vragen bleven aan ons knagen en maakten dat we de lijst nader bekeken in plaats van hem meteen als bedrog terzijde te schuiven.

We besloten het leven en de activiteiten van de zogenaamde grootmeesters uitvoerig en gedetailleerd te bestuderen. Daarbij besloten we van ieder het volgende na te gaan:

1. Hadden de zogenaamde grootmeesters, direct of indirect, persoonlijk contact met hun directe voorgangers en directe opvolgers?

2. Bestond er enige relatie, door afstamming of anderszins, tussen de zogenaamde grootmeesters en de families die voorkomen in de stambomen uit de 'Prieuré-documenten', de families die van de Merovingen zouden afstammen, vooral het hertogelijke huis van Lotharingen?

3. Bestond er een verband tussen de zogenaamde grootmeesters en Rennes-le-Château, Gisors, Stenay, Saint-Sulpice of een van de andere plaatsen die meermalen waren opgedoken tijdens ons voorgaande onderzoek?

4. Als Sion zichzelf beschouwde als een 'hermetische vrijmetselarij', was dan elke zogenaamde grootmeester ontvankelijk voor het hermetische gedachtegoed of betrokken bij geheime genootschappen?

Vaak was het moeilijk over de grootmeesters die voor 1400 leefden informatie te verzamelen, maar ons onderzoek naar de latere figuren leverde verrassende en evenwichtige resultaten op. Velen hadden op een of andere manier met de genoemde plaatsen te maken: Rennes-le-Château, Gisors, Stenay en Saint-Sulpice. De meeste personen waren door familiebanden verbonden met het huis van Lotharingen of onderhielden op andere wijze contact; Robert Fludd bijvoorbeeld was de leraar van de zonen van Hendrik van Lotharingen. Vanaf Nicolas Flamel had ieder op de lijst zich verdiept in de hermetische denkwereld en velen hadden ook te maken met geheime genootschappen, zelfs mensen als Boyle en Newton, die daar gewoonlijk niet mee in verband worden gebracht. En op één uitzondering na hadden alle grootmeesters direct of door vrienden contact gehad met hun voorgangers en opvolgers...

Het Opus Dei in de Verenigde Staten

Door James Martin, S.J.

James Martin is redacteur bij het katholieke tijdschrift *America* en pastoor van de St. Ignatius Loyola Church in Manhattan. Het artikel 'Opus Dei in the United States' van James Martin S.J. werd op 25 februari 1995 gepubliceerd in *America*. Hoewel het al bijna een decennium geleden werd geschreven is zijn verhandeling nog altijd een van de beste en evenwichtigste verhandelingen over het Opus Dei, de organisatie waarvan Silas, de albino monnik en moordenaar uit *De Da Vinci Code*, deel uitmaakt. Het artikel van Martin opent de lezer de ogen. Copyright © 1995, America Press. Alle rechten voorbehouden. Bezoek voor meer informatie over het tijdschrift www.americamagazine.org.

Het Opus Dei is de meest controversiële groep binnen de huidige katholieke kerk. Voor de leden ervan is het niets minder dan het Werk van God, de inspiratie van de gezegende Josemaría Escrivá, die het werk van Christus bevorderde door de nadruk te leggen op de gewijdheid van het dagelijks leven. De critici beschouwen de organisatie als een machtig en zelfs gevaarlijk sektarisch genootschap, dat in het geheim en al manipulerend zijn eigen doelen nastreeft. Tegelijkertijd geven veel katholieken toe slechts weinig af te weten van deze invloedrijke groep.

Dit artikel gaat nader in op de activiteiten van het Opus Dei in de Verenigde Staten. Het is gebaseerd op materiaal dat door het Opus Dei en zijn critici werd geschreven, alsmede op interviews met huidige en voormalige leden van het Opus Dei en met geestelijken, gelovige leken, predikanten, geleerden en journalisten die met het Opus Dei in de Verenigde Staten in aanraking zijn gekomen.

Enige basiskennis

Elke beschouwing van het Opus Dei moet beginnen met Mgr. Josemaría Escrivá de Balaguer, de Spaanse geestelijke die de groepering op 2 oktober 1928 stichtte. Volgens de lezing van het Opus Dei werd het hem, terwijl hij zich in Madrid bevond, op die dag 'toen de klokken van een nabijgelegen kerk begonnen te beieren, plotseling duidelijk: God toonde hem het Opus Dei'. Monseigneur Escrivá, naar wie door de leden onveranderlijk wordt verwezen als 'de stichter', zag het Opus Dei voor zich als een manier om de godvruchtigheid bij leken te stimuleren zonder dat ze daarvoor afscheid hoefden te nemen van het leven dat ze leidden en het werk dat ze deden. Tegenwoordig beschouwt het Opus Dei zichzelf als in overeenstemming met het Tweede Vaticaans Concilie en de hernieuwde nadruk daarvan op het lekendom.

Een deel van de spiritualiteit van de groepering is zichtbaar in de talloze geschriften van Escrivá, vooral in zijn in 1939 verschenen boek *De Weg*. Het boek is een verzameling van 999 stelregels, die uiteenlopen van traditionele christelijke piëteit ('Het gebed van een christen is nooit een monoloog,') tot spreuken die zo uit een almanak afkomstig lijken ('Stel niet tot morgen uit wat vandaag kan worden gedaan').

Zijn groepering groeide snel, verspreidde zich vanuit Spanje naar andere Europese landen en werd in 1950 door de Heilige Stoel erkend als het eerste 'seculiere instituut'. In de volgende twee decennia verspreidde het Werk, zoals het door de leden wordt genoemd, zich ook naar Latijns-Amerika en de Verenigde Staten.

In 1982 schonk paus Johannes Paulus II het Opus Dei de status van 'personele prelatuur', een canonieke term die betekent dat de jurisdictie op alle personen binnen het Opus Dei betrekking heeft en niet op een specifieke regio. Met andere woorden, het Opus Dei opereert juridisch gezien op vrijwel dezelfde wijze als religieuze orden, zonder dat er rekening wordt gehouden met geografische grenzen. Deze unieke erkenning – het is de enige personele prelatuur in de kerk – demonstreert de hoge achting die Johannus Paulus II heeft voor het Opus Dei en ook de status ervan in Vaticaanse kringen. Voor critici was dit evenwel aanleiding voor de vraag waarom een zogenaamde lekenorganisatie een dergelijke status moest krijgen. Tegenwoordig telt het Opus Dei 77.000 leden (waaronder 1500 geestelijken en 15 bisschoppen) in meer dan 80 landen.

Nadere tekenen van goedkeuring en erkenning door het Vaticaan volgden in 1992, toen Escrivá zalig werd verklaard tijdens een ceremonie op het Sint-Pietersplein die door 300.000 voorstanders werd bezocht. Maar omdat zijn zaligverklaring slechts enkele jaren na zijn dood in 1975 plaatsvond en hij daarmee figuren als paus Johannes XXIII achter zich liet, was die op z'n zachtst gezegd nogal controversieel. 'Komt zaligverklaring te snel voor stichter invloedrijke katholieke groepering?' kopte de *New York Times* in januari 1992, met eenzelfde soort toon als andere kritische artikelen die rond die tijd verschenen. In een artikel in de *London Spectator* waren aantijgingen te vinden die door vroegere medewerkers waren geuit omtrent Escrivá's allesbehalve heilige gedrag. 'Hij was zeer opvliegend en humeurig,' zei een van die medewerkers, 'en hij heulde met de nazi's, maar daar hoor je niemand over.'

Het Opus Dei in de Verenigde Staten

Er zijn meer dan drieduizend Opus Dei-leden in de Verenigde Staten, die beschikken over vierenzestig centra of residenties voor leden, in zeventien steden... In die centra verblijven gemiddeld tien tot vijftien leden en er zijn gescheiden centra voor vrouwen en mannen. Het Opus Dei geeft ook steun aan andere projecten, zoals retraitemogelijkheden, projecten voor gehuwde katholieken en speciale ondersteuningsprojecten voor de armen, zoals educatieprogramma's voor kinderen in de South Bronx...

Met het oog op hun groeiende aanwezigheid in de Verenigde Staten nam ik contact op met zeven kardinalen en een aartsbisschop en ik vroeg ze ten behoeve van dit artikel iets te zeggen over het Opus Dei. Ik hoopte op die manier een goed zicht te krijgen op de opvattingen van de katholieke leiders in de vs. Geen van hen wilde reageren – positief noch negatief. De meesten zeiden te weinig op de hoogte te zijn of geen contact met ze te hebben, hoewel het Opus Dei in nagenoeg elke groot aartsbisdom in de vs actief is.

Geheimhouding en verborgenheid

Het is uitzonderlijk iets over het Opus Dei te lezen zonder te stuiten op verwijzingen naar de vermeende geheimzinnigheid ervan. ('Paus beatificeert stichter van geheimzinnige, conservatieve groepering' luidde in 1992 een kop in de New York Times.) En inderdaad, terwijl enkele leden van het Opus Dei bekendheid genieten, zoals de persvoorlichter van het Vaticaan, Joaquín Navarro-Valls, houden de meeste zich op de achtergrond. Critici wijzen er tevens op dat de meeste organisaties van het Opus Dei niet duidelijk als Opus Dei-organisaties te identificeren zijn.

Het Opus Dei ontkent dat alles. 'Het is niet geheim,' zegt communicatiemanager Bill Schmitt, 'het is besloten. Dat is een groot verschil.' Schmitt omschrijft de roeping tot het Opus Dei als een privékwestie, een persoonlijke relatie met God. De leden zijn bekend bij hun vrienden, hun gezinnen, hun buren, hun collega's. In een in 1967 gegeven interview zegt Escrivá zelfs dat 'de leden een afkeer van geheimzinnigheid' hebben.

Maar de meeste critici gaat het niet om de vraag of de leden hun connectie met het Opus Dei wel of niet openbaar maken... Wanneer de critici het woord 'geheimhouding' gebruiken bedoelen ze daarmee dat hun pogingen om antwoorden te krijgen op vragen over de activiteiten en praktijken van het Opus Dei tot niets leiden.

In de loop van mijn onderzoek stuitte ik misschien op één voorbeeld van dit probleem. Al in het begin vroeg ik Bill Schmitt of ik een kopie kon krijgen van de beginselverklaringen van het Opus Dei. Ik meende dat ik, door daarvan kennis te nemen, wellicht een beter zicht zou krijgen op de organisatie en zo enkele misvattingen uit de wereld zou kunnen helpen. Hij gaf me een kopie van de statuten uit 1982. Maar die waren opgesteld in het Latijn, en bovendien in een technisch 'kerklatijn'. Zou ik daarvan misschien een Engelse vertaling kunnen krijgen? Die was er niet, zei hij. Waarom niet? Eerst zei hij dat het Opus Dei niet genoeg tijd had gehad om er een vertaling van te maken. Ik liet weten dat dat in mijn ogen nogal vreemd was, omdat de statuten er al twaalf jaar waren en *De Weg* al in achtendertig talen was vertaald.

Toen ik aandrong kwam hij met een tweede verklaring... 'Het is een kerkelijk document,' zei hij. 'Wij zijn er de bezitters niet van. De Heilige Stoel wil dat de statuten in het Latijn zijn opgesteld.'... Maar hoe konden de Engelssprekende leden dan kennisnemen van hun eigen statuten? De leden bestuderen ze uitvoerig, verklaarde hij. 'Ze dienen tijdens hun vorming geheel duidelijk voor ze te worden.'

Ik bleef het desondanks merkwaardig vinden, dus vroeg ik Bill Schmitt er nog eens naar. Ik ontving hetzelfde antwoord: 'Het document is eigendom van de Heilige Stoel en de Heilige Stoel wil niet dat het wordt vertaald. Ik weet zeker dat ze daar hun redenen voor hebben.'

Ik vroeg drie deskundigen op het gebied van het kerkrecht naar de mogelijke reden. Een van die drie zei: 'Eigendom van de Heilige Stoel? Van zoiets heb ik nooit eerder gehoord.' Een andere deskundige, John Martin, S.J., hoogleraar canoniek recht aan het Regis College in Toronto, merkte op dat religieuze orden en lekenverenigingen hun statuten doorgaans opstellen in de taal van het land waar ze zich bevinden, en voorzover hem bekend 'is er geen sprake van een algemeen kerkelijk verbod op het vertalen van documenten van religieuze orden'. Het heeft er dus alle schijn van dat het niet de Heilige Stoel is die een vertaling van de statuten blokkeert, maar het Opus Dei.

Ann Schweninger is een vierentwintigjarig voormalig lid van het Opus Dei. Ze woont tegenwoordig in Columbus, Ohio waar ze werkzaam is voor het bisdom van Columbus. Ze was niet verbaasd toen ik haar vertelde dat ik er nogal moeite mee had om die hele gang van zaken te begrijpen. 'Het Opus Dei houdt er eigen wetten en regels op na,' zei ze. 'Wanneer het Opus Dei niet wil dat iets naar buiten komt, wordt ervoor gezorgd dat het ontoegankelijk blijft.' Over haar eigen tijd bij het Opus Dei zei ze: 'De statuten zijn me nooit voorgelegd en ze waren ook niet beschikbaar. Ze werden wel genoemd, maar niet besproken.' Volgens Ann Schweninger is het enige officiële document van het Opus Dei dat beschikbaar is de cate-

chismus van het Opus Dei, en die mag zelfs door leden uitsluitend worden ingezien na uitdrukkelijke toestemming van de leiding. 'Hij wordt achter slot en grendel bewaard.' Ook vertelde ze dat ze gedurende de catechismuslessen werd aangemoedigd 'gecodeerde aantekeningen' te maken
opdat niet-leden ze niet zouden kunnen lezen.

Een lekeninstituut

Een kennismaking met het Opus Dei betekent een kennismaking met toegewijde, energieke katholieken die zich met de meest uiteenlopende activiteiten bezighouden. Het betekent ook een kennismaking met een overweldigend aantal geestelijken, numerairs, surnumerairs, auxiliairs,
geassocieerden en bestuurders. Het Opus Dei beschrijft de verschillende
soorten lidmaatschap als verschillende beschikbaarheidsniveaus voor hun
missie. Critici zijn van mening dat het Opus Dei, vanwege de nadruk op
de hiërarchie, het celibaat en de gehoorzaamheid, in feite het door leken
geleefde leven van de geestelijke is...

Enkele basistermen: numerairs zijn de afzonderlijke leden die de 'belofte' van het celibaat afleggen en gewoonlijk in 'centra' wonen. De numerairs dragen hun inkomen over en ontvangen er een traktement voor
terug. De numerairs (ruwweg 20 procent van de leden) volgen het 'levensplan', een dagorde waar het bezoeken van de mis toe behoort, het lezen van stichtelijke teksten, het gebed en, afhankelijk van het individu, de
zelfkastijding. Ook volgen de numerairs in de zomervakantie lessen bij het
Opus Dei. Ze doen elk jaar een mondelinge toezegging aan het Opus Dei
en na vijf jaar wordt de 'eed van trouw' afgelegd, een levenslange verbintenis. Er zijn afzonderlijke centra voor mannen en vrouwen, met een eigen directeur aan het hoofd. Mannelijke numerairs worden aangemoedigd om toe te treden tot het priesterschap. Na tien jaar scholing worden
degenen die zich geroepen voelen naar het seminarie van het Opus Dei in
Rome gestuurd, het Romeinse seminarie van het Heilig Kruis.

De meeste leden zijn surnumerairs, gehuwde personen die financiële
bijdragen leveren en zich soms inspannen voor gezamenlijke projecten als
scholen. De geassocieerden zijn ongehuwde individuen die 'minder beschikbaar' zijn en die nog thuis wonen omdat ze andere verplichtingen
hebben, zoals verantwoordelijkheden ten opzichte van op leeftijd zijnde
ouders. De auxiliairs zijn strikt gesproken geen leden, omdat 'zij de goddelijke roeping nog niet hebben ontvangen'. Zij werken mee middels activiteiten, het bieden van financiële steun en het gebed...

Volgens twee voormalige numerairs wordt van de vrouwelijke numerairs verwacht dat ze de centra van de mannen schoonhouden en dat ze voor hen koken. Wanneer de vrouwen voor hun schoonmaakactiviteiten komen, trekken de mannen zich ergens terug opdat ze niet met de vrouwen in contact komen. Ik vroeg Bill Schmitt of de vrouwen met die gang van zaken geen problemen hadden. 'Nee hoor, helemaal niet.' Het is betaald werk voor de 'familie' van het Opus Dei en het wordt als een roeping gezien... 'Daar is niets van waar,' zei Ann Schweninger... 'Ik had geen keus. Wanneer je bij het Opus Dei iets wordt gevraagd, krijg je iets opgedragen.'

Een groot werpnet

Maar vooral de wijze waarop het Opus Dei nieuwe leden werft, wordt door de critici zwaar onder vuur genomen... Een man die begin jaren tachtig aan Columbia University studeerde en die me gevraagd heeft zijn identiteit niet openbaar te maken, heeft het recruteringsproces van het Opus Dei beschreven. 'Ze hadden iemand opdracht gegeven mijn vriend te worden,' zei hij onverbloemd. Na de mis was hij aangesproken door een andere student, met wie hij spoedig bevriend raakte. Uiteindelijk werd hij uitgenodigd om naar het Riverside Study Center te komen, dat zich in de buurt van de universiteit bevindt. Hij wist niet precies waar hij terechtkwam. 'Ik meende dat het een groep studenten was die een denktank vormden of iets in die geest.' Na het eten hield een geestelijke een korte rede. Hij werd later uitgenodigd zich bij een 'kring' te voegen, die hij omschreef als een soort informele gebedsgroep. Spoedig daarna deed het Opus Dei hem de suggestie een van de geestelijken van het centrum als geestelijk leidsman aan te nemen.

Nadat hij er meer bij betrokken was geraakt en vaak bij de groepsbijeenkomsten aanwezig was geweest besloot hij zelf een nader onderzoek in te stellen. Hij sprak met enkele geestelijken en hoogleraren van de universiteit en het verraste hem hoe weinig hij in feite wist: 'Ik wist niets van de geslotenheid, de numerairs, surnumerairs, enzovoort. En ik wist niet dat er mensen waren die de gelofte van het celibaat aflegden. Ik was nogal onthutst toen ik merkte dat ik nauwelijks iets van ze wist. Ik geloof niet dat ze eerlijk of open waren over wie ze waren. Ik was daar zeer verbolgen over.'

Bij de volgende samenkomst van de kring bracht hij enkele vragen naar voren over zaken die hem ongerijmd toeschenen, zoals de positie van vrouwen en minderheden in Opus Dei. 'Ze konden me er geen steekhoudende antwoorden op geven en vroegen me niet meer terug te komen.' En wat nog verontrustender voor hem was: 'Ik hoorde nooit meer iets van mijn vriend. Ik werd volledig buitengesloten.'

Volgens de twee voormalige numerairs zou die man, als hij in de kring van het Opus Dei was gebleven, voor de keuze zijn gesteld zich aan te sluiten. Tammy DiNicola heeft haar ervaringen verwoord. 'Ze hadden een vocatiecrisis voor mij georganiseerd,' vertelde ze. 'Destijds realiseerde ik me niet dat ze het hele proces in scène hadden gezet. Maar zo schijnt het altijd te gaan. De persoon die zich met jou bezighoudt neemt contact op met de directeur en samen kiezen zij het juiste moment om de recruut te confronteren met de roepingsvraag.'

Waarom is het een crisis? 'Nou, ze zorgen er wel voor dat je in een crisis belandt!' aldus Ann Schweninger. 'En het is allemaal georganiseerd. Ze drukken je op het hart dat je op dat ogenblik een beslissing moet nemen, dat het God is die bij je aanklopt, en dat je de kracht en vastberadenheid moet hebben om ja te zeggen.' Tammy DiNicola kreeg te horen dat het haar enige kans was om aan haar roeping gehoor te geven. 'Het komt erop neer dat je direct moet beslissen – als je er geen gehoor aan geeft, zul je de rest van je leven van Gods genade verstoken blijven.'

Het Opus Dei heeft een andere zienswijze en benadrukt het feit dat relaties altijd uit vrije wil worden aangegaan. 'Er worden door het Opus Dei geen mensen geronseld,' aldus Bill Schmitt.

Niettemin leggen de geschriften van Escrivá in elk geval veel nadruk op recrutering. In 1971 schreef hij in *Cronica*, het eigen tijdschrift van de organisatie: 'Deze heilige dwang is noodzakelijk, *compelle intrare* zegt de Heer ons.' En: 'Je moet je doodwerken voor de bekering.'

Volgens Ann Schweninger staat dat dichter bij haar eigen ervaring: 'Als je bij het Opus Dei bent, ben je aan het recruteren.'

Op de campus

Het Opus Dei is steeds sterker vertegenwoordigd op de campussen in de vs. Van oudsher richten ze hun inspanningen op scholen en universiteiten. En dat heeft er soms toe geleid dat ze in conflict kwamen met andere groepen.

Donald R. McCrabb maakt deel uit van het dagelijks bestuur van de Catholic Campus Ministry Association, een organisatie die duizend van de achttienhonderd kapelaans in de Verenigde Staten vertegenwoordigt. Wat hoorde hij van zijn leden over het Opus Dei? 'Wij zijn ervan doordrongen dat het Opus Dei op tal van campussen in het land actief is. Ik ben er ook van op de hoogte dat sommige campuspredikanten hun activiteiten als contraproductief bestempelen.' Een van de dingen waar hij problemen mee had was de nadruk die het Opus Dei legt op het recruteren, een activiteit waarvoor onmiskenbaar rijkelijk fondsgelden beschikbaar zijn. 'Ze houden zich niet bezig met de bredere verantwoordelijkheid die een campuspredikant heeft.' Hij maakte zich ook zorgen over andere zaken. 'Ik heb van campuspredikanten vernomen dat er een geestelijk leidsman is die aan de kandidaat is toegewezen en die in feite toestemming moet geven voor elke door die persoon uitgevoerde activiteit, waaronder het lezen van postberichten, welke lessen ze wel of niet moeten volgen, en wat ze wel of niet moeten lezen.'

De voormalige student van Columbia University bevestigde dat: 'Ze adviseerden me bepaalde boeken niet te lezen, met name marxistische teksten, en in plaats daarvan gebruik te maken van hun gecondenseerde versies. Ik vond dat erg vreemd, want het ging om teksten die ik voor een vak moest lezen!'

Russell J. Roide, S.J., van 1984 tot 1992 voorzitter van het campuspastoraat van Stanford University, trad het Opus Dei aanvankelijk onbevooroordeeld tegemoet. Er klopten echter steeds meer studenten bij hem aan die klaagden over de wijze van recrutering van het Opus Dei. 'Ze lieten de studenten eenvoudigweg niet met rust. De studenten kwamen naar me toe en zeiden: "Zorg er alstublieft voor dat ze ons met rust laten."' Hij had het gevoel dat zijn enige mogelijkheid was om de studenten nader over het Opus Dei te informeren, onder andere door ze van kritische artikelen te voorzien. Dit was voor de numerairs van het Opus Dei aanleiding om pater Roide een bezoek te brengen om hem te laten weten dat hij 'een belemmering vormde voor de doelstellingen die zij wilden bereiken'. Omdat de klachten van de studenten aanhielden, 'besloot ik uiteindelijk ze niet meer in de buurt van de campus te laten komen'. Hij kenschetst ze nu als 'sluw en misleidend'.

Het Opus Dei Awareness Network

Dianna DiNicola, de moeder van Tammy DiNicola, is op de hoogte van bepaalde zaken van het Opus Dei die ze graag veranderd zou zien. In 1991 startte ze het Opus Dei Awareness Network, een ondersteuningsgroep voor ouders die een kind hebben dat lid is van het Opus Dei.

Enkele jaren geleden begon het mevrouw DiNicola op te vallen dat Tammy, destijds studente aan Boston College, 'een persoonlijkheidsverandering leek door te maken'. Volgens mevrouw DiNicola werd ze 'ongevoelig en gesloten' en wilde ze geen tijd doorbrengen met het gezin – en dat was voordien nooit zo geweest. 'Ik had gewoon het gevoel dat er iets niet in de haak was.'

Toen Tammy een brief schreef waarin ze liet weten niet meer thuis te zullen komen, werd mevrouw DiNicola nog ongeruster. Uiteindelijk ontdekte ze dat Tammy een numerair was geworden bij het Opus Dei en in een van de centra in Boston woonde. 'Onze dochter raakte totaal van ons vervreemd. Ik kan u de consternatie die dat in ons gezin veroorzaakte niet beschrijven. We probeerden contact met haar te houden, maar het was alsof ze volstrekt iemand anders was geworden.'

Aanvankelijk probeerde mevrouw DiNicola het besluit van haar dochter te accepteren en voerde ze gesprekken met functionarissen van het Opus Dei en van het bisdom om meer informatie te krijgen. 'Ik probeerde mezelf gerust te stellen over het Opus Dei. Ik ben mijn geloof en godsdienst zeer toegedaan. Ik bedoel, we hebben het hier immers niet over de sekte van Moon. Dit is een organisatie binnen de katholieke kerk.' Maar de situatie verslechterde en mevrouw DiNicola kreeg de indruk dat de kerk niet bij machte was haar te helpen of haar niet wílde helpen.

Ten slotte riepen de heer en mevrouw DiNicola de hulp in van een 'exit counselor' en ze vroegen Tammy naar huis te komen ter gelegenheid van haar diploma-uitreiking in 1990. Later kwamen ze erachter dat dit de laatste keer zou zijn geweest dat ze naar huis zou komen, omdat haar al gezegd was dat ze de banden met haar familie diende te verbreken. Volgens zowel mevrouw DiNicola als Tammy zorgde die sessie ervoor dat Tammy voor het eerst met een kritisch oog naar het Opus Dei kon kijken.

Na de sessie met de raadsman, die vierentwintig uur duurde, besloot Tammy het Opus Dei te verlaten... 'Het was een behoorlijk ingrijpende gebeurtenis,' herinnert de nu zesentwintigjarige Tammy zich. Ze vertelde dat ze, aangezien het Opus Dei al haar emoties had 'afgesloten', door emoties werd overweldigd toen ze had besloten uit de organisatie te stappen. Tegenwoordig spant mevrouw DiNicola zich in voor het Opus Dei Awareness Network (ODAN), waarvan ze zegt dat het haar de mogelijkheid geeft anderen de pijn te besparen die haar eigen gezin heeft moeten doorstaan.

ODAN mag dan gealarmeerd zijn door het Opus Dei; het Opus Dei is ook gealarmeerd door ODAN. 'Laat me benadrukken dat er nooit op iemand is ingepraat met de bedoeling dat ze de banden met hun ouders verbreken,' aldus Bill Schmitt. 'Bedenk goed dat sommige ouders het geloof niet accepteren of "andere" plannen hadden voor hun zoon of dochter. Ik hoef u toch niet te vertellen dat de methoden die door die mensen worden gebruikt uiterst bedenkelijk zijn. Maar we hebben dat nooit op de spits gedreven.'

Mevrouw DiNicola zei in reactie hierop dat ze machteloos was geweest als haar dochter had besloten bij het Opus Dei te blijven: 'We waren zeker niet van plan haar het vertrek met geweld te beletten.'

Op het Riverside Study Center zei één numerair dat zijn bloed begint te koken als hij over ODAN hoort. 'We hebben de goedkeuring van de Heilige Stoel! Wij vormen geen rare sekte. Die mensen [die gesprekken voerden met een raadsman of raadsvrouw] is eenvoudigweg geweld aangedaan. Uiteraard bidden we voor ze. Er zijn erg veel misverstanden en de ouders zijn niet langer voor rede vatbaar.'

'Het is heel erg moeilijk voor mij geweest,' zegt mevrouw DiNicola. 'Ik probeer nu de dingen op een rijtje te krijgen en vraag me af hoe dit alles binnen de katholieke kerk kan plaatsvinden. Er is die door de paus erkende organisatie, er is de zaligverklaring van Escrivá, en er is het feit dat gezinnen door die organisatie ernstig worden ontwricht. Hoe kan ik daar ooit vrede mee hebben?'

Het Opus Dei reageert op
De Da Vinci Code

Van de prelatuur van het Opus Dei

Uittreksel uit *The Da Vinci Code, the Catholic Church and Opus Dei: A Response to The Da Vinci Code from the Prelature of Opus Dei in the United States.* Copyright © 2004 Information Office of Opus Dei on the Internet, www.opusdei.org. De officiële website van het Opus Dei in de Verenigde Staten heeft gereageerd op wat door de organisatie wordt gezien als een onjuiste weergave van haar overtuigingen en activiteiten in *De Da Vinci Code* met de publicatie van een zeer uitvoerige en gedetailleerde reeks antwoorden op veelgestelde vragen (FAQ). Het Opus Dei, dat de wijze waarop de organisatie wordt gekenschetst 'bizar' en 'inaccuraat' noemt, reageert op de vele impressies ervan die in het boek worden gegeven. Hieronder citeren we twee reacties en voegen daar nog ander materiaal aan toe dat door het Opus Dei is verschaft en dat afkomstig is van andere gezaghebbende bronnen op religieus gebied. De volledige FAQ-lijst is te raadplegen op www.opusdei.org.

Is de definitie van het Opus Dei *in* De Da Vinci Code *als een 'katholieke sekte' correct?*
De Da Vinci Code beschrijft het Opus Dei ten onrechte als een katholieke sekte. Dat is volstrekte onzin omdat het Opus Dei altijd volledig deel heeft uitgemaakt van de katholieke kerk. Het Opus Dei werd in 1941 voor het eerst officieel erkend door de bisschop van Madrid en in 1947 door de Hei-

lige Stoel. In 1982 werd het Opus Dei door de Heilige Stoel tot personele prelatuur gemaakt, een van de organisatiestructuren van de kerk. (Bisdommen en ordinariaten zijn andere voorbeelden van kerkelijke organisatiestructuren.) Voorts is een van de kenmerken van het Opus Dei de trouw aan de paus en de leringen van de kerk. Alle overtuigingen, praktijken en gewoonten van het Opus Dei stemmen overeen met die van de kerk. Het Opus Dei onderhoudt bovendien uitstekende banden met alle andere instituten van de katholieke kerk en beschouwt de grote verscheidenheid waarin het katholieke geloof uitdrukking vindt als iets schitterends. Het Opus Dei een sekte noemen is eenvoudigweg onjuist.

Kardinaal Christoph Schönborn, O.P.: 'Je hoeft geen theologie te hebben gestudeerd om de tegenspraak te herkennen in de slogan "sekten binnen de kerk". Hun vermeende bestaan binnen de kerk is een indirect verwijt aan het adres van de paus en de bisschoppen die er de verantwoordelijkheid voor dragen dat kerkelijke groeperingen in hun leer en praktijken met de kerk overeenstemmen. Vanuit theologisch en kerkelijk oogpunt wordt een groepering als een sekte beschouwd wanneer er geen sprake is van erkenning door de relevante kerkelijke autoriteiten... Het is bijgevolg onjuist wanneer gemeenschappen die de goedkeuring van de kerk hebben, sekten worden genoemd (door instellingen, individuen of door de media)... Gemeenschappen en bewegingen die door de kerk worden erkend, dienen geen sekten te worden genoemd omdat hun bekrachtiging door de kerk bevestigt dat ze behoren bij en wortelen in de kerk.' (*L'Osservatore Romano*, 13/20 augustus 1997.) [Kardinaal Schönborn is aartsbisschop van Wenen en redacteur van de Katechismus van de katholieke kerk.]

Paus Johannes Paulus II: 'Met een zeer groot vertrouwen richt de Kerk haar moederlijke zorg en aandacht op het Opus Dei, dat de Dienaar Gods Josemaría Escrivá de Balaguer door een goddelijke ingeving op 2 oktober 1928 te Madrid heeft gesticht, opdat het altijd een geschikt en werkzaam instrument zou zijn voor de Kerk bij de vervulling van haar heilstaak ten bate van de wereld. Deze instelling heeft zich inderdaad van het begin af aan ingespannen om de taak van de leken in de Kerk en de burgerlijke maatschappij niet alleen in een geheel nieuw licht te stellen maar haar ook te verwezenlijken.' (Apostolische constitutie *Ut Sit*, november 1982.

Moedigt het Opus Dei de praktijk van de zelfkastijding aan zoals die in De Da Vinci Code *wordt beschreven?*
Als onderdeel van de katholieke kerk onderschrijft Opus Dei alle leerstel-

lingen daarvan, waaronder ook de leerstellingen die te maken hebben met de penitentie en het brengen van offers. Het fundament van de leringen van de kerk aangaande de zelfkastijding is het feit dat Jezus Christus, uit liefde voor de mensheid, het lijden en de dood (zijn 'passie') vrijwillig heeft aanvaard als het middel om de wereld van de zonde te verlossen. Christenen worden opgeroepen de onvoorwaardelijke liefde van Jezus te evenaren en hem onder meer te vergezellen in zijn verlossende lijden. Christenen worden dus opgeroepen 'voor zichzelf te sterven'. De kerk verordent bepaalde vormen van ascese – het vasten en het zich onthouden van het eten van vlees – als boetedoening tijdens het vasten voor Pasen. Sommige mensen in de geschiedenis van de kerk voelden zich geroepen grotere offers te brengen – het met grote regelmaat vasten, het dragen van een boetekleed of boetegordel en zelfkastijding – zoals kan worden opgemaakt uit de biografieën van veel mensen die nadrukkelijk door de kerk als voorbeelden van heiligheid worden geprezen, waaronder St. Franciscus van Assisi, St. Theresia van Ávila, St. Ignatius van Loyola, St. Thomas More, St. Franciscus van Sales, St. Johannes Maria Vianney en St. Theresia van Lisieux. In de vormen van ascese die bij het Opus Dei aan de orde zijn ligt de nadruk meer op de in het dagelijks leven gebrachte offers dan op die grotere offers, en ze hebben niets te maken met de verwrongen en overdreven schilderingen ervan die in De Da Vinci Code worden gegeven.

New Catholic Encyclopedia (2003): 'Ascese. De opzettelijke beteugeling van natuurlijke impulsen die tot doel heeft ze in toenemende mate te louteren door ze onder het gezag van de door het geloof verlichte rede te brengen. Jezus Christus eiste een dergelijke renunciatie van eenieder die de wens had Hem te volgen (Lucas 9.29). De ascese, of wat St. Paulus de kruisiging van de zondige natuur met zijn hartstochten en begeerten noemt (Galaten 5:24), is een onderscheidingsteken geworden waaraan de christen te herkennen is. Alle theologen zijn het erover eens dat ascese noodzakelijk is voor verlossing omdat de mens zo sterk naar het kwade neigt door de drievoudige begeerten van de wereld, het vlees en de duivel, die, indien niet weerstaan, tot ernstige zonden moeten leiden. Zij die hun ziel willen redden, moeten ten minste vluchten voor de gelegenheden die aanleiding geven tot ernstige zonden. Dit vluchten is als zodanig al een vorm van ascese.

Paus Paulus VI: 'De ware boetedoening gaat altijd gepaard met lichamelijke ascese ... De noodzaak van de ascese treedt duidelijk aan de dag wanneer we de kwetsbaarheid beschouwen van onze natuur, waarin, vanaf de zonde van Adam, het vlees en de geest blijkgeven van tegenovergestelde verlangens. De beoefening van de lichamelijke ascese – die ver staat van elke vorm van stoïcisme – impliceert geen afkeuring van het lichaam dat de Zoon van God zich verwaardigd heeft aan te nemen. Integendeel: de ascese is gericht op de "bevrijding" van de mens.' (Apostolische constitutie *Paenitemini*, 17 februari 1966.)

Deel drie

De geheimen geheimhouden

7 Het mysterie van de codes

Want niets dat verborgen is blijft geheim; alles wat verborgen is zal bekend worden en aan het licht komen.

Lucas 8:17

In de film *Conspiracy Theory* uit 1997 speelt Mel Gibson de rol van de paranoïde New Yorkse taxichauffeur Jerry Fletcher, die overal samenzweringen meent te signaleren. Hij knipt artikelen uit de *New York Times* waarvan hij gelooft dat ze gecodeerde informatie bevatten over de geheime plannen van de NASA, de VN – en zelfs van Oliver Stone – om Amerika te vernietigen. Het komt hem duur te staan als een van zijn complottheorieën toevallig blijkt te kloppen – zoals bij de jongen die altijd voor wolven waarschuwde, krijgt hij de wolven achter zich aan.

De film illustreert hoe sterk complottheorieën in het algemeen, en geheime codes met verborgen betekenissen in het bijzonder, de moderne samenleving in hun greep houden, met name de Amerikaanse. En het wijdverbreide geloof in samenzweringen – het gevoel dat er sprake is van 'een geheime macht die zich inspant zaken verborgen te houden en slechts bepaalde dingen aan de openbaarheid prijs te geven', om de echte Mel Gibson te citeren en niet het personage dat hij speelt – heeft enige grond in de werkelijkheid. (En nee, het voorafgaande is geen versleutelde boodschap waarin we onze mening geven over Mel Gibsons controversiële film *The Passion of the Christ*; het is slechts een alledaagse verwijzing naar de wereld van de populaire cultuur.)

Het is immers zo dat de overheid daadwerkelijk complotten smeedde in de Watergate- en Iran-Contraschandalen, en dat de kerk daadwerkelijk probeerde bewijs te verdonkeremanen van veel gevallen van seksueel misbruik door geestelijken. De lijst met samenzweringen in de politiek en in de rechtszaal die door onderzoeksjournalisten zijn aangetoond, is beangstigend lang.

Om te doorzien hoe alomtegenwoordig en machtig geheime codes zijn geworden in het leven van alledag is het niet nodig om te geloven, zoals Gibsons Jerry Fletcher of de schizofrene John Nash in *A Beautiful Mind*, dat tijdschriften of kranten verborgen boodschappen in hun artikelen verwerken. Als er in het bedrijfsleven en in de financiële wereld niet met gecodeerde gegevens werd gewerkt, kwam alles binnen de kortste keren tot stilstand, zouden onze krijgsmacht en onze overheid niet effectief kunnen functioneren en niet bij machte zijn zich tegen vijanden te verdedigen, en zou geen enkele burger nog op het web kunnen winkelen of bij een automaat geld kunnen opnemen. Geheimhouding van gecodeerde informatie is de gewoonste zaak van de wereld, of het nu gaat om de aansporing je pincode voor anderen verborgen te houden of om het vraagstuk wie de softwarecode mag kopiëren waarmee digitale muziek- en beeldbestanden gecodeerd zijn.

Na elke schokkende gebeurtenis en massatragedie is er wel iemand die beweert dat er een complot achter zit. De gebeurtenissen van 9/11 zijn daar een voorbeeld van. Er waren duizenden mensen die op internet speculeerden over geheime tekens en codes – van de betekenis van de datum zelf (911 is immers het Amerikaanse telefoonnummer voor noodsituaties) tot de hoezen van rockalbums en scènes uit speelfilms die, in onze extreem gewelddadige samenleving, gebouwen toonden die werden opgeblazen. Ogenschijnlijk intelligente mensen beweerden opeens dat de regering van Bush wist dat 9/11 zou plaatsvinden, maar, zoals Franklin D. Roosevelt bij Pearl Harbor, 'wilde' dat het zou gebeuren om het land in oorlogsstemming te krijgen. Of dat 9/11 op de een of andere manier een 'joods complot' was, bedoeld om, om ... ach, niemand met deze opvatting kan een reden verzinnen die logisch genoeg klinkt om die zin af te maken. Maar redenen om een complot te beginnen worden door complottheoretici als irrationeel en onbeduidend beschouwd. Dus heeft vrijwel niemand zich, ondanks alle ophef die *De Da Vinci Code* heeft veroorzaakt, de moeite getroost na te gaan hoe uitgesproken irrationeel en onlogisch de redenen zijn voor 'de Meester' om Saunière en de andere *sénéchaux* te vermoorden, of hoe schitterend onwaarschijnlijk een plotstructuur is die berust op een onzalige alliantie van de meest toegewijde zoekers naar de heilige graal en de felste tegenstanders van het uitlekken van de 'waarheid' over de heilige graal.

'Aan het einde van een uitputtende eeuw,' schreef *Newsweek* onlangs, 'bieden complotten een gerieflijke manier om een chaotische wereld te duiden. Een complot kan alles verklaren. Dingen lopen niet gewoon mis. Iemand zórgt dat ze mislopen.'

Ook wil het publiek helden en heldinnen als Langdon en Neveu (merk de twee gelijke helften op van de man-vrouweenheid die ze representeren; dit soort ware gelijkwaardigheid is zeldzaam in een dergelijk commercieel product). Gezien de dwaze en conflicterende informatie waarmee we dagelijks worden bestookt, zouden we allemaal willen zijn als deze new-agesuperhelden die uitzoeken wat er werkelijk gaande is en wat het allemaal betekent, en die verstandig en heroïsch handelen – mentaal en fysiek – teneinde problemen op te lossen en rampen af te wenden. In deze uitvoerige oefening in het codekraken treden Robert en Sophie in de voetsporen van Theseus, Odysseus, Mozes, Job, Jezus, Frodo en Harry Potter – en van vele anderen uit de wereld van de mythische en klassieke reizende helden. Zij dienen de code te kraken vóór het te laat is!

Met dat in het achterhoofd bieden we hier de volgende uiteenzettingen van journaliste Michelle Delio en professor Brendan McKay over de rol van geheime codes in de geschiedenis en in *De Da Vinci Code*.

Da Vinci: vader van de cryptologie

Door Michelle Delio

Dit artikel is overgenomen uit *Wired magazine*, april 2003. Michelle Delio is journaliste en heeft veel gepubliceerd over het versleutelen van informatie, gegevensbeveiling, hackers, spam en verwante onderwerpen. Dit artikel is opgenomen met toestemming van Wired News, www.wired.com. Copyright © 2003 Wired Digital Inc., een Lycos Network Company. Alle rechten voorbehouden.

De Da Vinci Code gaat in de eerste plaats over de geschiedenis van het coderen – de vele methoden die in de loop der tijd zijn ontwikkeld om informatie verborgen te houden voor de nieuwsgierige blikken van buitenstaanders. Het boek begint met de scène waarin de aan de universiteit van Harvard verbonden 'symboliekdeskundige' Robert Langdon 's nachts door de telefoon uit zijn slaap wordt gehaald: de zesenzeventigjarige conservator van het Louvre is in het museum vermoord.

Vlak bij het lichaam heeft de politie een geheime boodschap aangetroffen. Met hulp van een begaafde cryptologe weet Langdon licht op het raadsel te werpen. Het betreft echter slechts een eerste handwijzer in een lange reeks aanwijzingen die schuil blijken te gaan in de werken van Leonardo da Vinci. Als Langdon niet in staat is de code te kraken, zal een oud geheim voor altijd verloren gaan.

De personages die Brown opvoert zijn fictief, maar hij verzekert: 'Alle beschrijvingen van kunstwerken, architectuur, documenten en geheime rituelen in dit boek zijn waarheidsgetrouw.' De auteur geeft op zijn website gedetailleerde achtergrondinformatie over de historische gegevens waarop het boek berust, maar hij raadt zijn lezers aan eerst het boek te lezen omdat de website plotwendingen verklapt.

De publiciteit rond het boek suggereert dat het verhaal 'de grootste samenzwering van de afgelopen tweeduizend jaar' aan het licht brengt. Dat kan zijn, maar wie geïnteresseerd is in complottheorieën zal niets nieuws aantreffen.

Waar *De Da Vinci Code* in uitblinkt – briljant zelfs – zijn observaties over cryptologie, met name de coderingsmethoden die werden ontwikkeld door Leonardo da Vinci. De kunstwerken en manuscripten van Da Vinci zijn vergeven van verbijsterend symbolisme en spitsvondige codes.

Brown, die gespecialiseerd is in leesbare boeken over privacy en technologie, noemt Da Vinci een pionier op het gebied van gegevensversleuteling. Zijn beschrijvingen van Da Vinci's cryptografische ontwerpen zijn fascinerend.

Het toevertrouwen van gevoelige informatie aan een boodschapper is in de loop der eeuwen een zeer problematische kwestie geweest. In Da Vinci's tijd was het gevaar groot dat de boodschapper meer verdiende als hij de informatie aan de vijand verkocht dan wanneer hij haar bij de eigenlijke geadresseerde afleverde.

Om dat probleem uit de wereld te helpen, zo schrijft Brown, vond Da Vinci een van de eerste toestellen voor beveiligd gegevenstransport uit, de 'cryptex': een draagbare koker bestaande uit draaischijven waarop lettertekens zijn gegraveerd. De schijven dienen in de juiste volgorde te worden gedraaid om aldus het wachtwoord te vormen, want pas dan kan de cilinder worden geopend. Als een bericht eenmaal met behulp van de koker is 'versleuteld', kan alleen iemand die het juiste wachtwoord kent de koker openen.

Deze versleutelingsmethode kan niet met geweld worden omzeild: als iemand het in zijn hoofd haalt de koker met geweld te openen, wordt de inhoud automatisch vernietigd, omdat het bericht op een stuk papyrus wordt geschreven dat om een met azijn gevulde glazen buis is gerold. Als er geweld wordt gebruikt bij het openen van de koker, breekt de glazen buis en maakt de azijn vrijwel onmiddellijk een 'klodder brij' van de papyrus.

Brown voert zijn lezers ook mee tot diep in de Kathedraal der Codes, een kapel in Groot-Brittannië [Rosslyn Chapel, Schotland] met een plafond waar honderden stenen blokken uitsteken. In elk blok is een symbool gebeiteld en tezamen vormen ze wellicht de omvangrijkste versleutelde boodschap ter wereld.

'Moderne cryptologen zijn er niet in geslaagd de code te kraken en er is een grote beloning uitgeloofd voor degene die deze verbijsterende boodschap weet te ontcijferen,' schrijft Brown op zijn website.

'Recentelijk is met grondecho's de opzienbarende aanwezigheid vastgesteld van een enorm gewelf dat onder de kapel verborgen is. Er is echter nergens een toegang tot die ruimte te vinden. De beheerders van de kapel geven tot op heden geen toestemming voor opgravingen.'

Brown heeft zich gespecialiseerd in letterkundige opgravingen. Zijn boeken gaan steevast over geheimen – het bewaren of kraken ervan – en over de botsing tussen de individuele privacy en de nationale veiligheid of gevestigde belangen.

Hij heeft geschreven over het National Reconnaissance Office, de dienst die spionagesatellieten ontwerpt, bouwt en gebruikt. Ook schreef hij over het Vaticaan en de National Security Agency.

Browns eerste boek, *Het Juvenalis Dilemma*, dat in de vs in 1998 verscheen, gaat over een hacker-aanval op de topgeheime nsa-supercomputer Transltr, die e-mails van terroristen aftapt en decodeert.

Maar de computer kan ook heimelijk e-mails van gewone burgers onderscheppen. Een hacker ontdekt de computer en saboteert hem. Vervolgens eist hij dat de nsa het bestaan van Transltr publiek maakt. Anders zal hij de hoogste bieder toegang tot de gegevens geven.

'Mijn belangstelling voor geheime genootschappen is ontstaan doordat ik ben opgegroeid in New England, omgeven door de clandestiene clubs van de Ivy League-universiteiten, de vrijmetselaarsloges van de Founding Fathers en de geheime gangen van de vroege regeringsmacht,' zei Brown. 'New England kent een lange traditie van besloten sociëteiten, studentenclubs en geheimhouding.'

Is God een wiskundige?

Een interview met Brendan McKay

Brendan McKay is hoogleraar computerwetenschappen aan de Australian National University. Hij verwierf enkele jaren geleden algemene bekendheid door het aan de kaak stellen van de bijbelcodetheorie. De betreffende theorie, die vooral bekendheid kreeg door auteur Michael Drosnin, stelt dat de Hebreeuwse tekst van de bijbel met opzet aangebrachte woorden of uitspraken bevat (in de vorm van letters die op gelij-

ke afstand van elkaar voorkomen) die een indrukwekkende reeks historische gebeurtenissen voorspellen, van aanslagen tot aardbevingen. McKay toonde aan dat door de
wiskundige technieken van de aanhangers van de *Bible Code* op andere boeken toe te
passen, ook daar soortgelijke 'verbijsterende' voorspellingen gevonden konden worden. (McKay merkte op dat een wiskundige 'analyse' van *Moby Dick* zelfs een 'voor-
spelling' opleverde van de dood van Michael Drosnin.) Zoals McKay destijds opmerkte:
'De resultaten van ons zeer uitvoerige onderzoek maken duidelijk dat de zogenaamde wetenschappelijke bewijzen voor bijbelcodes allemaal onzin zijn.'

In de jaren negentig was *De Bijbel Code* (vertaald door Servaas Godijn, Strengholt,
Naarden, 1997) een internationale sensatie, zoals *De Da Vinci Code* dat nu is. Hoewel
De Bijbel Code niet expliciet van betekenis is voor *De Da Vinci Code*, heeft McKay met
zijn onderzoek de noodzaak aangetoond sceptisch en kritisch om te gaan met verborgen boodschappen, symbolen en codes uit het bijbelse tijdperk.

Hoe bent u er destijds toe gekomen de bijbelcode te analyseren?
Ik ben geïnteresseerd in de bestudering van pseudo-wetenschap. En omdat ik ook wiskundige ben, was het voor mij tamelijk voor de hand lig-
gend om onderzoek te doen naar de theorie van de bijbelcode als een wiskundig voorbeeld van pseudo-wetenschap. Met pseudo-wetenschap
bedoel ik een activiteit die zich als een wetenschap voordoet, maar waarvan bij nadere beschouwing kan worden aangetoond dat ze volstrekt niet
door wetenschappelijke grondbeginselen wordt geschraagd. Wat zo intrigerend was in verband met de bijbelcodetheorie was dat een deel van het
bewijs ervoor werd geleverd door gekwalificeerde wetenschappers, en dat
hun werk – in elk geval zo op het oog – overkwam als zeer overtuigend
en wetenschappelijk gefundeerd.

En wat bracht uw onderzoek aan het licht?
Wij stelden vast dat de woordpatronen en vermeende voorspellingen in
de bijbel op zuiver toeval berusten en dat soortgelijke woordpatronen in
elk boek te vinden zijn.

Het is ook belangrijk te beseffen dat de bijbel in de loop der tijd aanzienlijke veranderingen heeft ondergaan. Vooral in de tijd vóór Christus
zijn er waarschijnlijk ingrijpende wijzigingen in aangebracht. Bovendien
is de gehanteerde Hebreeuwse spelling in de huidige bijbel – die door de
verdedigers van de bijbelcodetheorie als basis wordt gebruikt voor hun
vermeende ontdekkingen van verborgen boodschappen – niet in overeenstemming met de spelling die werd gebruikt in de tijd waarin de bijbel naar alle waarschijnlijkheid werd geschreven. De bijbel is herschreven met
gebruikmaking van vernieuwde spellingregels. Om die reden zouden
boodschappen die in gecodeerde vorm in de oorspronkelijke tekst waren
opgenomen, zijn uitgewist. Het hele fundament onder de bijbelcodetheo-

rie is dus op drijfzand gebouwd. Vanuit wetenschappelijk oogpunt kunnen we zeggen dat er geen enkel bewijs is gevonden voor woordpatronen of verborgen boodschappen in de bijbel, behalve die waarvan je kunt verwachten dat ze toevallig worden aangetroffen. We hebben overtuigend aangetoond dat je met vrijwel elke tekst tot soortgelijke resultaten kunt komen.

Maar uiteraard willen sommige mensen niet overtuigd worden! En dus zal er nooit een definitief einde aan de discussie komen.

Waar ligt dat volgens u aan?
Het is zoals met elke andere vorm van occult geloof, en ook zaken als complottheorieën vallen hieronder: er valt eenvoudigweg niets aan te voeren waardoor mensen niet langer geloof hechten aan een goede complottheorie. Mensen *willen* gewoon in dergelijke dingen geloven, dat komt blijkbaar tegemoet aan een sterke behoefte.

Maar hoe zit het dan met het concept van de heilige geometrie of goddelijke verhouding in De Da Vinci Code; *het merkwaardige feit dat de verhoudingen van menselijke en natuurlijke ontwerpen (de verhouding tussen de lengte van je hand en je onderarm) een universeel patroon lijken te volgen, gedefinieerd als* Phi, *of 1,61804?*
Ik denk dat daar een natuurlijke verklaring voor te geven is. Het universum functioneert volgens een reeks wetten en als de natuurkundigen gelijk hebben is hun aantal zeer beperkt en zijn ze betrekkelijk eenvoudig. Dat impliceert bijna vanzelf dat bepaalde aspecten van de natuur, waaronder de maatverhoudingen, steeds in diverse vormen terugkeren. Het feit dat er zoiets als een goddelijke maatverhouding lijkt op te treden – in de vorm van kustlijnen, in de wijze waarop bladeren groeien aan planten en talloze andere zaken – kan dan niet al te zeer verrassen. Dat verschijnsel wijst er niet op dat er een demiurg achter zit. Het duidt er slechts op dat het universum volgens een betrekkelijk klein aantal wetten functioneert.

En hoe denkt u over de getallenreeks van Fibonacci, waarvoor in het boek van Dan Brown zo'n belangrijke rol is weggelegd?
Er zijn goede redenen aan te voeren waarom de Fibonacci-reeks zo vaak optreedt in de natuur. Wiskundig beschouwd is het een zeer eenvoudige reeks. Elk getal is de som van de twee voorafgaande getallen. Dus steeds wanneer je een systeem onder de loep neemt dat zich ontwikkelt – een plant die groeit en waaraan dus steeds meer bladeren komen, en waarbij elke nieuwe groeifase afhankelijk is van de voorafgaande fase en van de daaraan voorafgaande – zal deze reeks zich blijken voor te doen. En de

reeks heeft ook vele andere wiskundige eigenschappen die wellicht cor-
responderen met de wijze waarop de natuur functioneert.

Dus God is een wiskundige?
Laten we het als volgt formuleren. Volgens de moderne wetenschap functioneert de hele natuur overeenkomstig bepaalde wiskundige beginselen.
Dus iedereen die 'goddelijke' of mystieke redenen wil aanvoeren die aangeven waarom de dingen zijn zoals ze zijn, zal uiteraard proberen die redenen in een wiskundige, pseudo-wetenschappelijke vermomming te hul-
len. En ja, zo maken ze van God een wiskundige.

Anagramvermaak

Het ontrafelen van anagrammen is voor Robert Langdon en Sophie Neveu in *De Da Vinci Code* van grote betekenis. Gelukkig zijn ze er allebei erg goed in. Maar als je het boek leest en je afvraagt hoe je het er zelf van afgebracht zou hebben als je in hun schoenen had gestaan, wees dan gerust! Je had je toevlucht kunnen zoeken bij de anagramsoftware op je laptop terwijl je door het Louvre struinde. Door gebruik te maken van het computerprogramma 'Anagram Genius'* wisten we duizenden alternatieve anagrammen te produceren voor de volgende volzinnen. We geven in het navolgende slechts enkele willekeurige voorbeelden.

Het heldenpaar in het boek staat voor de taak het anagram 'O, Draconian devil! Oh, lame saint!' te ontrafelen. (Uiteindelijk blijkt de oplossing uiteraard '**Leonardo da Vinci! The Mona Lisa!**' te zijn.) Maar er waren nog duizenden andere mogelijkheden geweest:

An odd, snootier Machiavellian.
Honored idea man vacillations.
Ovations and dire melancholia.
A dishonored, mean vacillation.
Avid and snootier melancholia.
Sainthood and lovelier maniac.
Vanities or an odd melancholia.
Oh Man! Anti-social and evildoer.
Valiant homicide as a Londoner.
Lame vile, Draconian sainthood.
Homicidal Satan on an evildoer.
Ovational, disharmonic, leaden.
I am a harlot's ideal on connived.
Oh! Innovate cordial ladies' man.
I am a violent, odd, inane scholar.

Een herschikking van de letters in Mona Lisa resulteert alleen al in de volgende codenamen voor het beroemdste schilderij ooit:

A man's oil.
Somalian.
Lion as am.
Sol mania.

O! Snail am.
I a salmon.
O! Animals.

Verderop in het boek moet ons cryptologisch-symboliekdeskundige team de volgende zin decoderen: '**So dark the con of man.**' Het anagramprogramma doet onder andere de volgende suggesties aan de hand:

Shock mad afternoon.
Craft damn hooknose.
Fat 'n handsome crook.
Fame and shock or not.
Chats of naked moron.
Oh! Comfort and snake.

In de loop van het verhaal ga je je vanzelf afvragen of ook andere zinnen in het boek mogelijk anagrammen zijn. Zo is er bijvoorbeeld veel gepiekerd over het krabbeltje: '**P.S. Find Robert Langdon.**' Als dit als een anagram moet worden opgevat, kunnen dit de eventuele oplossingen zijn:

Forbidden, strong plan.
Finest bold, grand porn.
Finer, top, grand blonds.
Bold, sporting fan nerd.

Wanneer Sophie de *hiëros gamos*-rite bij haar grootvader thuis ontvlucht, grist ze haar spullen bijeen en laat ze een briefje achter op de tafel: '**I was there. Don't try to find me.**' Is dat een anagram? Het zou een van de volgende verwoordingen van Sophie's ware gevoelens bij deze voor haar onthutsende ervaring kunnen zijn:

Now mystified rotten hatred.
Worthy of strident dementia.
Stonyhearted if modern twit.
Tormented if sainted worthy.
Witty and thorniest freedom.
Fiery, hot, tarted disownment.

---

* Alle anagrammen zijn gemaakt met Anagram Genius™ versie 9, www.anagramgenius.com.

8 Leonardo en zijn geheimen

Wijsheid is de dochter van de ervaring.

Leonardo da Vinci

Leonardo da Vinci is de discipel van ervaring.

Leonardo da Vinci

Leonardo da Vinci zweeft boven *De Da Vinci Code* vanaf het eerste ogenblik in het Louvre tot het laatste ogenblik in het Louvre. Hij is overal in Dan Browns boek aanwezig en kijkt mee vanuit de Mona Lisa-ogen die ons vanaf het omslag aanstaren. Verwerkte hij een geheime, gecodeerde boodschap in *Het Laatste Avondmaal*? En als dat zo is, hield die boodschap dan verband met Maria Magdalena en haar huwelijk met Jezus? Ging ze in algemenere zin over vrouwen en seksualiteit? Was het een heidense grap voor insiders? Was het een geheime homoseksuele boodschap? Of betrof het iets wat voor ons in nog grotere nevelen is gehuld en betrekking heeft op het relatieve belang van Johannes de Evangelist en Jezus Christus?

Was Leonardo in het geheim een volgeling van de tempeliers en mogelijk een grootmeester van de Priorij van Sion? Wist hij meer van de heilige graal dan andere erudiete mannen in de Renaissance? Geloofde hij dat de heilige graal niet letterlijk een kelk was maar de metaforische of echte baarmoeder van Maria Magdalena? Geloofde hij in de verering van het heilig vrouwelijke? (De hierboven geciteerde aforismen lijken erop te wijzen dat hij, net als de gnostici, een vrouwelijk karakter toeschreef aan wijsheid en kennis.)

Waarom schreef hij in code? Wie was de Mona Lisa – of was het schilderij in feite een zelfportret? Wat gebeurde er tegen het einde van zijn leven toen hij naar Frankrijk verhuisde? Waarom vervaardigde deze grootste onder de schilders zo weinig schilderijen? Waar haalde hij zijn inzichten in de natuurwetenschap, de anatomie, de geneeskunde, de theorie van de evolutie, de chaostheorie, de vliegkunst en tal van andere onderwerpen

vandaan, waarmee hij vaak eeuwen voorliep op de meest grensverleggen-
de denkers en uitvinders ter wereld?

Er zijn veel mysteriën rond Leonardo, en er is stof voor nog veel meer
thrillers en uitbarstingen van ongebreidelde postmoderne fantasie, die
kunnen komen als *De Da Vinci Code* al lang een antwoord op een bord-
spelvraag is geworden.

In de commentaren die hier worden gepresenteerd hebben we geprobeerd twee fundamentele denkrichtingen te illustreren. De denkrichting
die door de meeste Leonardo-experts en kunsthistorici wordt aangehangen stelt dat er, ondanks talloze mysteriën en vragen in het leven en werk
van Leonardo, geen bewijs is voor zulke afwijkende stellingen als dat de
Johannes in *Het Laatste Avondmaal* in feite Maria Magdalena is, of dat
Leonardo de Priorij van Sion leidde, of dat hij in zijn kunstwerken gecodeerde boodschappen achterliet die gericht waren aan latere generaties.

De andere visie – die hier helder voor het voetlicht wordt gebracht door
Lynn Picknett en Clive Prince, en die nog veel uitvoeriger in hun boeken
wordt gedocumenteerd – is beslist veel interessanter, al zijn de bewijzen
tamelijk pover. Deze richting biedt fascinerende antwoorden op de lange
lijst met vragen die meer behoudende deskundigen slechts een lange lijst
met vragen laten. Deze denkrichting over Leonardo mag een schamele feitelijke basis hebben, maar overdrachtelijk en conceptueel heeft ze veel
meer te bieden. Bij het lezen van Picknett en Prince zie je de raderen draai-
en in het brein van Dan Brown en je hoort hem bij zichzelf zeggen: 'Als ik
nou een stukje van deze draad neem, en wat van die, en ik weef daar op
de volgende wijze een plot van...'

De geheime code van
Leonardo da Vinci

Door Lynn Picknett en Clive Prince

Lynn Picknett en Clive Prince wonen in Londen. Hun diverse boeken over onderwerpen die variëren van Maria Magdalena of Leonardo da Vinci tot de tempeliers speelden een prominente rol in Dan Browns research voor *De Da Vinci Code*, en er wordt
naar verwezen in Browns bibliografie. De meeste academische experts en geleerden
verschillen van mening met Picknett, omdat ze weinig tot geen bewijs zien voor haar
interpretaties van de symbolen in Leonardo's werk. Toch kan niemand ontkennen dat
ze intrigerende, unieke ideeën heeft en fascinerende verbanden legt die de status quo
in het academische debat over vele van deze zaken op de proef hebben gesteld. De vol-

gende passage is hiervan een perfect voorbeeld. Opgenomen met toestemming van Lavinia Trevor Literary Agency en de auteurs, uit *The Templar Revelation* van Lynn Picknett en Clive Prince. Copyright © 1997 Lynn Picknett en Clive Prince. Dit fragment is
een bewerking van de vertaling van Bert van Rijswijk, die als *Het geheime boek der
Grootmeesters* in 1997 verscheen bij Tirion. Overgenomen met toestemming van de uitgever. © 1997/2004 voor de Nederlandse taal: B.V. Uitgeversmaatschappij Tirion, Baarn.

Om ons verhaal op de juiste wijze te beginnen, moeten we terugkeren naar
Leonardo's *Het Laatste Avondmaal* en er met nieuwe ogen naar kijken. Dit
is niet het moment om ernaar te kijken vanuit de vertrouwde kunsthistorische aannames. Dit is het moment waarop we er het beste naar kunnen
kijken alsof we deze bekende scène nog nooit gezien hadden, het moment
waarop we de schellen van vooringenomenheid van onze ogen laten vallen en er, misschien voor het eerst, echt naar kijken.

De centrale figuur is natuurlijk die van Jezus, die Leonardo in zijn aantekeningen voor het werk 'de Verlosser' noemt. (Zelfs dan zij de lezer gewaarschuwd niet bij voorbaat voor de hand liggende conclusies te trekken.) Hij kijkt in gepeins verzonken naar beneden en enigszins naar links,
met zijn handen uitgestrekt op de tafel voor hem alsof hij de beschouwer
een geschenk aanbiedt. Omdat dit het Laatste Avondmaal is, waarbij Jezus, zoals het Nieuwe Testament ons vertelt, het sacrament van brood en
wijn instelde en zijn discipelen maande die te ontvangen als zijn 'vlees' en
'bloed', zou je redelijkerwijs verwachten dat er een kelk of beker wijn voor
hem zou staan die hij met zijn uitgestrekte handen zou omsluiten. Tenslotte vond voor christenen deze maaltijd plaats vlak voor Jezus' 'passie'
in de hof van Getsemane toen hij vurig bad: '... laat deze beker Mij voorbijgaan' – nog een toespeling op de wijn/bloed-beeldspraak – en ook voor
zijn dood door kruisiging, toen zijn heilige bloed voor heel de mensheid
werd vergoten. Maar er staat geen wijn voor Jezus (en slechts een minimale hoeveelheid op de hele tafel). Kan het zijn dat die gespreide handen
in wezen een, zoals de kunstenaar het ziet, leeg gebaar maken?

In het licht van de ontbrekende wijn is het misschien ook niet toevallig dat van al het brood op de tafel in feite zeer weinig gebroken is. Omdat Jezus zelf het brood gelijkstelde met zijn eigen lichaam, dat in het hoogste offer moest worden gebroken, kan de vraag worden gesteld of het fresco
soms een subtiele boodschap over de ware aard van Jezus' lijden bevat.

Dit is echter slechts het topje van de ijsberg van de onorthodoxe denkwereld die in dit fresco wordt verbeeld. In het bijbelverhaal is het de jonge Johannes – bekend als 'de discipel die Jezus liefhad' ofwel 'de Geliefde'
– die bij deze gelegenheid lichamelijk zo dicht bij Jezus was dat hij 'aan de
boezem van Jezus' lag. Maar in Leonardo's weergave van deze jongeman

ligt hij niet, zoals de bijbelse 'toneelaanwijzingen' vereisen, in die houding, maar leunt hij op een overdreven manier weg van de Verlosser en houdt hij zijn hoofd bijna koket naar rechts gebogen. Zelfs waar het deze ene figuur betreft is dit niet eens alles, want mensen die het fresco voor het eerst zien zij het vergeven als zij in hun nieuwsgierigheid enige twijfel koesteren over de zogenaamde Johannes. Want al is het waar dat de kunstenaar vanuit zijn eigen voorkeuren de neiging had de belichaming van mannelijke schoonheid wat verwijfd uit te beelden, *in dit geval kijken we toch beslist naar een vrouw.* Alles aan 'hem' is verrassend vrouwelijk. Hoe oud en verweerd het fresco ook mag zijn, je kunt nog steeds de kleine, sierlijke handen, de knappe, zachte gelaatstrekken, de uitgesproken vrouwelijke boezem en de gouden halsketting onderscheiden. Ook de kleding die deze vrouw – want dat is het toch zeker – draagt, kenmerkt haar als een bijzonder iemand. Die kleren zijn het spiegelbeeld van die van de Verlosser: waar de één een blauw onderkleed en een rood bovenkleed draagt, draagt de ander een rood onderkleed en een blauw bovenkleed in identieke stijl. Niemand anders aan de tafel draagt kleren die op deze manier een spiegelbeeld van die van Jezus vormen. Maar niemand anders aan de tafel is dan ook een vrouw.

Centraal in de compositie staat de figuur die Jezus en deze vrouw samen vormen: een reusachtige wijde 'M', bijna alsof ze letterlijk aan de heup verbonden zijn maar ruzie hebben gehad of zelfs uit elkaar zijn gegroeid. Voorzover wij weten heeft geen enkele wetenschapper in deze vrouwelijke figuur ooit een ander gezien dan 'Johannes' en is ook de 'M'-vorm hun ontgaan. Leonardo was, zo ontdekten we in ons onderzoek, een uitmuntend psycholoog die er plezier in had de beschermheren die hem doorsnee religieuze opdrachten hadden gegeven, uiterst onorthodoxe afbeeldingen aan te bieden, in de wetenschap dat mensen gewoonlijk zien wat zij verwachten en dus de schokkendste ketterij gelijkmoedig in ogenschouw zullen nemen. Als je de opdracht krijgt een doorsnee christelijke voorstelling te schilderen en het publiek iets biedt dat er oppervlakkig op lijkt, zal het nooit vragen stellen over de dubieuze symboliek ervan. Toch moet Leonardo hebben gehoopt dat anderen die zijn ongebruikelijke interpretatie van de nieuwtestamentische boodschap deelden, zijn versie zouden herkennen, of dat iemand, ergens, een objectieve beschouwer, op een dag de beeltenis van deze mysterieuze vrouw verbonden met de letter 'M' zou opvallen en dat deze de voor de hand liggende vragen zou stellen. Wie was deze 'M' en waarom was zij zo belangrijk? Waarom zou Leonardo zijn reputatie op het spel zetten – en zelfs zijn leven, in dat tijdperk van de brandstapel – om haar in deze cruciale christelijke voorstelling op te nemen?

Wie zij ook is, haar leven lijkt niet veilig te zijn, want een hand strijkt zijdelings langs haar bevallig gebogen hals in wat oogt als een dreigend gebaar. Ook de Verlosser wordt onmiskenbaar bedreigd door een geheven wijsvinger die met duidelijke heftigheid naar zijn gezicht is uitgestoken. Zowel Jezus als 'M' lijken zich totaal niet bewust van deze dreigende gebaren; beiden zijn kennelijk geheel in hun eigen gedachten verzonken, beiden zijn op hun eigen manier kalm en beheerst. Maar het is alsof er geheime symbolen worden gebruikt, niet alleen om Jezus en zijn vrouwelijke metgezel te waarschuwen voor het lot dat elk van hen wacht, maar ook om de beschouwer enige informatie toe te spelen (of misschien in de herinnering te brengen) die anderszins niet zonder gevaar openbaar gemaakt kon worden. Gebruikte Leonardo dit fresco om een persoonlijke overtuiging door te geven waarvan hij wist dat het waanzin was om deze duidelijker met een groter publiek te delen? En kan het zijn dat deze overtuiging een boodschap behelst voor veel meer mensen dan zijn directe omgeving, misschien zelfs voor ons, vandaag de dag?

Laten we verder kijken naar dit verbazingwekkende werk. Voor de beschouwer rechts op het fresco buigt een lange man met baard zich bijna dubbel om iets te zeggen tegen de laatste discipel aan tafel. Zodoende heeft hij zijn rug geheel naar de Verlosser gekeerd. Het is deze discipel – Thaddeüs of Judas – voor wie, naar algemeen wordt aangenomen, Leonardo zelf model heeft gestaan. Niets wat Renaissanceschilders ooit uitbeeldden, was toevallig of had louter de bedoeling mooi te zijn, en juist dit exempel van zijn tijd en zijn professie stond bekend als een ijveraar voor de visuele variant van *double entendre*. (Zijn zorg het juiste model voor de diverse discipelen te gebruiken kan worden afgeleid uit zijn laconieke suggestie dat de onsympathieke prior van het Santa Maria-klooster zelf maar model moest staan voor de figuur van Judas!) Dus waarom schilderde Leonardo zichzelf terwijl hij zo duidelijk zijn blik van Jezus afkeert?

Er is meer. Een vreemde hand richt een dolk op de maag van een discipel één persoon verwijderd van 'M'. Hoeveel fantasie je ook gebruikt, op geen enkele manier kan deze hand toebehoren aan iemand die aan de tafel zit, omdat het fysiek onmogelijk is voor de omringenden zich zo te draaien dat de dolk in die positie komt. Maar wat echt verbazend is aan deze losse hand, is niet zozeer dat zij er is, maar dat wij in alles wat wij over Leonardo lazen slechts een paar verwijzingen ernaar tegenkwamen, die er merkwaardig genoeg niets vreemds in konden ontdekken. Net als de Johannes die in feite een vrouw is, kan niets duidelijker – en vreemder – zijn dan deze hand, zodra erop is gewezen; niettemin gaan oog en geest van de beschouwer er gewoonlijk volkomen aan voorbij, juist omdat zij zo buitengewoon en zo buitensporig is.

Wij hebben vaak horen zeggen dat Leonardo een vroom christen was, wiens religieuze schilderijen de diepte van zijn geloof weergaven. Zoals we tot dusver hebben gezien bevat minstens één ervan een vanuit de christelijke orthodoxie bezien uiterst dubieuze voorstellingswereld, en uit verder onderzoek blijkt, zoals we zullen zien, dat niets verder van de waarheid is dan het idee dat Leonardo een ware gelovige was – dat wil zeggen: een gelovige in een algemeen aanvaarde of aanvaardbare vorm van christendom. De merkwaardige en afwijkende kenmerken van slechts één van zijn werken lijken er op te wijzen dat hij ons iets probeerde te vertellen over een andere betekenislaag in die bekende bijbelse voorstelling, een andere geloofswereld achter de aanvaarde schets van het beeld dat is vastgelegd op die vijftiende-eeuwse muurschildering bij Milaan.

Wat die heterodoxe toevoegingen ook betekenen, zij waren, dat kan niet genoeg worden benadrukt, volkomen in strijd met het orthodoxe christendom. Dit is op zichzelf nauwelijks nieuws voor vele van de hedendaagse materialisten/rationalisten, want voor hen was Leonardo de eerste echte wetenschapper, een man die geen tijd had voor bijgeloof of religie in welke vorm ook, een man die niets minder was dan de antithese van de mysticus of de occultist. Maar ook zij hebben niet gezien wat ons zo duidelijk wordt getoond. *Het Laatste Avondmaal* schilderen zonder een aanzienlijke hoeveelheid wijn is net zoiets als het schilderen van een kroning zonder kroon: het mist volkomen waar het om gaat óf het wil iets heel anders zeggen, zozeer dat het de schilder kenmerkt als niets minder dan een totale ketter, iemand die wel religieuze overtuigingen had, maar dan overtuigingen die verschilden van en misschien zelfs in strijd waren met die van de christelijke orthodoxie. En Leonardo's andere werken, zo hebben we ontdekt, onderstrepen zijn specifieke ketterse obsessies door een zorgvuldig toegepaste en consistente beeldtaal, wat niet te verklaren is als de kunstenaar een atheïst was die slechts zijn brood verdiende. Deze ongevraagde toevoegingen en symbolen zijn ook zeer veel meer dan het satirische antwoord van de scepticus op een dergelijke opdracht – zij zijn niet slechts het equivalent van het plakken van een rode neus op Petrus, om maar wat te noemen. Wat wij zien in *Het Laatste Avondmaal* en zijn andere werken is de geheime code van Leonardo da Vinci, een code die naar wij geloven verrassend relevant is voor de wereld van vandaag.

[Picknet en Prince doen vervolgens hun ideeën uit de doeken over een ander schilderij van Leonardo, de *Madonna in de grot*, in het Engels aangeduid als *Madonna of the Rocks* of *Virgin of the Rocks*. Dit kunstwerk speelt eveneens een prominente rol in *De Da Vinci Code*. Als Sophie 'So dark the con of man' ontcijferd heeft en beseft dat dit een anagram is van 'Madonna of the Rocks', vindt ze achter dat schilderij de sleutel van de bankkluis. Dit staaltje van decodering is voor Robert Langdon aanleiding om Sophie bepaalde ideeën over het schilderij uit te leggen – ideeën die duidelijk ontleend zijn aan artikelen van Picknett en Prince, zoals het volgende fragment.]

Deze kennelijke omkering van de gebruikelijke rollen van Jezus en Johannes is ook te zien op een van de twee versies van Leonardo's *Madonna in de grot*. Kunsthistorici hebben nooit afdoende kunnen verklaren waarom er twee versies zijn, maar de ene wordt tegenwoordig tentoongesteld in de National Gallery in Londen en de andere – voor ons verreweg de interessantste – bevindt zich in het Louvre in Parijs.

De oorspronkelijke opdracht was afkomstig van een organisatie die bekendstond als de Broederschap van de Onbevlekte Ontvangenis. Het ging om één schilderij, dat het middenstuk moest worden van een drieluik voor het altaar van hun kapel in de kerk van San Francesco Grande in Milaan. (De beide andere schilderijen voor het drieluik werden opgedragen aan andere kunstenaars.) Het contract, gedateerd 25 april 1483, bestaat nog steeds en werpt een belangwekkend licht op het verwachte werk – en op wat de leden van de broederschap uiteindelijk ontvingen. Erin specificeerden zij zorgvuldig de vorm en afmetingen van het door hen gewenste schilderij – wat nodig was omdat de omlijsting voor het drieluik al gereed was. Merkwaardigerwijs voldoen beide versies van Leonardo aan deze specificaties, hoewel onbekend is waarom hij er twee maakte. We kunnen ons echter wagen aan een vermoeden over deze uiteenlopende interpretaties, dat minder te maken heeft met een streven naar perfectie dan met een besef van hun explosieve potentieel.

Het contract specificeerde ook het thema van het schilderij. Het moest een gebeurtenis uitbeelden die niet voorkomt in de evangeliën, maar wel al lang in christelijke legenden. Dit was het verhaal over hoe tijdens de vlucht naar Egypte, Jozef, Maria en het kindeke Jezus een schuilplaats zochten in een verlaten grot, waar zij het kind Johannes de Doper ontmoetten die werd beschermd door de aartsengel Uriël. Het nut van deze legende is dat zij een uitweg geeft voor een van de meest voor de hand liggende en lastigste vragen die het evangelieverhaal over de doop van Jezus doet rijzen. Waarom zou een vermeend zondeloze Jezus eigenlijk gedoopt moeten worden, wanneer het ritueel een symbool is voor het afwassen van iemands zonden en iemands verplichting voortaan godsvruchtig te leven? Waarom zou de Zoon van God zichzelf onderwerpen aan wat duidelijk een gezaghebbende handeling van Johannes de Doper was?

Deze legende vertelt dat, bij deze opmerkelijk toevallige ontmoeting tussen de beide heilige kinderen, Jezus zijn neefje Johannes het gezag verleende hem te dopen wanneer zij beiden volwassen waren. Om diverse redenen komt het ons voor dat de broederschap Leonardo met dit thema een uiterst ironische opdracht gaf, maar evenzeer kan men vermoeden dat deze hem groot plezier deed – en dat hij, althans in een van de versies, een geheel eigen interpretatie van het thema gaf.

Naar de mode van die tijd hadden de leden van de broederschap specificaties gegeven voor een overdadig en rijkversierd schilderij, compleet met een overvloed aan bladgoud en een menigte cherubijnen en geesten van oudtestamentische profeten om de ruimte te vullen. Wat zij uiteindelijk kregen was heel anders, dermate anders zelfs dat de relatie tussen hen en de kunstenaar ernstig verstoord raakte, wat uitliep op een proces dat zich meer dan twintig jaar voortsleepte.

Leonardo besloot het tafereel zo realistisch mogelijk weer te geven, zonder figuren van buitenaf – voor hem dus geen mollige cherubijnen of geesten van onheilsprofeten. In feite heeft hij de *dramatis personae* misschien wel tot het uiterste teruggebracht, want hoewel dit schilderij de vlucht naar Egypte van de Heilige Familie hoort te verbeelden, komt Jozef er helemaal niet op voor.

De versie in het Louvre, die de eerste was, toont een in een blauwe mantel gehulde Maria die haar arm beschermend om een van beide kinderen houdt, terwijl het andere kind bij Uriël is. Vreemd genoeg zijn beide kinderen identiek, maar vreemder is nog dat het kind bij de engel het andere kind zegent en dat het kind van Maria onderdanig neerknielt. Dit heeft kunsthistorici op de gedachte gebracht dat Leonardo er om een of andere reden de voorkeur aan gaf het kind Johannes bij Maria te plaatsen. Tenslotte ontbreken er naamplaatjes om beide kinderen te identificeren en natuurlijk moet het kind met het gezag om de zegen te geven Jezus zijn.

Er zijn echter andere manieren om dit schilderij te interpreteren, manieren die niet alleen duiden op sterk onderbewuste en uiterst onorthodoxe boodschappen, maar die ook de in de andere werken van Leonardo gebruikte codes bekrachtigen. Misschien geeft de gelijkenis van de twee kinderen op ons schilderij aan dat Leonardo hun identiteit welbewust verdoezelde voor eigen doeleinden. En hoewel Maria met haar linkerhand het kind dat algemeen als Johannes wordt gezien, beschermend omvat, houdt ze haar rechterhand uitgestrekt boven het hoofd van 'Jezus' in wat een door en door vijandig gebaar lijkt. Serge Bramly zegt in zijn biografie van Leonardo dat dit 'doet denken aan de klauwen van een adelaar'. Uriël wijst naar het kind van Maria maar kijkt, veelbetekenend, ook met een raadselachtige blik naar de toeschouwer – dat wil zeggen: resoluut weg van de Heilige Maagd en het kind. Hoewel het gemakkelijker en geaccepteerder is om dit gebaar te interpreteren als een indicatie van degene die de Messias zal zijn, zijn er andere mogelijke betekenissen.

Wat als het kind bij Maria in de Louvre-versie van de *Madonna in de grot* wél Jezus is – zoals men logischerwijs mag verwachten – en het kind bij Uriël Johannes? Bedenk dat het in dit geval Johannes is die Jezus zegent, waarbij laatstgenoemde zich onderwerpt aan zijn gezag. Uriël, als Johannes' speciale beschermer, vermijdt het zelfs naar Jezus te kijken. En Maria, die haar zoon beschermt, houdt een bedreigende hand boven het hoofd van het kind Johannes. Een aantal centimeters recht onder haar uitgestrekte hand kruist de wijzende hand van Uriël recht de hare, alsof de beide gebaren een cryptische aanwijzing bevatten. Het is alsof Leonardo wil aangeven dat een bepaald object, een belangrijk – maar onzichtbaar – ding, de ruimte tussen hen behoort te vullen. In de context is het geenszins denkbeeldig dat het de bedoeling is dat Maria's uitgestrekte vingers eruitzien alsof ze zijn geplaatst op de kroon van een onzichtbaar hoofd, terwijl Uriëls wijsvinger precies naar de plek wijst waar de hals zou zijn. Dit denkbeeldige hoofd zweeft vlak boven het kind bij Uriël... Op deze manier wordt in feite toch nog aangegeven wie dit kind is, want wie van beiden zou sterven door onthoofding? En als dit echt Johannes de Doper is, is hij het die op het schilderij de zegen geeft en die de meerdere is.

Wenden we ons evenwel naar de veel latere versie in de National Gallery, dan zien we dat alle elementen ontbreken die voor deze ketterse gevolgtrekkingen nodig zijn – maar alleen die elementen. De beide kinderen zien er heel verschillend uit, en het kind bij Maria draagt het traditionele kruis met lange hoofdbalk van Johannes de Doper (al kan dit zijn toegevoegd door een latere kunstenaar). Maria houdt haar rechterhand ook hier uitgestrekt boven het andere kind, maar ditmaal is er geen enkele aanwijzing van een bedreiging. Uriël wijst niet langer en kijkt evenmin weg van het tafereel. Het is alsof Leonardo ons uitnodigt 'de verschillen te zoeken'.

Dit soort onderzoek van het werk van Leonardo onthult een overvloed aan provocerende en verwarrende onderstromen. Het Johannes de Doper-thema lijkt zich, met gebruikmaking van vernuftige onderbewuste symbolen en signalen, voortdurend te herhalen. Steeds weer worden hij en uitbeeldingen van hem verheven boven de figuur van Jezus...

Deze vasthoudendheid heeft iets gedrevens, zeker ook door de complexiteit van de beelden die Leonardo gebruikte, en niet te vergeten het risico dat hij nam door een dergelijke knappe en onderbewuste ketterij aan de wereld te presenteren. Misschien was, zoals we reeds lieten doorschemeren, de reden dat hij zo weinig van zijn oeuvre voltooide niet zozeer zijn hang naar perfectie, maar veeleer dat hij maar al te goed besefte wat hem zou kunnen overkomen als iemand van naam door de dunne laag orthodoxie heen keek en de duidelijke 'blasfemie' vlak onder het oppervlak zag. Misschien was zelfs een intellectuele en fysieke reus als Leonardo enigszins bezorgd in aanvaring te komen met de autoriteiten – één keer was meer dan genoeg voor hem.

Hij zou zijn leven echter zeker niet in gevaar hebben gebracht door dergelijke ketterse boodschappen in zijn schilderijen te verwerken, als hij er niet hartstochtelijk in geloofd had. Zoals we reeds zagen, was Leonardo bepaald niet de atheïstische materialist die bij veel moderne mensen zo geliefd is, maar was hij zeer toegewijd aan een geloofssysteem dat geheel in tegenspraak was met wat toen de hoofdstroom van het christendom was en dat nog steeds is. Dat geloofssysteem was wat velen het 'occulte' plegen te noemen.

Bij de meeste moderne mensen doet dat woord meteen een belletje rinkelen, en zeker niet in positieve zin. Men denkt erbij aan zwarte magie of aan de streken van corrupte kwakzalvers – of aan beide. In feite betekent het woord 'occult' gewoon 'verborgen' en meestal wordt het gebruikt in de astronomie, zoals in de beschrijving van het ene hemellichaam dat een ander verbergt of verduistert. Wat Leonardo betreft kunnen we toegeven dat zijn leven en opvattingen inderdaad elementen bevatten die riekten naar sinistere riten en magische praktijken, maar ook waar is dat hij meer dan wat ook op zoek was naar kennis. Het grootste deel van wat hij zocht werd door de samenleving echter doeltreffend 'occult', verborgen, gehouden – en dan vooral door één alomtegenwoordige en machtige organisatie. In het grootste deel van Europa keurde de kerk in die tijd elk wetenschappelijk experiment af en nam zij drastische stappen om mensen het zwijgen op te leggen die hun onorthodoxe of hoogstpersoonlijke opvattingen openbaar maakten.

Florence – waar Leonardo werd geboren en opgroeide, en aan welks hof zijn carrière een aanvang nam – was evenwel een bloeiend centrum van een nieuwe golf van kennis. Dit was verbazingwekkend genoeg geheel te danken aan het feit dat deze stad een toevluchtsoord was voor grote aantallen invloedrijke occultisten en magiërs. Leonardo's eerste beschermheren, de familie de Medici die over Florence heerste, moedigden de occulte wetenschap aan en gaven zelfs financiële steun aan onderzoekers om te zoeken naar specifieke verdwenen manuscripten en deze te vertalen.

Deze fascinatie voor het occulte was niet het Renaissance-equivalent van de hedendaagse horoscopen in de krant. Hoewel er onontkoombaar onderzoeksterreinen waren die ons nu naïef of ronduit bijgelovig voorkomen, waren er veel meer die een serieuze poging vertegenwoordigden het heelal en de plaats van de mens daarin te begrijpen. De magiër probeerde echter een stap verder te gaan en te ontdekken hoe hij de natuurkrachten kon beheersen. In dit licht gezien is het misschien niet zo opmerkelijk dat, naar wij geloven, juist Leonardo actief deelnam aan de occulte cultuur van zijn tijd en omgeving. En de eminente historica Dame Frances Yates heeft zelfs de gedachte geopperd dat de hele sleutel tot Leonardo's verreikende genie te vinden is in de toenmalige ideeën over magie.

De bijzonderheden van de precieze filosofieën die in deze Florentijnse occulte beweging overheersten, zijn te vinden in ons vorige boek; hier willen we er alleen kort op wijzen dat alle groepen van die tijd draaiden om het hermetisme, dat haar naam ontleent aan Hermes Trismegistus, de grote, zij het mythische, Egyptische magiër wiens boeken een samenhangend magisch systeem boden. Verreweg het belangrijkste onderdeel van het hermetische denken was dat de mens in zekere zin letterlijk goddelijk was – een idee dat op zichzelf al zo bedreigend was voor de greep van de kerk op de harten en geesten van haar kudde, dat de kerkelijke banvloek erover werd uitgesproken.

Hoewel er in leven en werk van Leonardo zeker hermetische principes zijn aangetoond, lijkt er op het eerste gezicht een opvallende discrepantie te bestaan tussen deze verfijnde filosofische en kosmologische denkbeelden en ketterse ideeën die niettemin het belang van bijbelse figuren hooghielden. (We moeten benadrukken dat de heterodoxe opvattingen van Leonardo en zijn kring niet louter een reactie waren op een corrupte en goedgelovige kerk. Zoals de geschiedenis aantoont, was er beslist een sterke en bepaald niet ondergrondse reactie op de kerk van Rome – de hele protestantse beweging. Maar als Leonardo nu geleefd had, zou hij ook in dát soort kerk niet ter kerke zijn gegaan.)

Er zijn echter heel wat aanwijzingen dat hermetici ook volslagen ketters konden zijn. Zo beweerde Giordano Bruno (1548-1600), de fanatieke prediker van het hermetisme, dat zijn opvattingen afkomstig waren van een Oudegyptische religie die voorafging aan het christendom – en het in betekenis overtrof.

Een onderdeel van deze bloeiende occulte wereld – maar nog te zeer op hun hoede voor de afkeuring van de kerk om iets anders te zijn dan een ondergrondse beweging – vormden de alchemisten. Ook deze groep is het slachtoffer van moderne vooroordelen. Tegenwoordig worden ze uitgemaakt voor dwazen die hun leven verspilden met vergeefse pogingen uit onedele metalen goud te maken; in feite was deze voorstelling van zaken een bruikbaar rookgordijn voor de serieuze alchemisten, die meer geïnteresseerd waren in echte wetenschappelijke experimenten, maar ook in persoonlijke transformatie en de daar impliciet mee verbonden totale controle over het eigen lot. Opnieuw is het niet moeilijk in te zien dat iemand die zo naar kennis dorstte als Leonardo, deel zou uitmaken van die beweging, en er misschien zelfs wel mede de aanzet toe heeft gegeven. Hoewel er geen direct bewijs is voor zijn verbondenheid, is bekend dat hij omging met overtuigde occultisten van alle schakeringen, en ons eigen onderzoek naar zijn vervalsing van de Lijkwade van Turijn wekt het sterke vermoeden dat de afbeelding erop het directe resultaat was van zijn eigen 'alchemistische' experimenten. (In feite zijn wij tot de conclusie gekomen dat fotografie eens een van de grote alchemistische geheimen was.)

Simpel gesteld: het is hoogst onwaarschijnlijk dat Leonardo onbekend was met enig kennissysteem dat in zijn tijd beschikbaar was, maar tegelijkertijd is het, gezien de risico's die het met zich meebracht om je openlijk tot een dergelijk kennissysteem te bekennen, even onwaarschijnlijk dat hij enige aanwijzing daarvoor aan het papier zou toevertrouwen. Toch zouden, zoals we hebben gezien, de kerkelijke autoriteiten de symbolen en beelden die hij herhaaldelijk in zijn zogenaamd christelijke schilderijen gebruikte, bepaald niet hebben gewaardeerd als zij de ware aard ervan hadden gekend.

Zelfs dan lijkt, op het eerste gezicht althans, een intense belangstelling voor hermetisme bijna het tegendeel van een even intense belangstelling voor Johannes de Doper – en van de veronderstelde betekenis van de vrouw 'M'. Het was nu juist deze discrepantie die ons voor een raadsel stelde, een raadsel zo groot dat wij verder groeven. Natuurlijk zou je kunnen zeggen dat al dit eindeloze opsteken van wijsvingers niet meer betekent dan dat één Renaissancegenie geobsedeerd was door Johannes de Doper. Maar was het mogelijk dat er een diepere betekenis lag achter Leonardo's persoonlijke overtuiging? Was de boodschap die in zijn schilderijen te lezen valt, op een of andere manier echt wáár?

In elk geval gaat de maestro in occulte kringen reeds lang door voor iemand die in het bezit was van geheime kennis. Toen we ons onderzoek naar zijn aandeel in de Lijkwade van Turijn begonnen, stuitten we op vele geruchten onder zulke mensen volgens welke hij niet alleen de hand had gehad in de vervaardiging van de lijkwade, maar ook een bekend magiër van een zekere faam was geweest. Er bestaat zelfs een negentiende-eeuws aanplakbiljet uit Parijs waarop reclame wordt gemaakt voor de Salon van Roos + Kruis – een ontmoetingsplaats voor artistiek bevlogen occultisten – waarop Leonardo staat afgebeeld als de hoeder van de heilige graal (wat in dergelijke kringen staat voor hoeder van de Mysteriën). Nogmaals, geruchten en artistieke vrijheid stellen op zichzelf weinig voor, maar gevoegd bij alle hiervoor genoemde aanwijzingen wekten zij wel ons verlangen meer te weten te komen over de onbekende Leonardo.

We hadden nu het voornaamste element geïsoleerd van wat kennelijk Leonardo's obsessie was: Johannes de Doper. Hoewel het vanzelfsprekend is dat hij tijdens zijn verblijf in Florence – een aan Johannes gewijde stad – opdrachten kreeg om die heilige te schilderen of te beeldhouwen, is het een feit dat Leonardo dat ook bleef doen toen hij aan zichzelf was overgelaten. Tenslotte was het laatste schilderij waaraan hij voor zijn dood in 1519 werkte – waarvoor hij geen opdracht had ontvangen maar dat hij voor zichzelf schilderde – een schilderij van Johannes de Doper. Misschien wilde hij ernaar kijken wanneer hij op sterven lag. En zelfs wanneer men hem betaalde om een orthodox-christelijke voorstelling te schilderen, benadrukte hij, als hij zich dat kon veroorloven, altijd de rol van de Doper erin.

Zoals we reeds zagen, zijn Leonardo's voorstellingen van Johannes gedetailleerd uitgewerkt om een specifieke boodschap door te geven, ook al wordt deze slechts gebrekkig en onbewust begrepen. Het lijdt geen twijfel dat Leonardo hem uitbeeldde als een belangrijk persoon – tenslotte wás hij de voorloper, de wegbereider en bloedverwant van Jezus. Dus is het alleen maar natuurlijk dat zijn rol op deze manier moest worden begrepen. Leonardo vertelt ons echter niet dat Johannes de Doper, zoals iedereen, de mindere van Jezus was. In zijn *Madonna in de grot* wijst de engel duidelijk naar Johannes die Jezus zegent en niet andersom. In de *Aanbidding der wijzen* aanbidden de gezonde, normaal uitziende mensen de boven de grond uitstekende wortels van de johannesbroodboom – de boom van Johannes – en niet de kleurloze Madonna en kind. En het 'Johannes-gebaar', die geheven wijsvinger van de rechterhand, wordt in *Het Laatste Avondmaal* gemaakt naar het gezicht van Jezus en uit de manier waarop dat gebeurt, spreekt zeker geen liefde of steun; op zijn allerminst lijkt het op een ronduit bedreigende manier om te zeggen: 'Denk aan Johannes.' En dat minst bekende werk van Leonardo's oeuvre, de Lijkwade van Turijn, bevat hetzelfde soort symboliek, met de afbeelding van een kennelijk afgehakt hoofd dat is geplaatst 'boven' een klassiek gekruisigd lichaam. Er is overstelpend bewijs dat, althans voor Leonardo, Johannes de Doper in feite de meerdere van Jezus was.

Uit dit alles zouden we kunnen opmaken dat Leonardo een roepende in de woestijn was. Tenslotte zijn veel grote geesten op zijn zachtst gezegd zonderlingen. Misschien was het gewoon nog een deel van zijn leven waarin hij buiten de conventies van zijn tijd stond, niet naar waarde geschat en alleen. Maar we waren ons er ook van bewust, zelfs aan het begin van ons onderzoek eind jaren tachtig, dat er recentelijk aanwijzingen waren opgedoken – zij het van uiterst controversiële aard – die hem verbonden met een sinister en machtig geheim genootschap. Tot deze groep, die al vele eeuwen voor Leonardo zou hebben bestaan, behoorden enkele van de invloedrijkste personen en families in de Europese geschiedenis, en zij bestaat – volgens sommige bronnen – tot op de dag van vandaag. Er wordt niet alleen beweerd dat leden van de aristocratie een hoofdrol speelden in deze hermetische organisatie, maar ook dat een aantal van de meest vooraanstaande politieke en economische figuren haar levend houden voor hun eigen doeleinden...

Over de Mona Lisa

Door Serge Bramly

Serge Bramly is de auteur van *Leonardo* (vertaling Tjadine E. Stheeman, Anthos, 1990), een bestseller die in meer dan vijftien talen vertaald is en zeer goed ontvangen werd. Door de hernieuwde belangstelling voor Leonardo da Vinci verschijnt het boek in 2005 opnieuw (o.a. in een herziene, rijk geïllustreerde editie bij Luitingh). Copyright © Serge Bramly, Editions J.C. Lattès. Dit fragment is opgenomen met toestemming van de uitgever. Copyright © 1990/2004 voor de Nederlandse taal: Uitgeverij Luitingh ~ Sijthoff B.V., Amsterdam.

Men zou kunnen denken dat Leonardo, 'verveeld door het penseel,' zoals Fra Pietro da Novellara zei, in deze periode geen zin meer heeft in schilderen, omdat hij teleurgesteld is door de mislukking van de *Slag bij Anghiari*, nog altijd geheel en al in zijn wiskundige onderzoekingen en anatomische studie opgaat en in beslag wordt genomen door de verschillende waterbouwkundige en architectonische werken waartoe de Fransen hem opdracht geven. Welnu, het tegendeel is waar. In deze jaren (zo ongeveer tussen 1505 en 1515) is hij tegelijkertijd bezig met de *Leda*, de *Mona Lisa* en *Johannes de Doper*, waarvan de twee laatste (in ieder geval) onbetwistbaar van Leonardo's hand zijn – van zijn hand alleen.

Er bestaat geen enkel document aan de hand waarvan deze schilderijen met enige nauwkeurigheid gedateerd kunnen worden. Men weet niet wie de opdrachtgevers waren, áls de schilderijen al door iemand besteld zijn. Een historisch overzicht van deze werken komt neer op het op een rij zetten van een aantal hypothesen. De chronologische volgorde van de werken is uiterst moeilijk te bepalen. Men denkt dat de *Mona Lisa* eerder is geschilderd dan *Leda en de Zwaan*, en dat *Johannes de Doper* (waarvan de *Bacchus* van het Louvre, een gezamenlijk atelierwerk, de voorloper is) het laatste werk is dat door Leonardo geschilderd is. Hun uitvoeringen overlappen elkaar waarschijnlijk. Er bestaat in ieder geval wel een zekere continuïteit tussen de werken; men moet de leidraad zien terug te vinden, als men ze begrijpen wil.

Rafaël heeft in Florence een krijtstudie gemaakt naar de *Mona Lisa* of naar het karton van dit schilderij. Zijn tekening (in het Louvre) toont de beroemde houding, driekwart, met gekruiste handen, die lichtjes rusten op de rand van een meubelstuk of een balustrade, de zweem van een glimlach, de aanzet tot een landschap. Deze aanpak (die Rafaël meermalen zal gebruiken: in zijn *Dame met de eenhoorn,* zijn portret van *Maddalena Doni,* van de *Fornarina,* of zijn portret van zijn vriend *Baldassare Castiglione,* dat het standaardmodel van het klassieke portret is) is zo nieuw dat Rafaël hem pas van Leonardo kan hebben overgenomen toen zij zich allebei in Toscane bevonden, dus omstreeks 1505.

Vasari zegt: 'Leonardo nam van Francesco del Giocondo de opdracht aan om het portret van Monna Lisa, zijn vrouw, te schilderen, maar na vier jaren van inspanning liet hij het onvoltooid; het is momenteel bij de koning van Frankrijk.' Men heeft geprobeerd te achterhalen wie dit echtpaar is. In de Toscaanse archieven staat Francesco di Bartolomeo di Zanobi del Giocondo te boek als een gefortuneerd man, rijk geworden in de zijdehandel. Hij bekleedt enkele publieke ambten en zijn familie heeft grote belangstelling voor de kunst; verschillende van zijn familieleden bestellen schilderijen bij eersterangs kunstenaars. Giocondo, die reeds twee vrouwen heeft verloren, is in 1495 met een jong meisje getrouwd, afkomstig uit een eenvoudiger milieu, Lisa di Gherardini. Zij hebben een kind gekregen, dat reeds jong is overleden. Meer is niet over hen bekend, behalve dat Monna Lisa in 1505 zes- of zevenentwintig jaar moet zijn. Deze informatie is niet in strijd met het relaas van Vasari (noch met het schilderij), zodat het portret – waaraan Leonardo uiteraard geen titel heeft gegeven – in Italië *La Gioconda,* in Frankrijk *La Joconde* en in de Angelsaksische landen *Mona Lisa* genoemd wordt.

Anonymus Gaddiano spreekt echter over een portret van Francesco del Giocondo, en niet van zijn echtgenote. De kardinaal van Aragon heeft bovendien, enkele maanden voor de dood van Leonardo, in Frankrijk 'het portret van een Florentijnse gezien, eertijds naar het leven geschilderd in opdracht van wijlen Giuliano de Medici Il Magnifico' (zoon van Lorenzo, groot vrouwenliefhebber en beschermheer van Leonardo), dat betrekking lijkt te hebben op het schilderij dat wij de *Mona Lisa* noemen. Lomazzo helt persoonlijk meer over naar een Napolitaans model. De eerste koninklijke inventarislijsten waarop het werk voorkomt, houden het op 'een

courtisane met gazen sluier'. Later wordt het omschreven, geheel in tegenstelling met de eerdere omschrijving, als 'een eerbare Italiaanse dame'
(dit zijn de woorden van de geestelijke Dan, de conservator van de schilderijen van de koning, in de zeventiende eeuw).

Vasari geeft een gedetailleerde beschrijving van de *Mona Lisa*, maar hij
heeft het werk dat hij van horen zeggen kende, nooit gezien, omdat het
zich in Frankrijk bevond toen hij werkte aan zijn *Vite*, zoals hij zelf zegt.
Geen enkele getuigenis of vroege tekst bevestigt zijn relaas en alleen hij
noemt de naam van Monna Lisa. Daarom hebben vele historici zijn verhaal in twijfel getrokken en andere mogelijkheden naar voren gebracht:
tegenwoordig zijn er meer dan twaalf namen van vrouwen geopperd, die
allemaal min of meer verdedigbaar zijn. Leonardo's model zou bijvoorbeeld de favoriete maîtresse van Giuliano de Medici kunnen zijn, een zekere Pacifia Brandano of een 'signora Gualanda'.[1]

Het zou ook een van de maîtresses van Charles d'Amboise kunnen zijn,
of wellicht Isabella d'Este, de markiezin van Mantua, voor wie de schilder
uiteindelijk gezwicht zou zijn, of de hertogin van Francavilla, Costanza
d'Avelos, omdat in een gedicht een (onbekend) portret dat Da Vinci van
haar gemaakt zou hebben, wordt bezongen.[2] Sommigen menen dat er helemaal geen model is geweest: Leonardo zou een ideale vrouw hebben geschilderd. De meest gewaagde hypothese beweert dat het schilderij het
portret van een man is, zelfs van de kunstenaar zelf: deze zou zichzelf hebben afgebeeld zonder rimpel of baard, met de trekken van een vrouw...
Toegegeven, Leonardo heeft zijn model niet weergegeven op de gebruikelijke manier waarop een vrouw uit de bourgeoisie wordt geportretteerd.
Hij heeft haar, met veel vaardigheid en zorg, afgebeeld als een Madonna
of een prinses, door haar een imposante gestalte te geven. Maar omdat
geen enkele onderzoeker onomstotelijk bewijs kan overleggen, houden wij
ons toch, bij gebrek aan beter, bij de lezing van Vasari – wij blijven zeggen: de *Mona Lisa*.

Indien het werkelijk om een portret gaat, rijst al snel de vraag – en dat

---

1 Don Antonio de Beatis, de secretaris van de kardinaal van Aragon, verwijst naar het 'portret
van een zekere Florentijnse dame dat vroeger naar het leven geschilderd is op last van wijlen Giuliano de Medici Il Magnifico' (dat Leonardo in 1517 aan zijn beschermheer laat zien, in Amboise), en zegt vervolgens: portret van 'la signora Gualanda'. Er is niets bekend over deze vrouw. Zou
Beatis *Gualanda* hebben verstaan in plaats van *Gioconda*?
2 Een hofdichter van Ischia, Enea Irpino, bezingt een portret dat Da Vinci zou hebben geschilderd van zijn maîtresse, Costanza d'Avelos, hertogin van Francavilla, weduwe van Federico del
Balzo; 'onder de mooie zwarte sluier', zegt hij. Daar voegt hij aan toe: 'Deze goede en beroemde
schilder ... heeft zijn kunst overtroffen en zichzelf overwonnen [*vince*].' Costanza moet echter bijna vijfenveertig jaar zijn als Leonardo met het schilderij begint dat wij de *Mona Lisa* noemen.

is een van de cruciale vraagstukken die de historici aan de orde stellen – waarom Leonardo het schilderij niet bij zijn opdrachtgever heeft afgeleverd. Aangenomen dat Vasari gelijk heeft, dan is het niet zo verwonderlijk dat de kunstenaar het schilderij bij zich houdt tot aan zijn laatste jaren en meeneemt naar Frankrijk (samen met de *Sint Anna*). Want Vasari beweert dat het portret, na vier jaren werk, op het moment dat Leonardo uit Florence naar Milaan vertrekt nog altijd niet voltooid is. Het schilderij van het Louvre echter lijkt, in tegenstelling tot wat Vasari zegt, geheel en al voltooid. Als Da Vinci het werk in Milaan, of in Rome, afmaakt, waarom stuurt hij het dan niet aan Francesco del Giocondo, zoals hij zou moeten doen, zodat hij meteen zijn salaris kan innen? Zou de onverhoopte dood van Monna Lisa (de precieze datum van haar overlijden is niet bekend) de oorzaak zijn? Of – een romantische hypothese – zou hij verliefd zijn geworden op zijn schepping? Of zou de laatste penseelstreek pas in Frankrijk neergezet zijn?

Als men voor een maîtresse van Giuliano de Medici opteert – een mogelijkheid waar zeker iets voor te zeggen is –, zou men kunnen denken dat deze het werk, als een herinnering aan een losbandig verleden, niet in ontvangst wilde nemen toen hij in 1515 met Philiberte van Savoye trouwde. Men herinnert zich dat Rafaël rond 1505 een schets naar het schilderij heeft gemaakt. Leonardo zou dus tien jaar gewerkt hebben aan deze opdracht, die door een soort morele ommezwaai zou zijn ingetrokken. Om de zaak nog ingewikkelder te maken, suggereren sommige historici dat de libertijnse Giuliano de Medici eerder een naakte *Mona Lisa* in gedachten had, als men dat zo kan zeggen. Deze moet ook werkelijk bestaan hebben, want er zijn verscheidene kopieën van bekend (bijvoorbeeld die uit het Musée Condé in Chantilly). Men komt ook wel met andere (tegenwoordig verdwenen) schilderijen of kartons voor de dag, die verwant zijn aan de *Mona Lisa* maar van een eerdere datum, of men veronderstelt, zeer ongemotiveerd om de partijen te verzoenen, dat de echtgenote van Francesco del Giocondo de maîtresse van Giuliano de Medici zou zijn, en niet Pacifia Brandano of la signora Gualanda...

Het is ook denkbaar dat Leonardo nooit van het schilderij heeft willen scheiden omdat het niet om een portret gaat maar om de afbeelding van een droomwezen, tegen de achtergrond van een zinsbegoochelend landschap. Hij zou het werk voor zijn eigen plezier gemaakt hebben (wat de verklaring zou kunnen zijn waarom hij deze keer geen medewerkers inzette). Dit wezen zou hij een glimlach hebben gegeven die hem aan de glimlach van zijn moeder herinnerde (volgens Freud), alsmede alle goede eigenschappen en deugden die hij van een vrouw verwachtte: zachtmoedigheid, begrip, toegeeflijkheid, geduld en gelijkmatigheid. De *Mona Lisa* zou dus het eerste schilderij ter wereld zijn dat volmaakt zuiver van bedoeling was.

Men zegt dat de *Mona Lisa* op haar schepper lijkt. Waarom zou het niet een postuum portret van zijn moeder kunnen zijn? Leonardo zou dan nooit de identiteit van het model bekend hebben gemaakt, of zou zijn tijdgenoten op een dwaalspoor hebben gebracht, omdat hij zich altijd uiterst discreet opstelde tegenover Caterina...

Generaties kunsthistorici hebben zich vergeefs met deze 'hersenkraker' beziggehouden. In de geschriften van de kunstenaar zelf staat geen enkele verwijzing naar dit schilderij, of naar zijn eventuele opdrachtgever; er is zelfs geen voorbereidende tekening te vinden tussen zijn kartons. Men kan niet anders dan erkennen dat de *Mona Lisa* haar mysterie niet prijsgeeft. De dichte mist die om haar ontstaansgeschiedenis heen hangt, is geheel in overeenstemming met haar geheimzinnige verschijning. Leonardo gebruikt het *sfumato* zowel in zijn schilderijen als in zijn geschriften en, zo lijkt het wel, in de wijze waarop hij bepaalde gebeurtenissen uit zijn leven wenst te versluieren. Hij trekt een rookgordijn op; dat is nu eenmaal zijn stijl, zijn manier van doen.

Leonardo wist heel goed dat de dingen mooier zijn naarmate ze minder duidelijk zijn. Hij heeft de draden van zijn raadsel kundig geweven – in werkelijkheid vormt het raadsel zijn eigenlijke motief. Allereerst maakt hij gebruik van het licht. 'Merk op,' zegt hij in zijn verhandeling over de schilderkunst, 'als de avond valt, bij slecht weer, wat een zachtheid en gratie er op de gezichten van de mannen en de vrouwen in de straten te zien is.' De goudbruine schaduwen van de schemering modelleren de glimlach van de *Mona Lisa*. 'Je kunt je schilderij aan het einde van de dag maken,' vervolgt Leonardo, 'als er wolken of mist zijn, en deze atmosfeer is volmaakt.' Aangezien het niet erg praktisch is om op dit uur van de dag te werken, heeft hij een methode bedacht om een kunstmatige schemering te creëren: 'Je zult dan, o schilder, een speciaal ingerichte binnenplaats hebben met donkergetinte muren en een dak dat een beetje over deze muur heen hangt; deze binnenplaats moet tien vadem breed en twintig vadem lang en tien vadem hoog zijn, en als de zon schijnt, zorg er dan voor dat je de binnenplaats met doek afdekt.' Elders heeft hij het over een 'atmosfeer vrij van alle zonlicht', over straten gevangen tussen muren die zo hoog zijn dat, zelfs op klaarlichte dag, de wangen 'slechts de duisternis die ze omhult weerspiegelen', terwijl alleen het voorhoofd verlicht wordt, en 'hierbij voegt zich de lieflijkheid van de schaduwen die, gespeend van te harde contouren, harmonieus vervagen'.

Dit idee van spaarzaam licht, van een eclips, een nevelige sfeer, een laat uur op de dag wanneer de vormen op wonderbaarlijke wijze uit een 'donkere vignettering' opdoemen, komt tot uitdrukking in de *Mona Lisa*. Tegelijkertijd zegt men: de dag loopt ten einde, weldra zal de nacht deze zachtheid doen verdwijnen, en toch glimlacht deze vrouw. Vasari zegt dat Leonardo deze glimlach op de lippen van Monna Lisa tovert door haar te omringen met zangers, musici en grappenmakers. Het is een vluchtige glimlach, die niets met geluk van doen heeft. Er is ook geen sprake van verleiding. Men denkt: deze vrouw glimlacht, terwijl de rest van het schilderij ondergedompeld is in diepe neerslachtigheid. Alles ademt droefheid: de ondergaande zon, het onherbergzame en grootse landschap dat door de duisternis bedreigd wordt, de donkere kleding, de zwarte voile die de haren bedekt en die op rouw kan wijzen (als het werkelijk Monna Lisa is, zou zij nog rouwkleding kunnen dragen vanwege de dood van haar kind, maar volgens Venturi was de hertogin van Francavilla ook weduwe). 'Haar hoofd,' schrijft Oscar Wilde, 'heeft alle einden van de wereld verzameld, en haar oogleden zijn een beetje moe' (*Intentions*, 1891). Zij is niet jong meer (althans niet volgens de maatstaven van die tijd). Zij lacht de glimlach van een echtgenote, van de eeuwige moeder, die alle genoegens en alle pijn heeft meegemaakt, en die, zelfs in haar smart, alwetend, vol mededogen, als een vrouwelijke equivalent van Christus, met haar handen zedig over elkaar geslagen, vredig de tijd trotseert, 'vernietiger van alle dingen'. Leonardo heeft al heel vroeg begrepen hoe men zulke tegenstellingen kan benutten. In de *Madonna in de grot* heeft hij reeds met contrasten gewerkt, evenals in het *Portret van Ginevra Benci,* een soort prototype van de *Mona Lisa*. De schoonheid, het eeuwige wonder van het leven, lijkt hij te zeggen (en hieronder gaat een hele filosofie schuil) hebben de meeste glans, de meeste bekoring wanneer ze worden aangeboden in een juwelenkistje bezet met onheilspellende tekens.

Zoals het merendeel van Da Vinci's schilderijen heeft de *Mona Lisa* de eeuwen slecht doorstaan. Aan weerszijden van het paneel is een reep van ongeveer zeven centimeter afgesneden. De twee zuilen die het landschap omlijstten, en die op vroege kopieën en op de tekening van Rafaël staan, zijn verdwenen. Er zijn overschilderingen aangebracht. Een grijsgroen vernis heeft het lichte glacis dat het gezicht kleurde, vervangen. Vasari, die er ongetwijfeld een betrouwbare beschrijving van heeft gekregen, zegt dat de 'heldere ogen de schitter van het leven [hadden]; omlijnd met rode en loodkleurige nuances [waren] zij omrand met wimpers waarvan de weergave de grootste fijnheid veronderstelt. De wenkbrauwen, die op bepaalde plaatsen dicht of minder dicht zijn ingeplant al naar gelang de verdeling van de poriën, zouden niet levensechter kunnen zijn. De neus, met de prachtige roze en tere neusvleugels, is het leven zelf. De vorm van de mond, met de vloeiende overgang van het rood van de lippen naar het inkarnaat van het gezicht, is niet van verf maar werkelijk van vlees gemaakt. In het kuiltje van de hals kan de aandachtige toeschouwer het kloppen van de aderen waarnemen.' De uitzonderlijke indruk van leven is gebleven, maar het vlees heeft nu een gemene groene weerschijn. Er is niets over van het rood, het inkarnaat, de aderen en de fijne wenkbrauwen waarover Vasari het heeft: waarschijnlijk zijn zij verdwenen onder de vernislaag, die door een restaurateur is aangebracht.

Toch zijn dergelijke ongelukken niet de reden dat tegenwoordig bepaalde zeer scherpzinnige geesten geen afgewogen oordeel over de *Mona Lisa* kunnen vormen: het werk lijdt vooral onder zijn te grote bekendheid. De beeltenis van de *Mona Lisa* staat op te veel ansichtkaarten, souvenir-artikelen en doosjes chocola – zij is te nadrukkelijk aan de bewondering van de massa opgedrongen. Het is nu bon ton om af te geven op het schilderij. Hoe zou men het nog kunnen bekijken met een onbevangen blik? Een Chinese dichter uit de Song-periode, Li Chi Lai, vertelde wat de drie meest betreurenswaardige dingen op de wereld zijn. Ten eerste, om te zien hoe de jeugd verpest wordt door een verkeerde opvoeding; ten tweede, om te zien hoe goede thee verspild wordt door verkeerde handelingen; en ten derde, om te zien hoe een prachtig schilderij omlaag gehaald wordt door de stomme verbazing van het gepeupel. De *Mona Lisa* blijkt een onbetwistbaar hoogtepunt in de kunst, maar door de ondraaglijke roem waaronder het werk gebukt gaat – in veel gevallen is die roem niet gebaseerd op de eigenlijke kwaliteiten ervan[3] – is men voortaan verplicht om een onafhankelijke poging te doen de grootsheid ervan te ontdekken.

---

3 De *Mona Lisa* was op slag beroemd. Kort na de schepping van het werk werd het reeds druk nagebootst en gekopieerd, in Frankrijk, Italië, Vlaanderen, en zelfs in Spanje. Er zijn tientallen kopieën van het werk te noemen, die geschilderd zijn tussen de zestiende en negentiende eeuw: haar roem verbleekt nauwelijks. Chassériau maakte een getrouwe kopie, Corot inspireerde zich erop voor zijn *Femme à la perle*; de symbolisten dachten er de geest van een hernieuwing uit te halen. De roem van de *Mona Lisa* bereikte echter zijn hoogtepunt toen zij in 1911 werd gestolen door een zekere Vincenzo Peruggia, een huisschilder, die volgens eigen zeggen wilde dat de *Mona Lisa* terugkeerde naar Italië, haar vaderland. De diefstal en vervolgens de teruggave van het werk aan het Louvre, drie jaar later, werden enorm uitgemolken door de pers (dat verzette de zinnen, zo vlak voor de oorlog). Uit deze schreeuwerige publiciteit ontstond een ware *jocondofi-lie*, waartegen de avant-gardeschilders van het futurisme en het dadaïsme zich afzetten: de *Mona Lisa* werd het symbool van de schilderkunst, oftewel van het museum; later werd het werk een internationaal symbool toen het werd uitgeleend aan de Verenigde Staten (1963), aan Japan en aan de Sovjet-Unie (1974).

Ver buiten de gebaande paden

Meer gedachten van Lynn Picknett over Leonardo

De homoseksuele Leonardo... De Mona Lisa als zelfportret... De fallussen en de Maagd

Wie Lynn Picknetts ideeën over Leonardo, *Het Laatste Avondmaal* en de *Madonna in de grot* interessant vond, zal ook kennis willen nemen van haar recente ideeën daarover, die zijn weergegeven in haar boek *Mary Magdalene*. Wat volgt zijn enkele korte fragmenten. Copyright © Lynn Picknett 2003. Opgenomen met toestemming van de uitgever, Carroll & Graf Publishers, onderdeel van de Avalon Publishing Group.

Wie was Mona Lisa? Waarom glimlacht of grijnst ze? En glimlacht of grijnst ze inderdaad, of is die indruk slechts te wijten aan Leonardo's ongeëvenaarde touche waarmee een subtiel effect wordt bereikt en het bijna lijkt of de lichtval verandert? En als het een portret is van een Italiaanse of Franse dame, waarom werd het dan nooit opgeëist door haar familie?

Het antwoord op al deze vragen is misschien wel eenvoudig maar – zeer typerend voor deze kunstenaar – buitengewoon. Hoewel hij vermaard is om zijn kunstwerken en zijn ontwerpen van merkwaardig geavanceerde uitvindingen, zoals de legertank en zelfs de naaimachine, zou Leonardo da Vinci wellicht ook vermaard moeten zijn om zijn grappen en mystificaties...

Leonardo da Vinci was in zijn eigen tijd beroemd om zijn practical jokes – hij joeg de dames aan het hof de stuipen op het lijf met mechanische leeuwen en wist een angstige paus ervan te overtuigen dat hij een kist had waarin hij een draak gevangenhield! Maar nu en dan zaten er duistere, scherpe en zelfs hatelijke kanten aan zijn grappen, die soms uitgroeiden tot omvangrijke projecten en wellicht zelfs ten koste gingen van de opdrachten die hij had aangenomen...

De *Mona Lisa*, zo lijkt het, was een zelfportret – net als Taddeüs in *Het Laatste Avondmaal* [Picknett gelooft dat het Judas-personage in *Het Laatste Avondmaal* ook een zelfportret was, net als de figuur in de Lijkwade van Turijn die als Jezus wordt beschouwd, een onderwerp waarover ze uitvoerig heeft geschreven] en andere personages in zijn bewaard gebleven werken... Deze opzienbarende – en ogenschijnlijk sensationele en onwaarschijnlijke – hypothese werd in de jaren tachtig opgeworpen door twee onderzoekers die onafhankelijk van elkaar werkten: dr. Digby Quested, van het Londense Maudsley Hospital, en Lillian Schwartz van de prestigieuze Bell Laboratories in de Verenigde Staten... Beiden was opgevallen dat de trekken van het 'vrouwelijke' gezicht van de *Mona Lisa* exact overeenkwamen met die van het met rood krijt getekende zelfportret van de kunstenaar als oude man uit 1514, een werk dat zich tegenwoordig in Turijn bevindt...

Als, zoals het geval lijkt te zijn, Leonardo zowel model stond voor de *Mona Lisa* als voor het gelaat op de lijkwade, dan heeft hij een unieke dubbele slag geslagen: hij werd niet alleen het alom herkende beeld van de Zoon van God, maar ook de 'mooiste vrouw ter wereld' – geen wonder dat 'zij' zo mysterieus grijnst!

In de loop der jaren is wel gesuggereerd, soms zelfs serieus, dat de *Mona Lisa* een portret was van Leonardo's onbekende minnares, een opvatting die een stuk onwaarschijnlijker is dan de zelfportrettheorie, omdat vrijwel zeker vaststaat dat hij homoseksueel was...

Als het ongrijpbare beeld van de enigmatische vrouw inderdaad een zelfportret was, waarom heeft hij het dan gemaakt, en waarom hield hij het tot op de dag van zijn dood bij zich? Misschien is het antwoord simpelweg dat hij het een meesterwerk vond en geen afstand wilde doen van zijn beste werk. Misschien keek hij graag naar zijn eigen beeltenis als vrouw, zonder baard en in dameskleding. Misschien wist het werk altijd een glimlach rond zijn lippen te toveren, net als die op het schilderij. Er zijn echter ook redenen aan te voeren dat er, zoals bij alles wat hij deed, een diepere motivatie was, een fundamentele laag onder zijn grappige en welbespraakte masker, gevormd door ervaring en geloof, door liefde en haat en passie en pijn.

Net als Maria Magdalena was de bastaard en vermoedelijke homoseksueel Leonardo een buitenstaander. Hij was een gekweld genie dat het zonder noemenswaardige opleiding moest stellen, een graag geziene en geprezen gast aan de hoven van de groten, maar altijd afhankelijk van patronages, altijd op zijn hoede, meestal alleen – en nooit veilig. Altijd de artistieke prostitué die werd betaald voor het maken van een portret-trofee of de fameuze bijbelse muurschildering (die dan niet altijd op de afgesproken tijd gereed was), altijd een buitenstaander die slechts naar binnen mocht kijken. Als buitenstaander reikte hij door de duistere eeuwen naar een andere tijd; misschien moest deze travestie van Leonardo, met een sluier en de merkwaardige, bijna opgeplakte boezem, Maria Magdalena zelf voorstellen. Het zou beslist iets voor hem geweest zijn, want – zoals we nog zullen zien – hij voelde zich duidelijk verbonden met deze zeer zwartgemaakte heilige...

Voor we ingaan op de vraag naar Leonardo's geheime bronnen, dienen we eerst de aandacht te richten op een van zijn andere 'prachtige religieuze schilderijen': *Madonna in de grot*... Daar is nog iets aan op te merken, hoewel er goede gronden zijn dat een auteur die serieus genomen wil worden ze buiten beschouwing laat.

Iemand voor wie deze onthullingen nieuw zijn, zal misschien wel toegeven – al was het maar door uit beleefdheid zijn ongeloof even op te schorten – dat er inderdaad een kwestie rond Johannes beantwoord moet worden in Leonardo's schilderijen. Wellicht weet hij zelfs bewondering op te brengen voor de subtiliteit en moed om dergelijke gewaagde beelden te presenteren aan de goedgelovige blik van de massa. Maar sinds de publicatie van *Het geheime boek der Grootmeesters* is Clive [Prince, Picknetts coauteur] en mij een ander voorbeeld van Leonardo's buitengewone subliminale campagne tegen het christendom duidelijk geworden.

De volgende onthulling is zo sensationeel, zo ogenschijnlijk bespottelijk, dat het een product van een freudiaans waanidee of een infantiele fantasie lijkt te zijn. Men moet echter bedenken dat Leonardo da Vinci in de eerste plaats een poetsenbakker, een nar en een illusionist was – en dat hij een afkeer had van de Heilige Familie... Gelet op zijn grappenmakerij is het raadzaam alles te vergeten wat ooit is geschreven of gezegd over Leonardo's 'serieuze' werken; dit is van een geheel andere orde dan elitaire kunstgeschiedenis of de nobele kunstwerken waarvoor generaties Europese edelen een Grand Tour ondernamen. Clive en ik schreven in *Het geheime boek der Grootmeesters* dat Leonardo zijn geheime ketterse code subtiel presenteerde 'aan hen die ogen hebben om te zien' en niets deed wat 'het equivalent was van een rode neus op de heilige Petrus plakken'. Maar zoals we onlangs hebben ontdekt, sloegen we de plank volkomen mis.

Vergeet de eerbiedige stilte die de grote kunstzalen ademen terwijl de bezoekers op hun tenen lopen om eerbiedig Leonardo's vijfhonderd jaar oude penseelvoering te beschouwen. Denk eerder aan grinnikende schooljongens die achter het fietsenhok pikante plaatjes uitwisselen – of aan hedendaagse Britse kunstenaars als Tracey Emin of Damien Hirst, wier controversiële genialiteit de woeste verrukking van het iconoclasme ademt. Wat we bedoelen is bij de *Madonna in de grot* (ofwel *Virgin of the Rocks*) zowel waar te nemen in de National Gallery als in het Louvre. Het is echter het duidelijkst bij de versie in het Louvre. Er is een aanwijzing te vinden in de titel van het werk: 'rocks' was een Italiaans schuttingwoord voor testikels – het equivalent van 'kloten' of 'ballen'. En daarmee wordt de reden voor de enorme massa rotsen boven de Heilige Familie opeens schokkend duidelijk.

Uit het hoofd van de Maagd lijken bijna twee reusachtige mannelijke 'rocks' te groeien – met daar bovenop een indrukwekkende fallus die zich naar de hemel verheft, een voorstelling die niet minder dan de helft van het schilderij beslaat. Het zondige object is opgebouwd uit een massa rotsen maar is niettemin duidelijk te onderscheiden en is zelfs onbeschaamd voorzien van een bosje onkruid. Wellicht is dit een equivalent van de afbeeldingen die pas nadat je er een tijd naar hebt gestaard de illusie van diepte wekken – maar het heeft nauwelijks overeenkomsten met het bekende fenomeen van dierenfiguren zien in voorbijdrijvende wolken. Wat Leonardo's schilderij betreft is er geen actief voorstellingsvermogen vereist, doch slechts het vermogen het schilderij te bekijken alsof je het voor het eerst ziet, fris en onbevooroordeeld. Dan zien we Leonardo de poetsenbakker en ketter op zijn brutaalst – en hatelijkst. Hij schiep het groteske mannelijke gereedschap opzettelijk, ongetwijfeld pervers geïnspireerd door de organisatie die hem de opdracht verleende: de Broederschap van de Onbevlekte Ontvangenis. Met die gigantische penis die uit haar hoofd groeit, zegt hij duidelijk tegen 'degenen met ogen om te zien' dat dit geen Maagd is.

Proberen wijs te worden uit Leonardo's 'vage vegen'

Een interview met Denise Budd

Denise Budd promoveerde aan Columbia Univeristy op een proefschrift over Leonardo da Vinci, een herinterpretatie van de documenten uit de eerste helft van zijn carrière.

Is er iets bekend over Leonardo dat suggereert dat hij lid was van de Priorij van Sion of een soortgelijk geheim genootschap?
Er is geen enkel overtuigend bewijs dat Leonardo da Vinci lid was van de Priorij van Sion of een andere geheime organisatie. De documenten waarop Dan Brown zich baseert werden naar verluidt in de jaren zestig ontdekt in de Bibliothèque Nationale in Parijs, maar het heeft er alle schijn van dat we hier te maken hebben met twintigste-eeuwse vervalsingen.

Gebruikte Leonardo codes of coderingen, afgezien van spiegelschrift?
Er zijn bewijzen voor dat hij in sommige van zijn geschriften codes gebruikte; een voorbeeld is het zogenaamde Ligny-memorandum, waarin

hij de letters van namen en plaatsen door elkaar gooit. En het kan zijn dat hij als spion werkte toen hij als genieofficier in dienst was van Cesare Borgia. Maar spiegelschrift is geen bijzonder moeilijke code. Het vloeide voort uit het feit dat hij linkshandig was.

Leonardo staat erom bekend dat zijn werk vergeven is van de symboliek. Sommigen zeggen dat hij ook ketterse ideeën opnam, bijvoorbeeld in zijn Madonna in de grot. *Bent u het daarmee eens?*
Nee, dat ben ik niet. De *Madonna in de grot* was een opdracht van de Broederschap van de Onbevlekte Ontvangenis voor de kerk van San Francesco Grande in Milaan – niet voor nonnen, zoals Brown beweert. Leonardo da Vinci kreeg de opdracht in 1483. Er waren enkele ingewikkelde juridische kwesties verbonden aan dat werk en de kopie ervan, waaronder kwesties die te maken hadden met de betaling van Leonardo en zijn medewerker Ambrogio de Predis. Een van de redenen waarom Dan Brown stelt dat het schilderij van ketterij getuigt, is zijn onjuiste interpretatie ervan. Hij ziet Johannes de Doper aan voor Jezus en andersom. De compositie toont Maria – met haar hand die boven het hoofd van haar zoon zweeft, waarmee een deel van de voorstelling wordt geaccentueerd – en haar andere hand houdt ze om Johannes heen, de neef van Christus, die eerbiedig knielt. Johannes de Doper is de eerste die de goddelijkheid van Christus herkent, zelfs al terwijl hij zich nog in de baarmoeder bevindt, dus de compositie van dit werk strookt volledig met de normen van de traditie.

Met het toegevoegde element van de engel Uriël combineert Leonardo in feite twee afzonderlijke momenten: dit tafereel van de vroege jeugd van Christus en de scène waarin Johannes de Doper (die volgens een apocriefe tekst als baby-kluizenaar bij de engel Uriël leeft) de Heilige Familie bezoekt op hun vlucht naar Egypte. Leonardo gidst ons door de compositie via het handenspel dat de onderlinge verhoudingen tussen de personages aangeeft. Het is aannemelijk dat het onderwerp in samenspraak met de broederschap is uitgewerkt en dat die een belangrijke rol had bij het bepalen van de iconografie, die vermoedelijk verwijst naar Maria's onbevlekte ontvangenis, een kwestie die destijds nog geen onbetwist onderdeel was van de kerkelijke leer. In de Renaissance was het niet gebruikelijk dat een kunstenaar bij belangrijke opdrachten volledig de vrije hand kreeg. Er zullen zeker specifieke richtlijnen zijn geweest. En het is aannemelijk dat Leonardo binnen die kaders werkte.

Kunt u iets zeggen over de vermeende homoseksualiteit van Leonardo? Kan zijn geaardheid invloed gehad hebben op zijn stijl van schilderen?

Hoewel er slechts zelden bewijzen zijn aan te voeren voor de seksuele geaardheid van een bepaald individu in die tijd, weten we het volgende: Leonardo is in 1476 in Florence twee keer anoniem beschuldigd van sodomie toen hij samenwoonde met de schilder Verrocchio. Diezelfde beschuldiging betreft ook een lid van het De Medici-geslacht, wat stellig op een politieke motivering kan duiden. De aanklachten werden ingetrokken. Leonardo is nooit gehuwd, maar dat gold voor talloze renaissancekunstenaars: van Leonardo tot Michelangelo, Donatello, Brunelleschi, Della Robbia en anderen. De verhalen over Leonardo's vermeende homoseksualiteit zijn voornamelijk gebaseerd op documenten uit de late zestiende eeuw, dus van na zijn dood, en op zijn voorliefde voor jonge en dikwijls tamelijk ongetalenteerde leerlingen, die overigens vaak nog jaren in het atelier bleven werken, en dat was ongebruikelijk. Was Leonardo homoseksueel? Waarschijnlijk wel. Maar volgens mij had dat niets te maken met zijn manier van schilderen. Afgezien van de portretten behoren zijn vrouwen tot de mooiste uit die periode.

Een van de tekeningen in zijn notitieboeken toont een anatomische studie van de geslachtsgemeenschap. Zijn commentaar luidt dat de lichaamsdelen op de pagina dermate onaantrekkelijk zijn dat de mensheid zou uitsterven als mensen niet zulke mooie gezichten hadden. Dat neemt niet weg dat zijn werken ons geen nader uitsluitsel geven over zijn seksuele geaardheid, en dat is ook niet iets wat je ervan zou verwachten.

Hoe zit het met Dan Browns hypothese over Het Laatste Avondmaal?

Er is geen onstoffelijke hand, zoals Dan Brown suggereert. De hand met het mes – de hand die volgens Dan Brown 'Maria Magdalena bedreigt' – is de hand van Petrus. En Petrus bedreigt Maria Magdalena niet en probeert evenmin de vrouwelijke kant van de kerk te onderdrukken. Petrus houdt het mes vast, en dat is een aankondiging van de woede die over hem zal komen tijdens de arrestatie van Christus, wanneer hij een Romeinse soldaat een oor afsnijdt. Dat is dus een tamelijk traditioneel iconografisch stijlmiddel.

Dan Brown gebruikt de afwezigheid van een kelk om Maria Magdalena in het schilderij te introduceren. Maar als je naar het werk kijkt, zie je dat de handen van Christus op de tafel zijn uitgespreid. Zijn rechterhand reikt naar een stuk brood en zijn linkerhand reikt tamelijk duidelijk naar een wijnbeker. En dat is de hand die naar beneden is gericht. Het instellen van de eucharistie wordt duidelijk uitgedrukt met het brood en de wijn. Er is dus geen kelk per se, zoals de Avondmaalskelk die tegenwoor-

Wat sommige mensen zien in Het Laatste Avondmaal

1. *Er hangt een mes in de lucht, een onderdeel dat klaarblijkelijk een symbolische betekenis heeft omdat het geen verband lijkt te houden met de rest van de voorstelling.*

2. *In* De Da Vinci Code *wordt gesteld dat het personage aan Jezus' rechterzijde, waarvan algemeen werd aangenomen dat het Johannes voorstelde, in feite een vrouw is, Maria Magdalena, en dat Leonardo daarmee zou hebben willen aangeven dat zij het is die de belangrijkste plaats naast Christus inneemt.*

3. *De hand van Petrus snijdt op dreigende wijze door de lucht in de richting van 'Maria Magdalena', en zou duiden op de rivaliteit tussen Petrus en Maria Magdalena met het oog op de controle over de Jezusbeweging na de dood van Christus, en op de afgunst van Petrus omdat Jezus haar mogelijk een belangrijker rol in de beweging gaf.*

4. *De hoek van vijfenveertig graden tussen Jezus en 'Maria Magdalena' vormt een V – volgens* De Da Vinci Code *zou de V het symbool zijn voor de graal, de vagina, de baarmoeder en de vrouwelijke seksualiteit.*

5. De contouren van de gestalten van Jezus en 'Maria Magdalena' vormen samen een M. Volgens een andere redenering in De Da Vinci Code zou die M ofwel verwijzen naar Maria Magdalena of naar het huwelijk (matrimonium).

6. De kledingstukken van Jezus en 'Maria Magdalena' zijn gemaakt van qua kleur gespiegelde rode en blauwe stoffen.

7. De blauwe kleur verwijst naar spirituele liefde, verbondenheid en waarheid. Rood en blauw worden als koninklijke kleuren beschouwd en zouden in dit geval mogelijk kunnen duiden op het thema van het 'koninklijke bloed' en op de afkomst van het Huis van Benjamin (waar Maria Magdalena van af zou stammen) en het Huis van David (waarvan Jezus zou afstammen).

8. Er is geen centrale kelk of bokaal te zien op het schilderij, ondanks de populaire aanname dat die er wel zou zijn. In plaats daarvan heeft iedereen aan de tafel een eigen kleine glazen drinkbeker.

dig in de kerk wordt gebruikt, maar wel een wijnbeker. Dat is wat je verwacht te zien bij het Laatste Avondmaal.

En het idee dat het schilderij Maria Magdalena toont in plaats van Johannes de Doper?
Wat Maria Magdalena betreft is er geen discussie mogelijk. Het betreffende personage is Johannes de Evangelist. Hij is de favoriet van Christus en wordt altijd aan Christus' zijde afgebeeld. Het grootste verschil tussen *Het Laatste Avondmaal* van Leonardo en eerdere Florentijnse versies van het tafereel is dat Leonardo Judas tussen de discipelen plaatst en niet aan de andere kant van de tafel. Maar de gestalte van Johannes is steevast aan Christus' zijde, hij is altijd baardloos en hij is altijd mooi. En in sommige gevallen is hij zo onschuldig dat hij slaapt wanneer Christus aankondigt dat hij verraden zal worden. Een volmaakt voorbeeld van die 'vrouwelijke' karakteristiek van Johannes is de *Kruisiging* van Rafaël, een werk dat in de National Gallery in Londen hangt en rond 1500 werd geschilderd.

Een tweede punt dat moet worden genoemd is de uiterst slechte staat waarin *Het Laatste Avondmaal* verkeert. Daardoor kan het werk eigenlijk nog slechts beoordeeld worden op de compositie zoals die zich heeft gehandhaafd. Al twintig jaar na de voltooiing werd het werk een wrak genoemd, toen Da Vinci nog leefde, en het is keer op keer als nauwelijks zichtbaar omschreven. In de zestiende eeuw noemde Vasari het een muur vol 'vage vegen'. Het werd in 1726 en 1770 gerestaureerd; bevond zich in een ruimte die in 1799 dienstdeed als stal en als kazerne van het leger van Napoleon; liep in 1800 schade op tijdens een overstroming; aan de onderzijde werd een deel van het werk weggehakt om plaats te maken voor een deur; in 1821 werd een poging ondernomen om het van de muur te verwijderen; het werd gerestaureerd van 1854 tot 1855, van 1907 tot 1908, in 1924, van 1947 tot 1948, van 1951 tot 1954 en aan een stuk door in de jaren tachtig en negentig. Er is gewoonweg te weinig van het werk over om nog wat steekhoudends te zeggen over de oorspronkelijke gezichten. Zo is het gelaat van Christus bijvoorbeeld helemaal opnieuw geschilderd.

'Nee, ik geloof niet dat er een vrouw in *Het Laatste Avondmaal* aanwezig is...'

Een interview met Diane Apostolos-Cappadona

Diane Apostolos-Cappadona is als hoogleraar religieuze kunst en cultuurhistorie verbonden aan het Center for Muslim-Christian Understanding en aan de kunst- en cultuurfaculteit van Georgetown University. Samen met Deirdre Good heeft ze een reeks werkgroepen opgezet en speciale lezingen verzorgd onder de titel 'De waarheid over *De Da Vinci Code*'.

Zoals u weet zien sommige mensen, waaronder Dan Brown, allerlei dingen in Het Laatste Avondmaal *die traditionele kunsthistorici en geleerden niet zien. Wat ziet u als u naar het werk kijkt?*

Wat Leonardo ons met zijn schildering van *Het Laatste Avondmaal* presenteert is wat hij met al zijn werken presenteert – de vermenselijking van de kunst. Dat is een van de voornaamste redenen waarom het zo aanspreekt. Vanuit het standpunt dat ik inneem bij het beoordelen van christelijke kunst is dit werk van iconografisch belang omdat het tot een verandering in de iconografie leidde. Historisch gezien wordt op eerdere reliëfwerken en sculpturen voor het exterieur en het interieur van kathedralen, op liturgische gewaden en in schilderijen, beeldhouwwerken en manuscriptillustraties van het Laatste Avondmaal door de kunstenaar hetzij de nadruk gelegd op de identificatie van de verrader, wat voor de meeste mensen het belangrijkste moment is, hetzij op het instellen van de eucharistie, wat het liturgische belang is van het Laatste Avondmaal.

Wat Leonardo uitbeeldt is de aankondiging door Jezus dat hij verraden zal worden, en de gevolgen van dat moment. De discipelen zijn geschokt. Ze kijken naar elkaar en ze proberen met overdreven gebaren aan te geven: 'Ik ben het zeker niet, dus moet het een van jullie zijn, maar wie zou het kunnen zijn, hoe kan het een van ons zijn?' En Jezus zegt niet alleen dat hij weet dat hij verraden zal worden, maar ook dat hij weet door wie.'

In de context van Leonardo's oeuvre zijn gebaren zowel vermenselijkend als symbolisch. In dit specifieke werk drukken de gebaren verbazing uit, ongeloof, beschuldiging, en ook vrees en verbijstering. Dat is wat er zo belangrijk is aan het werk. Het Jezus-personage raakt op een specifieke manier geïsoleerd omdat de anderen verbluft en geschokt zijn. Hij is zowel de aanzegger als de verradene.

Hoe denkt u over de hypothese die in De Da Vinci Code *wordt uitgesproken dat het Johannes-personage in werkelijkheid Maria Magdalena zou zijn?*
Eerst vond ik het een zeer interessante interpretatie: dat er een vrouw aan de tafel zou zitten. Dat past aardig in de feministische theologie of het postfeministische tijdperk in de theologie. Maar dat maakt het nog niet waar.

Als je kijkt naar de geschiedenis van het Laatste Avondmaal in de christelijke kunst, valt het op dat de figuur van Jezus soms in het midden van de tafel zit en soms aan het hoofd. De tafel kan rond zijn, vierkant of rechthoekig, afhankelijk van de op dat moment heersende culturele en sociale gebruiken, en van de artistieke vrijheid die de kunstenaar zich kon veroorloven. Ook zie je de figuur van Johannes de Evangelist (ook bekend als Johannes de Goddelijke of Johannes de Geliefde Discipel) vaak het dichtst in de buurt van Jezus. Er is inmiddels een traditie dat Johannes door ons – met onze moderne blik – beschouwd wordt als zacht, vrouwelijk en jong.

Maar als je zorgvuldig naar Leonardo's schildering kijkt, zal je opvallen dat ook aan de andere baardeloze discipelen vrouwelijke trekken kunnen worden toegeschreven. Door mijn werk op het terrein van *gender studies* weet ik dat het mannelijke en vrouwelijke sterk cultureel en sociaal bepaalde concepten zijn. Wat vandaag de dag als typisch mannelijk of vrouwelijk wordt gezien, zou in het vijftiende-eeuwse Florence of Milaan waarschijnlijk niet de geaccepteerde visie zijn geweest. Wanneer je zorgvuldig naar christelijke kunst kijkt, met name naar de weergave van mannelijke en vrouwelijke lichamen, gezichten en gebaren, dan is *Het Laatste Avondmaal* niet zo'n uitzonderlijke voorstelling!

Kunt u dat nader toelichten?
Als je kijkt naar de historie van engelen in renaissancekunst in Leonardo's tijd, of in andere werken van Leonardo, zie je dat die engelen als mannelijke gestalten bedoeld zijn. Toch zijn er steeds weer studenten in de war als ik dia's laat zien van schilderijen met engelen uit de Middeleeuwen of de Renaissance. Vertwijfeld vragen ze dan: 'Maar waarom heeft hij lang haar? Waarom heeft hij krullen? Zijn gezicht is net dat van een jong meisje.' Het is dan noodzakelijk stil te staan bij onze vooropgezette ideeën over mannelijkheid en vrouwelijkheid.

Nee, ik geloof niet dat er een vrouw in *Het Laatste Avondmaal* aanwezig is, ook Maria Magdalena niet. Ik denk dat de V die erin zichtbaar is – die Dan Brown definieert als symbool van vrouwelijkheid – vooral bedoeld is om zowel de Christusfiguur als het krachtige perspectief te benadrukken.

Welke rol spelen artistieke vorm en perspectief hier?
Het perspectief speelt een buitengewoon voorname rol in de renaissance-kunst, en in het bijzonder in Leonardo's kunst. De apostelen zijn allemaal in driehoeksformaties gegroepeerd. Zo is er de driehoeksformatie van het Maria Magdalena-Johannes-personage, de figuur met de grijze baard daar-achter [Judas] en het personage op de voorgrond [Petrus]. Dan Brown gaat nergens in op de piramidevormige compositie in Leonardo's werk, op de vier driehoeksformaties die compositorisch van belang zijn vanwe-ge de balans met de centrale driehoek die door Jezus wordt gevormd. En het is die driehoekige compositie die een van Leonardo's bijdragen aan de westerse kunst is.

Tegenwoordig zien we *Het Laatste Avondmaal* in een museumsfeer, maar het werk werd gemaakt op een muur in een refter waar de monniken aten. Ze keken ofwel op naar dat werk of naar het schilderij van de kruisiging op de muur aan de andere zijde, afhankelijk van wat er werd gezegd en om welke maaltijd het ging, en van de gebeden die werden gereciteerd. Het werk had dus verschillende functies op de verschillende dagen van de liturgische kalender. Dan Brown gaat volkomen voorbij aan die oor-spronkelijke kloostercontext.

Mijmeringen over de manuscripten van Leonardo da Vinci

Door Sherwin B. Nuland

Sherwin Nuland schreef de bestseller *How We Die*, die in 1994 bekroond werd met de National Book Award voor fictie. Hij is Clinical Professor of Surgery aan Yale Univer-sity, waar hij ook medische geschiedenis en bio-ethiek doceert. Dit is een samenvat-ting van het hoofdstuk 'The Manuscripts' uit *Leonardo da Vinci*, Copyright © 2000 Sherwin B. Nuland. Opgenomen met toestemming van Viking Penguin, een onder-deel van de Penguin Group (USA) Inc. De vertaling van Fred Hendriks verscheen on-der de titel *Leonardo da Vinci* (Balans, Amsterdam, 2002). Dit fragment is opgenomen met toestemming van de uitgever. Copyright © Nederlandse vertaling Uitgeverij Ba-lans 2002.

Zo bezie ik de meer dan vijfduizend bewaard gebleven pagina's die Leo-nardo da Vinci in 35 jaar tijd heeft volgeschreven, en de vele die onge-twijfeld zijn kwijtgeraakt. Na zijn dertigste jaar is hij in Milaan begonnen met het maken van aantekeningen voor persoonlijk gebruik. Soms waren het korte, willekeurige notities, soms waren het goed opgebouwde studies over een of ander kunstzinnig, wetenschappelijk of filosofisch onderwerp, vaak voorzien van gedetailleerde of eenvoudige tekeningen. Eigenlijk is het beter om te spreken van tekeningen – in verschillende stadia van voltooiing – met begeleidende aantekeningen, omdat de tekeningen veel belangrijker zijn. De grootte van de manuscriptpagina's varieert aanzienlijk; de meeste pagina's zijn behoorlijk groot, maar er zijn er ook van negen bij zeven centimeter. Meer dan de helft van het materiaal bestaat uit losse bladen en de rest bevindt zich in allerlei soorten aantekenboeken. Bovendien vouwde Leonardo soms vellen papier die hij later langs de vouwen doorsneed en als aparte pagina's ordende, zodat de oorspronkelijke positie van de pagina's ten opzichte van elkaar verloren ging.

Vrijwel altijd wordt een aantekening afgerond op een en dezelfde pagina, hoewel er soms, in gebonden boekdelen met genummerde pagina's, opmerkingen staan als 'omslaan' of 'dit is het vervolg van de vorige pagina'. In de manuscripten zijn geen leestekens en accenten gebruikt, en er is een neiging om korte woorden samen te voegen tot een lang woord. Maar ook het omgekeerde komt voor, waarbij lange woorden in korte woorden worden opgedeeld. Af en toe komen er woorden of eigennamen voor waarvan de letters in een verkeerde volgorde staan, alsof ze in grote haast zijn opgeschreven. Enkele letters en cijfers zijn geschreven volgens Leonardo's eigen, soms inconsistente spelling; aanvankelijk zijn ze soms moeilijk te ontcijferen totdat men ze gaat herkennen. Hetzelfde geldt voor bepaalde vormen van steno. Overigens is hier niets merkwaardigs aan: deze kenmerken zijn typerend voor iemand die vaak persoonlijke aantekeningen maakt.

Dan is er nog het probleem van het zogenoemde spiegelschrift. Leonardo schreef van rechts naar links, waardoor de transcriptie van zijn manuscripten ernstig bemoeilijkt wordt. Waarschijnlijk komt het door zijn gebruik van spiegelschrift dat hij soms de pagina's van zijn aantekenboeken in de verkeerde volgorde omsloeg, zodat hele delen van achteren naar voren gelezen moeten worden. Een typische pagina met gekrabbel bevat bijvoorbeeld een wetenschappelijke discussie, een persoonlijke notitie over huishoudelijke aangelegenheden en misschien een tekening zonder tekst, of een tekst zonder tekening, of tekst en tekening samen in een volkomen heldere schikking. Wanneer schijnbaar irrelevante notities samen met tekeningen op één pagina staan, blijken de notities na grondig onderzoek vaak helemaal niet zo irrelevant te zijn, maar direct of indirect van toepassing op het materiaal dat eromheen staat.

Leonardo heeft zijn verspreide notities nooit tot publicaties verwerkt.

Hoewel vlak na Leonardo's dood een boek is uitgegeven onder de titel *Traktaat over de schilderkunst*, is dit werk het product van een onbekende redacteur die geschikte stukken tekst in onderling verband heeft geplaatst. Het handschrift *Over het vlieggedrag van vogels* lijkt een enigszins afgerond geheel te vormen, maar andere aantekeningen over dit onderwerp bevinden zich overal op Leonardo's pagina's. In alle manuscripten is er geen enkel voltooid werk in onze zin van het woord te vinden. Leonardo heeft ons duizenden pagina's achtergelaten met notities zoals we die ook voor onszelf schrijven. Helaas zijn er ook al vele tijdens zijn leven zoekgeraakt.

Bepaalde pagina's zijn echter nooit verloren gegaan, maar zelfs keer op keer opnieuw beschreven. Soms nam hij na enkele weken, maanden of jaren een bepaald stuk papier weer ter hand om er tekeningen of aantekeningen aan toe te voegen als hij meer kennis over dat onderwerp had verworven. Een bekend voorbeeld hiervan uit zijn anatomisch onderzoek is zijn serie tekeningen over de plexus brachialis, een ingewikkelde bundel verstrengelde en vertakkende zenuwen die vanaf het ruggenmerg in de hals naar de arm loopt. Tussen de eerste en laatste tekeningen van de gecompliceerde bundel vezels liggen zo'n twintig jaar.

Hoewel spiegelschrift lastig te lezen is, is het schrijven ervan veel minder moeilijk dan het lijkt. Linkshandigen hebben er in het algemeen niet veel problemen mee, en het is voor hen waarschijnlijk veel natuurlijker dan het standaardschrift. Op school krijgen linkshandigen deze neigingen grondig afgeleerd, maar ze kunnen de techniek meestal snel weer oppikken. Ook veel rechtshandigen kunnen van rechts naar links leren schrijven in een leesbaar handschrift. Er zijn sterke aanwijzingen voor dat Leonardo linkshandig was. Luca Pacioli sprak in zijn eigen geschriften over de linkshandigheid van zijn vriend, en datzelfde deed ook een zekere Sabba da Castiglioni in zijn *Ricordi*, uitgegeven in Bologna in 1546. Bovendien trok Leonardo normaal gesproken zijn schaduwlijntjes op de manier waarop linkshandige personen dat doen: van linksboven naar rechtsonder.

Welbeschouwd lijkt er dus geen enkele reden te zijn om bijzondere oorzaken te zoeken voor Leonardo's manier van schrijven. Hij was naar alle waarschijnlijkheid gewoon een linkshandige die veel aantekeningen maakte, waarbij hij in hoog tempo schreef omdat zijn hand de snelheid van zijn gedachten anders niet kon bijbenen. Wat sommigen misschien hebben beschouwd als een soort geheimschrift, was niets anders dan het gekrabbel van een man die zijn eigen persoonlijke steno gebruikte om dingen zo snel mogelijk op papier te kunnen zetten. Hij heeft zelf vaak opgemerkt dat het in zijn bedoeling lag uiteindelijk veel van zijn materiaal te ordenen, dat voor hem dus net zo gemakkelijk leesbaar moet zijn geweest alsof hij het in een gewoon handschrift had geschreven.

Maar ondanks alles wat zojuist is gezegd, blijft het nog steeds mogelijk dat Leonardo met opzet zijn gedachten zodanig op papier heeft gezet dat alleen mensen die bereid waren veel moeite te doen, de teksten konden ontcijferen. Vasari noemde hem een ketter, en meer een filosoof dan een christen. Misschien hebben sommigen hem wel beschouwd als een heimelijke atheïst; vele van zijn opvattingen druisten in tegen de kerkelijke leer. Lang voordat Galileo werd aangeklaagd, had Leonardo immers al geschreven: 'De zon staat stil.' Leonardo had ook overal, in de vorm van fossielen, rotsformaties of bewegingen van het water, bewijzen gezien voor de hoge ouderdom van de aarde en voor de voortdurende veranderingen van haar geologische en biologische vormen. Pas in het begin van de negentiende eeuw is Charles Lyell de eerstvolgende wetenschapper die net zo ondubbelzinnig weet te concluderen dat de kenmerken van het aardoppervlak het resultaat zijn van processen die plaatsvinden over enorm lange perioden van tijd. Leonardo schreef: 'Aangezien dingen veel ouder zijn dan het alfabet, is het geen wonder dat er in onze tijd geen schriftelijke berichten bestaan over hoe de bovengenoemde zeeën al die landen overspoeld hebben. En zelfs al zouden dergelijke verslagen wel hebben bestaan: oorlogen, branden, overstromingen en veranderingen in taal en cultuur hebben alle sporen uit het verleden uitgewist. Maar voor ons volstaat de getuigenis van de dingen die alleen maar in zout water voorkomen en nu worden teruggevonden in hoge bergen ver van de zee.'

Leonardo verbeeldde die getuigenis in enkele van zijn schilderijen, met name in de *Madonna in de grot*, in de *Heilige Anna te drieën* en in de *Mona Lisa*. Op de achtergrond van deze schilderijen is een oerlandschap te zien zoals het er in zijn ogen moet hebben uitgezien voordat het evolueerde (ik gebruik dit woord hier met opzet: Leonardo kwam dicht bij een beschrijving van de evolutietheorie) tot zijn huidige vorm.

Meer dan eens verklaarde hij dat alles een deel was van alles; hij heeft dus het ontstaan van de wereld en het ontstaan van de mensheid beslist met elkaar in verband gebracht. Zijn fascinatie voor het een was een deel van zijn fascinatie voor het ander.

In Leonardo's optiek was de onvoorspelbare natuur de schepper van de eeuwig veranderende wonderen der aarde. Hij aarzelde niet dat uit te spreken: 'De natuur is wispelturig en schept er genoegen in voortdurend nieuwe vormen voort te brengen, omdat ze weet dat haar aardse grondstoffen hierdoor toenemen. Daarom creëert ze bereidwilliger en sneller dan de tijd kan vernietigen.' Hier is geen sprake van God, en al helemaal niet van een bijbels scheppingsverhaal. Hoewel ik er zelf niet van overtuigd ben, moeten overwegingen als deze misschien toch een rol spelen in iedere theorie die ten volle probeert te verklaren waarom Leonardo zo'n ontoegankelijk schrift heeft gebruikt. De macht van de kerk was groot, en de gevaren om voor ketter te worden uitgemaakt kunnen niet worden onderschat. We hoeven maar te kijken naar het lot van Galileo en anderen die het waagden de kerkelijke leer uit te dagen.

Leonardo's aantekeningen zijn door de eeuwen heen door een kleine groep wetenschappers ontgonnen. Hun inspanningen hebben de kostbare gedachten van de schrijver voor ons allen toegankelijk gemaakt. De citaten die hier en daar in dit boek opduiken, zijn een afdoende demonstratie van de kracht van Leonardo's taal. De titel van schrijver moet worden toegevoegd aan de titels van schilder, architect, ingenieur, wetenschapper enzovoort. Wat zo opmerkelijk is aan sommige van de prachtige taal- en gedachtespinsels, is dat ze uitsluitend bedoeld lijken voor Leonardo zelf, nog ongeacht de overwegingen of hij misschien zijn ketterij verborgen wilde houden. De estheet, de observator van mens en natuur, de moraalfilosoof die tot ons komt vanaf de bladzijden van de manuscripten, spreekt vanuit zijn diepste gedachten en emoties. Het is alsof hij zich tot ons richt in een ononderbroken stroom van bewustzijn die zich over een periode van meer dan dertig jaar uitstrekt. Hier is geen sprake van innerlijke censuur, hier spreekt de kristalheldere stem van oprechtheid, innerlijke overtuiging en – zeer opmerkelijk voor zijn tijd – een verfrissende, onbevooroordeelde nieuwsgierigheid.

Stel dat Leonardo een boek met zijn levensfilosofieën had willen samenstellen, of een verzameling gedenkwaardige aforismen, of een overzicht van zijn theorieën over het heelal en de relatie ervan met de mens, dan zou hij nooit zo goed in zijn opzet zijn geslaagd als hij nu heeft gedaan via zijn ogenschijnlijk willekeurige mengeling van willekeurige gedachten die, te midden van schetsen, bouwkundige ontwerpen, wetenschappelijke observaties, wiskundige berekeningen, citaten van andere schrijvers en notities over het dagelijks leven, verspreid zijn over de pagina's van zijn losse bladen en aantekenboeken. Hij presenteert tegelijkertijd zijn intiemste gedachten en een openbaar debat over de boodschap die hij zijn leven lang wilde overbrengen: dat de mens slechts begrepen kan worden via de natuur; dat de geheimen van de natuur slechts ontraadseld kunnen worden via onbevooroordeelde waarnemingen en experimenten; dat er geen grenzen zijn aan wat een mens kan begrijpen; dat er een eenheid bestaat tussen alle elementen in het heelal; dat de studie naar *vorm* essentieel is, maar dat de sleutel tot inzicht ligt in de studie naar *beweging* en *functie*; dat het onderzoek naar krachten en energiestromen zal leiden tot begrip van de dynamiek van de natuur; dat wetenschappelijke kennis reduceerbaar moet zijn tot wiskundige principes; dat de ultieme vraag naar al het leven en zelfs naar heel de natuur niet *hoe* luidt, maar *waarom*.

'Dat de mens slechts begrepen kan worden via de natuur.' Dit inzicht omvat veel meer dan op het eerste gezicht het geval lijkt. Leonardo's denken is doordrenkt met de oude these dat de mens een microkosmos is van de macrokosmos van het heelal. In zijn denken was dit echter geen spiritueel, maar een mechanisch concept dat beheerst werd door de krachten van de natuur. Alles komt voort uit alles en alles is weerspiegeld in al het andere. De structuur van onze planeet is als de structuur van de mens:

> De ouden noemden de mens 'een wereld in het klein'. Die term is zeer correct, want de mens is samengesteld uit aarde, water, lucht en vuur, evenals de aarde. En zoals de mens beenderen bezit als ondersteuning en geraamte voor het vlees, zo bezit de aarde rotsen die haar steun geven. En zoals de mens een voorraad bloed heeft waarin de longen uitdijen en krimpen als hij ademhaalt, zo heeft het lichaam van de aarde zijn oceaan, die ook iedere zes uur uitdijt en krimpt, wanneer de wereld ademhaalt. Zoals uit de voornoemde voorraad bloed de aderen ontspringen en zich met hun vertakkingen door het lichaam verspreiden, zo vult de oceaan het lichaam van de aarde met een oneindig aantal aderen water.

Sommige aforismen in Leonardo's teksten hebben de gedragenheid van bijbelse verzen, en vormen zelfs parallellen met Spreuken, Psalmen of Prediker. Lees deze beroemde woorden van Leonardo: 'Schoonheid in het leven vergaat, niet in de kunst,' waarmee hij zijn overtuiging weergeeft dat schilderkunst de hoogste kunstvorm is: 'De tong verdroogt van dorst en het lichaam verslijt door gebrek aan slaap voordat je in woorden kunt beschrijven wat een schilderij in een oogopslag laat zien.'

Lees ook deze opmerking over de onsterfelijkheid die we verwerven door de manier waarop we leven en door de nalatenschap van onze prestaties: 'Jullie die slapen, wat is slaap? Slaap lijkt op de dood. Waarom leveren jullie geen werk af dat jullie na jullie dood onsterfelijkheid zal verschaffen? Door te slapen worden jullie tijdens jullie leven als de ongelukkige doden.' En elders vinden we de daaruit voortvloeiende opmerking: 'Vermijd die studie waarvan de resultaten sterven met de werker.'

De volgende uitspraak lijkt rechtstreeks uit Spreuken te komen: 'Noem dat wat je kunt verliezen, geen rijkdom; deugd is onze ware welvaart, en de ware beloning van degene die hem bezit... Wees altijd beducht voor eigendom en materiële welvaart; vaak genoeg brengen ze schande over de-

gene die ze bezit, doordat hij bespot wordt wanneer hij ze niet meer heeft.'
Al deze gedachten stammen van een man die door sommige van zijn tijdgenoten als 'volkomen ongeletterd' werd betiteld.

Natuurlijk zijn niet alle aantekeningen zo verheven. Hij stelde ook gewoon lijsten op met boeken die hij wilde kopen of lezen. Hij maakte ook
notities over aardse bekommernissen in verband met zijn grote huishou-
den en zijn atelier met kunstenaars en handwerklieden. Hij schreef ook
brieven aan allerlei beschermheren met klachten over achterstallige beta-
lingen. Zo staat in het samenraapsel van manuscripten dat de *Codex At-
lanticus* wordt genoemd, het volgende brieffragment, dat aan Ludovico
Sforza was gericht tijdens zijn eerste verblijf in Milaan:

> Met pijn in het hart moet ik u meedelen dat ik het werk dat u mij
> hebt opgedragen, heb moeten onderbreken omdat ik mijn brood
> moest verdienen [door opdrachten van derden aan te nemen]. Ik
> hoop echter in korte tijd voldoende geld te hebben verdiend om met
> een gerust gemoed te kunnen voldoen aan de wens van uwe Excel-
> lentie, bij wie ik mij aanbeveel. En mocht uwe Hoogheid denken dat
> ik voldoende geld had, dan is uwe Hoogheid verkeerd geïnformeerd,
> want ik had vijftig dukaten om zes monden te voeden gedurende 36
> maanden.

Leonardo voelde zich ook niet te goed om zichzelf op de borst te kloppen
als de gelegenheid zich voordeed. Hier volgt een fragment uit een brief uit
dezelfde periode aan een onbekende ontvanger:

> Ik kan u verzekeren dat u van deze stad alleen maar tweederangs werk
> en ondermaatse en ongekwalificeerde meesters kunt verwachten. Ge-
> loof me, er is maar één man geschikt: Leonardo de Florentijn, die het
> bronzen paard voor hertog Francesco maakt en die zichzelf niet hoeft
> aan te prijzen, omdat hij een opdracht heeft die hem zijn hele leven
> lang bezighoudt, en ik twijfel eraan of hij hem ooit voltooit, want het
> is een verschrikkelijk omvangrijk werk.

Zo heel af en toe stuiten we op een uitspraak die zo vooruitstrevend is dat
we moeten stoppen en hem nog eens lezen en herlezen, om er zeker van
te zijn dat we hem juist interpreteren. Leonardo introduceerde zo veel
nieuwe denkbeelden dat we misschien de neiging hebben hem meer eer
toe te kennen dan hij eigenlijk verdient, en we moeten oppassen dat we in
sommige uitspraken niet meer lezen dan er staat. We kunnen echter onmogelijk aan de indruk ontkomen dat Leonardo in de volgende passage

de uitgangspunten van de evolutietheorie uitlegt, die hij overigens op talloze andere pagina's helder verwoordt wanneer hij zijn observaties van
geologische formaties, waterbewegingen en fossielen vastlegt. 'Behoefte is
de meester en leraar van de natuur,' schrijft hij. 'Ze is het thema en de inspiratie van de natuur, haar teugel en haar eeuwige regulateur.' De behoefte
is de drang om in leven te blijven; het is de katalysator voor het evolutio-
naire proces.

Op dezelfde manier lijkt hij de principes te hebben begrepen van wat
later de inductieve redeneertrant zou worden genoemd en van de rol van
het experiment bij het verklaren van de algemene wetten van de natuur:

> Voordat ik verderga, voer ik eerst wat experimenten uit. Ik wil na-
> melijk eerst een beroep doen op de ervaring en dan door middel van
> redeneren aantonen waarom zo'n experiment op deze manier moet
> werken. Dit is de correcte methode die gehanteerd moet worden bij
> de analyse van natuurlijke verschijnselen; en hoewel de natuur be-
> gint met de oorzaak en eindigt met de ervaring, moeten wij de om-
> gekeerde weg bewandelen: uitgaan van de ervaring en aan de hand
> daarvan de oorzaak onderzoeken.

Een dergelijke werkwijze was in Leonardo's tijd in feite ongehoord. Het
was een zeventiende-eeuwse manier van denken in een tijd waarin alle filosofen juist het tegenovergestelde deden: overkoepelende theorieën opstellen om ervaringen en waarnemingen te verklaren. Pas meer dan een
eeuw later formuleerde William Harvey, de ontdekker van de bloedsom-
loop, in een korte zin het beginsel dat de 'ongeletterde' Leonardo vrijwel
vanuit een wetenschappelijk vacuüm had geponeerd: 'We gaan uit van onze eigen waarneming en klimmen op van lagere dingen naar hogere.'

9 Tempels van symbolen, kathedralen van codes

De geheimtaal van het architectonisch symbolisme

O brother, had you known our mighty hall,
Which Merlin built for Arthur long ago!
For all the sacred mount of Camelot,
And all the dim rich city, roof by roof,
Tower after tower, spire beyond spire,
By grove, and garden; lawn, and rushing brook,
Climbs to the mighty hall that Merlin built
And four great zones of sculpture, set betwixt
With many a mystic symbol, gird the hall...

Alfred Tennyson

De uitdaging is niet het vinden van occulte verbanden tussen Debussy en de tempeliers. Dat doet iedereen. De ware uitdaging is het
vinden van een occulte relatie tussen laten we zeggen de kabbala en
de bougies van een auto...

Umberto Eco

Al sinds de eerste kunstzinnige uitingen van het menselijk besef van het
verhevene op rotswanden werden geschilderd, spelen visuele tekens en
symbolen een sleutelrol bij het ervaren en tot uitdrukking brengen van
het verhevene, het goddelijke, het ritualistische en het religieuze.

In *De Da Vinci Code* brengen we een groot deel van het betreffende etmaal in kerken door – de Eglise Saint-Sulpice, de Tempelkerk, Westminster Abbey, Rosslyn Chapel... en in het Louvre, dat in de ogen van Jacques
Saunière ook een heuse 'kerk' is. We krijgen ook gesprekken mee over de
Notre Dame, Chartres en de tempel van Salomo in Jeruzalem. Voorts horen we Robert Langdon, de symbooldeskundige, zijn theorieën uiteenzetten over hoe de architectuur van kerken werd ontwikkeld om het heilig
vrouwelijke op tal van manieren weer te geven.

De Egyptenaren, Grieken en Romeinen drukten hun religieuze kosmologie uit in de wijze waarop ze hun gebouwen ontwierpen en bouwden. En de tempeliers en vrijmetselaars, meesterbouwers, brachten hun spirituele opvattingen tot uitdrukking in hun architectonische werken.

In dit hoofdstuk krijgen we een virtuele rondleiding langs hoofdthema's van *De Da Vinci Code* die in architectuur en in visuele symbolen zijn weergegeven.

Parijs

In de voetsporen van De Da Vinci Code

Door David Downie

David Downie is woonachtig in Parijs en is schrijver, redacteur en vertaler. Dit artikel verscheen oorspronkelijk op 25 januari 2004 in de *San Francisco Chronicle*. In dit stuk neemt hij lezers mee op een snelle rondleiding langs de historische monumenten, symbolen en andere objecten die sinds de publicatie van *De Da Vinci Code* nieuwe toeristen trekken. Copyright © 2004, David Downie.

Parijs – wat hebben het Place Vendôme, de *Mona Lisa*, de astronoom Louis Arago en een middeleeuwse bisschop genaamd Sulpicius met elkaar gemeen? Niet moeilijk: *De Da Vinci Code* van Dan Brown, de adembenemende, vijfhonderd pagina's tellende zoektocht naar de heilige graal die zich hoofdzakelijk afspeelt in Parijs.

De held van het verhaal, professor Robert Langdon, de aan Harvard verbonden 'symboliekdeskundige', geniet het voorrecht te verblijven in een kamer van duizend dollar per nacht in Hotel Ritz aan het elegante Place Vendôme. Dan blijkt in het nabijgelegen Louvre de museumdirecteur, die ook als grootmeester van een geheim genootschap belast is met het beschermen van de graal, te zijn vermoord op tien meter afstand van Leonardo da Vinci's mysterieuze *Mona Lisa*. Een onzichtbare noord-zuidlijn doorsnijdt het Louvre en een kerk ten zuiden van de Seine, de Saint-Sulpice. Deze lijn is de Parijse meridiaan die voor het eerst in 1718 in kaart werd gebracht en aan het begin van de negentiende eeuw nauwkeurig werd herberekend door Arago. De lijn is ouder dan de Greenwich-meridiaan en sinds 1994 gemarkeerd met 135 koperen schijven.

Andere belangwekkende plaatsen die her en der opdoemen in dit enigszins surrealistische fictieve Parijs zijn het Palais-Royal, de Champs-Elysées, de Jardin des Tuileries, het Bois de Boulogne en het Gare Saint-Lazare.

Maar het zijn het met bloed doordrenkte Louvre, de zich dreigend tegen de hemel aftekenende Saint-Sulpice en de speurtocht naar de koperen 'Arago'-schijven die de horden graalzoekers de stad laten doorkruisen met een beduimeld exemplaar van *De Da Vinci Code* onder de arm.

Tot 1646 bevonden zich een romaanse kerk en een begraafplaats op de plaats waar zich tegenwoordig de imposante zuilenrij van de Saint-Sulpice verheft, tussen de zich op de linkeroever bevindende Jardin du Luxembourg en de Boulevard Saint-Michel... De Saint-Sulpice is vermaard om zijn reusachtige orgel met 6588 pijpen en het zwaarmoedige schilderij *Het gevecht van Jacob met de engel* van Eugène Delacroix. Het gebouw heeft ruwweg dezelfde afmetingen als de Notre Dame (honderd meter lang, vijftig meter breed, dertig meter hoog). Nu zwermen hier graalzoekers rond om de astronomische gnomon te bewonderen die zo prominent in het boek aanwezig is. De betekenis ervan is tweeledig: hij onthult de plaats waar de geheime sluitsteen verborgen is en brengt de lezers op de hoogte van de Parijse meridiaan. De auteur noemt hem 'la rose ligne'. De roos is blijkbaar het symbool van de graal en daarom van Maria Magdalena.

De gnomon, die werd ontworpen om de lentenachtevening te berekenen (en daarmee Pasen), is een koperen strook die de vloer van het transept doorkruist en vervolgens overloopt in een marmeren obelisk die zich aan de noordzijde bevindt. Op het middaguur vallen de stralen van de zon door een oculus in de zuidelijke muur op de koperen strook, waarmee het tijdstip van de zonnewende kan worden bepaald. Pasen (een christelijke feestdag zonder vaste datum, met een voorchristelijke oorsprong) valt op de eerste zondag na de equinox, waarmee de gnomon de betreffende datum dus nauwkeurig bepaalt.

In de bestseller van Brown slaat een moordzuchtige albino monnik de vloertegels aan de voet van de obelisk aan stukken op zoek naar de sluitsteen en doodt hij een non die de opdracht heeft de sluitsteen te bewaken. Recentelijk, tijdens een bezoek aan de plek, waren er graalzoekers te zien die op hun knieën lagen en op de tegels klopten. Andere luisterden naar gidsen die uitlegden hoe de gnonom werkt of zochten op de bovenverdieping naar de vertrekken van de onfortuinlijke non.

In werkelijkheid loopt de Parijse meridiaan langs de Saint-Sulpice, maar hij correspondeert niet echt met de aslijn van de gnomon. Er wordt in het boek geen melding gemaakt van de tombe van Sulpicius in de Franse provinciestad Bourges, die wel door de meridiaan wordt doorsneden.

De koster Paul Roumanet neemt Browns bewering dat zich onder het heiligdom een Isis-tempel zou bevinden met een korreltje zout. Tijdens een rondleiding door de crypte op een zondagmiddag, bijgewoond door een groepje thrillerlezers, was er geen oude tempel te bekennen, hoewel er nog wel fraaie romaanse muren en zuilen staan.

Liefhebbers van complottheorieën zullen echter aangenaam verrast zijn als ze horen dat zich onder de crypte een subcrypte bevindt met vijf tomben, die niet voor het publiek toegankelijk is. En volgens de *Guide de Paris Mystérieux* deden in 1919 drie heksen op het romaanse kerkhof pogingen de duivel op te roepen, en organiseerden buurtbewoners jarenlang 'dodendansen' op de scheefgezakte grafstenen.

De koperen Arago-schijven maken deel uit van een kunstwerk getiteld *Hommage à Arago*, van de Nederlander Jan Dibbets. Ze volgen een denkbeeldige meridiaan en leiden van de Rue de Vaugirard nummer 28 (bij de Saint-Sulpice) naar het noorden naar de Boulevard Saint-Germain, Rue de Seine, Quai Conti en Port des Saints-Pères. Aan de andere kant van de rivier, in het Louvre, liggen er drie op een lijn in de Denon-vleugel van het museum (in de afdeling met Romeinse antiquiteiten, op een trap en in een galerij). Vijf andere schijven bestippelen het Cour Carrée achter de glazen piramide die door I.M. Pei werd ontworpen in opdracht van de voormalige Franse president François Mitterand.

(Waarschuwing! Zij die *De Da Vinci Code* nog niet hebben gelezen, kunnen hier beter stoppen. Zometeen wordt een deel van de plot verklapt.)

In de epiloog van het boek voelt professor Langdon zich door de Arago-schijven voortgetrokken in zuidelijke richting langs het Palais Royal, de Passage Richelieu in, om uiteindelijk uit te komen bij de piramide (die volgens Brown uit 666 glasruiten bestaat, een getal dat Satan symboliseert). Daar buigt de 'rose ligne' af naar het westen en loopt door het ondergrondse winkelcentrum Carrousel du Louvre naar een 'omgekeerde piramide' die neerhangt vanaf het plafond.

Volgens de hoofdpersoon is deze omgekeerde piramide een metaforische kelk of graal, die het 'heilig vrouwelijke' symboliseert dat hier in de Oudheid voor het eerst werd vereerd in de aardgodinriten. Op de vloer onder de piramide staat een kleine stenen piramide, symbool van een kling of een fallus. De toppen van de piramiden wijzen naar elkaar en suggereren dat zich in een verborgen gewelf mogelijk kisten met oude documenten schuilhouden, en de tombe van Maria Magdalena – de heilige graal.

Negentig procent van de zes miljoen bezoekers die het Louvre jaarlijks trekt stevent rechtstreeks op de *Mona Lisa* af, waardoor het moeilijk is graalzoekers op te merken die bij het vermaarde schilderij naar bloedvlekken of boodschappen speuren. Maar de vele 'symboliekdeskundigen' in de dop die de glazen panelen in de piramide van Mitterand tellen of bij de omgekeerde piramide op hun knieën liggen, trekken de aandacht.

Had de auteur niet beweerd dat 'alle beschrijvingen van kunstwerken

[en] architectuur... in dit boek... waarheidsgetrouw [zijn]' dan was het unfair geweest te onthullen dat het getal 666 niet evenredig te verdelen is over de vier zijden van de piramide. Ook dansten er nooit heidenen rond de Carrousel en bevindt zich onder de fallus geen gewelf. De miraculeuze 'rose ligne' die het presteert een wending van negentig graden te maken is niets anders dan de zogenoemde 'Weg van de Zege', die in 1670 werd uitgestippeld door André Le Nôtre, de tuinarchitect van Lodewijk xiv.

Niettemin is er in Parijs nog altijd voldoende materiaal te vinden om het verhaal een vervolg te geven. De Weg van de Zege loopt langs een oude Egyptische obelisk aan Place de la Concorde, en Mitterand kan best lid zijn geweest van een geheim genootschap of twee. Wie weet wat de symboliekdeskundigen nog zullen ontdekken als in 2007 het ondergrondse deel van het Louvre wordt gerenoveerd om de museumwinkels en de *Mona Lisa* nog beter toegankelijk te maken?

De 'symbologie' van *De Da Vinci Code*

Een interview met Diane Apostolos-Cappadona

In een eerder hoofdstuk besprak Diane Apostolos-Cappadona Browns verwijzingen naar Leonardo. Hier richt ze zich op Browns gebruik van symboliek. Hoewel ze, zoals ze aangeeft, nog nooit had gehoord van de term 'symboliekdeskundige' (de titel die de aan Harvard verbonden Robert Langdon zou dragen) vóór ze Dan Browns werk las, mag ze zelf met recht worden aangemerkt als professioneel symboliekdeskundige.

Wat is het belang van symbolen in het christendom – en in religie in het algemeen?
Symbolen zijn een vorm van communicatie. Maar dit is een vorm van communicatie die verschillende lagen of niveaus heeft en er is geen sprake van eensluidende, rechtstreekse overdracht. Dat maakt ze zowel fascinerend als moeilijk, of verwarrend. Symbolen functioneren op verschillende niveaus: ze doen 'eenvoudige dingen' zoals het onderwijzen van de ideeën of de geschiedenis van een geloof of traditie, het onderwijzen van verhalen van religieuze of sociale tradities, van religieuze beginselen en van de gebaren en de houding tijdens liturgische diensten. Ze geven informatie over de communicatie met leden van je gemeenschap en hoe je jezelf met die gemeenschap identificeert. Er wordt ook aangenomen dat symbolen – en dat principe geldt voor alle wereldreligies, niet specifiek voor het christendom – een manier zijn om een belichaamde identiteit

van kennis te communiceren en een belichaamde identiteit van wie die gemeenschap is. Symboliek en symbolen zijn dus een wezenlijk deel van het socialisatieproces.

Verandert de betekenis van symbolen in de loop der tijd?
Ja, de betekenis van symbolen kan veranderen vanwege verschuivingen in theologie, leerstellingen, kunststijlen en politieke en economische omstandigheden. Zo vonden er bijvoorbeeld enorme verschuivingen in de symboliek plaats tijdens de reformatie, wat een complex overkoepelend geheel van economische, politieke en sociale transformaties was, maar ook een religieuze revolutie. Dat is de moeilijkheid met symbolen en tegelijkertijd het fascinerende ervan; ze zijn nooit zo eenvoudig als een rood licht dat aangeeft dat je moet stoppen of een groen licht dat aangeeft dat je verder mag.

Is er een christelijk symbool dat in de loop der tijd is veranderd?
De vis heeft diverse connotaties en betekenissen gehad, van het Laatste Avondmaal tot de opgestane Christus. De vis was aanwezig in de vroegste schilderingen van het Laatste Avondmaal. De vis had vele betekenissen in het vroege christendom; vervolgens verdween hij zogezegd uit het christelijk bewustzijn... om aan het eind van de zeventiende eeuw weer terug te keren toen de *ichthus* als symbool werd teruggevonden of herontdekt. Niet het kruis, maar de vis was het eerste symbool van de christelijke identiteit. Het kruis werd pas in de vierde of vijfde eeuw het kenmerkende en visuele symbool. De vis, van het Griekse *ichthus*, is als anagram van het vroegste gebed met de christelijke traditie verbonden. De eerste letters van de woorden van het gebed 'Ièsous Christos Theou Huios Sotèr' ['Jezus Christus, Zoon van God, (is onze) Verlosser'] vormen het Griekse woord ICHTHUS – vis. Er waren diverse verbindingen in de Hebreeuwse en christelijke heilige geschriften tussen de vis en de Messias. Zo was er in het vroege christendom bijvoorbeeld het beeld van de 'vissers van mensen' en andere beelden die verband houden met water, vis, vissen en boten.

Welke symbolen zijn historisch gezien verbonden met Maria Magdalena?
De belangrijkste is het zalfkruikje, dat verbonden is met haar als zalvende, en haar symbolisch, zo niet metaforisch, verbindt met de andere zalvende vrouwen in de bijbel, zoals de vrouwen die voor zijn kruisiging de voeten en het hoofd van Jezus zalfden. Het was in het Middellandse-Zeegebied gebruikelijk dat de vrouwen overledenen zalfden – dat wil zeggen hun lichamen wasten, balsemden en kleedden. Degenen die zalfden waren altijd vrouwen. Het was taboe dat mannen de doden zalfden. Vrou-

wen werden als 'onrein' beschouwd en daarom was het voor hen niet ongepast de doden te zalven. Dat kan als zeer negatief voor vrouwen worden uitgelegd, maar je zou deze activiteit ook kunnen verbinden met een jungiaanse interpretatie – dat iedere man drie vrouwen heeft in zijn leven: zijn moeder, zijn vrouw en zijn dochter. Iedere vrouw initieert een ander deel van zijn leven – en één van de functies van de dochter was de laatste zorg voor de lichamen van haar ouders na hun dood.

Maar er zijn in de loop der eeuwen ook tal van prachtige legenden ontstaan over het zalfkruikje van Magdalena. De mooiste is afkomstig uit het *Arabisch evangelie over de kindertijd van de Verlosser* (hoofdstuk 5). Maria Magdalena koopt een zalfkruikje om het lichaam van Jezus van Nazaret te zalven. Haar aankoop blijkt het kruikje te zijn dat op de plank was gezet na de geboorte van een kindje genaamd Jezus en samen met de nardusolie bevatte het ook zijn navelstreng. Daarmee wordt de zalving van zijn lichaam uiterst symbolisch: de cirkel wordt rondgemaakt door hem aan het einde van zijn leven weer met zijn moeder te verbinden.

Hoe zit het met het pentagram, dat in De Da Vinci Code *als belangrijk symbool geldt?*
Het pentagram heeft vijf zijden. De symbolische betekenis is verbonden met de getallenleer, numerologie en de significantie van het getal vijf. In het christendom staat het getal vijf voor het aantal wonden van de gekruisigde Christus (in elke hand en voet en in zijn zij). Het getal vijf is voorts gerelateerd aan het concept van 'de mens' – twee armen, twee benen en een hoofd. Getallen dragen betekenissen. Er zijn mystieke getallen, gewoonlijk oneven getallen die bijgevolg ondeelbaar zijn. Zeven is bijvoorbeeld het getal van de vervulling; in het scheppingsverhaal is sprake van zeven dagen. Drie is een mystiek getal, net als de volgende oneven getallen: vijf en zeven.

En de roos, ook een belangrijk symbool in De Da Vinci Code?
Ik kan me niet echt vinden in de beschrijvingen van de roos als symbool in *De Da Vinci Code*. Ik interpreteer de roos niet op dezelfde wijze als Dan Brown, met name niet in verband met zijn uiteenzettingen over de genitaliën. Hij stelt dat de roos altijd het voornaamste symbool van de vrouwelijke seksualiteit was. Ik neem aan dat hij daarop gekomen is na het doornemen van symbool-woordenboeken. Ik geloof echter niet dat dit de betekenis is van de roos in de westerse christelijke cultuur. In de oude culturen van het Middellandse-Zeegebied was de roos opgedragen aan Venus of Afrodite, en daarom zal Dan Brown het verband met vrouwelijke seksualiteit gelegd hebben. Maar Venus of Afrodite stond voor veel meer

dan alleen seks en seksualiteit. Ze stond voor de romantische liefde en voor de liefde op verscheidene niveaus en verwees niet uitsluitend naar geslachtsgemeenschap. Als een teken van de romantische liefde wordt de kleur van de roos belangrijk. Het vroege kleursymbolisme van de roos was eenvoudiger dan tegenwoordig, door de uitgebreide reeks kleurschakeringen waaruit je nu bij de bloemist kunt kiezen. Voor de vroege en middeleeuwse christenen waren er slechts vier kleuren rozen: wit betekende onschuldige of zuivere liefde, roze: eerste liefde, rood: ware liefde en geel: 'Vergeet het maar, het is voorbij.'

Wat echter in verband met Maria aan de roos belangrijk is, is de doorn. Het was een gangbare opvatting – die niet op de bijbel was geënt – dat rozen en rozenstruiken in de Hof van Eden geen doornen hadden. Bijgevolg was een rozenstruik die in de buurt van Maria stond, met name bij een weergave van Maria met kind, een verwijzing naar het paradijs, want het was Maria die de aanzet gaf tot het proces van onze terugkeer naar het paradijs, naar de plaats waar de rozen zonder doornen zijn. De roos werd daarmee een symbool, een aanwijzing zo je wilt, van Maria's rol bij de redding van de mens. Haar roos was een teken van genade; dus het roosvenster werd ontworpen ter meerdere eer en glorie van Maria de Moeder, niet van Maria Magdalena. Rozen werden in verband gebracht met tal van vrouwelijke heiligen, maar Maria Magdalena hoorde daar niet bij.

Dan is er nog de lelie. Ook die speelt een prominente rol in het boek van Dan Brown...
De *fleur de lis* is zowel een symbool van Frankrijk als van de stad Florence. In het christendom vertegenwoordigt de lelie de Drie-eenheid. Volgens de overlevering initieerde koning Clovis – door zijn doop de eerste christelijke koning van Frankrijk – het gebruik van de lelie als teken van zijn eigen loutering en van de loutering van Frankrijk. De lelie werd het embleem van de Franse koninklijke familie en later een attribuut van vele Franse heiligen, zelfs Karel de Grote. Het symbool is in *De Da Vinci Code* van belang omdat de sleutel in de vorm van een lelie de loutering van Frankrijk zou symboliseren.

Soms, zoals hier, maakt Dan Brown zeer goed gebruik van symbolen. Dat zijn de elementen die *De Da Vinci Code* geloofwaardig maken voor iemand met enige kennis van symbolen en volstrekt fascinerend voor degenen die geen idee hebben waar die tekens op slaan. De fleur de lis heeft een visueel verband met de lelie, die weer tal van betekenissen heeft in het christendom, vooral gerelateerd aan vrouwen, van zuiverheid tot onschuld tot koninklijke waardigheid. De bloem is zeer welriekend en gold in het

Middellandse-Zeegebied al voor de komst van het christendom als zinnebeeld van de maagd en moedergodin. Daarna werd de bloem een belangrijk symbool voor Maria. Volgens de overlevering ontsprong de lelie aan de tranen die Eva stortte toen ze werd verdreven uit de Hof van Eden. Vermeng al die betekenissen met elkaar, voeg er de relevantie van dit symbool voor de Franse geschiedenis aan toe en Brown heeft een krachtig en bruikbaar symbool. Al vermoed ik dat hij er gebruik van maakt omdat de fleur de lis het symbool van Frankrijk is.

Dat roept de vraag op naar het vermeende verband tussen Maria Magdalena en Frankrijk.
Er zijn diverse legendes en tradities over Magdalena als zendelinge in Frankrijk, als patrones van Frankrijk, als redster van Frankrijk, dat ze Frankrijk kerstende, haar laatste dagen in Frankrijk doorbracht, in Frankrijk werd begraven. Er is keus genoeg: je kunt naar de dominicanen gaan of naar de benedictijnen, naar Vézelay of Aix-en-Provence. Er bestaat een hele traditie, tot het bakken van *madeleines* aan toe, die ooit alleen op 22 juli werden geserveerd – haar feestdag op de kerkelijke kalender. Die met citroen gearomatiseerde, waaiervormige koekjes duiden zowel op haar locatie in het zuiden van Frankrijk als op de vrome legenden van haar penitentie in de woestijn. Want Maria Magdalena zou dertig jaar in Sainte Baume hebben geleefd (of vijftig jaar, afhankelijk van de legende die je erop naslaat) zonder voedsel tot zich te nemen. Ze zou hebben geleefd van de geur van de citroenbomen en van het heilige voedsel dat ze elke dag ontving als ze ter communie ging. Hoe het mogelijk is dat iemand die ze allemaal op een rijtje heeft dertig of vijftig jaar in Zuid-Frankrijk kan wonen zonder er iets te eten, is me altijd ontgaan...

Gelooft u dat de heilige graal een metafoor is of een echt object... of allebei?
Ik geloof dat er altijd een mythe van de heilige graal geweest is en zal zijn. Verder wordt al heel lang gedacht dat de graal een echt object was, een object dat je kon aanraken, een object dat door christenen vroom werd gekoesterd en dat om de een of andere reden verdween. Volgens bepaalde legenden verdween de graal om later weer op te duiken in Engeland, waar hij, naar men zegt, door Josef van Arimatea naartoe was gebracht. De plek in Engeland waar de graal weer opduikt, is de locatie die we identificeren als Camelot. Het belangrijke aspect is uiteraard dat de graal een metafoor is voor de geestelijke zoektocht. Om eerlijk te zijn moet mijn antwoord dus luiden dat de graal beide is – een metafoor en een echt object.
Een artikel in *Newsweek* ['The Bible's Lost Stories', 8-12-2003] had een kantlijntekst met de titel 'Decoding *The Da Vinci Code*'. Daarbij stonden

foto's van *Het Laatste Avondmaal* en van de miskelk van abt Suger die zich nu in de National Gallery of Art in Washington bevindt. Het albasten deel van die kelk zou de heilige graal zijn. Abt Suger liet hem vatten in goud en edelstenen om er het object van te maken dat we tegenwoordig kennen en hij werd gebruikt bij de eerste mis die de abt opdroeg in de abdijkerk van Saint-Denis bij Parijs, de eerste gotische kathedraal. De bouw van die kathedraal vond uiteraard plaats in het tijdperk van de kruistochten en de bedevaarten naar het Heilige Land, toen devote christenen zo veel mogelijk belangrijke relikwieën mee terugbrachten. De kelk is met de C4-methode gedateerd en stamt inderdaad uit de juiste periode. Ik zie de heilige graal echter meer als een metafoor, omdat de historische werkelijkheid is dat toen Jezus van Nazaret en zijn volgelingen hun avondmaal gebruikten, ze niet konden beschikken over verfijnd tafelgerei en andere dure voorwerpen. En als ze die gehad hadden, zouden ze dan een kelk hebben gebruikt? Of zouden ze eerder iets als een glas of een kruik of een kleine urn hebben gebruikt?

De *San Graal* is een zeer belangrijke metafoor in de negentiende-eeuwse prerafaëlitische literatuur en schilderkunst, toen Dante en de Arthur-romantiek weer in de mode waren. De graal is te vinden in de literatuur, in musicals en dramaproducties, van *Der Ring des Nibelungen* van Wagner tot *The Lord of the Rings*. En het is steeds hetzelfde verhaal: een queeste naar spirituele verlossing. Het gezochte object kan allerlei vormen aannemen, zodat het in die opera's en de werken van Tolkien een ring is in plaats van een kelk. In die zin is de graal een metafoor.

Hoe zit het met de veronderstelling die in De Da Vinci Code *wordt geopperd dat de heilige graal eigenlijk Maria Magdalena is?*
Dat is een uiterst jungiaanse interpretatie van Maria Magdalena – vrouwen als ontvangsters en kelken, vrouwen als gewijde vaten. Maar dat beeld is historisch gezien ouder dan Jung. Deze symboliek is te vinden in klassieke mythologieën. Er zitten ook verschillende metaforen in. De mysterieuze connectie met geslachtsgemeenschap is hier met name van belang. De vrouw ontvangt de man tijdens de geslachtsgemeenschap. Aldus verwekken ze een kind, dat in hun gewijde vat tot ontwikkeling komt, waarna het uit dat gewijde vat wordt geperst. Ik neem aan dat je Maria Magdalena de *San Graal* kunt noemen als je jungiaans denkt. Ik heb echter een eigen manier van symboolinterpretatie, dus voor mij werkt dat niet. Ik denk dat Maria Magdalena van sacramenteel belang is, maar dat is niet haar voornaamste belang. Haar wezen is een mysterie en daarom is ze een geweldig onderwerp om over te schrijven. Volgens mij zullen de mensen in het jaar 3000 nog evenveel speculeren over wie zij was als nu het geval

is. Daarmee bedoel ik niet het gekibbel of ze een prostituee was, een rijke, arme of begerige vrouw; maar hoe ze in het christendom misschien als enige alle aspecten van de mens weerspiegelt. Het enige wat ze voorzover bekend niet was, was moeder of echtgenote.

Wat betekent het dat Jezus na zijn opstanding als eerste aan Maria Magdalena verscheen?
Ik denk in elk geval niet, zoals Dan Brown suggereert, dat ze geliefden waren en misschien zelfs echtgenoten. Ik denk dat ze de getuige bij uitstek was – iemand voor wie zien genoeg is om te geloven. Dat staat in contrast met Thomas, die de wonden moest aanraken en het lichaam van Jezus daadwerkelijk moest voelen; hij wilde empirische bewijzen vóór hij zou geloven dat Jezus was verrezen. Ik denk dat je de bijbel zo kunt lezen dat Jezus er als zeer feministisch uit naar voren komt. Het zijn de vrouwen die in hem blijven geloven, die hem tot zijn dood trouw blijven en de rituelen rond zijn dood, zijn sterven, zijn rouw, zijn begrafenis voltrekken; en het zijn de vrouwen die blijven komen en niet bang zijn. In mijn ogen is het beginsel dat zij vertegenwoordigen dat deel van de mensheid dat het geloof nooit opgeeft, nooit de hoop verliest, de mensen voor wie zien genoeg is om te begrijpen. Dat is volgens mij het kenmerkende van de vrouw en van het vrouwelijke. Intuïtie is voor mij belangrijker dan logisch redeneren. De Maria Magdalena's van deze wereld vertrouwen, in tegenstelling tot de Thomassen, op hun intuïtie.

Hoe accuraat vindt u Dan Browns beschrijving van de Parijse kerk Saint-Sulpice – waar zich een cruciale scène afspeelt – en haar iconografie?
Het is een feit dat christenen kerken, basilieken en kathedralen bouwden op locaties van oudere religieuze bouwwerken. Zowel in Rome als in Athene en Frankrijk is er gebouwd op plaatsen waar tempels stonden die waren gewijd aan Mithras, Athene en andere vroegere goden en godinnen. Het duidelijkste voorbeeld daarvan is de kerk in Rome die Santa Maria Sopra Minerva heet – Maria boven Minerva. Er is sprake van een relatie die verder reikt dan een architectonisch verband; de kerk van Maria werd gebouwd op de resten van de tempel van Minerva omdat er een verbinding bestaat tussen Maria en Minerva als godinnen van de wijsheid.

Het is in mijn ogen een onzinnige veronderstelling dat de Saint-Sulpice gebouwd zou zijn op de locatie van een Isis-tempel of -altaar, omdat Isis sterker verbonden is met Maria de Moeder dan met Maria Magdalena. Als het in *De Da Vinci Code* meer over Maria de Moeder zou zijn gegaan, had ik de band met Isis misschien gezien. Zo heeft de verering van de zwarte Madonna een verband met Maria de Moeder en Isis, omdat de meeste kerken met zwarte Madonna's werden gebouwd op locaties van Isis-tempels. Die hele traditie ís er gewoon in het christendom.

In De Da Vinci Code *is Dan Browns held symboliekdeskundige. Is dat een bestaande titel of academische discipline?*
De studie van religieuze symbolen wordt gewoonlijk tot de iconografie of religieuze kunst gerekend, niet tot de symbologie. De eerste keer dat ik het woord 'symbologie' tegenkwam was in *Het Bernini Mysterie* van Dan Brown; ik heb dat eerste 'Robert Langdonmysterie' eerst gelezen.

Als de term 'symbologie' als een academische richting zou gelden, zou ik me daar deels ook toe moeten rekenen. Ik ben geen pure academica, in die zin dat ik mijn onderzoekingen en studies op interdisciplinaire of multidisciplinaire wijze verricht. Ik betrek de kunst bij mijn werk, en de geschiedenis van de kunst, de cultuur, de religie, maar ook de theologie, vrouwenstudies en wereldreligies. Dus ik behoor niet tot een zuivere academische discipline. Ik ken echter niemand die zichzelf symboliekdeskundige noemt en voor zover ik weet is er geen universitaire studierichting die symbologie wordt genoemd. Het is mogelijk dat die er wel komt, om in te spelen op de populariteit van Dan Browns boeken.

Rosslyn Chapel: de kathedraal van codes en symbolen
Saunières aanwijzingen leiden Robert Langdon en Sophie Neveu tegen het einde van *De Da Vinci Code* naar Rosslyn Chapel in Schotland. Als het paar bij de kapel aankomt om naar de graal te zoeken, ontdekken ze dat de betekenis van de legende complexer is dan ze hadden gedacht.

Rosslyn Chapel bestaat echt en heeft een fascinerende geschiedenis. De bouw van de kapel – ook bekend onder de naam Kathedraal der Codes – begon in 1446 in opdracht van Sir William St. Clair, of Sinclair, een grootmeester van de Schotse vrijmetselaars en naar men zegt een telg van de Merovingische stamboom. Sir William zag persoonlijk toe op de bouw van de kapel, die kort na zijn dood in 1484 werd gestaakt. Alleen het koor – het deel van de kerk dat bestemd is voor het koor en de geestelijken – werd voltooid.

De kapel wemelt van de religieuze voorstellingen die een aanleiding zijn geworden voor eindeloze speculaties door esoterici, graalfanaten en complottheoretici. Geen wonder dus dat Dan Brown de voorlaatste scène in *De Da Vinci Code* situeert in deze kapel, die door occultisten uit de hele wereld wordt verheerlijkt.

Rosslyn Chapel zou tot op zekere hoogte een kopie zijn van de oude tempel van Salomo en is behalve met veel christelijke voorstellingen ook versierd met talloze sculpturen en reliëfdecoraties die afkomstig zijn uit de joodse, Keltische en Noorse culturen, en van de tempeliers en de vrijmetselaars. Die uiteenlopende tekens en symbolen uit vele culturen vormen zeker voor die tijd een uniek architectonisch geheel, en Rosslyn Chapel dankt er de bijnaam 'Kathedraal der Codes' aan.

De beheerders wijzen graag op een code die op de muren van de crypte is gekrabbeld, een code die door de vrijmetselaars zou zijn achtergelaten. De legende wil dat de code zou wijzen op de aanwezigheid van een groot geheim of een binnen de muren van de kapel verborgen schat, maar tot op heden is het niemand gelukt hem te ontcijferen.

Door de techniek zullen wellicht vele mysteriën van de kapel worden opgehelderd. In januari 2003 was er een aankondiging van een vertegenwoordiger van de plaatselijke afdeling van de Scottish Knights Templar – naar eigen zeggen de opvolgers van de tempeliers die in de veertiende eeuw naar Schotland vluchtten om vervolging door de religieuze autoriteiten te voorkomen – dat de nieuwste scantechnologieën zullen worden ingezet 'waarmee het mogelijk is de bodem tot op meer dan anderhalve kilometer diepte te onderzoeken'. Ze hopen onder de kapel oude gewelven aan te treffen die de vermeende schat van Rosslyn bevatten.

BOEK TWEE

De Da Vinci Code

ontrafeld

Deel een

Eén etmaal, twee steden
en de toekomst van de
westerse beschaving

10 Apocriefen en openbaringen

(FEIT): De Priorij van Sion, een geheim genootschap dat in 1099 is opgericht, is een werkelijk bestaande organisatie. In 1975 ontdekte de Parijse Bibliothèque Nationale perkamenten, de Dossiers secrets, waarin talrijke leden van de Priorij van Sion worden genoemd, onder wie Sir Isaac Newton, Botticelli, Victor Hugo en Leonardo da Vinci... Alle beschrijvingen van kunstwerken, architectuur, documenten en geheime rituelen in dit boek zijn waarheidsgetrouw.

Dan Brown, *De Da Vinci Code*

De bovenstaande verklaring van Dan Brown heeft een grote suggestieve invloed op de lezers gehad. Per slot van rekening is *De Da Vinci Code* een roman, en dus fictie. Van fictie wordt niet verwacht dat elk detail accuraat is en op feiten berust. Sterker nog, fictie wordt gezien als het domein waar de verbeelding van de auteur vrij spel heeft. Dat weet iedereen die het boek koopt. Maar de combinatie van het doorwrochte, gedetailleerde realisme van veel passages, de belangrijke historische gebeurtenissen en kwesties waarvan elke lezer vindt dat hij of zij er eigenlijk meer over zou moeten weten plus de onweerstaanbare logica van complottheorieën (namelijk dat je iets niet weet doordat invloedrijke krachten je daar opzettelijk onkundig van houden) zorgt ervoor dat lezers deze specifieke vorm van fictie zeer serieus nemen – even serieus als non-fictie.

Veel lezers raken zo gefascineerd door hun pogingen om feit en fictie te scheiden, dat het ontrafelen van *De Da Vinci Code* hun eigen speurtocht naar de heilige graal wordt. Om een bijdrage aan die speurtocht te leveren, is er voor *Geheimen van de Code* een lijst van veelgestelde vragen opgesteld en aan David Shugarts gegeven, een onderzoeksjournalist met een scherp oog, die gefascineerd was door *De Da Vinci Code* maar hier en daar vraagtekens zette bij lastige details waarvan hij de indruk had dat ze niet helemaal klopten. Shugarts heeft de lezersvragen aangevuld met vragen die hij zelf had en is als een bloedhond naar antwoorden gaan speuren.

We willen vooraf één ding duidelijk stellen: we weten dat *De Da Vinci Code* fictie is. We hebben waardering voor de creativiteit van Dan Brown, die zo veel interessante feiten en historische begrippen heeft verwerkt in een boek dat toch in eerste instantie een thriller is. Maar gezien de bewering van de auteur over de waarheidsgetrouwheid van zijn materiaal en in aanmerking genomen dat de discussie die door het boek op gang is gekomen door sommigen zeer serieus wordt genomen, leek het ons aardig de vele zwakke punten en plotfouten die Shugarts ontdekte met onze lezers te delen. Ook worden er intrigerende details uit de tekst gelicht die wel waarheidsgetrouw zijn en tot nadenken stemmen, maar die de lezer misschien in eerste instantie heeft gemist. Meer bevindingen van Shugarts zijn te vinden op onze website: www.secretsofthecode.com.

Opmerking: de paginanummers in dit stuk verwijzen naar de Nederlandse editie van *De Da Vinci Code*.

De Da Vinci Code: een fascinerend breiwerk met gevallen steken

Door David A. Shugarts

STOFOMSLAG: *Is er een verborgen code verwerkt in het stofomslag van de Amerikaanse hardback en geeft die aan waar de volgende Robert Langdon-thriller over zal gaan?*
Ja, en dit is onze visie erop. Als je goed kijkt, kun je zien dat sommige letters op de Amerikaanse stofomslag iets groter zijn dan de rest. Als je al die letters eruit licht en achter elkaar zet, vormen ze het zinnetje: '*Is there no help for the widow's son?*' ('Is er geen hulp voor de zoon van de weduwe?')

Na wat speurwerk ontdekten we dat deze zin verwijst naar het Boek Henoch, waarin een van de favoriete thema's van Dan Brown wordt behandeld: de verloren schat van de tempel van Salomo. Er zijn veel verwijzingen naar Henoch. Genesis stelt dat hij een sterveling was die met God wandelde en verdween, omdat hij door God werd weggenomen. In de Hebreeuwse apocriefen werd al vóór Christus over het mysterie rond Henoch geschreven.

'*Is there no help for the widow's son?*' was de titel van een lezing die in 1974 voor de mormonen werd gehouden en waarin naar verluidt een verband werd gelegd tussen de vrijmetselarij en Joseph Smith, de stichter van de Kerk van de Heiligen der Laatste Dagen, zoals de mormonen zichzelf noemen. Er wordt beweerd dat Smith niet alleen veel vrijmetselaarssymboliek gebruikte, maar ook een talisman met mysterieuze symbolen droeg. Bovendien zouden voor de mormonen belangrijke locaties in de Verenigde Staten pal ten westen van de tempel van Salomo liggen (en dat is uiteraard geen toeval). Verder worden in de lezing de illuminaten beschreven, vrouwelijke vrijmetselaars, die in twee categorieën uiteenvallen: de rechtschapenen en de zinnelijken. Hier lijkt een ander thema van Dan Brown te worden aangesneden: de onderdrukking van het heilig vrouwelijke door de mannelijke hiërarchie.

Dit terrein is eerder betreden door de schrijver Robert Anton Wilson, onder andere in een van de boeken in zijn Illuminati-trilogie, *The Widow's Son*. Veel vrijmetselaarsloges hebben tot op de dag van vandaag evenementen en rituelen die worden aangeduid met '*widow's son*'. In het Boek Henoch komen diverse onderwerpen aan bod die ongetwijfeld de aandacht van Dan Brown hebben, van verwijzingen naar de engel Uriël (die in *De Da Vinci Code* ter sprake komt als Brown Leonardo's *Madonna in de grot* analyseert) tot materiaal dat afkomstig zou zijn uit het verloren Boek Noach (gaan we misschien op zoek naar de verloren ark van het verbond?).

Het is slechts een vermoeden, maar wij denken dat het volgende boek van Dan Brown gaat over de jacht op een schat van de mormonen en/of vrijmetselaars en dat het in Amerika speelt, uiteraard met Robert Langdon in de hoofdrol. Maar komt Sophie Neveu terug, nu Langdon haar heeft ontmoet? De tijd zal het leren.

PAGINA 9: *Silas heeft 'een lijkbleke huid en dun wordend, wit haar. Zijn irissen waren roze en zijn pupillen donkerrood.' Is dit een juiste beschrijving van een albino?*

Albinisme is een gebrek aan pigmentatie waar ongeveer één op de zeventienduizend Amerikanen aan lijdt. Deze afwijking kan vele vormen aannemen (en huidskleuren opleveren), maar in onze samenleving is het de gewoonte mensen een etiket op te plakken, dus worden albino's vaak afgeschilderd als mensen met een bleke huid, wit haar en roze ogen.

De National Organization for Albinism and Hyperpigmentation (NOAH) zegt er het volgende over: 'Het is een algemeen misverstand dat mensen met albinisme per definitie rode ogen hebben. In werkelijkheid zijn er verschillende soorten albinisme, en de hoeveelheid pigment in de ogen varieert. Sommige mensen met albinisme hebben inderdaad roodachtige of violette ogen, maar de meeste blauwe. En sommigen hebben roodbruine of bruine ogen.'

De afwijking gaat bijna altijd gepaard met slechtziendheid of zelfs blindheid. 'Bij albinisme met zeer weinig pigmentatie zijn de huid en het haar roomkleurig en ligt het gezichtsvermogen vaak in de orde van grootte van 10 procent. Bij iets meer pigmentatie is het haar een tikje gelig of rossig en is het gezichtsvermogen meestal wat beter, ongeveer 30 procent,' volgens NOAH. Silas had dus misschien beschreven moeten worden als een man die slecht zag en/of een bril met dikke glazen droeg.

NOAH vestigt regelmatig de aandacht op de stereotiepe manier waarop Hollywood albino's afschildert: als onmenselijk, slecht of geestelijk gestoord. Silas uit *De Da Vinci Code* is daar een uitstekend voorbeeld van. Overigens, een van de redenen dat de organisatie het acroniem NOAH (Engels voor Noach) gebruikt, is dat sommigen denken dat de bijbelse Noach een albino was.

PAGINA 9: *Silas schiet Saunière van vierenhalve meter afstand in het donker neer. Is dat geloofwaardig, gezien het beperkte gezichtsvermogen van Silas?* Iedereen zou veel geluk nodig hebben om iemand in het donker met een pistool neer te schieten, maar het is niet waarschijnlijk dat Silas dit zou kunnen zonder bril, die echter nooit wordt genoemd. Het komt slechts zeer zelden voor dat een albino goed ziet.

PAGINA 10: *Silas schiet eenmaal en raakt Saunière in de buik. Hij richt zijn pistool recht op Saunières hoofd en haalt de trekker over, maar 'de klik van een lege kamer echode door de galerij'. Silas 'keek met een bijna geamuseerde blik naar zijn wapen. Hij stak zijn hand uit om een tweede patroonhouder te pakken, maar leek zich toen te bedenken en grijnsde kalm in de richting van Saunières buik.'* Silas heeft eerder die avond drie mensen gedood. Het is aannemelijk dat ze alledrie door de moordenaar zijn verrast. Hij gebruikt een Heckler & Koch USP 40 met houders met dertien patronen (zie DVC, p. 75). De vraag is dus: hoe kan de houder leeg zijn? Heeft hij twaalf patronen nodig gehad om drie oude mannen dood te schieten, of is hij de avond begonnen met een wapen dat half geladen was?

Er wordt door Dan Brown geen verklaring voor gegeven. Maar misschien compenseert Silas zijn slechte gezichtsvermogen door veel kogels af te vuren.

PAGINA 11: *Saunière is een paar centimeter onder zijn borstbeen geraakt. Als 'veteraan van* la guerre d'Algérie' *weet hij: 'Hij zou nog een kwartier te le-*

ven hebben, waarin zijn maagzuur zijn borstholte in zou druppelen en hem langzaam van binnen uit zou vergiftigen.' Is dit echt de manier waarop mensen met een schotwond in hun maag overlijden? Kan een man van zijn leeftijd vijftien tot twintig minuten in leven blijven met deze verwonding?
We hebben medische literatuur geraadpleegd. Ongeveer twaalf procent van de mensen die in de buik worden geschoten, overlijdt daaraan. Als er echter geen belangrijke bloedvaten worden geraakt, is dat percentage minder dan vijf. Er kunnen allerlei organen worden geraakt. De organen die de grootste kans lopen te worden beschadigd als iemand in de buik wordt geschoten, zijn de dunne darm, het colon, de lever en galblaas, de milt, het vaatstelsel en de maag.

Of iemand sterft of niet, is grotendeels afhankelijk van het orgaan dat door de kogel is geraakt. Als er bijvoorbeeld een slagader wordt geraakt of de milt is beschadigd, kan het slachtoffer door het snelle bloedverlies in shock raken en sterven.

Maar van een maagperforatie zonder verdere complicaties gaat iemand niet snel dood. Dat kan uren duren. Als Saunière gezond was en geen andere verwondingen had, is er geen reden waarom hij niet in leven had kunnen blijven tot de bewakers het hek hadden opgehaald. Bovendien zou hij ruimschoots de tijd hebben gehad (en niet slechts een kwartier, wat onwaarschijnlijk lijkt) om zich door het Louvre te slepen en geheime boodschappen achter te laten.

PAGINA 11: *Saunière is 'veteraan van* la guerre d'Algérie'. *In het boek is hij zesenzeventig. Is het mogelijk dat hij in de Algerijnse Oorlog heeft gevochten?*
Ja. De Algerijnse onafhankelijkheidsoorlog heeft van 1954 tot 1962 geduurd. Als *De Da Vinci Code* in 2001 of 2002 speelt, zou Saunière halverwege de jaren twintig geboren zijn. Dat betekent dat hij tijdens de oorlog achter in de twintig tot achter in de dertig geweest moet zijn.

PAGINA 19: *De frisse aprilbries slaat door het open raampje van de Citroën naar binnen als Langdon van zijn hotel naar het Louvre wordt gebracht. Op welke dag in april spelen de gebeurtenissen zich af en in welk jaar?*
De aanwijzingen zijn tegenstrijdig. Er wordt verwezen naar een eerder boek van Dan Brown, *Het Bernini Mysterie*. Ook dat boek speelt zich af in één etmaal in de maand april, deze keer in Rome. Robert Langdon, het personage van Dan Brown dat in *Het Bernini Mysterie* voor het eerst zijn opwachting maakt, herinnert zich in *De Da Vinci Code* dat dat vorige avontuur 'iets meer dan een jaar geleden' was (pagina 16). Dat zou betekenen dat de gebeurtenissen in *De Da Vinci Code* zich later in de maand april afspelen dan die in *Het Bernini Mysterie*. Een andere reden om aan te ne-

men dat het boek in de tweede helft van april speelt, is dat Pasen in 2001 vroeg in april viel en dat dat zeker invloed zou hebben gehad op beschrijvingen van massa's toeristen, verkeersdrukte enzovoort.

Er zijn verscheidene aspecten die pleiten voor april 2001. Later zal blijken dat het nieuwe millennium al enige tijd is aangebroken, vermoedelijk al meer dan een jaar. Het complot dat door Teabing op poten wordt gezet en wordt uitgevoerd door manipulatie van het Opus Dei en het Vaticaan vloeit namelijk voort uit een bijeenkomst van Aringarosa met enkele kerkelijke hoogwaardigheidsbekleders in Castel Gandolfo, die in november van het voorgaande jaar heeft plaatsgevonden (pagina 144). Teabings beweegredenen achter dit plan was dat de Priorij van Sion, tegen Teabings verwachting in, rond het aanbreken van het millennium het geheim van de graal niet had geopenbaard.

De gebeurtenissen van 11 september 2001 hebben de hele wereld geschokt en hebben in heel Europa grote invloed gehad op allerlei beveiligingsmaatregelen. Als Dan Brown bewust had gewild dat het boek in april 2002 speelde, toen de herinnering aan 11 september nog zo vers in ieders geheugen lag, zou hij gedwongen zijn geweest onderwerpen als terrorisme, godsdienstfundamentalisme, religieuze spanningen in het Midden-Oosten en de vele complexiteiten van 11 september te behandelen. Dan zou bijvoorbeeld Teabing lang niet zo gemakkelijk tot Engeland zijn toegelaten door de douanebeambten. Veel andere aspecten van de plot, van de procedure rond de kluis in de Zwitserse bank tot de beveiliging van openbare gebouwen, zouden er ongetwijfeld door zijn beïnvloed.

Maar er zijn inconsistenties. Langdon heeft euro's bij zich. Die valuta is pas op 1 januari 2002 in de vorm van papiergeld en munten ingevoerd, wat erop zou wijzen dat het boek in april 2002 speelt. Een ander punt: het artikel in *New York Times Magazine* over de kunstonderzoeker Maurizio Seracini, dat in DVC op pagina 164 wordt genoemd, is een werkelijk bestaand artikel over de verborgen betekenis van verscheidene werken van Leonardo da Vinci, dat op 21 april 2002 is verschenen. Langdon kon daar een jaar eerder dus nog niets van weten. Speelt het boek dan toch in april 2002 en negeert de beroemde symboliekdeskundige eenvoudig de tekens en symbolen die samenhangen met de tragedie van de voorgaande 11 september? (Er wordt in het boek geen enkele keer aan gerefereerd). Of speelt DVC in april 2001 en heeft de beroemde symboliekdeskundige al een sterk voorgevoel van euromunten en het artikel in het *New York Times Magazine* dat pas een jaar later zou worden gepubliceerd?

PAGINA 19: *De avondlijke bries ruikt naar jasmijn. Groeit er jasmijn in de buurt en bloeit die in april?*
Er staan jasmijnstruiken in de nabijgelegen Jardin des Tuileries, maar jasmijn bloeit in de zomer. De bloei begint rond juli en de geur is omstreeks augustus het sterkst.

PAGINA 22: *'Het zou een bezoeker naar schatting vijf weken kosten om de 65300 kunstwerken in dit gebouw (het Louvre) goed te bekijken.'*
Reken maar na. Als je gemiddeld één minuut per kunstwerk uittrekt en niet slaapt, heb je nog steeds vijfenveertig dagen van vierentwintig uur nodig. En dat kun je nauwelijks 'goed bekijken' noemen. Gelukkig worden niet alle vijfenzestigduizend kunstwerken tentoongesteld, dus je hoeft het niet te proberen. Maar het aantal kunstwerken dat wél te zien is, is ook ontzagwekkend: ongeveer 24400. Als je het acht uur per dag, zes dagen per week volhield om naar elk kunstwerk een minuut te kijken, zou het je nog steeds meer dan acht weken kosten.

PAGINA 25: *Langdon denkt te weten dat de nieuwe piramide bij de ingang van het Louvre 'op uitdrukkelijk verzoek van president Mitterrand, was gemaakt van precies 666 glazen ruiten, een bizar verzoek dat altijd een heet hangijzer was geweest onder liefhebbers van complottheorieën, die beweerden dat 666 het getal van Satan was'. Hoeveel ruiten zijn er echt in de piramide verwerkt?*
Om hier antwoord op te krijgen, hebben we contact opgenomen met het bureau van de architect, de befaamde I.M. Pei. Een woordvoerster zei dat de piramide uit 698 stukken glas bestaat, zoals geteld door een van de architecten die aan het project heeft gewerkt. Ze zei dat het idee dat president Mitterrand zou hebben aangegeven hoeveel ruiten hij erin wilde, niet op waarheid berustte.

Verder vertelde ze dat het gerucht van de 666 ruiten in de wereld is gekomen doordat een paar Franse kranten dit halverwege de jaren tachtig als feit hebben gebracht. Ze voegde eraan toe: 'Als je alleen die oude artikelen vindt, geen verder onderzoek doet en erg goedgelovig bent, zou je misschien het 666-verhaal geloven.'

We hebben ook contact opgenomen met Carter Wiseman, wiens biografie van I.M. Pei is opgenomen in de bibliografie van Dan Brown. Wiseman wijst erop dat I.M. Pei een architect is die vooral geïnteresseerd is in geometrische patronen en abstracties. De gedachte dat hij symbolische betekenissen in zijn werk verstopt, strookt volstrekt niet met zijn kenmerkende esthetiek, zegt Wiseman.

PAGINA 29: *Fache draagt een* crux gemmata. *Wat is dat precies?*
Het is een kruis met dertien edelstenen, en het wordt door Brown omschreven als 'het christelijke ideogram voor Jezus en Zijn twaalf apostelen'. In het orthodoxe christendom ziet men vaak eenvoudige houten kruisen of crucifixen. Met edelstenen ingelegde kruisen kwamen het eerst voor in sommige middeleeuwse kerken en werden geïnterpreteerd als symbool van de verrijzenis. Een *crux gemmata* kan echter, behalve als teken van devotie, ook worden gezien als symbool van trots, macht en rijkdom.

PAGINA 30: *Brown zegt dat de beveiligingscamera's in het Louvre allemaal nep zijn en dat de meeste grote musea werken met 'insluitingsbeveiliging'. Is dat waar?*
Nee. Het idee van hekken die naar beneden zakken en een dief insluiten is afkomstig uit films als *The Pink Panther* en *The Thomas Crown Affair*, niet uit de werkelijkheid. Het Louvre gelooft wel degelijk in beveiligingscamera's, sterker nog, het heeft kortgeleden zijn beveiliging sterk verbeterd met behulp van het Franse concern Thales, en videocamera's spelen een belangrijke rol in het nieuwe systeem. Thales Security & Supervision heeft naar eigen zeggen de volgende apparatuur geïnstalleerd: 'vijftienhonderd toegangscontrolepoortjes, tienduizend bijbehorende identificatiepasjes, achthonderd bewakingscamera's waarvan 195 met een digitaal opnamesysteem, en meer dan vijftienhonderd inbraakalarmpunten'.

PAGINA 31: *Langdon ziet dat het beveiligingshek 'ongeveer een halve meter' was opgehesen... 'Hij legde zijn handen plat op het gewreven parket, ging op zijn buik liggen en trok zichzelf naar voren. Toen hij onder het hek door gleed, haakte de kraag van zijn tweedjasje vast achter de onderkant van een tralie, en hij stootte zijn achterhoofd tegen het ijzer.' Is dit aannemelijk?*
Nee. In *Het Bernini Mysterie* wordt gezegd dat Langdon 'de bouw van een zwemmer' heeft: 'een gespierd lijf van één meter tachtig dat hij zorgvuldig onderhield met vijftig baantjes per dag in het universiteitszwembad'. Een man in goede conditie is maar ongeveer vijfentwintig centimeter dik, van voren naar achteren gemeten. Als hij op zijn buik op de grond gaat liggen en naar voren schuift, is het onwaarschijnlijk dat zijn jasje of hoofd de onderkant raakt van een hek dat zich een halve meter boven de grond bevindt.

PAGINA 32: *Brown zegt dat het hoofdkantoor van het Opus Dei aan Lexington Avenue 243 in New York staat. Het heeft zevenenveertig miljoen dollar gekost, heeft een vloeroppervlak van twaalfduizend vierkante meter en is bekleed met rode baksteen en kalksteen uit Indiana. Het gebouw is ontworpen*

door May & Pinska, heeft meer dan honderd slaapkamers, zes eetzalen, en
kapellen op de eerste, zevende en vijftiende verdieping. De zestiende etage is
een woonverdieping. Mannen gaan het gebouw binnen door de hoofdingang
aan Lexington Avenue. Vrouwen gebruiken een zij-ingang en zijn in het ge-
bouw altijd 'akoestisch en visueel gescheiden' van de mannen. Is dit waar?
Ja, dit klopt aardig. Volgens een andere bron heeft het Opus Dei 'slechts
vierentachtigduizend leden over de hele wereld, waarvan drieduizend in
de Verenigde Staten, maar het nieuwe, zestien verdiepingen hoge gebouw
in het centrum van Manhattan, dat vijfenvijftig miljoen dollar heeft gekost, getuigt van een macht die het aantal leden ver te boven gaat.'

PAGINA 33: *Brown zegt dat Escrivá, de grondlegger van het Opus Dei, zijn*
boek De Weg, *met 999 punten van meditatie om het werk van God in je ei-*
gen leven te doen, in 1934 heeft gepubliceerd. Hij zegt dat er nu meer dan vier
miljoen exemplaren van in omloop zijn, in tweeënveertig talen.
Dat is in grote lijnen juist. Eigenlijk was de originele titel van het boek in
1934 *Spirituele Overwegingen*. Het is een aantal keren herzien. Volgens een
website van het Opus Dei (www.josemariaescriva.info) is het boek 'in vijfenveertig talen vertaald en zijn er wereldwijd meer dan 4,5 miljoen exemplaren van verkocht.' *De Weg* omvat inderdaad 999 punten.

PAGINA 34: *Brown zegt dat voormalig* FBI-*agent en dubbelspion Robert Hans-*
sen een vooraanstaand lid van het Opus Dei was.
Dat is waar. Bonnie Hanssens broer is een bij het Opus Dei aangesloten
priester in Rome, die kantoor houdt op een paar passen van de paus. Een
van de dochters van Robert en Bonnie is numerair van het Opus Dei: ze
heeft gezworen celibatair te leven zonder daadwerkelijk geestelijke te worden.

Robert Hanssen sloot vriendschap met James Bamford, een bestseller-
auteur van spionageromans, en nadat hij Bamford had uitgehoord over
gesprekken die hij had gevoerd met Sovjetleiders, nodigde hij hem uit mee
te gaan naar bijeenkomsten van het Opus Dei. 'Bob was er helemaal vol
van. Hij stak tirades af over het kwaad van organisaties als Planned Pa-
renthood ('gepland ouderschap') en over de verdorvenheid van abortus,'
herinnerde Bamford zich.

PAGINA 34: *Brown schrijft over een organisatie die de activiteiten van het*
Opus Dei in de gaten houdt, het Opus Dei Awareness Network
(www.odan.org). Bestaat deze organisatie?
Ja. ODAN bestaat en het adres van hun website klopt.

PAGINA 36: *Fache en Langdon beginnen aan de oostkant van de Grande Galerie en komen dan al snel langs een schilderij van Caravaggio, dat op de vloer ligt. Is dit inderdaad de plek waar de Caravaggio's hangen?*
Nee. Die hangen een stuk verderop in de Grande Galerie, niet ver van de plek waar Saunière werd gevonden.

PAGINA 39: *Saunière heeft zijn linker wijsvinger gebruikt om een pentagram op zijn buik te tekenen. Was hij linkshandig?*
Ja. Ook op andere plekken in het boek zijn aanwijzingen te vinden dat Saunière linkshandig was. Dit versterkt de veronderstelde affiniteit met Leonardo da Vinci, van wie sommige deskundigen denken dat hij linkshandig was (zie *Geheimen van de Code*, hoofdstuk 8).

PAGINA 40: *Brown zegt: 'De witte kap van de Ku-Klux-Klan riep in de Verenigde Staten beelden van haat en racisme op, maar hetzelfde hoofddeksel had in Spanje een religieuze betekenis.' Is dat waar?*
In heel Spanje worden tijdens de stille week door boetelingen donkere gewaden en kappen gedragen, maar nergens op zo'n grote schaal als in Sevilla. Duizenden boetelingen van zevenenvijftig kloosterordes lopen met brandende kaarsen in een processie ter ere van de Heilige Maagd en ter herdenking van het lijden van Christus. Ze dragen een kap omdat het niet de bedoeling is dat je kunt zien wie de zondaren zijn die om vergeving smeken. Elke kloosterorde heeft zijn eigen kleur kappen en gewaden. Leden van de Ku-Klux-Klan dragen altijd witte kappen, maar die zijn iets minder puntig dan die van de Spaanse boetelingen. Het is onduidelijk of er een verband tussen de hoofddeksels is.

Het is wel interessant om te weten dat de KKK in 1866 in Polaski, Tennessee werd opgericht door zes officieren van de Confederatie. Een van hen, de eerste 'Imperial Wizard' van de KKK, was een vrijmetselaar en oud-generaal van de geconfedereerde strijdkrachten, Nathan Bedford Forrest. Diezelfde Forrest duikt op in het boek *Forrest Gump* van Winston Groom, dat in 1994 is verfilmd. De hoofdpersoon zou naar Forrest zijn vernoemd, die een verre voorouder van hem was.

PAGINA 40: *Langdon zegt dat het pentagram 'staat voor de vrouwelijke helft van alles, een concept dat door godsdiensthistorici "het heilig vrouwelijke" of "de godin" wordt genoemd'. Is dat waar?*
Nee. Het pentagram symboliseert zowel het mannelijke als het vrouwelijke, net als yang en yin.

PAGINA 41: '*Als eerbetoon aan de magie van Venus kozen de Grieken haar achtjarige cyclus als uitgangspunt bij de organisatie van hun Olympische Spelen. Tegenwoordig beseffen nog maar weinigen dat het feit dat de Olympische Spelen eens in de vier jaar werden gehouden samenhangt met de cyclus van Venus. Nog minder mensen wisten dat de vijfpuntige ster bijna het officiële olympische symbool was geworden. Pas op het laatste moment werden de vijf punten vervangen voor vijf elkaar snijdende ringen, om beter weer te geven dat het bij de Spelen draaide om deelname en harmonie.*' Is dit waar? Gedeeltelijk, maar het is veel ingewikkelder. De Grieken zagen de Olympische Spelen niet als een eerbetoon aan Venus. De Olympische Spelen werden gehouden ter ere van Zeus.

De Griekse kalender had een cyclus van acht jaar. Elke cyclus heette een *octaeteris*. Later werden die verdeeld in periodes van vier jaar, die olympiades werden genoemd.

De belangrijkste reden voor de achtjarige cyclus was dat de Grieken een grote overeenkomst hadden ontdekt tussen negenennegentig maansomlopen en acht maal de omlooptijd van de aarde. In oude culturen is de maan meestal het hemellichaam dat de lengte van een maand bepaalt, hoewel ze ook wisten dat Venus in diezelfde periode van acht jaar vijf synodische omlopen maakte. Omdat negenennegentig maal de omloop van de maan overeenkwam met acht maal de omloop van de aarde, bestond hun kalender uit vijf jaar van twaalf maanden en drie jaar van dertien maanden. Die extra maanden vielen in het derde, vijfde en achtste jaar. Toen de Grieken hun kalender verbeterden, verdeelden ze de *octaeteris* in twee delen, een van vijftig en een van negenenveertig maansomlopen, die olympiades werden genoemd. Het was niet volmaakt, maar het was een kalender!

De gemiddelde Griek kon het niet zien, maar een geduldige astronoom had de vijf knopen kunnen waarnemen van de reis die Venus langs de hemel maakte. Vanuit Griekenland gezien vormden die een zeer onregelmatig pentagram.

De vijf ringen zijn een modern symbool. Ze werden in 1913 bedacht door Pierre de Coubertin, voorzitter van het Internationaal Olympisch Comité. In eerste instantie was het zijn bedoeling dat ze de eerste vijf spelen aangaven, maar later werd de interpretatie veranderd en stonden de ringen voor de vijf werelddelen.

Het misverstand dat het symbool van de vijf ringen uit de Oudheid stamt, is ontstaan toen een filmer van nazi-propaganda voor de beroemde Spelen van 1936 (waarbij Hitler aanwezig was) een beeldhouwwerk van de vijf ringen liet maken en dat filmde tegen de achtergrond van Delphi.

PAGINA 42: *Langdon zegt: 'Symbolen zijn moeilijk uit te roeien, maar de betekenis van het pentagram is veranderd door de vroege rooms-katholieke Kerk. Als onderdeel van het streven van het Vaticaan om heidense rituelen uit te bannen en de massa tot het christendom te bekeren, heeft de Kerk een lastercampagne gevoerd tegen de heidense goden en godinnen, door hun goddelijke symbolen om te vormen tot die van het kwaad.'*

Brown negeert hier gemakshalve het feit dat de christelijke keizer Constantijn, die elders in het boek wordt beschreven als degene met de meeste schuld aan het vernietigen van gnostische, heidense en godinnentradities, het pentagram samen met het symbool Chi-Rho (bestaande uit de eerste twee letters, *X* en *P*, van het Griekse woord voor Christus) in zijn zegel en amulet gebruikte.

PAGINA 50: *Brown zegt dat Leonardo een 'enorme productie van adembenemende christelijke kunst' had. 'Hij nam honderden lucratieve opdrachten van het Vaticaan aan en schilderde christelijke thema's, niet als uitdrukking van zijn eigen overtuiging maar uit commerciële overwegingen, als middel waarmee hij zijn verkwistende levensstijl kon bekostigen.' Is dat waar?*

Nee. Leonardo had geen enorme productie. Hij had altijd moeite een kunstwerk af te maken en werkte er vaak eindeloos aan door. Het aantal voltooide schilderijen van zijn hand is zeer klein in vergelijking met dat van de meeste andere grote namen uit de kunstgeschiedenis.

PAGINA 57: *Sophies code om de berichten op haar antwoordapparaat af te luisteren is 454. Heeft dit getal voor Dan Brown een betekenis of is het willekeurig gekozen?*

We weten het niet, maar de oorspronkelijke uitgave van het boek eindigt op pagina 454.

PAGINA 61: *Silas ontvlucht het ouderlijk huis als hij zeven is, nadat zijn vader zijn moeder heeft gedood en Silas daarna zijn vader heeft doodgestoken. Op zijn achttiende komt hij in de gevangenis terecht en op zijn dertigste wordt hij bevrijd door een aardbeving. Aringarosa noemt hem 'Silas'. Volgens Dan Brown is hij de naam vergeten 'die zijn ouders hem hadden gegeven'.*

Het is moeilijk te geloven dat hij zijn naam echt vergeten is. Hoe heeft hij zichzelf dan drieëntwintig jaar lang genoemd? Hoe noemden de autoriteiten hem toen ze besloten dat hij te gevaarlijk was om in Marseille te blijven en toen hij gevangen werd genomen? Hoe hebben zijn cipiers hem twaalf jaar lang genoemd?

PAGINA 62: *Brown zegt dat Handelingen 16 gaat 'over een gevangene die Silas heette en die naakt en geslagen in zijn cel lag, hymnes zingend voor God'. Dan wordt hij door een aardbeving bevrijd. Toevallig is ook de albino door een aardbeving bevrijd, en daarom noemt de bisschop hem Silas. Naar welk verhaal verwijst dit?*

In Handelingen werden Paulus en Silas op grond van valse beschuldigingen gevangengenomen. Door de aardbeving werden alle gevangenen bevrijd, maar Paulus en Silas verlieten de gevangenis niet. Eerst bekeerden ze hun cipier tot het christendom en doopten hem, en daarna weigerden ze te vertrekken totdat hun aanklagers hun excuses kwamen maken en hen de gevangenis uit leidden.

PAGINA 64: *Sophie schrijft de reeks getallen op als 1-1-2-3-5-8-13-21, wat volgens haar de Fibonacci-reeks is, 'een van de beroemdste wiskundige reeksen die er bestaan'. Is dit helemaal accuraat?*

Nee. Wiskundigen zijn het erover eens dat ook 0 in de Fibonacci-reeks hoort, zodat die luidt: 0-1-1-2-3-5-8-13-21... Merk op dat een wiskundige reeks met drie puntjes aan het einde wordt geschreven om aan te geven dat de reeks oneindig lang is.

PAGINA 69: *Sophie vertelt Langdon over het 'GPS-zendertje'. Dat wordt beschreven als 'een metalen schijfje in de vorm van een knoop, ongeveer ter grootte van een horlogebatterijtje'. Sophie legt uit: 'Het geeft zijn locatie voortdurend door aan een satelliet van het Global Positioning System en die informatie wordt door de DCPJ uitgelezen... Het systeem is tot op een meter nauwkeurig, over de hele aardbol.' Bestaat zoiets?*

Ja, maar het is veel groter dan het zendertje dat Langdon in zijn zak heeft. Er zijn bijvoorbeeld zendertjes waarmee in het wild levende dieren worden gevolgd en die worden ingebouwd in tamelijk groot uitgevallen hondenhalsbanden (of halsbanden voor vogels of vissen). Ze bepalen hun positie met behulp van GPS en zenden een signaal naar satellieten. Dat zijn echter geen GPS-satellieten, maar Argos- of GlobalStar-satellieten. (GPS-satellieten ontvangen geen signalen van GPS-systemen.) Helaas kun je een Argos-satelliet niet continu gebruiken, aangezien die niet in een stationaire baan om de aarde draait, en dus regelmatig achter de horizon verdwijnt.

Er bestaan wel kleinere apparaatjes om iemand te volgen, maar die zenden hun positie niet uit naar satellieten. Dit zijn kleine radiozendertjes met een bereik van ongeveer vijfentwintig kilometer. Als je binnen die afstand blijft, kun je de drager ervan dag in dag uit, vierentwintig uur per dag volgen. De kleinste hiervan zijn nog altijd ongeveer tienmaal zo groot als het zogenaamde GPS-zendertje dat Dan Brown beschrijft.

Al dit soort apparaatjes hebben een antenne nodig, en er is een samenhang tussen de lengte van de antenne en het bereik. Dus zelfs als je een zendertje zo groot als een horlogebatterijtje kunt maken, heb je nog een antenne van vijf à tien centimeter nodig.

PAGINA 80: *Het herentoilet ligt aan 'het westelijke uiteinde van de Denonvleugel' van het Louvre. Sophie kijkt uit het raam en ziet: 'Hier ... liep de rijweg van de Place du Carrousel van noord naar zuid vlak langs het gebouw, alleen door een smal trottoir gescheiden van de buitenmuur van het Louvre. Ver onder hen stond de gebruikelijke nachtelijke karavaan bestelwagens te wachten tot het stoplicht op groen sprong...' Klopt de beschrijving van het uitzicht?*

Het herentoilet ligt niet aan het westelijke uiteinde van de Denon-vleugel en dit deel van het gebouw is niet toegankelijk voor het publiek, maar laten we ervan uitgaan dat dat wel het geval is. De Place du Carrousel grenst niet vlak aan het gebouw. Noch staan daar rijen vrachtwagens te wachten, want het is geen belangrijke doorgaande route.

PAGINA 81: *Sophie zegt dat de Amerikaanse ambassade 'hier maar anderhalve kilometer vandaan' is. Klopt dat?*

Zo'n beetje. De afstand is ongeveer 1250 meter, en je zou het gebouw vanuit het veronderstelde raam van het herentoilet moeten kunnen zien.

PAGINA 83-84: *Faches revolver is een Manurhin MR-93. Is dit het wapen dat de Franse politie gebruikt?*

Ja, dit is het wapen van de Franse politie. Het is een zeer robuuste revolver met een kenmerkend model.

PAGINA 86: *Brown schrijft: 'De afgelopen minuut was als in een droom voorbijgetrokken.' Dan beschrijft hij een reeks handelingen die ermee begint dat Sophie het GPS-zendertje uit het raam gooit. In de tussentijd rent Fache de hele Grande Galerie door. Is Fache een goede sprinter?*

Laat hem maar toetreden tot het Franse olympische team! Misschien loopt hij de vijftienhonderd meter wel in minder dan drieënhalve minuut!

PAGINA 86: *Sophie 'greep een groot stuk zeep'. Liggen er stukken zeep in de toiletten van het Louvre?*

Alle toiletten van het Louvre zijn voorzien van zeepdispensers en heteluchtdrogers.

PAGINA 87: *Brown zegt dat de truck met oplegger zich op nauwelijks drie me-*
ter van de muur van het gebouw bevindt (het westelijke uiteinde van de De-
non-vleugel van het Louvre). Hij steekt in zuidelijke richting de Seine over.
Door het GPS-zendertje in de laadbak van de vrachtwagen te gooien, maken
ze de Franse politie wijs dat Langdon uit het raam in de laadbak is gespron-
gen. Is dat waarschijnlijk?
Nee. Ten eerste liggen de toiletten van de Grande Galerie in het Louvre
niet tegen de achtermuur van het gebouw. Maar zelfs als we aannemen dat
hier een herentoilet is, ligt de Place du Carrousel nog meer dan vijftien
meter van de muur van het gebouw. Niemand kan hier uit het raam springen en op de rijweg neerkomen, zelfs niet op het dichtstbijzijnde stukje
ervan. Bovendien wordt er in Parijs rechts gereden, zodat het verkeer in
zuidelijke richting het verst van het Louvre verwijderd is, nog eens een
meter of zes verder. We betwijfelen of Fache ooit zou geloven dat Langdon op de vrachtwagen is gesprongen.

PAGINA 91: *Brown zegt dat een tarotspel tweeëntwintig kaarten van de Gro-*
te Arcana heeft, een kleursymbool heeft dat pentakels heet, en drie kaarten
die de Hogepriesteres, de Keizerin en de Ster heten. Is dit een juiste beschrij-
ving van een tarotspel?
Ja en nee. Voor iemand die geacht wordt belangstelling te hebben voor het
occulte ziet Brown hier een paar belangrijke aspecten over het hoofd. De
meeste tarotspellen bestaan uit achtenzeventig kaarten. Er zijn tweeëntwintig kaarten van de Grote Arcana en zesenvijftig van de Kleine Arcana. De Grote Arcana kunnen als troefkaarten worden beschouwd, maar
eigenlijk is er een onderverdeling in Grote Geheimen en Kleine Geheimen.

De vier kleuren zijn Staven, Bekers, Pentakels en Zwaarden. De kleur
Bekers, die Brown later in het boek noemt, verwijst duidelijk naar de miskelk.

Het volledige verhaal van de tarot, dat tot in het oneindige verfraaid kan
worden, moet tenminste verwijzen naar de vrijmetselarij, de gnostiek, de
vrouwelijke paus, de Heilige Graal en nog veel meer, maar niet altijd in de
onderlinge samenhang zoals die in *De Da Vinci Code* wordt beschreven.
De kaart uit de Grote Arcana die nu over het algemeen de Hogepriesteres
wordt genoemd, gaat terug op de legende van de vrouwelijke paus, ofwel
paus Johanna.

Volgens een wijdverbreide middeleeuwse legende is er een vrouw geweest, ene Johanna, die als man vermomd doordrong tot de hoogste geestelijkheid en uiteindelijk paus werd. Maar ze raakte zwanger van een andere geestelijke. Niet alleen slaagde ze er niet in dat te verbergen, ze beviel
zelfs op straat, waarna haar bedrog door een mensenmenigte werd door-

zien en ze in stukken werd gereten. En er bestaat een ander verhaal waarin sprake is van een Italiaanse vrouwelijke paus die in de Renaissance zou hebben geleefd.

Hoe dan ook, rond 1450 werd er door de beroemde familie Visconti opdracht gegeven tot de vervaardiging van verscheidene tarotspelen (*tarocchi*), waaronder één spel dat alom wordt beschouwd als een van de oudste die nog bestaan, het Visconti-Sforzaspel. Dit spel bevat een vroege versie van de Hogepriesteres of vrouwelijke paus.

PAGINA 92: *Brown gebruikt een college om over de gulden snede te praten. Hij prijst een student die het getal 1,618 herkent als phi. Is dit juist?*
In werkelijkheid staat Phi voor de gulden snede en phi voor de omgekeerde waarde.

Maar het verbaast ons dat een beroemde symboliekdeskundige als Robert Langdon de symbolen voor dit getallenpaar niet gebruikt, namelijk de Griekse hoofdletter Φ en de kleine letter ϕ. Er staan al zo veel symbolen in het boek, dat je zou denken dat deze er ook nog wel bij hadden gekund.

Het is waar dat het getal Phi kan worden afgeleid uit de Fibonacci-reeks, vaak wordt teruggevonden in de natuur, de wiskunde en de architectuur, en ook wel de goddelijke verhouding of de gulden snede wordt genoemd.

Phi is een irrationeel getal. Het heeft een oneindig aantal cijfers achter de komma. Als je het langer wilt hebben, moet je het preciezer uitrekenen. Phi met negen decimalen, bijvoorbeeld, is 1,618033988, en het is wel eens tot op duizenden decimalen nauwkeurig berekend.

PAGINA 93: *'Wacht even,' zei een jonge vrouw op de eerste rij. 'Ik studeer biologie en ik ben die goddelijke verhouding in de natuur nog nooit tegengekomen.'*

'Nee?' Langdon grijnsde. 'Heb je de verhouding tussen het aantal vrouwtjes en mannetjes in een kolonie honingbijen weleens bestudeerd?'

'Jawel. Er zijn altijd meer vrouwtjesbijen dan mannetjes.'

'Precies. En wist je dat je, als je bij elke willekeurige bijenkorf ter wereld het aantal vrouwtjesbijen door het aantal mannetjesbijen deelt, altijd dezelfde uitkomst krijgt?'

'O, ja?'

'Ja. Phi.'

Honing is vloeibaar goud, maar volgen de bijen de gulden snede?
Brown is hier aan het broddelen. De bevolking van een bijenkorf verandert met de seizoenen, en de seizoenen lopen niet overal ter wereld parallel, dus er is nooit een ogenblik waarop in alle bijenkorven ter wereld

de verhouding tussen mannetjesbijen en vrouwtjesbijen hetzelfde is. Slecht nieuws voor de jongens: in de herfst worden bijna alle darren (mannetjes) uit de bijenkorf verdreven om te sterven, zodat de mannelijke bevolking dan de nul procent nadert.

In het voorjaar en de zomer zijn er wel darren. Maar bijendeskundigen hebben tellingen uitgevoerd van de bevolking van bijenkorven en komen met hun verhoudingen in de verste verte niet in de buurt van de gulden snede uit. In een gemiddelde actieve bijenkorf bevinden zich bijvoorbeeld één koningin, driehonderd tot duizend darren en vijftigduizend werksters (vrouwtjes). Als je doet wat Langdon zegt en het aantal vrouwtjes (vijftigduizend) deelt door het aantal mannetjes (we gaan uit van duizend), is de uitkomst vijftig. En geen 1,618.

PAGINA 97: *Brown zegt: 'De Romeinen noemden de studie naar anagrammen zelfs* ars magna, *"de grote kunst"'.*
Spraken de Romeinen Engels? *Ars magna* is een anagram van het Engelse meervoud *anagrams*! Het Latijnse woord voor anagram is *anagrammat* of *anagramma*, en het is afgeleid van oudere Griekse woorden.

PAGINA 98: *Saunière heeft het Engelse woord* planets *een keer opgeschreven en 'Sophie verteld dat het verbazingwekkend genoeg mogelijk was met diezelfde letters tweeënnegentig ándere Engelse woorden van verschillende lengte te maken'. Is dat waar?*
Het verbazingwekkendste is dat Saunière geen groter getal heeft genoemd. Wij kunnen al 101 woorden bedenken, en zo slim zijn we niet.

PAGINA 105: *Brown zegt: 'Tot op de dag van vandaag wordt dit essentiële navigatiehulpmiddel de windroos genoemd, en de noordelijke richting wordt nog altijd aangegeven door een pijlpunt, of, gebruikelijker, door het symbool van de Franse lelie.' Klopt dit?*
Misschien heb je wel eens een film gezien waarin de windroos boven aan de schatkaart wordt bekroond met een grote Franse lelie. Je zou wel willen geloven dat dat op moderne kaarten ook nog zo was, maar dat is niet zo. Het is moeilijk te zeggen welke kompasroos tegenwoordig wereldwijd het meest wordt gebruikt, maar we kunnen wel iets zeggen over de Amerikaanse standaardkaarten voor de lucht- en scheepvaart. Die hebben geen Franse lelie.

De luchtvaartkaarten hebben een eenvoudige pijl om het noorden aan te geven, en de bovenkant van de kaart komt overeen met het magnetische noorden. De zeekaarten hebben een duidelijke markering van het ware noorden op de buitenring en een kleinere, eenvoudige pijl voor het magnetische noorden op de binnenring. En wat is die markering van het ware noorden dan? Een vijfpuntige ster, vreemd genoeg. Zeelieden herkennen in dat symbool onmiddellijk de poolster, Polaris.

Aangezien de meeste mensen geen kompas gebruiken als ze hun weg zoeken met behulp van wegenkaarten, waarschijnlijk de meest voorkomende kaarten, hebben die geen kompasrozen. Meestal hebben ze alleen een pijl om het noorden aan te geven. Oude kaarten, vooral als ze zijn getekend door de meestercartografen, de Portugezen, hebben meestal wel een Franse lelie om het noorden aan te geven. Het is interessant dat ze vaak ook een kruis hebben, over het algemeen een Maltezer kruis, om het oosten aan te geven. Dat is omdat het oosten gezien werd als de richting waarin Jeruzalem lag. Hier heeft Dan Brown dus een kans laten liggen om iets te vertellen over nog weer een andere toepassing van het tempelierssymbool.

PAGINA 105: *Brown zegt: 'Voordat was bepaald dat de nulmeridiaan door Greenwich zou lopen, had die lange tijd door Parijs gelopen, door de Saint-Sulpice. De koperen strook in de Saint-Sulpice herinnerde aan de eerste nulmeridiaan die de wereld had gekend, en hoewel Greenwich in 1888 met de eer was gaan strijken, was de oorspronkelijke* rose ligne *nog steeds te zien.'*
De eerste nulmeridiaan die de wereld heeft gekend, liep niet door Parijs. Brown zit er ongeveer veertienhonderd jaar naast. De vroegst bekende poging om een nulmeridiaan in te stellen stamt uit de tweede eeuw voor Christus, toen Hipparchus van Rhodos voorstelde alle afstanden te meten vanaf een meridiaan die door het eiland Rhodos liep, dat voor de zuidkust van Turkije ligt. Een serieuzere poging werd echter door de Griek Ptolemaeus gedaan tussen 127 en 141 na Christus in zijn geschriften uit die tijd. Zijn nulmeridiaan liep door de Canarische Eilanden. De werken van Ptolemaeus, die rond 1470 weer in herinnering werden geroepen door de Duitse benedictijner monnik Nicholas Germanus, hebben veel invloed gehad en vormden een inspiratiebron voor Columbus.

Naarmate allerlei landen zich als gevolg van ontdekkingsreizen over de hele wereld gebieden toeëigenden, probeerden ze vaak eigen nulmeridianen in te stellen. Er volgden honderden jaren van verwarring op dit punt, maar uiteindelijk ontwikkelde Engeland zich tot wereldleider op het gebied van cartografie en navigatie. En als je de beste kaarten maakte, mocht jij bepalen waar de nulmeridiaan liep, daar kwam het eigenlijk op neer.

In 1884 kwam er een eind aan de rommelige situatie, toen de Amerikaanse president Chester A. Arthur in Washington een conferentie belegde om een internationale overeenkomst te bereiken over de nulmeridiaan ·
en een universele dag van vierentwintig uur. In die tijd werden schepen

die op zee hun positie probeerden te bepalen geconfronteerd met in totaal elf nationale nulmeridianen: die van Greenwich, Parijs, Berlijn, Cadiz, Kopenhagen, Lissabon, Rio de Janeiro, Rome, St. Petersburg, Stockholm en Tokio. Maar inmiddels werd die van Greenwich door 72 procent van de handelsscheepvaart erkend en gebruikte slechts 8 procent die van Parijs.

De vijfentwintig landen stemden met tweeëntwintig voor en één tegen voor Greenwich. Brazilië en – u raadt het al – Frankrijk onthielden zich van stemming. Frankrijk heeft voor het bepalen van de tijd tot 1911 vastgehouden aan de Parijse nulmeridiaan, en voor navigatiedoeleinden tot 1914.

PAGINA 117: *Professor Langdon noemt de kunstenaar 'Da Vinci'. Is dat correct?*
Nee. Dat is iedere kunstkenner een gruwel. Hij heette Leonardo di ser Piero en kwam uit de plaats Vinci, dus was hij Leonardo di ser Piero da Vinci (uit Vinci). In de kunstwereld wordt zijn naam bekort tot Leonardo.

PAGINA 118: *De samensmelting van mannelijkheid en vrouwelijkheid die Leonardo in de* Mona Lisa *heeft verstopt, wordt door professor Langdon zichtbaar gemaakt door de letters van de naam te herschikken tot* Amon L'Isa, *een vermeende androgyne versmelting. Kan Leonardo dit zelf in gedachten hebben gehad?*
Het uitgangspunt hiervoor is dat het schilderij *Mona Lisa* heet. Maar aangezien Leonardo het nooit *Mona Lisa* heeft genoemd, is het een absurde gedachte. Tijdens Leonardo's leven had het schilderij geen titel. Het werd aangeduid met verschillende namen, waaronder 'een courtisane met voile'.

PAGINA 119: *Brown zegt: 'Eerst zag Langdon niets. Maar toen hij naast haar neerhukte, zag hij een piepklein druppeltje opgedroogde vloeistof oplichten. Inkt? Plotseling herinnerde hij zich waar ultraviolette lampen eigenlijk voor werden gebruikt. Bloed.' Is dit plausibel?*
Dan Brown heeft niet goed opgelet toen hij naar *Crime Scene Investigation* keek. Zonder hulp van chemicaliën licht bloed niet op onder ultraviolet licht. Als je luminol gebruikt (favoriet in CSI), heb je geen speciale lamp nodig, alleen een donkere ruimte. Dat komt doordat het reagens chemiluminescentie veroorzaakt en zelf enigszins spookachtig opgloeit.

Als je fluoresceïne gebruikt (een beter alternatief bij zwakke, nauwelijks zichtbare sporen van bloed), heb je wel een ultraviolette lamp nodig. Maar eerst moet je het te onderzoeken gebied met een zojuist gemaakte fluoresceïneoplossing besproeien, en daarna met een oplossing van water-stofperoxide. Sophie had de tijd en de materialen niet om dat te doen.

PAGINA 121: *De boodschap die op het plexiglas voor de* Mona Lisa *is gekrabbeld, luidt:* 'So dark the con of man'. *Langdon ziet dit als een volmaakte weergave van de fundamentele opvatting van de Priorij van Sion dat de machtige mannen van de vroege christelijke Kerk de wereld met hun leugens hebben bezwendeld.*
Langdon zou als classicus niet zo snel de conclusie moeten trekken dat *con* hier de betekenis heeft die tot uitdrukking komt in *confidence game* (oplichterij) of *confidence man* (oplichter). In die zin wordt het woord nog maar vrij kort, pas sinds ongeveer 1886, gebruikt. In de tijd van Shakespeare betekende *con* 'weten of leren' of 'uit het hoofd leren'. Voor een geleerde als Langdon zou de meest waarschijnlijke betekenis van de zin zijn: 'Zo duister de kennis van de mens.'

PAGINA 125-126: *Dan Brown laat Silas in de bijbel op het altaar van de Saint-Sulpice Job 38:11 opzoeken. 'Toen hij vers elf had gevonden, las Silas de tekst. Het waren maar vijf woorden. Van zijn stuk gebracht las hij ze nog eens, met het gevoel dat er iets helemaal verkeerd was gegaan. Het vers luidde: "Tot hier en niet verder."'*
Het vers bestaat uit meer dan vijf woorden. De Willibrordvertaling geeft de volgende twaalf woorden als het hele vers 11: 'en zei: "Tot hier en niet verder, hier breken uw trotse golven."'

PAGINA 127-128: *Sophie vindt een sleutel achter het schilderij* Madonna in de grot *van Leonardo. Browns beschrijving: 'Het meesterwerk dat ze bekeek, was een doek van anderhalve meter hoog.' Later schrijft hij dat Sophie 'het grote schilderij van de kabels had getild en op de vloer voor haar had gezet. Doordat het anderhalve meter hoog was, ging bijna haar hele lichaam verborgen achter het doek.... Het doek begon in het midden op te bollen ... De vrouw duwde van achteren haar knie midden in het doek!'*
Dit schilderij is geen anderhalve meter hoog. Zonder de lijst is het ongeveer twee meter hoog. En het is ook nog eens een meter twintig breed. Sophie had een reus moeten zijn om erbovenuit te steken, en ze moet ongelooflijk sterk zijn om het van de muur te trekken en neer te zetten zonder het te ruïneren.

PAGINA 144: *Dan Brown zegt: 'In* Architectural Digest *was het gebouw van het Opus Dei "een lichtend baken van katholicisme, subliem geïntegreerd in het moderne landschap" genoemd.' Klopt dit citaat?*

We hebben de redactie van Architectural Digest geraadpleegd. Daar liet men ons kort en bondig weten: 'Architectural Digest heeft nooit over het hoofdkantoor van het Opus Dei geschreven.'

PAGINA 150: *Nadat ze bij het station zijn weggereden, ontdekken ze dat het adres op de sleutel Rue Haxot 24 is. De taxichauffeur vertelt Sophie dat de Rue Haxot 'in de buurt van het tennisstadion [Roland Garros] aan de westrand van Parijs' ligt. ... 'De snelste route is door het Bois de Boulogne,' zegt de chauffeur.*

De taxichauffeur heeft een betere kaart nodig. Je hoeft niet door het Bois de Boulogne te zigzaggen om bij het tennisstadion te komen. Er is een snelle rondweg met een beperkt aantal opritten, de Boulevard Périphérique, waarover je er zo heen rijdt. Anderzijds kiezen taxichauffeurs wel vaker een omweg om wat extra te verdienen.

In de oorspronkelijke editie is de straatnaam overigens Rue Haxo. In Parijs bestaat daadwerkelijk zo'n straat, maar ver oostelijk van het centrum. Analoog aan de Franse editie is – met toestemming van de auteur – de straatnaam in de Nederlandse editie gewijzigd. Gekozen is voor een minimale correctie: Rue Haxot.

PAGINA 152: *Dan Brown zegt dat het Bois de Boulogne door de kenners van Parijs 'de tuin der lusten' wordt genoemd, vanwege de 'honderden glanzende lichamen die tegen betaling verkrijgbaar waren, aardse genoegens om ieders diepste, geheime lusten te bevredigen; mannelijk, vrouwelijk en alles ertussenin'.*

Onze Franse vrienden noemen het park niet 'de tuin der lusten'. Misschien is dat een excuus voor Brown om Jeroen Bosch en zijn schilderij met die naam ter sprake te brengen. Het klopt echter wel dat het 's nachts in het park wemelt van de travestieten en mannen en vrouwen die zich prostitueren.

PAGINA 155: *Langdon beschrijft een complot tussen paus Clemens v en de Franse koning Filips de Schone om de tempeliers gevangen te nemen en te executeren. De manoeuvre zou bij zonsopgang op vrijdag 13 oktober 1307 beginnen. Dit zou de oorsprong zijn van het hedendaagse bijgeloof dat vrijdag de dertiende een ongeluksdag is.*

Dit is slechts een van de mogelijke verklaringen voor het bijgeloof rond vrijdag de dertiende.

PAGINA 161: *Bisschop Aringarosa vraagt Silas: 'Wist je niet dat Noach een albino was?' Is het waarschijnlijk dat een bisschop dit zegt?*
In de bijbel staat niet dat Noach een albino was, maar het Boek Henoch, een van de apocriefe boeken die uit de bijbel zijn weggelaten, geeft deze beschrijving van de geboorte van Noach:

> 'Mijn zoon Lamech heeft een zoon gekregen wiens gelijke er niet is, en zijn aard is niet de aard van de mens, en zijn lichaam is witter dan sneeuw en roder dan de bloem van een roos, en het haar op zijn hoofd is witter dan witte wol, en zijn ogen zijn als de stralen van de zon, en hij opende zijn ogen en daarop lichtte het hele huis op.'

Maar dit fragment is eigenlijk een soort aanhangsel van het Boek Henoch. En het is hoe dan ook onwaarschijnlijk dat een orthodoxe supernumerair van het Opus Dei zoals Aringarosa heilige geschriften van het alternatieve kamp onderschrijft.

PAGINA 164: *Leonardo's beroemde* Aanbidding der Wijzen *is door de meester zelf getekend, maar overgeschilderd door een oplichter, die veranderingen heeft aangebracht in het ontwerp. Dat is met behulp van röntgenstraling en infrarood licht onthuld. De Italiaanse kunstonderzoeker Maurizio Seracini heeft de geheimen van het doek ontdekt en het verhaal is in het* New York Times Magazine *gepubliceerd.*
Dat is allemaal waar. Seracini is een bestaande, vermaarde onderzoeker van kunst. Het artikel is geschreven door Melinda Henneberger en op 21 april 2002 verschenen. Melinda Henneberger is bezig een boek te schrijven over Seracini's speurtocht naar een verdwenen fresco van Leonardo, *De Slag bij Anghiari.*

PAGINA 166: *Het kruis van neon op de gevel van de Depositobank van Zürich herinnert Langdon eraan dat dat gelijkarmige kruis ook op de Zwitserse vlag staat.*
Niet alleen is het kruis gelijkarmig, maar de officiële vlag van Zwitserland is ook nog eens volkomen vierkant en niet gewoon rechthoekig, waardoor de symmetrie extra wordt benadrukt.

PAGINA 170: *Bestaat de Depositobank van Zürich echt?*
Als je met Google zoekt, vind je een website die er een halve seconde overtuigend uitziet. Dan ontdek je dat het een van de nepsites is van Dan Brown-uitgeverij Random House. Het is een leuke site om te bezoeken, met allerlei grapjes voor ingewijden die het boek hebben gelezen. Zoek

ook eens met Google naar Robert Langdon, dan kun je nog zo'n amusante valse site vinden.

PAGINA 178: *Vernet vertelt Sophie dat ze haar tiencijferige rekeningnummer moet weten. 'Tien cijfers. Sophie berekende met tegenzin het aantal mogelijke combinaties. Tien miljard. Zelfs als ze de krachtigste parallelle computers van de DCPJ kon gebruiken, zou ze weken nodig hebben om de juiste combinatie te vinden.'*

Er zijn een paar dingen mis met Sophies redenering. Ten eerste is het helemaal niet moeilijk om een computer alle tien miljard mogelijkheden te laten doorlopen, en elke hedendaagse computer kan dat in een paar minuten. Daar heb je geen parallelle of zeer krachtige computers voor nodig. Toegegeven, als je alle mogelijke combinaties per se wilt printen, zit je wel een tijdje te wachten naast je laserprinter en kost het je handenvol geld aan papier en toner.

Maar er worden allang geen professionele beveiligingssystemen meer gemaakt die de gebruiker tot in het oneindige laten proberen de code te raden. Bij sommige systemen wordt ervan uitgegaan dat mensen zich wel eens in een toets vergissen en mogen gebruikers het driemaal proberen, maar de Depositobank van Zürich is strenger: je krijgt maar één kans, zoals Sophie op pagina 182 ontdekt.

PAGINA 194: *Sophie denkt na over de cryptex: 'Als iemand probeerde de cryptex open te breken, zou het buisje breken en de papyrus zou razendsnel oplossen in de azijn. Tegen de tijd dat iemand de geheime boodschap uit het compartiment kon trekken, zou die alleen nog maar een klodder brij zonder betekenis zijn.'*

Dit vinden we niet geloofwaardig. Papyrus wordt gemaakt van dunne, smalle stroken, gesneden uit de stengel van de papyrusplant en in lagen verlijmd met een meelpapje waaraan een scheutje azijn wordt toegevoegd. De vezels bestaan voor het grootste deel uit cellulose, een zeer duurzaam materiaal dat niet onmiddellijk oplost in azijn. Als ons werd verteld dat de boodschap op de papyrusrol met inkt is geschreven die oplost in azijn, zouden we dat veel eerder geloven. Bedenk dat er in de cryptex waarschijnlijk papyrus zit die tijdens het leven van Saunière is gemaakt, en niet vijfhonderd jaar geleden.

PAGINA 195: *De cryptex heeft vijf schijven, elk met zesentwintig letters. Sophie slaat aan het rekenen: '... zesentwintig tot de macht vijf combinaties... Ongeveer twaalf miljoen'.*

Ja, 11.881.376, om precies te zijn.

PAGINA 208: *Langdon begint over het landgoed van Teabing, dat volgens hem 'vlak bij Versailles' ligt. Later (p. 212) beschrijft Dan Brown het als volgt: 'Het uitgestrekte landgoed van Château Villette, vijfenzeventig hectare groot, lag op vijfentwintig minuten rijden ten noordwesten van Parijs... Het landgoed had de bijnaam* La Petite Versailles.' *Bestaat Château Villette echt en ligt het vlak bij Versailles?*

Het echte Château Villette is te huur voor iedere toerist die zesduizend euro per nacht kan neertellen, en is al een tijdje op internet te vinden als een soort vakantiehuis. In de wervende tekst van het Californische verhuurbureau staat dat Villette 'vlak bij Versailles, ten noordwesten van Parijs' ligt. De geschiedenis van het huis, zoals die in *De Da Vinci Code* wordt verteld, komt overeen met de informatie op de site van het verhuurbureau, inclusief het feit dat Le Nôtre (ontwerper van veel tuinen van Versailles) en Mansart in de zeventiende eeuw bij het ontwerp betrokken zijn geweest. Het is ontegenzeglijk een fraai, historisch landhuis. Wij zouden echter niet zeggen dat het vlak bij Versailles ligt, behalve in makelaarsjargon. Versailles ligt ongeveer vijftien kilometer ten westen van het centrum van Parijs en vijf kilometer ten zuiden daarvan. Villette ligt ruim dertig kilometer ten westen van Parijs en vijftien kilometer ten noorden ervan. Het is ongeveer dertig kilometer rijden van Versailles naar Villette. Omdat de snelweg in de buurt van beide locaties ligt, is het echter geen lange rit.

PAGINA 215: *Vernet belt de bankmanager die die nacht dienst heeft en zegt hem dat hij de 'noodtransponder' van de gepantserde vrachtwagen moet inschakelen. De manager kijkt naar het bedieningspaneel van het LoJack-systeem en waarschuwt Vernet dat het systeem ook de politie op de hoogte zal stellen. Vernet geeft hem opdracht het toch in te schakelen en blijft aan de lijn om te horen waar de vrachtwagen zich bevindt. Werkt LoJack inderdaad zo?*

Niet helemaal. In Frankrijk heet LoJack Traqueur. Je moet de politie bellen om het zendertje in het voertuig in te schakelen. Als dat is gebeurd, kan de politie vanuit haar auto's en helikopters opsporingsapparatuur gebruiken waarmee ze het voertuig kan vinden. Je krijgt niet onmiddellijk bericht van de locatie, tenzij de politie meteen in actie komt en haar opsporingsmogelijkheden coördineert. Dat kan net zo goed uren duren. (Als je direct resultaat wilt, heb je een systeem nodig dat zijn eigen GPS-coördinaten meldt, zoals het 'GPS-zendertje' op pagina 69 van DVC.)

Traqueur heeft wel een paar pluspunten. Ten eerste heeft het een hoge dekkingsgraad in Frankrijk. Met meer dan drieëntwintigduizend politiewagens en tweeënveertig helikopters wordt zo ongeveer het hele land be-

streken (veel vollediger dan in de Verenigde Staten het geval is). Ten tweede kan de politie dankzij het onopvallende, gecodeerde signaal in stilte
voorbereidingen treffen voor een arrestatie, wat moeilijker zou zijn als het
signaal door iedereen te decoderen was.

PAGINA 218: *Gargouilles! Sophie herinnert zich hoe Saunière haar als kind
tijdens een regenbui meenam naar de Notre-Dame. De regen spuiende gargouilles maakten een gorgelend geluid. '"Ze górgelen," zei haar opa. "Gar-
gariser! Zo komen ze aan die rare naam, 'gargouilles'."'*
Een mooi verhaal om een kind mee te vermaken, maar niet waar. *Garga-
riser* is modern Frans voor 'gorgelen'. Het woord gargouille betekent in het
Oud-Frans 'keel'. Maar de geschiedenis van het woord is veel interessanter! Volgens de overlevering rees er in de zevende eeuw een draak op uit
de Seine. In plaats van vuur spuwde hij water. Hij heette Gargouille, of
Keel. Hij zette de plaatsjes rond Parijs onder water totdat St. Romain, de
aartsbisschop van Rouen, het tegen hem opnam. Die temde hem door zijn
twee wijsvingers over elkaar te leggen en zo een kruis te maken. Keel liet
zich gedwee meevoeren naar Parijs, waar hij werd gedood en verbrand,
maar pas nadat zijn kop van zijn lijf was gesneden en op een gebouw was
gezet.

Zowel oude als nieuwe gebouwen hebben vaak angstaanjagende wezens
als versiering. Strikt genomen worden alleen de wezens die deel uitmaken
van het afwateringssysteem gargouilles genoemd. Alle andere wezens heten grotesken.

PAGINA 218: *Sophie zegt dat ze 'aan Royal Holloway gestudeerd' heeft. Kun
je daar cryptologie studeren?*
Ja, Royal Holloway maakt deel uit van de University of London en heeft
studieprogramma's in wiskunde en informatica die in hoog aanzien staan.
Het instituut verzorgt onderwijs op doctoraal en post-doctoraal niveau en
biedt onderdak aan de Information Security Group, een groep academici
die gespecialiseerd is op het gebied van de cryptologie.

PAGINA 224: *Sophie zegt: '"Wacht eventjes. Wilt u zeggen dat de goddelijkheid van Jezus het resultaat van een stémming was?" "En wel een met een
tamelijk kleine meerderheid," vervolgde Teabing.'*
Duizend bommen en granaten! Eens zien hoe de het hooggerechtshof
hierover oordeelt! De uitslag van de stemming was 316 tegen 2. Vindt
Teabing dat een kleine meerderheid?

PAGINA 225: *'Doordat Constantijn de status van Jezus pas bijna vier eeuwen ná Zijn dood opwaardeerde, bestonden er al duizenden documenten ...' zegt Teabing als hij het over het Concilie van Nicea heeft.*
Opnieuw slordig rekenwerk: als Jezus omstreeks 30 na Christus is gestorven en het Concilie van Nicea kwam in 325 na Christus bijeen, hoeveel eeuwen zijn er dan inmiddels verstreken? Wij houden het op ongeveer drie eeuwen, geen vier.

PAGINA 226: *Dan Brown zegt: 'In de jaren vijftig van de vorige eeuw zijn in een grot in de buurt van Qumran in de woestijn van Judea de Dode-Zeerollen gevonden.'*
Het was in 1947. Een paar herders van een bedoeïenenvolk waren op zoek naar een verdwaalde geit en vonden in een grot kruiken met oude perkamentrollen erin. In eerste instantie kwamen er zeven geschriften tevoorschijn, maar in het daaropvolgende decennium zijn er nog duizenden fragmenten van perkamentrollen gevonden.

PAGINA 237: *Sophie herinnert zich dat 'de Franse regering onder druk was gezet door priesters en ermee had ingestemd een Amerikaanse film te verbieden. Hij heette* The Last Temptation of Christ...'
De Franse regering heeft de film niet verboden. De film uit 1988, geregisseerd door Martin Scorsese, was gebaseerd op een boek uit 1955 van Nikos Kazantzakis, die ook *Zorba de Griek* heeft geschreven. Het klopt dat Jezus (Willem Dafoe) in de film Maria Magdalena (Barbara Hershey) begeert.

Toen het boek uitkwam, leidde dat tot protesten. Het werd in sommige landen verboden (met name in het Vaticaan), maar niet in Frankrijk. De Grieks-orthodoxe Kerk excommuniceerde Kazantzakis, die daar in naam lid van was. Toen Scorseses film ging draaien, werd er vrijwel overal geprotesteerd, onder andere met een brandbom in een bioscoop in Parijs en aanslagen op bioscopen elders in Frankrijk. Over de hele wereld waren er gewelddadige acties. In de Verenigde Staten reed een man een bus door de gevel de foyer van een bioscoop in. Minstens twee regeringen verboden de film – in Chili en Israël – maar de Franse niet.

Overigens, als het Saunières bedoeling is niet op te vallen, waarom schrijft hij dan zo'n ingezonden brief? En als Sophie tweeëndertig is in de tijd dat het boek speelt, moet ze omstreeks 1969 of 1970 geboren zijn. Waarom praat ze dan in het gesprek met haar grootvader op pagina 237 met kinderlijke naïviteit over een film uit 1988 en vraagt ze zich af of Jezus een vriendinnetje had?

PAGINA 241: *'Er stond een gehuurd turboprop-vliegtuig op Aringarosa te wachten' op het Ciampino-vliegveld. Maar op pagina 261 zit hij in een 'gehuurde Beechcraft Baron 58'.*

De Beechcraft Baron 58 is geen turboprop-vliegtuig. Hij heeft zuigermotoren en loopt op benzine. Een turboprop-toestel heeft turbinemotoren die propellers aandrijven en loopt op kerosine.

PAGINA 261: *De politie vindt de Audi van Silas. 'Aan de nummerborden was te zien dat het een huurauto was. Collet voelde aan de motorkap. Die was nog warm. Heet, zelfs.' Wat zijn dat voor nummerborden?*

Er zijn geen speciale nummerborden voor huurauto's, maar er is een codeersysteem waar informatie aan is af te lezen die bijvoorbeeld dieven soms kunnen gebruiken. De laatste twee cijfers van een Franse nummerplaat geven het departement aan. De belastingen verschillen van departement tot departement, en doordat verhuurbedrijven hun auto's in de departementen met de laagste belasting registreerden, waren ze herkenbaar aan de nummerplaten die eindigden op tweeënnegentig, eenenvijftig of zesentwintig. Dit gebruik is geleidelijk verdwenen, maar ingewijden kunnen nog steeds in één oogopslag aan een nummerbord zien of de auto uit de streek komt of niet.

PAGINA 268: *Op pagina 212 bracht Langdon de gepantserde vrachtwagen tot stilstand aan de voet van de anderhalve kilometer lange oprijlaan. Hier, op pagina 268, 'barstte er onder aan de heuvel een kakofonie van sirenes en een kermis van zwaailichten los, die over de kronkelige, achthonderd meter lange oprijlaan naar boven kwamen'.*

Leigh Teabing heeft een lange oprijlaan. Maar is hij nou anderhalve kilometer of achthonderd meter lang?

PAGINA 268: *Hier lezen we: 'Collet en zijn agenten stormden met getrokken wapens de voordeur van sir Leigh Teabings landhuis binnen... Ze vonden een kogelgat in de vloer van de zitkamer, sporen van een worsteling...' Maar een stuk verderop, op pagina 283, vernemen we dat Collet blij was 'dat het sporenonderzoek een kogelgat in de vloer had opgeleverd, want dat bevestigde Collets bewering dat er een schot was gelost'.*

Goh, je zou denken dat Collet de technische recherche wel verteld zou hebben dat hij een kogelgat had gevonden, maar misschien wilde hij dat ze het op eigen houtje zouden ontdekken.

PAGINA 280: *'De twee Garrett* TFE-731*-motoren van de Hawker 731 bulderden...'*

We begrijpen wat voor vliegtuig Dan Brown hier bedoelt, maar vrijwel niemand zou dat een 'Hawker 731' noemen. Het is een Hawker-Siddeley HS-125 met Garrett 731-straalmotoren, bijvoorbeeld het model HS-125-400-731. Dit type toestel werd oorspronkelijk gebouwd door De Havilland, daarna door British Aerospace, en valt nu onder Raytheon.

PAGINA 287: *Dan Brown vertelt dat Bill Gates op een veiling 30,8 miljoen dollar heeft betaald voor 'achttien vellen papier', het restant van Leonardo's notitieboeken dat bekendstaat als de* Codex Leicester.

De achttien vellen zijn tweezijdig beschreven en dubbelgevouwen, zodat ze een boekje van tweeënzeventig bladzijden vormen. De vermogende Armand Hammer had de codex in 1980 voor 5,2 miljoen dollar gekocht en de naam *Hammer Codex* gegeven, maar Gates heeft hem weer de vroegere naam gegeven, *Codex Leicester*. Hij is ondergebracht in het Seattle Art Museum, maar is al de hele wereld rond geweest. Ook is er een interactieve cd van gemaakt.

PAGINA 315: *'De motoren van de Hawker bulderden nog, want het vliegtuig voltooide net zijn gebruikelijke draai in de hangar, zodat het met de neus naar de deur stond en later weer gemakkelijk kon vertrekken. Toen het toestel honderdtachtig graden was gedraaid en langzaam naar de voorkant van de hangar reed...'*

Geen enkele piloot van een straalvliegtuig zou een dergelijke manoeuvre uitvoeren. Piloten rijden niet met hun toestel door de hangar. De stuwstraal uit de motoren zou van elk voorwerp dat niet vastgeschroefd zat een levensgevaarlijk projectiel maken en de wanden van de hangar zouden waarschijnlijk door de stuwkracht worden weggeblazen. Een piloot van Biggin Hill vertelde ons dat dit een vergrijp was waarvoor je de laan uit kon vliegen.

PAGINA 326: *Teabing en zijn gezelschap komen aan bij de Tempelkerk. 'Het ruwe gesteente glinsterde in de regen...' Een paar minuten later, als ze binnen zijn: 'Teabing wees naar een glas-in-loodraam waarin de rijzende zon door een in het wit geklede ridder op een roze paard scheen.'*

We vermoeden dat dit de enige zonnestralen op een overigens bewolkte, regenachtige ochtend zijn geweest. In de hele verdere beschrijving van die ochtend in Londen regent het, soms zelfs hard.

PAGINA 326: *De Tempelkerk 'was uiteindelijk in 1940 zwaar beschadigd door brandbommen van de Luftwaffe', volgens Dan Brown.*
De brandbommen zijn in werkelijkheid in de nacht van 10 mei 1941 gevallen.

PAGINA 330: *Op pagina 321 heeft Teabing het over 'tien van de meest angstaanjagende graven die je ooit zult zien'. Hier, op pagina 330, zijn ze in de Tempelkerk en ziet Langdon: 'Tien stenen ridders. Vijf links en vijf rechts. De gebeeldhouwde, levensgrote gestalten lagen in vredige poses op hun rug op de vloer. De ridders waren weergegeven in hun volledige wapenrusting, met schilden en zwaarden,... Alle gestalten waren zeer verweerd, maar toch waren ze allemaal duidelijk anders...'*
Maar ze zijn allemaal verrast als ze zien dat er een ridder ontbreekt.
Er ontbreekt geen ridder. Er zijn gewoon maar negen gebeeldhouwde ridders. Dat zou geen verrassing moeten zijn voor iemand die de Tempelkerk kent.

Een van de belangrijkste oorzaken van de verweerde aanblik van de ridders is de schade die door vallend puin is veroorzaakt tijdens het Duitse bombardement op 10 mei 1941. Eerst is het dak van de Ronde Kerk in brand gevlogen, later al het houtwerk in de hele kerk.

PAGINA 341: *Het pistool van Rémy is 'een Medusa, een klein kaliber J-vormige revolver'. Wat is dat?*
Kennelijk zijn hier twee wapens door elkaar gehaald. De J-vorm wordt meestal geassocieerd met een serie revolvers van Smith & Wesson met een korte loop, zoals Model 60, een .357 met vijf patronen.

De Medusa is een heel bijzonder wapen van Phillips & Rodgers dat niet beperkt is tot het gebruik van één kaliber munitie. Er kan een heel scala aan patronen van ongeveer gelijk kaliber, zoals .357, 9 mm en .38, in worden gebruikt. Het is een kleine revolver met zes patronen. Het interessante is dat de revolver op verzoek van forensisch wetenschappers negen trekken en velden in de loop heeft gekregen, zoals een geweer, waarmee hij waarschijnlijk uniek is onder de handvuurwapens.

PAGINA 345: *Op de hooizolder van Château Villette is een afluisterpost ingericht die volgens de Franse politie 'zeer geavanceerd' is. '...net zo geperfectioneerd als onze eigen apparatuur. Piepkleine microfoontjes, door licht oplaadbare accu's en geheugenchips met een grote capaciteit. Hij heeft zelfs een paar van die nieuwe nanocomponenten'. Ze ontdekken een radio-ontvanger en zijn het erover eens dat het afluisterapparaatje 'door stemgeluid werd ingeschakeld om ruimte op de harddisk te besparen en in de loop van de dag gesprekken opnam, die 's nachts als gecomprimeerde audiobestanden werden overgeseind om de kans op ontdekking te verkleinen. Nadat het materiaal verzonden was, wiste de harddisk zichzelf en was hij weer klaar om de volgende dag hetzelfde te doen'. Collet kijkt naar een plank 'waar honderden audiocassettes op lagen, allemaal voorzien van een datum en een nummer'. Wat klopt er niet aan deze voorstelling van zaken?*

Snel! Pluk een jochie van tien van de straat en vraag hem of het zinnig is om mp3-bestanden op audiocassettes te bewaren! (Eerlijkheidshalve moet je het joch eerst uitleggen wat een cassettebandje was en hoe een cassettedeck eruitzag!)

Voor degenen die geen kind bij de hand hebben: de gecomprimeerde audiobestanden kunnen op de computer worden afgespeeld en worden opgeslagen op de harddisk van de computer, of worden overgezet op een cd of dvd om te bewaren. Het zou zeer tijdrovend en overbodig zijn ze op cassettebandjes te zetten. Trouwens, wat zijn nanocomponenten? We houden de ontwikkelingen in de nanotechnologie goed bij en kunnen ons allerlei dingen voorstellen die in de toekomst zullen bestaan, maar we snappen niet wat hier de bedoeling van Dan Brown is, behalve om futuristisch te klinken.

PAGINA 346: *Langdon en Sophie springen 'in het metrostation Temple over een tourniquet' op weg van de Tempelkerk naar de bibliotheek van het Onderzoeksinstituut voor Systematische Theologie. Is het zinnig om die afstand met de metro af te leggen?*

Nee. Er zijn twee problemen mee. Als je het Onderzoeksinstituut voor Systematische Theologie zoekt, moet je naar Zaal 2E van het Cresham-gebouw aan Surrey Lane gaan op een dag dat de wetenschappers van het instituut bijeenkomen. Als je naar het metrostation Temple rent, ben je nog maar een half blok verwijderd van het Cresham-gebouw en heeft het geen zin het station in te gaan.

Maar de achthoekige zaal die wordt beschreven als de bibliotheek van het instituut zul je in het Cresham-gebouw niet vinden. Waarschijnlijk is dit in werkelijkheid de Ronde Zaal die zich in de Maugham-bibliotheek van King's College bevindt. Om daar vanaf de Tempelkerk te komen, loop je naar het noorden, steek je de Strand over en ga je Chancery Lane in. Het is maar één straat verder. Als je naar het metrostation rent, ga je de verkeerde kant op.

PAGINA 354: *Dan Brown zegt dat King's College in Londen een Onderzoeksinstituut voor Systematische Theologie heeft. Is dat echt zo?*

Ja. Het is een gerespecteerd instituut dat deel uitmaakt van de afdeling

Theologie en Religieuze Studies van het College. Het is echter niet meer dan de benaming voor een groep onderzoekers die regelmatig bijeenkomt in een collegezaaltje en soms congressen over theologie organiseert.

PAGINA 354: *Dan Brown zegt dat het Onderzoeksinstituut voor Systematische Theologie van King's College een grote onderzoekszaal heeft, 'een indrukwekkende, achthoekige zaal'. Sophie en Langdon komen binnen op het ogenblik dat de bibliothecaresse thee inschenkt en bezig is zich te installeren voor haar werkdag. Klinkt dit aannemelijk?*
De zaal die hij beschrijft, maakt wel deel uit van King's College maar bevindt zich in de Maugham-bibliotheek aan Chancery Lane. Die hoort niet bij het Onderzoeksinstituut. Die bibliotheek gaat op zaterdag pas om halftien open, en we schatten dat Sophie en Langdon er op zijn laatst om halfnegen aankomen (zelfs als ze het niet meteen hebben kunnen vinden).

PAGINA 357: *Dan Brown zegt dat het Onderzoeksinstituut voor Systematische Theologie van King's College in de afgelopen twintig jaar 'software voor optische letterherkenning in combinatie met linguïstische vertaalprogramma's gebruikt om een enorme verzameling teksten te digitaliseren en catalogiseren: godsdienstencyclopedieën, biografieën van religieuze figuren, heilige geschriften in tientallen talen, historische verhalen, Vaticaanse brieven, dagboeken van geestelijken; kortom, alles wat beschreven kon worden als een geschrift over religie'. De gegevens zouden toegankelijk zijn met behulp van een enorm mainframe dat met een snelheid van vijfhonderd megabytes per seconde 'een paar honderd terabytes' aan informatie doorzoekt. Is dit waar?*
Nee. We hebben contact opgenomen met de staf van het Onderzoeksinstituut. Men keek verrast en geamuseerd op van het nieuws dat het instituut een enorme computer en dito database zou bezitten.

Een wetenschappelijk medewerker vertelde ons: 'Onze computerfaciliteiten beperken zich tot de pc's van de staf.' (Momenteel G3 iMacs.) Hij zei: 'Helaas hebben we niet de faciliteiten om een enorme (of zelfs maar bescheiden) database van theologische werken op te bouwen.' Hij vervolgde: 'Ik heb eens geprobeerd met software voor optische letterherkenning te werken, maar dat was zo'n ramp dat ik het stuk uiteindelijk maar zelf heb ingetypt.'

PAGINA 370: *Op zoek naar de oplossing van 'Toch stond een paus te treuren aan zijn graf' krijgt Langdon de volgende treffer op de computer van het Onderzoeksinstituut: 'De begrafenis van sir Isaac Newton, die werd bijgewoond door koningen en edelen, werd geleid door Alexander Pope, vriend en collega, die een inspirerende grafrede hield voordat hij aarde over de kist strooi-*

de.' Heeft Pope deze begrafenis echt geleid en heeft hij er een grafrede gehou-
den?

Nee. Opvallend aan de begrafenis van Newton, op 28 maart 1727, was de
grote eer die sir Isaac werd bewezen. Hij werd bijna verafgood. Volgens
een kroniek uit die tijd waren er onder de baardragers die hem uit de Jerusalem Chamber van Westminster Abbey brachten een lord, twee herto-
gen en drie graven. De naaste nabestaande was sir Michael Newton, en de
dienst werd geleid door de bisschop van Rochester.

Alexander Pope was waarschijnlijk de beroemdste dichter uit die tijd,
maar zijn rol kwam pas later, een jaar of vier na de dood van Newton, toen
een aantal mensen besloot een monument voor hem op te richten. Omdat Pope bekendstond om zijn bijzondere grafschriften (waar hij een goed
belegde boterham mee verdiende), werd hij gekozen om het grafschrift te
schrijven dat op het monument staat. Het werd een van de beroemdste
die er bestaan:

ISAACUS NEWTONUS:
Quem Immortalem
Testantur, Tempus, Natura, Caelum:
Mortalem
Hoc marmor fatetur.

Natuur en natuurwet, zo duister, uit 't zicht.
God sprak: Er zij Newton, en ziet, er was licht.

PAGINA 372: *Sophie en Langdon komen waarschijnlijk op zaterdagmorgen*
omstreeks acht uur aan bij de bibliotheek van het Onderzoeksinstituut, dat
open is en wordt bemand door de vriendelijke en efficiënte Pamela Gettum.
Dat lijkt al onaannemelijk. Hoe laat arriveren onze vroege vogels bij West-
minster Abbey en is die dan al open?

Volgens onze berekeningen komen ze rond kwart voor negen 's ochtends
bij Westminster Abbey aan. Ze kunnen moeiteloos doorlopen de kerk in,
hoewel die in werkelijkheid pas om halftien opengaat. Dit is niet het enige probleem dat we hebben met het tijdsverloop van de handeling van *De*
Da Vinci Code. Ook de luchtreizen van bisschop Aringarosa lijken op dat
punt niet te kloppen. Ze passen naar onze mening niet binnen het tijdsverloop van de rest van het boek. Als we alles berekenen, blijkt dat hij er
bijna zes uur over doet om van Rome naar Biggin Hill te vliegen. Daarna
komt hij onmiddellijk aan bij Orme Court 5, waar hij door Silas wordt
neergeschoten, terwijl het hem in werkelijkheid een minuut of vijftig zou
kosten om van Biggin Hill naar het centrum van Londen te komen.

We hebben het tijdsverloop in *De Da Vinci Code* nauwkeurig uitgewerkt, en hoe onwaarschijnlijk het ook lijkt, we hebben vastgesteld dat het theoretisch mogelijk is om alles wat er in het boek gebeurt in een etmaal te proppen. Raadpleeg voor meer informatie over dit onderwerp onze website, www.secretsofthecode.com.

Loopt de *rose ligne* van Rosslyn naar Florence?

Gedachten over het laatste bedrijf van De Da Vinci Code

Door Dan Burstein

David Shugarts, onze zeer bekwame reisleider, heeft ons tot dit punt gebracht. Hij heeft ons door vierhonderd bladzijden details en zwakke punten van *De Da Vinci Code* gegidst. Er zijn acht uur barstensvol actie verstreken tussen twee over halfeen 's nachts, het tijdstip waarop Robert Langdon in zijn gerieflijke bed in het Parijse Ritz Hotel door de telefoon wordt gewekt uit zijn dromen (ongetwijfeld van het heilig vrouwelijke) en ongeveer kwart voor negen 's ochtends, als Robert en Sophie bij Westminster Abbey aankomen. Hier springen een paar van de grootste mysteries uit het boek achter hun gargouilles vandaan. Het verhaal van de Leermeester wordt ontrafeld. Zijn motieven om dit hele plan in gang te zetten, blijken irrationeel en ongeloofwaardig. De Priorij van Sion lijkt zich makkelijk af te maken van haar taak, die zo'n grote rol speelt in het boek. En het angstwekkende Opus Dei is vernederd en zal niet snel nieuwe samenzweringen en intriges beramen. De gesuggereerde locatie van de laatste rustplaats van de heilige graal wordt door veel lezers flauw gevonden.

Er is veel om uit te kiezen, maar wat volgt is mijn eigen favoriete voorbeeld van een zwak punt in de plot: alles wijst erop dat Sophie, ook bekend als *Princesse* Sophie, het met veel zorg grootgebrachte kleinkind van grootmeester en grootvader Saunière, de eenentwintigste-eeuwse afstammeling is van het koninklijke geslacht dat is begonnen met de verbintenis tussen Jezus en Maria Magdalena. Ergens halverwege het boek worden we even op een dwaalspoor gebracht als Sophie een vermoeden begint te krijgen dat ze een hedendaagse loot aan de stamboom van Jezus is. Langdon vertelt haar dan dat Saunière geen Merovingische naam is, en dat het, omdat niemand in haar familie Plantard of Saint-Clair heet, 'onmogelijk' is dat Sophie met haar kastanjebruine haar een hedendaagse nazaat van Maria Magdalena en Jezus is.

Maar tegen het eind van het boek laat Dan Brown ons weten dat dit een afleidingsmanoeuvre was. Marie Chauvel, Saunières echtgenote en Sophies grootmoeder, vertelt Sophie de waarheid: haar ouders waren allebei afkomstig uit een Merovingische familie; 'rechtstreekse afstammelingen van Maria Magdalena en Jezus Christus'. Sophies ouders hadden uit zelfbescherming hun achternamen, Plantard en Saint-Clair, al lang geleden veranderd. 'Hun kinderen vormden de meest rechtstreekse koninklijke afstammelingen die nog leefden, en werden daarom zorgvuldig bewaakt door de Priorij.'

Invloedrijke duistere machten (waarschijnlijk van de Kerk) zweren samen om Sophies familie uit te moorden en dit heilige geslacht zo voor eens en voor altijd te verdelgen. Maar Sophie en haar broer overleven het auto-ongeluk dat bedoeld was om de hele familie om zeep te helpen. Hun ouders zijn dood en Saunière moet snel ingrijpen omdat er groot gevaar dreigt. Hij scheidt de overlevenden, neemt Sophie bij zich in huis, stuurt zijn vrouw met Sophies broertje naar Schotland (bij Rosslyn Chapel) om hem daar in het geheim groot te brengen en verbreekt het contact tussen grootvader-en-kleindochter in Parijs en grootmoeder-en-kleinzoon in Schotland vrijwel volledig. Nadat hij deze uitgebreide voorzorgsmaatregelen heeft getroffen om de laatste afstammelingen van het koninklijke geslacht een zonnige toekomst te bezorgen, voedt hij Sophie op en bereidt hij haar voor op haar toekomstige rol.

Dan vindt de onfortuinlijke sleutelscène plaats waarin Sophie onverwacht eerder terugkomt van de universiteit en Saunière wil opzoeken in zijn landhuis. Ze raakt zo getraumatiseerd door het *hiëros gamos*-ritueel waar ze getuige van is, dat ze weigert ooit nog met haar grootvader te praten of de brieven te lezen die hij haar stuurt, en elke poging die hij doet om iets uit te leggen afkapt. Maar hoe is het mogelijk dat de briljante Saunière, een hedendaagse Leonardo da Vinci en grootmeester van de roemruchte Priorij van Sion, er op geen enkele manier in slaagt door te dringen tot de kleindochter van wie hij houdt? Er zijn kruistochten gehouden, oorlogen uitgevochten, mensen vermoord, gelovigen doodgemarteld, allemaal om de geheimen van de Priorij van Sion te beschermen. En nu kan Saunière geen enkele manier vinden om deze geheimen door te geven aan zijn kleindochter?

Bovendien, als afstamming zo belangrijk is en als het bij de heilige graal allemaal draait om *sang real*, koninklijk bloed, zoals ons in het boek meermalen wordt verteld, hoe kan het dan dat Sophie en haar broer – de laatste twee afstammelingen ter wereld van Jezus en Maria Magdalena, wier familie en beschermers zich tweeduizend jaar lang teweer hebben gesteld tegen pogingen hun geslacht uit te roeien – zo vrolijk ongetrouwd zijn? Ze zijn ook niet verloofd, sterker nog, er is in de verste verte geen vriend of vriendin in zicht. Van Sophie wordt verteld dat ze tweeëndertig is in de tijd dat het boek speelt. Dat betekent dat haar biologische klok tikt. Maar tot dan toe is ze kinderloos. Ik vind dit een enorm gat in de plot. Houdt het hier dan allemaal op?

Nou, dat hoeft natuurlijk niet. Langdon nodigt Sophie uit om de volgende maand een week met hem door te brengen in Florence, waar hij een lezing geeft. Ze kunnen logeren in een luxueus hotel dat Langdon het Brunelleschi noemt. (Waarschijnlijk heeft Dan Brown het hotel deze naam gegeven als toespeling op Brunelleschi's koepel, het opvallendste gebouw van Florence en misschien wel de ultieme architectonische metafoor voor de vrouwenborst.) Sophie wil geen musea, kerken, graftombes, kunst of relikwieën zien. Langdon vraagt zich af wat ze dan wel moeten doen. En dan kussen ze elkaar – op de mond – en schiet hem te binnen wat je verder in een weekje Florence zoal kunt doen. Zo laten we Sophie en Langdon achter, dromend van Florence, de stad van Leonardo da Vinci, en het hotel dat hun wacht.

Aangenomen dat Langdon niet wordt overvallen door faalangst bij de gedachte de liefde te moeten bedrijven met een vrouw die rechtstreeks van Jezus Christus afstamt – en gezien zijn geloof in het heilig vrouwelijke is daar geen enkele reden toe – komt er misschien toch nog nageslacht. We zullen op het vervolg moeten wachten.

Deel twee

Recensies en verhandelingen over
De Da Vinci Code

11 Commentaar, kritiek en opmerkingen

Code een sensatie, recensenten enthousiast
    kop uit de *New York Daily News*, 4 september 2003

Het spectaculaire succes van *De Da Vinci Code* heeft aan de ene kant miljoenen voldane lezers, fans en liefhebbers opgeleverd, en aan de andere kant een breed scala aan kritiek.

Als je het over kritische reacties op romans hebt, bedoel je meestal wat literatuurcritici en boekrecensenten in de media over een boek zeggen. In het geval van *De Da Vinci Code* waren die critici over het algemeen zeer enthousiast.

Janet Maslin van de *New York Times*, die het een 'heerlijk erudiet, spannend boek' en een 'opwindend intelligente thriller vol raadsels en codes' noemde, zei dat ze haar reactie in één woord kon samenvatten: 'wow.' (Hoewel ze, geheel in de geest van Dan Brown, met haar ultrakorte oordeel twee vliegen in één klap sloeg, getuige haar uitleg dat als je wow ondersteboven leest, dat een woord oplevert dat nauw verband houdt met de matriarchale essentie van het boek.) 'Zelfs als dit hele verhaal niet was opgezet als een zoektocht naar het verloren heilig vrouwelijke, zouden toch vooral vrouwen weglopen met meneer Brown.'

Patrick Anderson schreef in de *Washington Post* dat hij het een 'aanzienlijke prestatie' vond om 'een theologische thriller te schrijven die fascinerend is en lekker wegleest'.

Zelfs veel religieuze groeperingen reageerden positief. Niet dat ze de inhoud van het boek onderschreven, maar ze waardeerden de kans die het ze gaf hun eigen commentaar te geven op de onderwerpen die Dan Brown aansneed. Kerken organiseerden retraites en leesclubjes, en deskundigen op het gebied van kwesties die voorheen alleen door ingewijden werden bediscussieerd (zoals de biografie van Maria Magdalena of de denkbeelden uit de gnostische evangeliën) waren plotseling zeer in trek en werden door de Kerk gevraagd lezingen te houden.

Op de website explorefaith.org schreef John Tintera: 'Hoewel het enigszins simplistisch is, of misschien ronduit onjuist, denk ik dat wat er in *De
Da Vinci Code* over godsdienst wordt geschreven, de christelijke Kerk net
op tijd wakker kan schudden. Het stimuleert christenen om met een frisse blik naar onze oorsprong en geschiedenis te kijken, zowel naar de goede als naar de slechte aspecten, en dat is iets wat we te weinig doen.'

Maar terwijl de lezers de avonturen van Robert Langdon en Sophie Neveu bleven verslinden, begonnen zich al snel critici te roeren die normaal
gesproken geen boekrecensies schrijven. Religieuze groeperingen die hevig aanstoot namen aan wat ze zagen als Dan Browns verlangen het katholicisme of het christendom aan te vallen of in diskrediet te brengen,
verhieven hun stem. Ze schreven lange commentaren op websites en in
religieuze publicaties, waarin ze reageerden op elk aspect van het boek dat
volgens hen onjuist was. In sommige gevallen klopten hun gegevens wel
en die van Dan Brown niet, bijvoorbeeld over het jaar waarin de Dode-
Zeerollen werden gevonden of over bepaalde details met betrekking tot
het Concilie van Nicea. Maar in veel opzichten toonden de religieuze critici nu juist Dan Browns gelijk aan: ze waren zo geschrokken van de populariteit van het boek en de mogelijkheid dat het de leer van de Kerk zou
verdringen en mensen zou overhalen tot een alternatieve kijk op het christendom, dat ze zich geroepen voelden een polemiek aan te gaan met een
schrijver van populaire fictie.

Een paar maanden nadat het boek was uitgekomen, kwam ook de gedachte dat Brown grondig speurwerk had verricht onder vuur te liggen.
Sommigen zagen *De Da Vinci Code* als een afgeleide van boeken als *Het
Heilige Bloed en de Heilige Graal* en *Het geheime boek der Grootmeesters*,
die door Brown in *De Da Vinci Code* worden genoemd en waarvan hij op
zijn website meldt dat ze belangrijk zijn geweest bij zijn research. Zoals in
enkele commentaren in dit hoofdstuk naar voren wordt gebracht, wordt
Het Heilige Bloed en de Heilige Graal, dat sinds het ruim twintig jaar geleden in het Engels verscheen een grote verspreiding heeft gekend, over het
algemeen beschouwd als een occulte mengeling van verzinsels, legenden
en je reinste bedrog, met hier en daar wat zeer intrigerende historische details.

Toen trad er een andere thrillerschrijver in de belangstelling: Lewis Perdue. Hij had in 1983 *The Da Vinci Legacy* (*De Da Vinci documenten*, vert.
Janny J. Rosenau-Hes, Phoenix, Weert, 1986) geschreven, en later een tweede boek, *Daughter of God*. In deze boeken komen plotwendingen en personages voor die volgens Perdue een opvallende gelijkenis vertonen met
die in *De Da Vinci Code*. Een paar van de overeenkomsten: een diep, duister geheim uit de vroege geschiedenis van het christendom waarbij een

gnostische vrouwelijke messias is betrokken die Sophia heet, een dode conservator, een Zwitserse bank, Leonardo da Vinci, Maria Magdalena, gesprekken over godinnenverering en nog veel meer. Er kan zich in de rechtszaal nog een heel spektakel gaan afspelen over deze overeenkomsten. Maar ondertussen lijkt ook in Hollywood de strijd los te barsten, want Ron Howard werkt daar aan een verfilming van *De Da Vinci Code* voor Sony Pictures, terwijl de maker van *Survivor*, Mark Burnett, de filmrechten voor de boeken van Perdue heeft gekocht.

De rest van dit hoofdstuk bestaat uit een verscheidenheid aan commentaren op *De Da Vinci Code*, kritische verhandelingen en interessante observaties. We nodigen onze lezers uit zich in de discussie te mengen en hun eigen mening te geven op onze website, www.secretsofthecode.com.

De echte Da Vinci Code

Door Lynn Picknett en Clive Prince

Lynn Pickett en Clive Prince, de in Londen wonende schrijvers van *Het geheime boek der Grootmeesters* (dat expliciet wordt genoemd in *De Da Vinci Code*) hebben dit commentaar geschreven voor *Geheimen van de code*. Copyright © 2004 Lynn Picknett en Clive Prince.

We moeten zeggen dat *De Da Vinci Code* voor een van ons in 2003 een fascinerend verjaardagscadeau was. Vanaf de eerste scène in het Louvre waren we eraan verslingerd, en we hebben het ademloos in één ruk uitgelezen, net als miljoenen anderen meegesleept door het boeiende, snelle verhaal.

Maar anders dan alle andere fans die het niet konden wegleggen, hadden wij een extra reden om gefascineerd te zijn: het gebeurt niet elke dag dat ons boek uit 1997, *The Templar Revelation* (*Het geheime boek der Grootmeesters*), wordt genoemd als een van de vier belangrijkste bronnen in een thriller die over de hele wereld een bestseller is. Daarom hebben we ons er niet toe beperkt ons te laten meeslepen door de actie. Doordat zwart op wit stond dat we erbij betrokken waren, lazen we het van het begin af aan ook als critici.

Brown weet het hele concept van het verborgen genootschap, de Priorij van Sion, met haar vermeende geheimen over de nakomelingen van Jezus en Maria Magdalena, knap uit te werken tot een mysterieus en onstuimig verhaal. Het verdient lof dat hij deze zeer onconventionele ideeën, die in 1982 voor het eerst werden verwoord in *Het Heilige Bloed en de Heilige Graal*, bekend heeft gemaakt bij een nieuw lezerspubliek. Dat neemt er met opwinding kennis van, terwijl het laatstgenoemde boek hen waarschijnlijk nooit bereikt zou hebben. We moeten echter niet uit het oog verliezen dat Browns boek fictie is en dat hij veel heeft geput uit andere werken, niet alleen die van ons, maar vooral uit *Het Heilige Bloed en de Heilige Graal* van Michael Baigent, Richard Leigh en Henry Lincoln. Dat was gebaseerd op informatie die afkomstig was van de Priorij van Sion, een raadselachtig geheim genootschap. Die organisatie zou een groot mysterie bewaren, dat verband hield met Maria Magdalena en het Merovingische huis van Frankische koningen. Volgens de auteurs is het bedoelde mysterie dat Jezus en Maria Magdalena getrouwd waren en kinderen hadden, die in Frankrijk zijn opgegroeid en wier nazaten de Merovingische dynastie vormden.

Hoewel de meeste mensen denken dat dit is wat de Priorij van Sion beweert, is het in werkelijkheid de interpretatie van Baigent, Leigh en Lincoln. De gedachte is uitdrukkelijk ontkend door de grootmeester van de Priorij van Sion, Pierre Plantard, voor wie het belang van de Merovingers eruit bestaat dat ze de rechtmatige Franse troonopvolgers zijn, indien Frankrijk ooit zou besluiten weer een koninkrijk te worden.

Wij zijn allerminst overtuigd van de theorie rond de heilige afstamming. We erkennen dat er ruimschoots voldoende bewijs is dat Jezus en Maria Magdalena een seksuele relatie hadden en dat die tot nakomelingen heeft geleid, maar er is te veel vindingrijkheid voor nodig om die in te passen in de geschiedenis van de Merovingers. En zelfs als er vandaag de dag afstammelingen van Jezus zouden rondlopen, waarom zouden die dan bijzonder zijn? Theologisch gezien was Jezus uniek, de enige Zoon van God. Zijn kinderen en hun nakomelingen kunnen derhalve niets goddelijks hebben.

Velen die zich hebben laten meeslepen door de opwinding en het romantische aspect, gaan ervanuit dat er iets speciaals moet zijn aan eventuele hedendaagse nazaten van Jezus. Baigent, Leigh en Lincoln hebben dat echter nooit betoogd. Voor hen ging het om het feit dat deze afstammelingen de rechtmatige erfgenamen zouden zijn van bepaalde titels en posities, zoals het koningschap van Jeruzalem. En de reden dat deze afstammelingen verborgen moesten worden voor de kerk, is dat hun bestaan zou bewijzen dat Jezus een gewone sterveling was.

Veel mensen hebben dit over het hoofd gezien, en dat heeft geleid tot het ontstaan van de theorie dat er iets inherent, misschien zelfs genetisch, anders zou zijn aan dit geslacht. Die gedachte zien wij zelfs als potentieel gevaarlijk, zoals elk elitair stelsel waarbij ervan wordt uitgegaan dat bepaalde mensen vanwege hun fysieke kenmerken beter zijn dan anderen. Dat kan leiden tot Hitlers rassentheorie, het geloof in de superioriteit van het blanke ras of de gedachte dat sommigen, die de genen van Jezus hebben, automatisch superieur aan de rest zijn.

Het aspect van de heilige afstamming in Dan Browns boek mag dan een wankele fundering hebben, we zijn het wel met hem eens dat het 'grote ketterse geheim' dat door de kerk zo wordt verafschuwd en gevreesd, de seksualiteit als heilig symbool is, het heilig vrouwelijke. Dat was inderdaad een geheim dat door de kerk moest worden stilgehouden en dat draaide om Maria Magdalena en Jezus. Haar werkelijke rol als priesteres is de sleutelfactor die, als hij bekend zou zijn geworden, mensen in de gelegenheid had gesteld de leer van de kerk in twijfel te trekken, vooral de rol en het belang van de vrouw. Het is zelfs verdedigbaar dat Maria Magdalena de belangrijkste vrouw is die ooit heeft bestaan, eenvoudigweg omdat de kerk uit haat en angst voor haar ware macht, die blijkt uit de verloren gnostische evangeliën, generaties vrouwen heeft onderdrukt en de hele seksualiteit heeft gedegradeerd.

Maar *De Da Vinci Code* concentreert zich op de schilderijen van Leonardo da Vinci, naar onze mening opnieuw een terrein waarop Dan Brown de plank misslaat. Door zijn poging onze ontdekkingen over de 'code' van Da Vinci te combineren met de belangrijkste theorie van *Het Heilige Bloed en de Heilige Graal* heeft Brown ervoor gezorgd dat een veel verbazingwekkender en zelfs schokkende onthulling onopgemerkt is gebleven. De échte Da Vinci-code voert ons mee naar een veel mysterieuzer wereld vol uitdagingen.

Brown geeft een samenvatting van onze ontdekking van de vreemde symboliek in Leonardo's *Madonna in de grot* (de Parijse versie; in de National Galery in Londen hangt een minder interessante versie). Op dat schilderij zit het kindje Jezus niet bij zijn moeder en de jonge Johannes de Doper niet bij zijn traditionele beschermer, de aartsengel Uriël, maar lijkt het alsof de kinderen van plaats zijn verwisseld. Dit is vooral interessant omdat het een tafereel betreft uit een verhaal dat de kerk heeft bedacht om het lastige feit te omzeilen dat Johannes, toen hij Jezus doopte, het gezag moet hebben gehad om dat te doen. Dit schilderij toont het ogenblik waarop de kleine Jezus de kleine Johannes dit gezag verleent, zodat hij dat later kan aanwenden. Althans, dat wil men ons doen geloven. Het is waar dat het kind dat bij Uriël zit in een zegenend gebaar zijn hand opsteekt naar de andere baby, die onderdanig knielt. Maar wat gebeurt er als we ervanuitgaan dat de kinderen wél bij de juiste volwassenen zitten? Zoals Brown zegt, komt het er dan op neer dat Johannes Jezus zegent en dat Jezus onderdanig knielt voor Johannes. En er zijn andere elementen in het schilderij die deze interpretatie ondersteunen. Maar hoe valt deze johannieter (pro-Johannes de Doper) interpretatie te rijmen met Browns primaire hypothese over de heilige afstamming? Onmogelijk. Ze valt volledig uit de toon. Dat krijg je ervan als je probeert willekeurige geheimen van Leonardo met geweld in de verkeerde context te manoeuvreren.

Gedurende ruim tien jaar onderzoek zijn we steeds opnieuw op aanwijzingen gestuit dat Leonardo da Vinci wanneer hij maar kon Johannes de Doper hoger stelde dan Jezus, waarmee hij liet zien dat hij Johannes de Doper superieur achtte. Neem bijvoorbeeld Leonardo's voorstudie *Maria met Kind en de Heilige Anna* (uit circa 1499-1500), die in de National Gallery in Londen hangt. Het groepje bestaat hier uit de Heilige Maagd, Jezus, de heilige Anna en een jonge Johannes de Doper. Maar toen Leonardo de definitieve versie schilderde, *De Heilige Anna met Maria en Kind* (1501-07), werd de plek van Johannes de Doper ingenomen door een lam, dat door Jezus zo ruw bij de oren wordt gepakt dat we onderling wel eens grappend zeiden dat het *De oren van een lam trekken* zou moeten heten. Jezus heeft zelfs een van zijn mollige beentjes om de hals van het lam geslagen, waardoor hij het dier lijkt te willen onthoofden. Waarom heeft Leonardo Johannes hier als een lam afgebeeld, terwijl Jezus door Johannes de Doper in het Nieuwe Testament het 'Lam Gods' wordt genoemd? Misschien is het antwoord te vinden in de traditie van de tempeliers om Johannes de Doper te vereren en hem af te beelden als een lam (zoals bijvoorbeeld in het zegel van de tempelridders in Zuid-Frankrijk). We willen benadrukken dat dit zeer veelzeggend is: weinig niet-tempeliers zouden het in hun hoofd halen Johannes als het lam af te beelden. Was Leonardo dan tempelier, ook al leefde hij ongeveer tweehonderd jaar nadat de orde op gewelddadige wijze was onderdrukt?

Misschien wel. We weten in elk geval dat de overblijvende tempeliers een enorme – volgens sommigen ketterse – eerbied hadden voor Johannes de Doper, en dat die eerbied in veel meer werken van Leonardo tot uiting komt. Het laatste wat hij ooit heeft geschilderd, helemaal voor zichzelf en niet in opdracht, was zijn mysterieuze *Johannes de Doper*, die samen met de *Mona Lisa* in de kamer hing waar hij in 1519, in Frankrijk, overleed. En het enige beeldhouwwerk dat er van hem rest, een werk dat hij heeft gemaakt met Giovanni Francesco Rustici (een bekende en enigszins sinistere alchemist en dodenbezweerder), stelt Johannes de Doper voor. Het staat nu boven een ingang van de doopkapel in Florence. Johannes de Doper dook steeds weer op in Leonardo's leven, of dat nu opzet was of niet. Zelfs als het voor zijn opdracht niet nodig was Johannes af te beelden, slaagde Leonardo er altijd in een symbool in zijn werk te verstoppen dat voor Johannes stond, zoals de carobbeboom of johannesbroodboom in zijn onvoltooide *Aanbidding der wijzen* (circa 1481), die wordt aanbeden door opgewekte, gezonde jonge mensen, terwijl een groepje afzichtelijke, stokoude lui die ogen als wandelende doden naar de Heilige Familie staat te graaien. En de jongeman die dicht bij de wortels van de johannesbroodboom staat, maakt wat we het 'Johannes-gebaar' zijn gaan noemen: hij steekt zijn rechterwijsvinger in de lucht. Leonardo's beeldhouwwerk maakt hetzelfde gebaar, en we komen het ook tegen in zijn laatste schilderij, *Johannes de Doper* (1513-16). Het wordt onmiskenbaar gebruikt als symbool voor Johannes de Doper, of die zelf nu wel of niet aanwezig is in het werk. Een van de personen in zijn wereldberoemde muurschildering *Het Laatste Avondmaal* maakt het Johannes-gebaar bijna dreigend naar Jezus. (Dat zou een verwijzing kunnen zijn naar een relikwie dat de tempeliers in hun bezit zouden hebben, naar verluidt de wijsvinger van Johannes de Doper zelf, die in de tempel in Parijs werd bewaard. Maar het gebaar zou hier ook heel goed meer dan één betekenis kunnen hebben.)

Leonardo stond niet alleen in zijn Johannes-verering, hebben we ontdekt. Hoezeer de overtuigingen van de Priorij van Sion ook verweven zijn met het Maria Magdalena-verhaal, het genootschap toont, in plaats van het traditionele christendom, een vergelijkbare fascinatie voor Johannes de Doper. Het kon ook eigenlijk geen toeval zijn dat de Priorij beweert dat Leonardo bij de organisatie was aangesloten. We werden in 1991 op hun fascinatie voor Johannes de Doper gewezen door onze eerste contactpersoon bij de Priorij, die we alleen kenden als Giovanni (Johannes!). We zijn er zelfs in geslaagd aanwijzingen voor deze overtuiging te vinden in hun geschriften. Het duidelijkste voorbeeld is het feit dat hun grootmeesters altijd de naam Johannes aannemen (in de vorm van Jean, Giovanni of John). Volgens hun eigen lijst heette Leonardo Johannes ix. (En zou het slechts toeval zijn dat 'Sion' Welsh is voor Johannes?) Wat nog intrigerender is: de Priorij begon te tellen bij Johannes ii, omdat Johannes i volgens Pierre Plantard 'symbolisch was gereserveerd voor Christus'. Maar waarom zou Christus Johannes worden genoemd? Zou het kunnen dat voor de johannieters Johannes de Doper de ware Christus is, een naam die immers eenvoudigweg 'gezalfde' of 'uitverkorene' betekent?

In een publicatie uit 1982 die door de Priorij werd onderschreven is meer van die verontrustende Johannes-traditie terug te vinden. De tempeliers worden erin beschreven als de 'Zwaardridders van de Kerk van Johannes' en er wordt beweerd dat zij en de Priorij eens min of meer dezelfde organisatie waren.

Dankzij de gevaarlijk ketterse Leonardo – om maar niet te spreken van de Priorij van Sion, wat die organisatie ook in werkelijkheid moge zijn –

werden we steeds verder het diepe in gezogen. Zo deden we de opmerkelijke ontdekking dat er een heel oude traditie was waarin Johannes de Doper werd vereerd en Jezus werd gezien als ondergeschikt, soms zelfs werd
beschimpt.

Deze johannieter kerk, met niet alleen vertakkingen in ketters Europa
maar ook bij een stam in het Midden-Oosten, is zowel door academici als
door onderzoekers uit het alternatieve circuit grotendeels genegeerd. Maar
ze is er altijd geweest, onder de oppervlakte, en haar geheimen zijn misschien op vele manieren tot uiting gekomen, maar zeker ook in de werken van de grote meester van de Renaissance, Leonardo da Vinci. En wat
men ook vindt van zulke verstokte ketterij, zijn ware 'geheime code' is aanzienlijk opwindender en interessanter dan de gedachte dat Jezus en Maria Magdalena kinderen hadden.

Waarom lijkt het kindje Jezus het lam zo ongeveer te onthoofden? Waarom trekt hij zo hard aan de oren van het lam? Waarom heft een discipel
dreigend zijn vinger in het Johannes-gebaar naar Jezus op *Het Laatste
Avondmaal*? Waarom zijn de aanbidders van de Heilige Familie op de *Aanbidding der wijzen* kwaadaardig ogende, halfdode wrakken, terwijl de mensen die de johannesbroodboom aanbidden barsten van gezondheid en vitaliteit? Is er een verband met de iets andere interpretatie van de relatie
tussen Jezus en Johannes die door veel hedendaagse theologen in stilte
wordt erkend?

Religieuze fictie

Door David Klinghoffer

David Klinghoffers nieuwe boek heet *The Discovery of God: Abraham and the Birth of
Monotheism* ('De ontdekking van God: Abraham en het ontstaan van het monotheïsme') en wordt uitgegeven door Doubleday. Dit artikel is eerder verschenen in de *National Review* van 8 december 2003. Het wordt hier gepubliceerd met toestemming van
National Review, 215 Lexington Avenue, New York, NY 10016, vs.

Als een boek zich een halfjaar in de hoogste regionen van de boekentoptien van de *New York Times* weet te handhaven, is er iets interessants aan
de hand. Zo'n boek heeft dan flink hard aangebeld aan de voordeur van
onze cultuur. Maar wat is er nu precies zo bijzonder aan *De Da Vinci Code* van Dan Brown? Dat heeft veel te maken met de aantrekkingskracht
van complottheorieën.

De complottheorie die de kern van Dan Browns enorme bestseller vormt, is niet door hemzelf bedacht maar bestaat al jaren. Desalniettemin is het een sappig exemplaar en de schrijver heeft er alles uit gehaald wat erin zit, door een verhaal te schrijven van 105 hoofdstukken die bijna stuk voor stuk zo spannend eindigen dat je meteen verder wilt lezen. Je wordt genadeloos meegesleurd, een staaltje vertelkunst dat echt wel kunst genoemd mag worden, ook al heeft literair recensent Harold Bloom kortgeleden Stephen King (een schrijver met een soortgelijk talent) spottend 'immens onbekwaam' genoemd toen de laatste een literaire prijs voor zijn gehele oeuvre ontving. Als je niet vindt dat dit genre waardering verdient, probeer dan zelf maar eens een plot te bedenken zoals dat van *De Da Vinci Code*. Doordat Browns boek fictie is, kan hij gemakkelijker gebruikmaken van de spanning die nu eenmaal altijd aanwezig is als je oeroude deuren gaat openen die misschien beter gesloten kunnen blijven. Hij is vernuftig, bondig en slim, hoewel de lezer er wel op voorbereid moet zijn de bewoording 'het heilig vrouwelijke' meer dan eens tegen te komen, en als je daar de kriebels van krijgt, kun je dit boek beter ongelezen laten.

Maar het beste aan *De Da Vinci Code* is dat het complot gewoon ontzagwekkend goed is. Wat zijn de kenmerken van een goed complot? Het hoeft niet op waarheid te berusten, en dat doet dit zeker niet, ook al staat er boven de inleiding met grote letters FEITEN. Een van de vereisten is een groot scala aan weetjes. Die heeft Brown: hij schotelt ons heel wat fascinerende historische en quasi-historische pareltjes voor, zoals de symbolische betekenis van de roos, de wiskundige reeks van Fibonacci, het oude Hebreeuwse codeersysteem *atbash* en nog veel meer, met name de cryptische betekenissen van schilderijen en tekeningen van Leonardo da Vinci, en verweeft al die informatie handig in de plot.

Maar bovenal dient een complot om de moeite waard te zijn iets te verklaren waarvan je voordien niet wist dat het verklaard moest worden, iets wat verband houdt met een waarheid, of op zijn minst een pseudo-waarheid, die een diepe betekenis heeft. Ook hier is pseudo-diepgang voldoende; we hebben het per slot van rekening over amusement. *De Da Vinci Code* gaat over zo'n complot.

Maar dit boek zal zeker niet naar ieders smaak zijn, en wel om de volgende reden. In een thriller als deze moet iets zeer belangrijks op het spel staan als het complot zou worden onthuld. In *De Da Vinci Code* is dat niets minder dan het traditionele christendom. We vernemen dat de heilige graal geen heilige beker is, maar heilig bloed: het nageslacht van Jezus van Nazareth. De grondlegger van het christendom en Maria Magdalena hadden een dochter, Sara. Als dat waar is, zou deze theorie enkele fundamentele overtuigingen uit het christendom omverwerpen.

Als gelovige jood kan ik onmogelijk worden beschuldigd van vooringenomenheid ten gunste van de christelijke leer. Dat zou me geloofwaardigheid moeten verschaffen als ik zeg dat deze theorie van het 'heilige bloed' – de theorie dat Jezus afstammelingen heeft – te krankzinnig is om serieus te overwegen; alleen al het idee dat zoiets tweeduizend jaar lang geheim kan worden gehouden is absurd. Brown erkent wel dat het christendom enige waarde heeft, enige waarheid en schoonheid, maar de waarde die hij erin ziet, staat ver af van de geloofsovertuiging van de gemiddelde christen. Christenen die aanstoot nemen aan fictie die hun geloofsovertuiging onomwonden tegenspreekt, kunnen dit boek beter mijden.

Als ik christelijk was, denk ik wel dat ik het een beetje verontrustend zou vinden dat sommige van mijn mede-christenen dit boek werkelijk als een bedreiging van hun geloof zien. Sommige katholieke tijdschriften hebben gedetailleerde weerleggingen van *De Da Vinci Code* gepubliceerd. Dat ze dat nodig vinden, geeft aan dat veel katholieken en andere lezers dit boek veel serieuzer nemen dan ze zouden moeten doen. Het bevestigt ook dat de problemen in het katholieke godsdienstonderwijs inderdaad zo ernstig zijn als katholieke conservatieven al enige tijd beweren. Als de onderwijzers hun werk zouden doen, zou elke gelovige katholiek boven de basisschoolleeftijd weten dat Browns boek volledig op onwaarheid berust.

Hoe zit het met de invloed van het boek op de samenleving in bredere zin? Wat dat betreft stel ik me gerust met de gedachte dat complotten om te beginnen al iets diep religieus hebben, zelfs als ze fictief zijn. Denk daar maar eens aan als je met kil weer op het strand bent. Zelfs als het bewolkt is en er staat een koude wind, zie je mensen op badlakens in het zand zitten en naar de zee kijken. Waarom? Omdat je als je naar de zee kijkt, onbewust het gevoel hebt dat er vlak onder het wateroppervlak een uitgestrekte wereld schuilgaat, vol wonderlijke wezens die je bijna nooit ziet. Het besef van al dat verborgen leven – in sommige opzichten een spiegel van onze eigen wereld op het land, maar in andere volkomen verschillend – is nu eenmaal opwindend. Daardoor kunnen de mensen hun blik niet losmaken van de zee, ook al gebeurt daar ogenschijnlijk helemaal niets.

Datzelfde is wat een complot opwindend maakt: de onthulling van allerlei verborgen complexiteiten om ons heen. Het verklaart ook de aantrekkingskracht die het spirituele op velen van ons heeft: het basale besef, weliswaar onbewezen maar toch sterk, dat er iets bestaat buiten ons dagelijks aardse bestaan. Het verhaal van *De Da Vinci Code* mag dan onzin zijn, het is op zijn manier ook opwindend. Als de populariteit van het boek betekent dat mensen gaan nadenken over verborgen aspecten van de werkelijkheid, is dat positief.

[In *De Da Vinci Code* reageert Sophie Neveu verrast als ze hoort dat *Het Heilige Bloed en de Heilige Graal*, een van de vele werkelijk bestaande boeken op de planken van Leigh Teabing, een 'internationale bestseller' is geweest, terwijl ze er nog nooit van heeft gehoord.

'Jij was nog jong,' zegt Teabing tegen haar. 'Dit heeft in de jaren tachtig grote opschudding veroorzaakt. De auteurs hebben naar mijn smaak een paar twijfelachtige gedachtesprongen gemaakt in hun redenering, maar de achterliggende gedachte was juist, en het strekt hun tot eer dat ze het idee van een afstammingslijn van Jezus eindelijk in bredere kring bekend hebben gemaakt.'

Dat is om velerlei redenen een ironische opmerking. Ten eerste is Teabing zelf een personage dat is gebaseerd op een versmelting van de werkelijk bestaande drie schrijvers van *Het Heilige Bloed en de Heilige Graal*. Zijn voornaam heeft hij gekregen van Richard Leigh en zijn achternaam is een anagram van (Michael) Baigent. Door openlijk te verklaren dat de auteurs 'naar mijn smaak een paar twijfelachtige gedachtesprongen' hebben gemaakt, lijken Teabing en zijn schepper, Dan Brown, aan te geven dat ze op de hoogte zijn van de punten waarop de research voor *Het Heilige Bloed en de Heilige Graal* twijfelachtig is en van de beschuldigingen van bedrog en oplichterij die zijn gedaan aan het adres van Pierre Plantard en enkele andere hedendaagse Fransen die hebben verklaard dat ze lid van de Priorij van Sion waren, en aan dat van een aantal schrijvers die de Priorij van Sion hebben beschreven als een organisatie die rechtstreeks teruggaat op de tempeliers en de Merovingische koningen.

Ondanks Teabings geuite bezorgdheid over twijfelachtige gedachtesprongen is het zeker dat *Het Heilige Bloed en de Heilige Graal* veel in Dan Browns gedachten is geweest toen hij de plot voor *De Da Vinci Code* bedacht. Om lezers van *Geheimen van de code* de argumenten van *Het Heilige Bloed en de Heilige Graal* beter te doen begrijpen, hebben we er een stuk uit overgenomen, dat in hoofdstuk 6 te vinden is. In het volgende stuk gaat Laura Miller van de *New York Times Book Review* dieper in op *Het Heilige Bloed en de Heilige Graal* en de argumenten daaruit die een belangrijke rol spelen in de plot van *De Da Vinci Code*.]

De Da Vinci-zwendel

Door Laura Miller

Eerder verschenen in de *New York Times Book Review* van 22 februari 2004. Van de *New York Times on the Web*. Copyright © 2004 The New York Times Company. Opgenomen met toestemming.

Op de vloed van verkopen van *De Da Vinci Code* zijn nogal eigenaardige bootjes mee komen dobberen, en het eigenaardigste daarvan is het twijfelachtige doch gezaghebbende *Het Heilige Bloed en de Heilige Graal*, geschreven door Michael Baigent, Richard Leigh en Henry Lincoln. Het was in de jaren tachtig een bestseller en beklimt nu in de Verenigde Staten weer de lijst van bestverkochte pockets dankzij de associatie met de thriller van Dan Brown, die trouwens op zijn beurt weer een flinke oogst nieuwe nonfictiewerken heeft opgeleverd. In 2004 komen er in de Verenigde Staten verscheidene uit, waaronder *Breaking The Da Vinci Code* en *Secrets of the Code: The Unauthorized Guide to the Mysteries Behind The Da Vinci Code*. *De Da Vinci Code* is één lange achtervolgingsscène waarin de hoofdpersonen op de vlucht zijn voor een sinistere Parijse politieman en een moordlustige albino monnik, maar alleen die elementaire spanning had het boek nooit tot zo'n succes kunnen maken. Regelmatig komt de flitsende actie met gierende remmen tot stilstand en wordt er een hagelschot informatie op de lezer afgevuurd over een eeuwenoud complot rond een enorm belangrijk geheim dat raakt aan de wortels van het christendom. Deze 'feitelijkheden' verlenen *De Da Vinci Code* zijn zweem van authenticiteit, en ze zijn afkomstig uit *Het Heilige Bloed en de Heilige Graal*, een van de populairste pseudo-historische werken aller tijden. Maar wat steeds duidelijker lijkt te worden (om een favoriete zinswending van de *Graal*-auteurs te citeren) is dat *De Da Vinci Code* net als *Het Heilige Bloed en de Heilige Graal* op een notoire mystificatie is gebaseerd.

Het onderliggende verhaal van beide boeken is zoals de meeste complottheorieën verduiveld moeilijk samen te vatten. Beide vertellingen beginnen met een mysterie dat de speurders naar steeds omvangrijkere en duisterder intriges leidt. In het boek van Brown is dat de moord op een conservator van het Louvre, in *Graal* is het de opmerkelijke rijkdom van een priester in een dorpje in Zuid-Frankrijk. Aan het eind van de jaren zestig van de vorige eeuw raakte Henry Lincoln, een Brits schrijver van tv-scenario's, geïnteresseerd in Rennes-le-Château, een plaats die door de populaire boeken van Gérard de Sède het Franse equivalent van Roswell of Loch Ness was geworden. De Sède verspreidde een verhaal over perkamenten die omstreeks 1890 door de plaatselijke pastoor gevonden zouden zijn in een holle pilaar. De perkamenten zouden gecodeerde boodschappen bevatten en de pastoor wist die op mysterieuze wijze te gelde te maken. Lincoln werkte aan een paar documentaires over het raadsel van Rennes-le-Château en riep toen de hulp in van Baigent en Leigh om grondiger speurwerk te verrichten.

Wat uiteindelijk naar voren komt uit de enorme hoeveelheid namen, data, landkaarten en stambomen waar *Het Heilige Bloed en de Heilige Graal* vol mee staat, is een lang verhaal over een geheim en zeer invloedrijk genootschap, de Priorij van Sion, in 1099 in Jeruzalem opgericht. Deze kliek zou geschriften en andere bewijzen bezitten waaruit blijkt dat Maria Magdalena de vrouw van Jezus was (van wie onduidelijk blijft of hij wel of niet aan het kruis is gestorven) en dat ze van hem in verwachting was toen ze na de kruisiging vluchtte naar het gebied dat nu Frankrijk is, waardoor ze figuurlijk gezien de heilige graal was waarin het bloed van Jezus werd bewaard. Hun nageslacht vermengde zich met de plaatselijke bevolking, en daar kwam later de Merovingische dynastie van Frankische koningen uit voort. Hoewel het Merovingische geslacht in de achtste eeuw van de troon werd gestoten, is het niet verloren gegaan. De Priorij heeft over de afstammelingen gewaakt, wachtend op een gunstig moment om de verbazingwekkende waarheid te onthullen en de rechtmatige vorst weer op de Franse troon te brengen, of misschien zelfs op de troon van een nieuw Heilig Romeins Rijk.

De bekende personages en parafernalia die steeds weer figureren in allerlei paranoïde historische werken, maken ook in dit duizend jaar omspannende relaas hun opwachting. De katharen, de tempeliers, de Rozenkruisers, het Vaticaan, de vrijmetselarij, de nazi's, de Dode-Zeerollen, de Protocollen van de wijzen van Zion, de Orde van de Gouden Dageraad... Afgezien van de verschrikkelijke sneeuwman lijkt zo ongeveer iedereen bij het complot betrokken te zijn. *Het Heilige Bloed en de Heilige Graal* hangt aan elkaar van insinuaties en vermoedens, creëert met alle technieken van de pseudo-geschiedschrijving een grootse symfonie en rechtvaardigt dit gegoochel door het een vernieuwende wetenschappelijke techniek te noemen, de zogenaamde 'synthese', die altijd als te 'speculatief' werd beschouwd door mensen wier denkwijze helaas is gevormd door de 'zogenaamde Verlichting van de achttiende eeuw'. De auteurs vergelijken zich met de journalisten die het Watergate-schandaal aan het licht hebben gebracht en stellen dat 'men alleen met behulp van een dergelijke synthese de onderliggende samenhang kan onderscheiden, de eenvormige en coherente structuur die de kern van elk historisch probleem vormt'. Daarbij moet men beseffen dat 'het niet voldoende is zich alleen tot de feiten te bepalen'.

Aldus bevrijd flansen de auteurs een betoog in elkaar dat slechts zeer losjes op feiten is gebaseerd. Er worden tientallen geloofwaardige details opeengestapeld om een stevige ondergrond te vormen voor regelrechte onzin. Tamelijk obscure legenden (bijvoorbeeld dat Merovingische koningen genezende gaven hadden) worden gebracht als veelbetekenende aanwijzingen of puzzels die opgelost dienen te worden. Zeer omstreden interpretaties (dat in een vroege graalroman het heilige voorwerp door tempeliers bewaakt zou worden, bijvoorbeeld) worden als vaststaande waarheid gepresenteerd. Bronnen als het Nieuwe Testament worden als 'twijfelachtig' en niet oorspronkelijk omschreven als ze de complottheorie weerspreken, en daarna in detail doorgevlooid op inconsistenties die die theorie zouden kunnen onderbouwen. De auteurs spinnen de ene ragfijne draad van speculatie na de andere en weven er een web mee dat dicht genoeg is om de illusie van stevigheid te wekken. Hoewel het allemaal nonsens is, is het een indrukwekkend staaltje werk.

Maar uiteindelijk berust de authenticiteit van de geschiedenis rond de Priorij van Sion op een stapel knipsels en onder pseudoniem geschreven geschriften die zelfs volgens de auteurs van *Het Heilige Bloed en de Heilige Graal* heimelijk in de Bibliothèque Nationale zijn neergelegd door ene Pierre Plantard. Al in de jaren zeventig van de vorige eeuw heeft een van Plantards medeplichtigen bekend hem te hebben geholpen bij de vervaardiging van het materiaal, waaronder een stamboom waarin Plantard figureert als afstammeling van de Merovingers (en dus als waarschijnlijke afstammeling van Jezus Christus) en een lijst van gewezen 'grootmeesters' van de Priorij. In deze evident dwaze opsomming van intellectuele beroemdheden schitteren namen als Botticelli, Isaac Newton, Jean Cocteau en natuurlijk Leonardo da Vinci. En het is dezelfde lijst waarop Dan Brown zich trots beroept in de inleiding van *De Da Vinci Code*, onder het kopje FEITEN, waar hij ook beweert dat de Priorij al negen eeuwen bestaat. Ten langen leste is aan het licht gekomen dat Plantard een onverbeterlijke schurk is met een strafblad voor fraude en connecties met antisemitische en extreem-rechtse groeperingen. De werkelijke Priorij van Sion was een klein, onschuldig groepje gelijkgestemde vrienden, opgericht in 1956.

Plantards mystificatie is ontmaskerd in een aantal (niet vertaalde) Franse boeken en een documentaire van de BBC uit 1996, maar vreemd genoeg zijn die schokkende onthullingen niet zo populair gebleken als de vrije fantasie van *Het Heilige Bloed en de Heilige Graal* of, nu we het daar toch over hebben, *De Da Vinci Code*. Het enige wat sterker is dan een wereldwijde samenzwering, is blijkbaar ons verlangen erin te geloven.

De Franse confectie

Een poging feiten en fictie te scheiden in het vreemde verhaal van Rennes-le-Château

Door Amy Bernstein

Amy Bernstein is deskundige op het gebied van Franse Renaissance-poëzie. Voor *Geheimen van de code* heeft ze kritisch bekeken wat er recentelijk in Frankrijk is gezegd en geschreven over de kwestie of de Priorij van Sion, de geheime organisatie waar de plot van *De Da Vinci Code* grotendeels om draait, een werkelijk bestaande organisatie of een twintigste-eeuwse mystificatie is. Hieronder brengt ze verslag uit.

Als een volmaakt *île flottante* dat bij consumptie voornamelijk uit lucht blijkt te bestaan, is het verhaal over Rennes-le-Château en de *Prieuré de Sion* (Priorij van Sion) een schitterende Franse lekkernij van pseudo-geschiedenis, geserveerd op een vliesdun bedje van waarheid. Velen hebben de feiten en legenden geanalyseerd die met dit verhaal samenhangen. Nadat ik de meest serieuze analyses heb doorgenomen, ben ik tot de conclusie gekomen dat vanaf de jaren vijftig van de vorige eeuw een klein groepje mannen met neoridderlijke, nationalistische en soms antisemitische neigingen erin is geslaagd iets in gang te zetten wat bijna zeker een geweldig ingewikkelde vorm van bedrog is, waartoe mensen zich tot op de dag van vandaag aangetrokken voelen.

De geschiedenis van dat bedrog is boeiender dan de populairste thriller kan zijn. Het is dan ook niet verbazingwekkend dat *De Da Vinci Code*, dat voor het grootste deel in het hedendaagse Frankrijk speelt, zwaar leunt op de kwestie Priorij van Sion/Rennes-le-Château, zoals die beschreven wordt in de bestseller *Het Heilige Bloed en de Heilige Graal*. Door in het eerste hoofdstuk van *De Da Vinci Code* de vermoorde conservator Jacques Saunière te introduceren – een personage met dezelfde achternaam als de hoofdpersoon uit het raadsel van Rennes-le-Château – gaat Dan Brown verder waar het oorspronkelijke verhaal eindigt. Daarmee volgt hij het voorbeeld van de velen die in Frankrijk en Engeland een graantje meepikken van een geheimzinnig provinciaal drama dat zich meer dan honderd jaar geleden heeft afgespeeld. Hier volgt een samenvatting van het oorspronkelijke verhaal rond Rennes-le-Château en de *Prieuré de Sion*.

In 1885 werd *abbé* Bérenger Saunière, een gestudeerde jongeman uit een plaatselijk middenstandsgezin, pastoor van de kerk Sainte Marie Magdalène in Rennes-le-Château, een afgelegen plaats in het zuidwesten van Frankrijk, in het departement Aude, niet ver van Le Bezu, een bergtop waaraan de Franse politiechef Bezu Fache uit *De Da Vinci Code* ongetwijfeld zijn naam dankt.

In het jaar dat abbé Saunière pastoor werd, werden er ook landelijke verkiezingen gehouden, waarbij de kandidaten verplicht waren zich uit te spreken over de vraag of Frankrijk weer een katholieke monarchie moest worden of een republiek met een grondwettelijke scheiding tussen kerk en staat moest blijven. In de periode voorafgaand aan de verkiezingen raakte Bérenger Saunière verwikkeld in dit debat en verwierf hij een reputatie als vurig pleitbezorger voor de terugkeer naar een katholieke monarchie. Daardoor won hij de gunst van de gravin van Chambord (de weduwe van de Franse troonpretendent), die hem drieduizend pond zou hebben geschonken om zijn kerk te renoveren.

Tegen 1890, toen de renovatie van zijn vervallen kerk in volle gang was, zou Saunière een paar gecodeerde perkamenten hebben gevonden in een holle pilaar onder het altaarstuk. Op advies van zijn bisschop, Félix-Arsène Billiard, zou Saunière met de perkamenten naar Parijs zijn gegaan om ze aan deskundigen te tonen. In Parijs heeft hij naar verluidt kennisgemaakt met een clubje occultisten, onder wie Emma Calvé (met wie hij een verhouding gehad zou hebben). Na zijn terugkeer uit Parijs beschikte hij plotseling en zonder duidelijke oorzaak over grote sommen geld, waarmee hij een aantal bouwprojecten financierde. Daaronder de renovatie van zijn zeer oude parochiekerk en de bouw van een groot huis (de Villa Bethania) en een toren (de Tour Magdala) die hij gebruikte als studeerkamer en bibliotheek voor zijn groeiende verzameling boeken. Ondanks zijn magere inkomen als pastoor leefde hij op grote voet. Men zegt dat hij in en om zijn kerk talloze nachtelijke opgravingen ondernam. Het gerucht ging dat hij een schat had gevonden die op verschillende plekken op het terrein van de kerk was begraven, maar dat is nooit bewezen.

Uiteindelijk kwam aan het licht dat abbé Saunière per post aflaatbrieven verkocht in heel Europa, wat een plausibele verklaring voor zijn rijkdom was. Hij werd ontslagen als pastoor en mocht de mis niet meer lezen, en later stond hij terecht en werd door het gerecht van zijn bisdom in Carcassonne veroordeeld wegens aflaathandel. Hij stierf op 22 januari 1917 en liet zijn huis en toren na aan Marie Dénardaud, die zijn leven lang zijn huishoudster en metgezellin was geweest (en volgens sommigen zijn maîtresse). Maar de belangstelling voor de plaatselijke legende over de begraven schat bleef bestaan, en in 1956 verscheen er een artikel over in het dagblad *La Dépêche du Midi*.

En hier maakt de Priorij van Sion haar opwachting.

Op 25 juni 1956 vormde elders in Frankrijk, in Annemasse in Haute-Savoie, een groepje vrienden een vrijetijdsclubje dat ze de Priorij van Sion noemden, waarschijnlijk naar een berg in de omgeving, de Col du Mont Sion. Het clubje werd een jaar later al ontbonden maar ging al spoedig over in een tweede, meer politiek gerichte incarnatie onder leiding van Pierre Plantard. Uitgaande van de neoridderlijke, utopische, nationalistische en antisemitische principes van Paul Le Cour, die in de jaren dertig en veertig grote invloed op Pierre Plantard had uitgeoefend, ging de Priorij van Sion een periodiek uitgeven dat *Circuit* heette en dat in de jaren vijftig en zestig met onregelmatige tussenpozen verscheen.

Plantard liet zich al sinds de jaren dertig in met allerlei antisemitische en tegen de vrijmetselarij gerichte nationalistische groeperingen. In 1937 probeerde hij voor het eerst een vereniging op te richten, onder de naam l'Union française, 'met als doel het zuiveren en hernieuwen van Frankrijk'. Deze groep werd opgericht uit onvrede met het beleid van de linkse regering van het Front Populaire onder leiding van Léon Blum, de eerste joodse premier van Frankrijk. In 1941 probeerde Plantard opnieuw een organisatie te beginnen, onder de naam 'Rénovation nationale française', maar ook die werd niet officieel erkend door de Franse autoriteiten. In deze tijd onderhield Plantard al nauwe banden met de grootorde van de Alpha Galates. Volgens H.R. Kedward, als historicus verbonden aan Sussex University, maakte Alpha Galates deel uit van 'een marginaal, rechtsgeoriënteerd genootschap waarbij de nadruk lag op traditie, ridderlijkheid, katholicisme, spiritualisme en wat je alleen een soort occult nationalisme kunt noemen... een van de talrijke "westerse" bewegingen die opkwamen voor wat ze zagen als de authentieke Franse geschiedenis en cultuur, en zich verzetten tegen het "oosten van de vrijmetselaars en de joden"... Ze kwamen tot bloei in de begintijd van het Vichy-bewind (1940-41), begonnen aan kracht in te boeten in 1942 en hadden vrijwel al hun politieke betekenis verloren in de jaren 1943-44, toen het Vichy-bewind op zijn einde liep.'

Na de oorlog, tot aan de oprichting van de Priorij, bleef Plantard onduidelijke banden houden met extreem-rechtse en nationalistische organisaties. In al die tijd lijkt hij nooit werk te hebben gehad. In het begin van de jaren vijftig heeft hij vier maanden in Fresnes in de gevangenis gezeten, veroordeeld wegens fraude en verduistering. Tijdens de politieke crisis die in Frankrijk heerste vanwege de onafhankelijkheidsoorlog in Algerije, in 1958, beweert Plantard onder het pseudoniem 'kolonel Way' lid te zijn geweest van het Comité de salut public.

Aan het begin van de jaren zestig begon Plantard met zijn verwoede pogingen een reeks documenten te vervalsen. Daarmee wilde hij zijn valse bewering staven dat hij afstamde van de Merovingische dynastie, en de soliditeit en lange geschiedenis van de Priorij van Sion bewijzen. Het verhaal van Rennes-le-Château was in die tijd tamelijk onbekend, maar vanwege de rechtse politieke voorkeur van abbé Saunière en zijn connecties met een clubje occultisten in Parijs viel het uitstekend in te passen in zijn eigen verzinsels. Het bleek een geschikt uitgangspunt voor Plantards rijke verbeelding.

In de loop van de jaren zestig werd meermalen een aantal vervalste documenten in de Bibliothèque Nationale in Parijs gedeponeerd door Pierre Plantard en zijn bondgenoten, die zich van verschillende pseudoniemen bedienden. De eerste reeks, die in 1965 was samengesteld en was gefabriceerd door zijn medeplichtige Philippe de Chérisey, bestond onder meer uit perkamenten die zogenaamd door Bérenger Saunière in Rennes-le-Château waren gevonden, andere documenten met betrekking tot de Priorij van Sion en genealogische gegevens over de Merovingische koningen. Er zaten lijsten bij van leden van de Priorij van Sion, waarop namen stonden als Leonardo da Vinci, Isaac Newton en Jean Cocteau. De volgende stap in de mystificatie was het sprookje te boek te stellen en te verspreiden.

Een van de schrijvers wier hulp werd ingeroepen om het fantastische verhaal te vertellen, was Gérard de Sède, die blijkbaar een gewillige pion van de Priorij was. Hij publiceerde twee boeken over de *Dossiers secrets* en de legenden rond Rennes-le-Château: *L'Or de Rennes ou la vie insolite de Bérenger Saunière, curé de Rennes-le-Château*, (René Juilliard, Parijs, 1967) en een uitgebreidere versie, *Le Trésor maudit* (Editions J'ai Lu, Parijs, 1968). In zijn eerste boek drukte De Sède de twee gecodeerde perkamenten af die Bérenger Saunière gevonden zou hebben en waarvan er een was ondertekend met 'PS', wat een verband suggereerde met de Priorij van Sion. De journalist Jean-Luc Chaumeil schreef later: 'De boeken van Gérard de Sède waren globaal genomen slechts de tekst, het gereedschap van Pierre Plantard.'

Nadat deze boeken waren verschenen, kregen Plantard en De Sède onenigheid over de royalty's voor *L'Or de Rennes*, en begonnen Plantard en De Chérisey mensen in vertrouwen te vertellen dat de perkamenten vervalst waren. Maar dit nieuws lekte langzaamaan toch uit. Omstreeks deze tijd werkte Robert Charroux mee aan een documentaire voor de ORTF (Office de radiodiffusion et télévision française) en in 1972 verscheen er een boek van hem over Rennes-le-Château, getiteld *Le Trésor de Rennes-le-Château*, waarin het verzinsel over de perkamenten opnieuw werd beschreven. Maar in 1973 schreef Jean-Luc Chaumeil, een journalist die zich zeer met Pierre Plantard was gaan bezighouden, een artikel waarin hij stelde dat de *Dossiers secrets* vals waren.

Naarmate de belangstelling voor Rennes-le-Château groeide – compleet met theorieën over geheime symbolen in de schilderijen van Poussin en

Teniers en aanwijzingen voor de locatie van de heilige graal – begonnen historici en journalisten andere delen van het verhaal in twijfel te trekken. In 1974 stelde René Descadeillas, een bonafide historicus, het verhaal van de schat van Rennes-le-Château aan de kaak in een boek met de titel *Mythologie du trésor de Rennes, ou l'histoire véritable de l'abbé Saunière curé de Rennes le Château*. Hij stelde daarin dat Saunière zijn rijkdom had verworven door de handel in aflaatbrieven. Het jaar daarop reageerde Gérard de Sède met *Le vrai dossier de l'énigme de Rennes: Réponse à M. Descadeillas*, waarin hij aanvoerde dat het zo weinig geld opleverde om de absolutie uit te spreken en dat het zo veel tijd kostte, dat abbé Saunière er nooit veel aan verdiend kon hebben, en hij vervolgde: 'Het sprookje van Descadeillas over aflaathandel is dus niets meer of minder dan enorme onzin.'

Een Britse scenarioschrijver, Henry Lincoln, kreeg belangstelling voor het verhaal over Rennes-le-Château en maakte een reeks van drie televisiedocumentaires voor de BBC: *The Lost Treasure of Jerusalem* (1972) , *The Priest, the Painter, and the Devil* (1974) en *The Shadow of the Templars* (1979). In geen van die documentaires werd serieus ingegaan op de mogelijkheid dat de documenten van de Priorij van Sion knappe vervalsingen waren, hoewel hun echtheid inmiddels in brede kring in twijfel werd getrokken en er al beschuldigingen van regelrechte fraude waren geuit. Als uitvloeisel van de enorme belangstelling die de BBC-programma's hadden gewekt, publiceerden Henry Lincoln en twee anderen die bij de documentaires betrokken waren geweest (Michael Baigent en Richard Leigh) een boek, *Het Heilige Bloed en de Heilige Graal*, waarin niet alleen werd ingegaan op de raadsels rond Rennes-le-Château, maar ook op de bewering dat de Merovingische koningen van Frankrijk afstammelingen van Jezus en Maria Magdalena waren geweest. Nadat het boek in 1982 in Engeland was uitgekomen, werd het een bestseller die wereldwijd opzien baarde. En later was het een van de bronnen van Dan Brown toen hij de plot van *De Da Vinci Code* bedacht. Het Britse boek is in het Frans vertaald en uitgebracht onder de titel *L'énigme sacrée* (Editions Pygmalion, Gérard Watelet, Parijs, 1983).

In Frankrijk publiceerden ondertussen aan het eind van de jaren zeventig en in de jaren tachtig de vroege hekelaars van de echtheid van de perkamenten hun eigen verhandelingen over het onderwerp. Jean-Luc Chaumeil nam in *Le Trésor du Triangle d'Or* (A. Lefeuvre, Nice, 1979, p. 80) de bekentenis van De Chérisey op dat zijn vervalsingen van de perkamenten kopieën waren van een heel oude tekst die hij had gevonden in het *Dictionnaire d'archéologie chrétienne et de la liturgie* (15 delen, red. Fernand Cabrol, Parijs, Letouzey et Ane, 1907-53). Ook Pierre Jarnac publiceert in zijn *Histoire du Trésor de Rennes-le-Château* (Cabestany, 1985, p. 268-69) een brief, gedateerd 29 januari 1974, die De Chérisey in Luik heeft geschreven en waarin hij bekent dat hij de perkamenten heeft vervalst.

Lang nadat het bedrog was onthuld, kwam er eindelijk weer een boek van Gérard de Sède uit, *Rennes-le-Château: Le dossier, les impostures, les phantasmes, les hypothèses* (Les Enigmes de l'univers, Robert Laffont, 1988), waarin hij in wezen toegaf dat de *Dossiers secrets* vervalsingen waren en dat het Merovingische geslacht niet meer bestond. In 1997 zond de BBC een tv-programma uit waarin werd erkend dat het verhaal niet waar was. Maar de mythe leeft voort, vooral omdat mensen dat willen. En de lijst van Franse boeken over Rennes-le-Château en aanverwante kwesties wordt steeds langer, om maar te zwijgen van de steeds voller wordende boekenplank met commentaren in het Engels en alle informatie die op internet over het onderwerp te vinden is. René Descadeillas heeft het in zijn bovenvermelde boek uit 1974 adequaat samengevat:

De legende van de schat van Rennes is ontstaan uit de belevenissen van een pastoor van een arm, half vervallen dorp wiens roeping niet geheel strookte met zijn natuur.

En als gevolg daarvan zijn we achtereenvolgens vergast op de schat van koningin Blanche van Castilië, van de katharen, van de Tempel en van Dagobert, verhaspeld met de geheime archieven van god weet hoeveel verschillende sekten. Nadat al deze verschillende schatten bijeen zijn gebracht en door elkaar zijn gegooid, worden we geacht te geloven dat in de bodem van Rennes het bewijs verborgen ligt voor het bestaan van een complot om de regering en het staatsmodel van Frankrijk te hervormen! Talloze mensen hebben Rennes bezocht. Sommigen hebben zelfs dure apparatuur meegebracht... Ze hebben tegels van muren getrokken, gesteente onderzocht met ultrageluid, tunnels gegraven en gaten gedolven in straten en op pleinen.

De kerk is maar liefst viermaal binnenstebuiten gekeerd en de begraafplaats is geschonden. Er zijn graven geopend en doden opgegraven. Er zijn stapels papier volgeschreven. Kranten en tijdschriften hebben er bol van gestaan, er zijn traktaten en folders gedrukt, twee films gemaakt en drie boeken geschreven... Uit Frankrijk, Engeland, Duitsland, België, Zwitserland en nog verder weg zijn horden journalisten toegestroomd... Mensen hebben de geschiedenis uitgespit vanaf Benjamin, de joden en de Heilige Schrift, langs Titus en Dagobert, de plundering van Rome, de Visigoten en Blanche van Castilië op weg naar Peter de Wrede, Nicolas Poussin en *surintendant* Fouquet. Ze hebben geprobeerd er keizers, koningen, aartshertogen, prinsen, aartsbisschoppen, de grootmeesters van elke denkbare orde, magiërs en alchemisten, filosofen, historici, magistraten en nederige monniken en priesters bij te halen... Ze hebben mensen beschreven wier bestaan hoogst onzeker is en hebben anderen in het leven geroepen die zeker nooit hebben bestaan. Ze hebben magiërs naar voren geschoven, mediums laten aanrukken, geesten opgeroepen en helderzienden ondervraagd. Ze hebben boeken met bezweringsformules, stambomen en testamenten vervalst en onrechtmatigheden en moorden aan het licht gebracht. Ze hebben tot in het absurde gelogen en zelfs – het toppunt van dwaasheid – de duivel aangeroepen!

En waarvoor? Voor niets, allemaal voor niets![1]

Wat de Fransen van
De Da Vinci Code vinden

Door David Downie

David Downie is een Amerikaanse journalist die in Parijs is gestationeerd. Copyright © 2004 David Downie.

Het ziet ernaar uit dat Franse lezers binnenkort net als de Amerikaanse fans van *De Da Vinci Code* bij de omgekeerde piramide van het Louvre zullen neerknielen. Binnen een week nadat de thriller in maart 2004 was verschenen, stond hij op nummer drie van de boekentoptien en was JC Lattès, een prestigieuze uitgever op de linker Seineoever, er al zeventigduizend exemplaren van kwijt. Op het verleidelijke Franse omslag kijkt de Mona Lisa ons vanachter een opengereten scharlakenrode achtergrond aan.

Fransen die hadden verwacht dat recensenten het boek onmiddellijk zouden neersabelen of de schrijver de wind van voren zouden geven vanwege zijn fantasievolle interpretatie van het Parijse stratenplan en de Franse taal en cultuur, zullen wel verrast zijn geweest door de over het algemeen positieve recensies en de torenhoge verkoopcijfers.

Het intellectuele *Lire* gaf Brown weliswaar een standje voor het onder-

---

1 De Engelse vertaling waarop deze tekst is gebaseerd is afkomstig van Paul Smiths *Priory of Sion Archives*, www.priory-of-sion.com.

wijzerstoontje waarop hij zijn lezers over prechristelijke symboliek vertelt, maar noemde hem toch een 'virtuoos regisseur' die een 'intelligent en onderhoudend werk en niet slechts een geldmachine' heeft geschreven.

Het toonaangevende weekblad *Le Point* verklaarde dat Frankrijk nu zelf kon oordelen, nadat het boek in het buitenland al een ongelooflijk succes was geworden. Anne Berthod van het invloedrijke weekblad *L'Express* prees de 'machiavellistische plot en het helse tempo' en noemde het boek een 'erudiete misdaadroman' die je in de verleiding brengt nog eens naar *Het Laatste Avondmaal* van Da Vinci te kijken.

Maar Dan Browns thriller wordt door weinig Franse recensenten als literatuur beschouwd; hij wordt meestal ingedeeld bij de populaire fictie. Delphine Peras, die voor het dagblad *France Soir* schrijft, is karig met haar lof: 'Ik zeg niet dat het een slecht boek is, het is perfect voor op vakantie... een boek dat als warme broodjes over de toonbank gaat.' Ze merkt op dat clichés en 'trucjes' om ervoor te zorgen dat de lezer de bladzijden ademloos blijft omslaan 'bijna het plezier van de evenwichtige plot vergallen'. Peras citeert François Huet, een boekhandelaar uit Montpellier, die zei dat hij het boek had weggelegd, omdat hij het 'onbeholpen' en 'met een spatel' (nonchalant) geschreven vond.

De meeste Franse lezers lijken de mening van Peras te delen, maar de literaire kwaliteiten van het boek zijn van ondergeschikt belang.

De publieke belangstelling voor het Opus Dei, de tempeliers, de Priorij van Sion en de huwelijkse staat van Jezus en Maria Magdalena blijkt zeer groot te zijn en geeft aanleiding tot serieuze discussies op straathoeken en in zogenaamde 'filosofische cafés'. Wat de Franse lezers het meest lijkt te boeien, is de bewering dat de vroegere president François Mitterrand en de surrealistische dichter en toneelschrijver Jean Cocteau banden hebben onderhouden met geheime genootschappen.

De Fransen hechten een niet te onderschatten belang aan het Louvre als voormalig koninklijk paleis en het grootste en belangrijkste kunstmuseum van het land. De glazen piramide van Mitterrand is nog steeds omstreden. Kwesties als de politieke invloed van het Vaticaan en het Opus Dei en de macht van religieuze symbolen zijn uiterst actueel.

Frankrijk is een seculiere republiek met circa zestig miljoen inwoners, maar een groot deel van hen is katholiek of protestant en er wonen ongeveer vijf miljoen moslims. Er wordt dan ook geworsteld met vraagstukken waarin kerk en staat tegenover elkaar staan, met name op het gebied van de vrijheid om op school en op het werk religieuze symbolen te dragen. En dan is daar plotseling Robert Langdon...

De kijk van een filosoof op
De Da Vinci Code

Door Glenn W. Erickson

Dr. Glenn W. Erickson is de auteur van een tiental werken op het gebied van filosofie, literaire kritiek, kunstgeschiedenis en de geschiedenis van de wiskunde.

Ik moet toegeven dat ik Dan Browns roman in één enkele zitting heb uit-gelezen, zoals een snelschilder. En nu voel ik me geroepen om *De Da Vin-ci Code* in een goed daglicht te stellen. Omdat ik het boek onmogelijk weg kon leggen, ga ik het nu niet als een ploert in het openbaar afkraken.

Om te beginnen is het boek politiek correct: de moraal is namelijk dat wereldreligies, met name de westerse religies, doelbewust de aandacht voor de Godin of godinnen onderdrukt hebben, en daarmee de levenswaarden die zulke godheden zouden kunnen manifesteren of vertegenwoordigen. In eerste instantie leek deze zienswijze slechts een ideologische strijdkreet van het feminisme, maar de visie is nu gebruikelijk in occidentale, intellectuele kringen. De afgelopen vijftig jaar zijn de meeste beoefenaars van vergelijkende godsdienstwetenschappen van mening geweest dat het be-studeren van de relatieve vergetelheid van autonome vrouwelijke godhe-den in minstens de afgelopen twee millennia – godheden die prominent aanwezig waren in Paleo- en Neolitische contexten – nuttig is voor de re-constructie van het ontstaan van onze geïnstitutionaliseerde wereldbeel-den. De draai die in *De Da Vinci Code* aan dit verhaal wordt gegeven, is dat bij de samenstelling van de kerkelijke canon ten tijde van Constantijn de Grote, het huwelijk van Jezus en Maria Magdalena eruit geschrapt is. Zij was rechtmatig zijn goddelijke gezellin, het verlichte symbool van het eeuwig vrouwelijke. En MM was ook geen hoer, zoals hatelijke patriar-chale roddelaars beweerden, maar een telg uit een koninklijke familie, een belangrijke en machtige figuur op zichzelf. De verhouding is als volgt: Ma-ria Magdalena : Jezus :: Batseba : David.

De premisse van het boek is dat een supergeheim genootschap, de Pri-orij van Sion, oorspronkelijk een oude tak van de tempeliers, bijna dui-zend jaar lang drie dingen streng heeft bewaakt. Dingen die samen wor-den aangeduid als de legendarische heilige graal: ten eerste een overvloed aan tekstrollen, waaronder een schat aan apocriefe evangeliën die de rol van Maria Magdalena beschrijven, ten tweede haar relikwieën en als laat-ste haar afstammelingen tot op de huidige dag. De prominentste telgen van die familie zijn de grootmeester van de Priorij van Sion en curator van het Louvre, die aan het begin van het verhaal wordt vermoord, zijn vrouw en kleinzoon, die al tien jaar op het Schotse platteland ondergedoken zijn, en zijn kleindochter Sophie Neveu, de vrouwelijke hoofdpersoon van het boek, die als codebreekster bij de Franse kloon van de FBI werkt.

Het boek volgt een reeks raadsels of codes die achter elkaar ontcijferd moeten worden om het geheim van de heilige graal te bewaren. Omdat zijn drie belangrijkste ondergeschikten, die samen met hem de enigen waren die het geheim kenden, vermoord zijn door een fanatieke albino monnik van het Opus Dei (een tamelijk beruchte organisatie, die echt bestaat binnen de rooms-katholieke kerk), moet de grootmeester tijdens zijn doodstrijd het geheim van de heilige graal doorgeven. Hij laat het geheim na aan zijn erfgename en pupil Sophie, en wel op zo'n manier dat zij de mannelijke hoofdpersoon van het verhaal leert kennen, een hoogleraar religieuze symboliek [sic] aan Harvard University, Robert Langdon. Samen ontcijferen ze de eerste code, die leidt naar een schilderij (*La Giaconda*), wat ze op het spoor zet van de sleutel en locatie van een kluisje waarin een houten kistje zit. Daarin bevindt zich een marmeren voorwerp, waarin zich nog een marmeren voorwerp bevindt, waarin een raadsel zit dat naar een tombe leidt, die een puzzel bevat die naar een tempel wijst, waar ze eenderde deel van de heilige graal aantreffen (Sophies broer en grootmoeder, van wie Sophie dacht dat ze dood waren) en een nieuw raadsel dat naar de bergplaats van de rest van de graal leidt (waar het hele verhaal begon).

De Da Vinci Code is overduidelijk een detectiveverhaal, maar dat wil zeggen dat het in goed gezelschap is: *De gebroeders Karamazov, Oedipus* en zelfs *Hamlet*. De lezer krijgt telkens de kans om zelf de codes te breken: op de plaats van de misdaad in het Louvre, de *Mona Lisa* en omgeving, de bankkluis, Isaac Newtons graftombe in Westminster Abbey, Rosslyn Chapel in Schotland en terug in het Louvre. Afgezien van de vertelwijze, het schakelen tussen tegelijkertijd plaatsvindende scènes, waardoor de verhalen van verschillende personages tegelijk gevolgd worden (tegenwoordig heel gewoon in toneel, films, televisie en proza), ligt de fascinatie van het boek in de slimheid van de codes en in het decoderen. We krijgen een zeer aangenaam lesje in het occulte symbolisme van Leonardo da Vinci's schilderijen en schetsen: ik denk dat ik Maria Magdalena vlak naast Christus zie zitten op *Het Laatste Avondmaal*.

Op een dieper niveau plaatst Brown Maria Magdalena in de rol die Nietzsche in zijn laatste koortsige grappen aan Ariadne had toebedeeld: de gynogodin die essentieel is om onze nietigheid en de kwebbelkoningen van het nihilisme te ontkrachten. De verhouding: is dan: Ariadne : Dionysus :: Magdalena : Jezus. En in de wereld van de codes is Ariadne het tegenbeeld van Sophia, wier spoor Bob 'Theseus' Langdon uit het labyrint leidt.

In het boek zijn de aristotelische eenheden verborgen. Afgezien van de herkenningsscène in Schotland ontvouwt het verhaal zich al snel als een *Tale of Two Cities*, in de megapolis die zich uitstrekt van Parijs tot Londen, en in het verloop van 24 uur vanaf de moord op de grootmeester tot de arrestatie van de intellectuele auteur van de moord, Sir Leigh Teabing.

Desondanks is de occulte kant van de roman een teleurstelling. De newagepastiche is zowel onnozel als verwaand. Er zijn diverse, soms alternatieve verklaringen voor deze omstandigheid.

Ten eerste de Platonistische: de artiest maakt kopieën van dingen die op zich al kopieën waren, en of deze kopieën nou goed of slecht gemaakt zijn, het blijven kopieën van kopieën. En D. Brown geeft ons een slechte kopie van occulte wetenschap. Het is bijna erg genoeg om ons heimwee te geven naar bijvoorbeeld *De slinger van Foucault*, als we voor ogen houden dat U. Eco zijn occulte plot geheel uit zijn duim zoog, waarbij hij niet zocht naar historische relevantie, maar meer naar een ultieme paranoïde fuga à la *Pale Fire*. We zeggen 'bijna erg genoeg', want in *De slinger van Foucault* ontbreekt jammerlijk de verhalende flair die *De Da Vinci Code* kenmerkt.

Ten tweede is er de Sam Waltoneske verklaring: meneer Brown mag dan wel weten waar hij het over heeft, hij weet nog veel beter hoe zijn lezersmarkt in elkaar zit. Om de lezer niet al bij zijn of haar eerste poging het boek te laten wegleggen, zoals Harold Bloom in zijn occulte roman (en inmiddels zijn enige niet obscure roman) deed, voelt Dan Brown zich bijvoorbeeld verplicht om wat gezien wordt als een van de twee grootste wiskundige ontdekkingen uit de oudheid, te reduceren tot een decimale benadering, 1,618, die wordt gezien in de *gemiddelde proporties* van ontelbare organische en esthetische vormen. De Gulden Snede naar de Phi-listijnen!

Ten derde een verklaring volgens Horatio: Brown vertrouwt erop dat zijn beoogde lezer het nieuwe heidendom afkeurt of veracht en is niet op zoek naar bonafide of fictieve waarschijnlijkheid in de commentaren die hij met tussenpozen op de occulte wetenschappen geeft. Hij neemt astrologen op de hak, hekelt hogepriesters, geeft *I Tjing*-strooiers een prik, zet kaartlezers bij het grof vuil en beledigt numerologen. Om kort te gaan: hij zet alle charlatans en nachtkruipers voor gek. Het is allemaal spottend, dat wil zeggen, rooms, namelijk satire ('de reden dat wij horigen zijn, Horatio, staat niet in onze sterren...'). Dus omdat Walt Disney zijn bijdragen betaalde aan de lokale loge van de vrijmetselarij (zoals iedereen zou doen die hoopte op een positief oordeel bij de bank, als het al niet de rechtbank was), is Bambi's moeder eigenlijk Astarte op hoeven, Sneeuwwitje is Isis in Lilliput, en Assepoester is Astoret op zestienjarige leeftijd. Als ze dit al in het sprookjesbos doen, wat zullen ze dan wel niet met de heiligen doen? Het is genoeg om de Witte Godin zich te laten omdraaien in haar graf.

Inderdaad gebruikt het boek de paranoïde invalshoek die inherent is aan de complottheorieën over de occulte traditie – want iemand heeft die spullen verborgen en waarschijnlijk om een duistere reden – op een goedhartige, spottend dramatische, zelfs humorvolle manier. In dit geval is het de bedoeling van de Priorij van Sion om het geheim nooit te openbaren, maar juist een eeuwenlange strijd te leveren om het te bewaren.

Als laatste is er nog de Heideggeriaanse verklaring: zowel de opzet van het boek, die de rivaliteit tussen de Priorij van Sion en het Opus Dei behandelt, als de opeenvolging van raadsels die moeten worden opgelost, vereist een flinke hoeveelheid speculatie over occulte zaken, maar die ontaardt geenszins in heidense magie of vrome wonderen. Het uitgangspunt van het boek is consequent realistisch, en kwesties uit de kerkleer zijn meer van psychologisch belang, al kan de massale ontgoocheling na de onthulling van de ware aard van de graal de kerk grote problemen bezorgen. De zaak wordt zo gepresenteerd dat alles draait om het Wezen van de Mens. Zoals de wijze grootmoeder uitlegt in de ontknoping van het boek, brengt ons Nieuwe Gloren van begrip de Moedergodin weer tot leven in de Kunst en dus ook in de Cultuur. En daarom is de bewijskracht of occulte uitleg uiteindelijk niet belangrijk, maar draait het alleen dat wat voor jou of voor mij werkt. Zelfs domme antwoorden werken voor veel mensen, eigenlijk voor de meeste mensen, dus lekker puh, iedereen.

Dan resten nog de verloren post en open vragen. De Harvardprofessor, doc Langdon, lijkt met zijn solidariteit met de zaak van de tempeliers meer *langue d'oc* dan *langue d'oil*, meer kathaars ja dan katholiek *aye*. Waarom stuurt Brown de legende van de graal nooit in de traditionele richting van de begarden en Bogomielen, gezien hun vrouwelijke godin en de mogelijkheid dat sir Steven Runciman de inspiratiebron voor sir Leigh Teabing is geweest?

Voorzover de auteur een beetje probeert om parallellen tussen zijn werk en dat van Johannes te suggereren, is de occulte tekst van het boek beslist een Openbaring. Het wordt aan de lezer overgelaten om Sint Michael, de vrouw gekleed door de zon, de valse profeet, de antichrist en diverse hoofdpersonen uit de Apocalyps in *De Da Vinci Code* te identificeren. Misschien is zo'n programma noodzakelijk vanwege het thema van het boek; je weet zonder programma niet wie de hoofdrolspelers zijn.

Maar erger is, juist omdat ze de ultieme miniversies van de Openbaring zijn, dat Brown zo weinig aandacht geeft aan de tarotkaarten. De tarot is, zoals ik in een aantal boeken en artikelen hebt verdedigd, een serie miniatuurschilderijtjes die een reeks grafische beelden verbergt, elk samengesteld uit twee regelmatige veelhoeken, waarvan de proporties worden bepaald door een reeks driehoeken van Pythagoras. Deze grafische beelden, die de taal der engelen vormen, zijn het hart van de christelijke kabbala, die voortgekomen is uit zijn neoplatonische equivalent. Hoewel Joachim de Fiore, Giotto, de originele tarotkunstenaars, Fernando de Rojas en Shakespeare de kern van deze taal en haar plaats in de theologie van Johannes' Logos begrepen, doet Brown dat niet. Uit de opmerking in het boek dat de tarot dient om heidense symbolen weer te geven, kan tenminste worden opgemaakt dat hij erg slecht ingelicht lijkt te zijn.

Ten slotte bestaat er een redelijke kans dat, net als andere moderne romanschrijvers en dichters zoals T.S. Elliot, Sylvia Plath, Mario Vargas Llosa en ontelbare andere, mindere goden, ook Dan Brown de Grote Arcana in zijn werk verborgen heeft. In dit korte commentaar ontbreekt de mogelijkheid om hier dieper op in te gaan. Maar hoe het ook zij, als de heer Brown deze centrale ader van de occulte traditie had aangeboord, in plaats van vrijblijvend in de marge te blijven rommelen, had hij wellicht niet slechts een zeer leesbaar boek geschreven, maar ook een dat van veel groter belang zou zijn.

Een kruising tussen Indiana Jones en Joseph Campbell

Webinterviewer Craig McDonald interviewt Dan Brown

Craig McDonald beheert een website met interviews met interessante schrijvers. Bij de research die we hebben gepleegd voor *Geheimen van de Code* was dit een van de interessantste interviews met Dan Brown die we tegenkwamen. Passages eruit zijn hier afgedrukt met toestemming van Craig M. McDonald. Copyright © 2003 Craig M. McDonald.

U hebt Engels onderwezen aan de Phillips Exeter Academy, een van de meest prestigieuze middelbare scholen van de Verenigde Staten. Wat voor boeken gebruikte u bij uw lessen?
Ik heb lesgegeven in literatuur en taalbeheersing. We gebruikten boeken als de *Ilias* en de *Odyssee*, *Of mice and men* van Steinbeck, alles van Shakespeare. Alles van Dostojevski. De klassieken.

Heeft het u veel tijd gekost om uw eerste manuscript te verkopen?
Daar heb ik veel geluk mee gehad. Het was in twintig dagen verkocht. De eerste uitgever die het onder ogen kreeg, wilde het hebben. Dat had ook te maken met het feit dat het onderwerp op dat moment erg goed in de markt lag. Het ging over staatsveiligheid en de privacy van de burger, het kraken van codes met behulp van computers, e-mail... de National Security Agency NSA. Het was fictie, maar er was een duidelijk verband met de werkelijkheid.

Zou u Het Juvenalis Dilemma *nu anders schrijven, na de aanslagen op de Twin Towers en de controverse rond het uitbreiden van de bevoegdheden van de opsporingsdiensten?*
Ik denk het niet. Het grappige is, toen ik aan dat boek begon en hoorde hoe de NSA werkte, dacht ik: mijn god, dit is een vréselijke inbreuk op de privacy. Ik nam contact op met een voormalig cryptoloog van de NSA en zei: 'Al die dingen die jullie doen, e-mails lezen en mobiele telefoons afluisteren, dat is een inbreuk op de privacy.' Die man reageerde briljant. Hij faxte me de tekst van een hoorzitting van een Senaatscommissie waarin de toenmalige directeur van de FBI, Louis Freeh, verklaarde dat de mogelijkheid van de NSA om de diverse civiele communicatiekanalen af te luisteren in één jaar tijd – ik meen dat het in 1994 was – twee aanslagen op Amerikaanse passagiersvliegtuigen en een aanslag met chemische wapens op Amerikaanse bodem had voorkomen. Het was heel opvallend: ik heb wel honderdvijftig radio-interviews gedaan sinds mijn eerste boek uitkwam, en dan kregen we mensen aan de lijn die zeiden: 'Ongelooflijk dat u de National Security Agency steunt. Dat is een organisatie uit *Brave New World*.' Maar na elf september zeiden de bellers: 'Het kan me niet schelen wat de NSA van me moet weten. Als ze een permanent draaiende camera in mijn slaapkamer willen hangen, vind ik dat best. Wat ze ook nodig hebben om hier een eind aan te maken, ik vind het prima.' De opinies over de staatsveiligheid en de prioriteit die eraan werd toegekend, verschoven. Nu is de vraag: 'Zijn we doorgeschoten?' en zo zullen we wel heen en weer blijven slingeren, verwacht ik.

Hoe verklaart u de enorme verkoopcijfers van De Da Vinci Code, *gezien het onderwerp en het mogelijk aanstootgevende religieuze aspect van het verhaal?*
Ik heb veel research gepleegd voor dit boek, en ik had echt het gevoel dat de mensen aan dit verhaal toe waren. Het was het soort boek waar de lezers klaar voor waren. Maar dat het succes zó groot is, heeft me echt verrast. Het feit dat dit boek alle records breekt en dat het, zoals we net heb-

ben gehoord, de komende week weer in elke toptien van het land op de eerste plaats staat. Toen het boek uitkwam, was ik een beetje huiverig voor hoe het ontvangen zou worden. Maar de reacties van priesters, nonnen – allerlei mensen binnen de kerk – zijn voor het merendeel zeer positief geweest. Er waren een paar mensen die het boek schokkend en verontrustend vonden, maar dat soort reacties vormde hoogstens één procent van het geheel.

Robert Langdon maakt zijn opwachting in uw tweede en vierde boek. Er wordt gezegd dat u van plan bent een serie te schrijven met hem als hoofdpersoon. Er zijn misdaadschrijvers en thrillerauteurs die aan een serie zijn begonnen en het dan later betreuren dat ze niet meer de vrijheid hebben hun inspiratie in andere richtingen te volgen. Waarom wilt u ook die weg inslaan?
Langdon is een personage dat mijn eigen interesses heeft. Historische raadsels fascineren me. Kunstgeschiedenis. Codes. Als je één tot anderhalf jaar aan een boek werkt, kan je hoofdpersoon zich maar beter bezighouden met een onderwerp dat je na aan het hart ligt. En hoe geïnteresseerd ik ook was in de NASA en meteoren, of in de National Security Agency, mijn ware passie ligt toch bij historische raadsels en geheimschrift, dat soort dingen.

Bent u altijd al geïnteresseerd geweest in geheimen?
Ja. Ik ben opgegroeid aan de Oostkust van de Verenigde Staten, in New England, zo ongeveer te midden van de Ivy League-universiteiten met al hun sociëteiten, eetclubjes en geheime genootschappen. Ik ging lang geleden al om met mensen van de National Security Agency. Iedereen vindt geheimen interessant, denk ik, en vooral door mijn bezoek aan het Vaticaan raakte ik gefascineerd door geheime genootschappen.

O ja, uw beroemde 'audiëntie bij de paus'.
Heel veel mensen hebben een audiëntie bij de paus gehad. Het betekent eigenlijk alleen dat je met hem in één ruimte verkeert, maar dat wordt op een heel hoogdravende en rare manier uitgedrukt. Ik ben met een groep andere mensen in een zaaltje geweest waar de paus ook was, en verder stelt het niets voor.

U schijnt ook toegang te hebben gekregen tot bepaalde bijzondere plekken in het Vaticaan...
Dat is waar. Ik heb een goede vriend die weer iemand kent die een hoge functie binnen het Vaticaan bekleedt. De delen van het Vaticaan die we hebben gezien, zoals de necropolis... momenteel worden maar zo'n elf

mensen per dag toegelaten tot de necropolis. Dat was waarschijnlijk de strengst beveiligde plaats die we hebben gezien, en dat was dan ook echt heel gedenkwaardig en bijzonder. Tot het Vaticaanse geheime archief hebben in de loop der eeuwen maar drie Amerikanen toegang gekregen, en daar behoor ik niet toe. Twee waren kardinaal en een was hoogleraar theologie aan de Universiteit van Florida, geloof ik. Alle beschrijvingen kloppen, maar ik ben zelf niet toegelaten in het geheime archief. Ik ben wel in de Vaticaanse bibliotheek en het Vaticaanse archief geweest, maar niet in het geheime archief.

Denkt u dat u na publicatie van Het Bernini Mysterie *en* De Da Vinci Code *daar nog steeds zou worden toegelaten?*
Die kans is klein.

Ik heb ergens gelezen dat u een stuk of tien ruwe schetsen voor toekomstige boeken met Robert Langdon als hoofdpersoon zou hebben.
Dat klopt. De kans is groot dat ik er niet aan toe zal komen die allemaal te schrijven.

Gezien de complexiteit van de boeken neem ik aan dat u aan de hand van een gedetailleerde synopsis werkt.
Nou en of. De synopsis voor *De Da Vinci Code* besloeg meer dan honderd bladzijden. De verhalen zijn heel ingewikkeld en zitten vol intriges. Er zijn veel onverwachte wendingen, veel gecodeerde aanwijzingen. En veel verrassingen. Die kun je niet uit de losse pols schrijven, die moet je zorgvuldig plannen.

U hebt gezegd dat u ongeveer anderhalf jaar met een boek bezig bent. Welk deel daarvan besteedt u aan research?
Ongeveer de helft.

U hebt een paar tamelijk invloedrijke organisaties op de korrel genomen in uw boeken: de katholieke kerk, de vrijmetselarij, verscheidene vermeende geheime genootschappen en overheidsorganisaties. Bent u nooit bang voor uw eigen veiligheid?
Helemaal niet, eigenlijk. Ik doe erg mijn best deze organisaties eerlijk en onpartijdig af te schilderen, en ik vind dat ik daarin ben geslaagd. Neem bijvoorbeeld het Opus Dei. Zoals ik in het boek heb gezegd, zijn er mensen in wier leven het Opus Dei zeer waardevol is. En er zijn anderen voor wie het Opus Dei een nachtmerrie is geweest, en ik schrijf over beide.

Denkt u dat de boeken over Langdon geschreven zouden zijn als u niet met een kunsthistorica was getrouwd?
Mijn vrouw heeft veel invloed op mijn werk. Haar kennis en passie voor het onderwerp trekken het schrijfproces weer vlot als het vastloopt. Een boek schrijven is ongelooflijk moeilijk. Ik wens het mijn ergste vijand niet toe. Er zijn zeker dagen waarop het helpt als je iemand om je heen hebt – met name in het geval van *De Da Vinci Code* – die verstand heeft van kunst en van Da Vinci, en die er enthousiast over is en kan zeggen: 'Kom mee, laten we gaan wandelen, dan kunnen we praten over de reden dat we hier ooit aan zijn begonnen: wat er zo bijzonder is aan Da Vinci en wat zijn overtuigingen waren.' Dus in dat opzicht heb ik heel veel geluk.

Om nog even terug te komen op 11 september 2001: ik heb een interview gelezen dat u in 1998 hebt gegeven, en achteraf gezien had u een vooruitziende blik. U had het over projecten die waren opgezet om de Amerikaanse burgers in de gaten te houden met het doel terroristische aanslagen te voorkomen, en u zei: 'De dreiging is reëel... Amerikanen geven het niet graag toe, maar we hebben veel vijanden. We zijn een uitgelezen doelwit voor terroristen en toch hebben we in ons land nog uitzonderlijk weinig succesvolle terroristische aanslagen gehad.' U dacht blijkbaar al aan zo'n aanslag voordat de meeste mensen dat deden. Hoe komt dat?
Ik denk doordat ik al een keer was geschrokken... Nou, u hebt waarschijnlijk wel gelezen over de kerels van de Secret Service die plotseling opdoken op de campus van de Phillips Exeter Academy.

Ja, u had een leerling die iets had geschreven in een e-mailbericht, en ze kwamen een onderzoek instellen naar die leerling.
Juist. Dat was eigenlijk mijn eerste kennismaking met de National Security Agency. Toen ik over de organisatie ging lezen, raakte ik steeds geschokter. Ik kon me niet voorstellen dat hoogopgeleide Amerikanen aan projecten werkten om hun medeburgers af te luisteren. Ik snapte er niets van, totdat ik dieper ging graven en besefte waarom dat gebeurde en waarom het zal blijven gebeuren, of we nu willen of niet. En uiteindelijk kreeg ik lijsten met terroristische aanslagen die dankzij de NSA waren verijdeld. Ik begon te denken: mijn god, we liggen bijna dagelijks onder vuur, alleen horen we er nooit iets over. Je moet niet vergeten dat het doel van terroristen niet per definitie het doden van mensen is, maar het zaaien van angst. Als er bijvoorbeeld een bom onder het Witte Huis ligt, of in New York, en de NSA weet die drie seconden voordat hij zou afgaan onschadelijk te maken, dan laten ze die bom spoorloos verdwijnen en ho-

pen ze dat niemand erachter komt, want of die bom nou afgaat of niet, zodra je weet dat hij bíjna is afgegaan, is dat bijna even angstaanjagend. Dus er wordt veel gedaan om onze onwetendheid en onschuld te beschermen.

Als ik zo naar de data kijk, neem ik aan dat u vlak na 11 september 2001 uw promotietournee maakte voor uw derde boek.
Hoe was dat?
Afschuwelijk. Het was een akelige tijd. Op de ochtend van 11 september zat ik aan *De Da Vinci Code* te werken. Ik heb een werkkamer zonder telefoon, e-mail of wat dan ook, waar ik ga zitten om me helemaal af te zonderen. Mijn vrouw kwam naar me toe en zei alleen: 'Er gebeurt iets vreselijks,' en ik begreep meteen dat het eindelijk zover was. In de eerste maanden daarna was het heel moeilijk de motivatie te vinden voor het schrijven van fictie. Het kwam me volkomen onbelangrijk voor. Als er zoveel gebeurt in de wereld, hoe kun je je dan de luxe permitteren fictieve personages rond te laten wandelen door een fictief landschap... Op welke manier dien je je land daarmee? Maar uiteindelijk doe je dat wél. Je biedt de mensen een beetje afleiding van de harde werkelijkheid en wat ontspanning. Alleen denk je daar in het begin niet aan.

U hebt een muzikale achtergrond. Hebt u ooit thema's of elementen uit de muziekwereld in uw boeken willen verwerken?
Ja zeker. Een van mijn toekomstige boeken gaat over een beroemde componist en zijn banden met een geheim genootschap, allemaal gebaseerd op feiten.

Er gaan geruchten dat uw eerstvolgende boek na De Da Vinci Code *zich afspeelt in de stad Washington.*
Dat klopt.

En iets met de vrijmetselarij...?
Ja... Hoopt u nu dat ik meer zal loslaten? [lachend]

Ik dacht: ik stel de vraag zo dat u me misschien aanvult... maar dat zit er blijkbaar niet in.
Meer mag ik er niet over zeggen.

Krijgt u door uw voorlees- en signeersessies een indruk van uit wat voor mensen uw publiek bestaat?
Weet u, dat is het mooiste aspect van die promotietournees: om in die

boekwinkels mannen, vrouwen en heel veel tieners te zien. Jongeren hebben heel sterk gereageerd, vooral op *De Da Vinci Code* en *Het Bernini Mysterie*. Ik denk dat velen van hen die boeken zien als een volwassen variant van Harry Potter. Er zitten elementen van oeroude mysteriën in die ook Harry Potter zo geliefd maken.

Die vergelijking wordt gemaakt in sommige persberichten van uw uitgever.
De eerste keer dat ik de vergelijking tegenkwam, was in een werkelijk gloedvolle recensie van Janet Maslin in de *New York Times*. Mensen belden me om te vragen: 'Is Janet Maslin je moeder? Zo schrijft ze anders nooit.' Ze liet de heilige naam Harry Potter vallen en ik geloof dat ze de eerste was. Ik lees geen fictie, behalve om af en toe een lovend citaat te kunnen leveren als mijn uitgever daarom vraagt. Dat is ook zoiets, ik krijg dagelijks boeken met de vraag: 'Zou je dit niet eens willen lezen en een aanbeveling willen schrijven voor op het omslag?' Ik heb Harry Potter niet gelezen, maar ik denk dat alles wat kinderen zo geestdriftig aan het lezen zet, echt heel goed moet zijn. Ik vind dat fantastisch.

Gaan er boeken van u verfilmd worden?
Er is veel interesse voor. Omdat Langdon de hoofdpersoon van een serie is, aarzelde ik over het verkopen van de filmrechten. Een van de mooie dingen van lezen is dat iedereen Langdon op zijn of haar eigen volmaakte manier voor zich ziet. Zodra er in een film een gezicht op wordt geplakt, maakt het niet meer uit hoe ik Langdon beschrijf, want iedereen ziet dan Ben Affleck of Hugh Jackman voor zich, of wie de rol toevallig speelt, begrijpt u? Daarom aarzelde ik. Bovendien heeft Hollywood de gewoonte een dergelijk verhaal te veranderen in een wilde achtervolging met door Parijs scheurende auto's, machinegeweren en een portie karate. Dus ik heb zeker bedenkingen, maar ik ben wel in gesprek met een paar mensen die in staat moeten zijn er een góéde film van te maken. Ik wil de rechten alleen verkopen als ik een grote vinger in de pap krijg.*

* Inmiddels is bekend dat *De Da Vinci Code* verfilmd wordt door regisseur Ron Howard met in de hoofdrollen Tom Hanks en Audrey Tatou.

De Latijnse etymologie van
De Da Vinci Code

Door David Burstein

David Burstein is leerling aan een Amerikaans gymnasium en toneelschrijver.

Populaire hedendaagse avonturenromans, van de Harry Potter-serie tot *De Da Vinci Code*, worden vaak gekenmerkt door een rijk taalgebruik, met verwijzingen naar oude talen en interessante woordspelingen. Dan Brown heeft een paar mogelijke redenen om Latijnse woorden te gebruiken in *De Da Vinci Code*. Ten eerste is duidelijk dat hij erg van taal en woordspelingen houdt en heel goed weet dat veel Engelse woorden Latijnse wortels hebben. Ten tweede heeft hij lesgegeven aan de Phillips Exeter Academy, een van de beste particuliere middelbare scholen van Amerika. En ten derde draait het in *De Da Vinci Code* om kwesties in en rond de katholieke kerk, zodat Latijnse woorden en zinnetjes extra relevantie krijgen.

Het Latijn wordt als dode taal beschouwd, maar Brown zorgt er in zijn eigentijdse boek voor dat het tot leven komt (zoals hij er ook stukjes Grieks, Frans en enkele andere talen in verweeft). Voor sommige begrippen heeft de lezer alleen een Latijns woordenboek nodig: Opus Dei (het werk van God) of *crux gemmata* (met juwelen bezet kruis). Andere woorden en zinsneden zijn echter voor meerdere interpretaties vatbaar.

Ieders favoriet, de moordenaar, monnik en albino Silas, is vroom katholiek en lid van het Opus Dei. Hij is te herkennen aan zijn huidskleur (als een personage van Homerus dat altijd op dezelfde manier wordt aangeduid, wordt Silas door Brown vaak 'de albino monnik' genoemd). Maar een belangrijker kenmerk is dat hij een boeteling of penitent is. Het woord penitent (*paenitit* in het Latijn) is afgeleid van *paean*, lofzang op de goden. Net als de werkelijke leden van het Opus Dei gelooft Silas dat pijn lijden de manier is om God te loven. Het is interessant dat het Latijnse woord voor mantel, *paenula*, dezelfde herkomst heeft als penitent. Dit lijkt erop te wijzen dat de karakteristieke pij die een monnik draagt hierdoor is geïnspireerd.

De boetegordel met stekels die Silas om zijn dij draagt, heet een *cilice*, wat afkomstig zou kunnen zijn van het Latijnse *cicatrix*, dat 'litteken' betekent. En de bedoeling van de gordel is natuurlijk het veroorzaken van lichamelijke pijn (waarbij waarschijnlijk een litteken achterblijft) om voor zonden te boeten. Maar er is een interessanter verband tussen *cilice* en kelk (in het Engels *chalice*), afkomstig van het Latijnse *calix*. De kelk is een ander woord voor de heilige graal, een sleutelbegrip in een boek dat gaat over de betekenis van en de zoektocht naar de heilige graal. *Calix... cilice...* Silas. Hoewel de Leermeester het brein is bij de jacht op de heilige graal, neemt Silas alle moorden en het andere handwerk voor zijn rekening.

Silas is het personage in het boek dat het meeste Latijn gebruikt. Als hij zichzelf geselt, zegt hij: '*Castigo corpus meum.*' Dit betekent: ik kastijd (of tuchtig of straf) mijn lichaam. Voor een religieuze boeteling is het een logische rituele uitspraak. Maar het is intrigerend dat *castigo* dezelfde oorsprong heeft als *castitas*, dat kuisheid of maagdelijkheid betekent. Daar ligt natuurlijk weer een verband met de zuiverheid van Jezus en de Heilige Maagd. Er is ook een connectie met een ander centraal thema in het boek: of Jezus Christus en Maria Magdalena een seksuele relatie hebben gehad, en zo ja, hoe die door hun tijdgenoten werd gezien en door de latere generaties gezien moet worden. Als de theorie van Brown klopt, was Jezus niet zo zuiver als in de loop der eeuwen is aangenomen en zou *castigo corpus meum* daar een knipoog naar kunnen zijn.

'O Draconian Devil! Oh Lame Saint!' is een van de aanwijzingen die een doodbloedende oude man in het laatste kwartier van zijn leven heeft verzonnen om Robert Langdon en Sophie Neveu op het spoor te zetten van de heilige graal. Deze uitroepen zijn een anagram voor 'Leonardo da Vinci! The Mona Lisa!', waar de volgende aanwijzing verborgen blijkt te zijn. Een interessant aspect van dit anagram is het woord *draconian*, draconisch, dat meestal wordt gebruikt in verband met uiterst harde, strenge maatregelen. In werkelijkheid was Draco geen meedogenloze bruut. Hij was een wetgever in het oude Athene. Hij hechtte veel belang aan het maken en te boek stellen van wetten, en aan het vastleggen van de consequenties als je ze overtrad. Maar de wet was het belangrijkste, en dat is Draco's ware bijdrage aan de Grieks-Romeinse beschaving geweest. Hij handhaafde die wetten streng, en zo heeft zijn naam de ongunstige bijklank van meedogenloosheid gekregen. Langdon oppert zelfs dat deze woorden misschien een felle aanval van Saunière op de kerk zijn, en daarbij legt hij de nadruk op *Draconian* en *devil.*

Als Langdon en Sophie piekeren over de mysterieuze sleutel die ze in hun bezit hebben gekregen en zich afvragen of die iets met de Priorij van Sion te maken heeft, valt het Langdon op dat het kruis gelijkarmig is. Het voorwerp in zijn hand biedt hem als symboliekdeskundige de gelegenheid de geschiedenis en oorsprong van het christelijke kruis te bespreken. Langdon bedenkt dat kruis en crucifix van het Latijnse woord *cruciare* komen, dat folteren betekent. Een woord met dezelfde oorsprong, *cruor*, betekent bloed.

Het wemelt in *De Da Vinci Code* van de anagrammen, waarvan enkele in de laatste boodschappen van Saunière aan Sophie Neveu en Robert Langdon. Brown, duidelijk een groot liefhebber van anagrammen, noemt in dit verband *ars magna*, Latijn voor de grote kunst, dat wordt beschouwd als onderdeel van de heilige symboliek in de Romeinse cultuur. Maar door de letters van *ars magna* te herschikken, krijgen we het Engelse meervoud *anagrams*.

In de geschiedenis heeft het woord 'heresie' (ketterij) al heel lang een negatieve bijklank. Maar Langdon vertelt ons dat het afstamt van het Griekse woord *hairesis*, dat keuze betekent. Degenen die ervoor kozen niet te geloven in de voorgeschreven evangeliën – de geschriften en beginselen die de Romeinse keizer Constantijn tijdens het Concilie van Nicea en daarna tot norm verhief – deden aan heresie, wat betekende dat ze de keuze hadden gemaakt een andere weg te volgen. Al snel werden ze bekritiseerd, mishandeld en gemarteld vanwege deze keuze, maar in het begin sloeg het woord heresie alleen op het maken van de keuze zelf.

Brown wijdt ook een bespiegeling aan de betekenis van het woord heidens. Vandaag de dag denken sommige mensen dat het woord heidens altijd een religieuze betekenis heeft gehad en dat het verwijst naar de verering van de duivel. Brown stelt: 'Oorspronkelijk betekende het woord heiden "iemand van de heide", waarmee iemand werd bedoeld die vasthield aan de oude plattelandsgodsdienst: de verering van de natuur.' Een vergelijkbaar verschijnsel heeft zich voorgedaan met het Latijnse *paganus* (heiden), dat eigenlijk iemand uit een dorp (*pagus*) betekende. De bewoners van het Romeinse platteland bekeerden zich pas laat tot het christendom en bleven lang hun oude Grieks-Romeinse riten uitvoeren en hun vele goden en godinnen aanbidden. In de loop der tijden kreeg het woord 'heiden', oorspronkelijk een neutraal woord, de negatieve connotatie van het vereren van de duivel.

Dezelfde associatie met de slechte aard van plattelandsbewoners is terug te vinden in het woord vilein, volgens een andere overpeinzing in *De Da Vinci Code*. Het woord *villa* is Latijn voor landhuis. Daar woonden dus plattelanders. Volgens Brown was de kerk bang voor bewoners van de landelijke *villages*. Daardoor zou 'het eens onschuldige woord voor dorpsbewoner – *vilain* – de bijvoeglijke betekenis van lelijk of vilein' hebben gekregen. Maar Dan Browns interpretatie wordt in twijfel getrokken in een artikel in het *New York Times Magazine* van de hand van William Safire, die een column heeft die 'Over taal' heet. Hij schrijft: 'Dorpsbewoners werden niet vilein doordat de Kerk hen vreesde. Het is waarschijnlijker dat de landadel neerkeek op de lagere klassen en hun onbehouwen manieren in verband bracht met losse zeden.' Er is in elk geval sprake van een onderscheid naar klasse. De leenheren die op het platteland woonden, werden geen *villain* genoemd. De oudste betekenis van het Franse *vilein* is horige of lijfeigene.

Brown maakt een interessante opmerking over de geschiedenis van het woord sinister. In het Latijn betekende *sinistra* oorspronkelijk linkshandigheid. Linkshandigheid werd vaak als onfortuinlijk beschouwd. Zoals Brown schrijft, had dat veel te maken met de beslissing die de kerk lang geleden nam om links met vrouwelijk te associëren. Gedurende de vermeende inspanningen van de kerk om de rol van het heilig vrouwelijke in de vroegste geschiedenis van het christendom te verdoezelen en een patriarchale religie te worden, kreeg het woord *sinister* een zeer negatieve lading. (Verscheidene deskundigen denken dat Leonardo da Vinci linkshandig was. Er zijn diverse aanwijzingen in het boek dat ook Jacques Saunière linkshandig was.)

De term *sub rosa* speelt ook een belangrijke rol in *De Da Vinci Code*. Sophie vertelt Langdon over de bijeenkomsten die haar grootvader soms had onder het teken van de roos, wat volgens Saunière stond voor geheimhouding. Maar William Safire wijst erop dat Dan Brown de plank misschien misslaat als hij de lezers vertelt dat de uitdrukking *sub rosa* en het gebruik van de roos om een vertrouwelijke bijeenkomst aan te geven uit de oudheid stammen. Safire zegt: 'De eerste vermelding is te vinden in de staatsstukken van Hendrik VIII uit 1546, waar staat: "De genoemde vragen werden bij volmacht gesteld en dienen onder de roos te blijven... en niet meer te worden herhaald."' Maar in een later artikel lijkt Safire zichzelf tegen te spreken, als hij verklaart dat miljoenen lezers van Dan Brown weten dat *sub rosa* een verwijzing is naar geheime bijeenkomsten bij de Romeinen.

Net als andere aspecten van *De Da Vinci Code* zijn ook de etymologische verhandelingen niet altijd honderd procent juist, maar het verhaal vormt een onweerstaanbare stimulans tot het uitwisselen van ideeën over filosofie, religie, geschiedenis... en zelfs over het Latijn.

Deel drie

Onder de piramide

12 De bibliotheek van Sophie

Als we ons verdiepen in de namen van de personages in *De Da Vinci Code*, stuiten we op een heel scala aan interessante verborgen betekenissen, die Dan Brown voor de lezer in zijn boek heeft verstopt.

We beginnen met iemand die in *De Da Vinci Code* alleen maar voorkomt als een herinnering, en dan bovendien heel kort (op pagina 20). Ze is echter wel een van de pilaren van Robert Langdons tempel: Vittoria Vetra, een van de twee vrouwen in Langdons leven, en de enige van wie we weten – althans, er wordt duidelijk op gezinspeeld – dat ze meer dan een platonische relatie met hem heeft gehad. Het avontuur van Vittoria en Robert Langdon in *Het Bernini Mysterie* klinkt zo sterk door in *De Da Vinci Code* dat het de moeite waard is even stil te staan bij deze vrouw, ook al verschijnt ze in dit nieuwste boek alleen als een vluchtige herinnering.

Ook met een andere naam geurt toch een roos

Een wegwijzer: wie is wie in De Da Vinci Code

Door David A. Shugarts

Vittoria Vetra

Vittoria is de Italiaanse vorm van Victoria, de Romeinse godin van de overwinning en het equivalent van de Griekse godin Nike. *Vetra* is een plein (*piazza*) in Milaan, de plek waar Maifreda, de vrouw die de aanhangers van Guglielma van Bohemen als paus wilden installeren, in 1300 door inquisiteurs werd verbrand. Milaan is ook de stad waar *Het Laatste Avond-maal* van Leonardo da Vinci hangt.

In *Het Bernini Mysterie*, het eerdere boek van Dan Brown, is Vittoria Vetra de geadopteerde dochter van Leonardo Vetra, een briljant natuur-kundige bij CERN (Conseil Européen pour la Recherche Nucléaire). Ook zij is natuurkundige, en ze werkt samen met haar vader in hun privé-la-boratorium. In *Het Bernini Mysterie*, dat net als *De Da Vinci Code* in april speelt, racen zij en Robert Langdon door Rome om aanwijzingen te ver-zamelen en de vijanden van het Vaticaan te verslaan. In *De Da Vinci Co-de*, dat ruim een jaar later speelt, herinnert Langdon zich haar geur en haar kus nog... voordat hij Sophie Neveu ontmoet.

Leonardo Vetra is bijna achtenvijftig als hij, aan het begin van *Het Ber-nini Mysterie*, wordt gemarteld en vermoord. Hij noemde zichzelf theofy-sicus. Hij had bewijs gevonden dat alle moleculen door één kracht met el-kaar verbonden zijn. Vittoria en hij hebben ontdekt hoe ze antimaterie kunnen maken en opslaan. Na Vetra's dood wordt Vittoria teruggeroepen van de Balearen, waar ze biologisch onderzoek verricht. Ze heeft in haar carrière al een van Einsteins theorieën weerlegd door met atomair gesyn-chroniseerde camera's een school tonijnen te observeren.

Ze wordt beschreven als elegant, lang en slank, met een kastanjebruine huid en lang zwart haar. 'Haar gezicht was onmiskenbaar Italiaans; niet uitgesproken mooi, maar met brede, aardse trekken die zelfs op twintig meter afstand een rauwe sensualiteit leken uit te stralen.' Ze heeft 'diepe, donkere ogen'. Robert Langdon neemt ook nota van 'haar tengere torso en kleine borsten'. Ze eet strikt vegetarisch en is CERN's expert op het ge-bied van hatha-yoga.

Toen ze acht was, heeft ze Leonardo Vetra, haar adoptiefvader, leren ken-nen. Hij was toen een jonge priester die als natuurkundestudent al prij-zen had gewonnen. Vittoria woonde in het *Orfanotrofio di Siena*, een ka-tholiek weeshuis in de buurt van Florence, 'want haar ouders hadden haar als baby te vondeling gelegd'.

Vetra kreeg een beurs om aan de Universiteit van Genève te studeren en adopteerde Vittoria vlak voor haar negende verjaardag. Zij ging naar de internationale school van Genève. Drie jaar later ging Leonardo Vetra bij CERN werken, dus ze is er al sinds haar twaalfde kind aan huis.

Aan het eind van *Het Bernini Mysterie* belanden Vittoria en Robert – eindelijk – samen in bed, terwijl Vittoria opmerkt: 'Dan ben je zeker nog nooit met een yogi naar bed geweest?' In *De Da Vinci Code* herinnert Ro-bert Langdon zich dat Vittoria en hij hebben afgesproken elkaar elk half-jaar te ontmoeten, maar die belofte is al een jaar geleden gedaan...

De naam Vetra is afkomstig van de *vetraschi*, de leerlooiers van Milaan, die hun werkplaatsen aan het plein hadden. In de dertiende eeuw, toen de gnostici en andere kerkgenootschappen vrouwelijke geestelijken kenden, kwam er een vrouw naar Milaan om daar te prediken: Guglielma van Bohemen. Na haar dood in 1281 onstond er, zoals wel vaker gebeurde, een cultus rond haar relikwieën. Fanatici onder Guglielma's volgelingen geloofden dat ze een incarnatie was van de Heilige Geest en dat ze terug zou keren om de mannelijke paus af te zetten, de eerste van een reeks vrouwelijke pausen te installeren en het Tijdperk van de Geest uit te roepen.

Deze fanatici kozen uiteindelijk een jonge vrouw uit Milaan, Maifreda di Pirovano, en bepaalden dat Guglielma met Pinksteren in het jaar 1300 zou terugkeren. Toen deze dag aanbrak, werden Maifreda di Pirovano en anderen door de troepen van paus Bonifatius VIII opgepakt en levend verbrand op het Piazza Vetra.

Jacques Saunière

Volgens een fraai volksverhaal (of staaltje volksverlakkerij) was abbé Bérenger Saunière, een arme dorpspastoor, in 1891 bezig met het opknappen van zijn kerk in Rennes-le-Château, een plaatsje in Zuid-Frankrijk, toen hij perkamenten vond die hij ter beoordeling heeft voorgelegd aan de abt van de Saint-Sulpicekerk in Parijs.

Daarna werd abbé Saunière plotseling rijk, en men nam aan dat de perkamenten waardevolle geheimen hadden bevat. Pierre Plantard, een Fransman, was de spil in wat nu door de meeste deskundigen wordt beschouwd als een mystificatie, waarin een verband werd gelegd tussen vervalste documenten en de verhalen rond Saunière en de Priorij van Sion. De documenten van Plantard vormden voor Henry Lincoln de aanleiding om een documentaire over het verhaal te maken voor de BBC.

In 1981 schreef Lincoln samen met twee anderen *Het Heilige Bloed en de Heilige Graal*, waarin werd gespeculeerd dat het geheim dat door de Priorij van Sion werd bewaard het gebeente van Maria Magdalena was, die de vrouw van Christus en de stammoeder van het geslacht van Merovingische koningen van Frankrijk was geweest. Dan Brown heeft zich bij het schrijven van *De Da Vinci Code* uitgebreid laten inspireren door *Het Heilige Bloed en de Heilige Graal*.

Het plaatsje van abbé Saunière, Rennes-le-Château, ligt in het zuiden van Frankrijk, waar ook de oorsprong van de Merovingers en later van de katharen ligt.

Robert Langdon

In de dankbetuiging van *Het Bernini Mysterie* zwaait Dan Brown John Langdon lof toe voor het maken van de prachtige ambigrammen voor dat boek. Ook op de website van *De Da Vinci Code* is werk van John Langdon te zien.

Ambigrammen zijn woorden waarvan de letters zo geschreven zijn dat ze zowel rechtop als ondersteboven leesbaar zijn. Hoewel Dan Brown ze omschrijft als oude en mythische symbolen, is John Langdon kennelijk van mening dat de specifieke kunstvorm die hij beoefent door hemzelf is bedacht of ontdekt. Een andere kunstenaar, Scott Kim, begon in dezelfde periode onafhankelijk van hem ambigrammen te tekenen. Kim zegt echter dat Langdon de eerste was die dit soort dingen maakte en dat Douglas Hofstadter het woord 'ambigram' heeft verzonnen. John Langdon heeft zijn eigen website, www.johnlangdon.net, waarop wat staaltjes van zijn bijzondere werk te zien zijn.

Ook de Languedoc, de Franse regio waar zich een groot deel van de geschiedenis van Maria Magdalena en de tempeliers afspeelt, is terug te vinden in de naam Langdon. En ten slotte is Langdon een *don*, een hoogleraar aan Harvard. En er zijn meer associaties mogelijk.

Bezu Fache

Le Bezu is een berg vlak bij Rennes-le-Château. Minstens twee aspecten van deze berg zijn betekenisvol. Het ene is dat er naar verluidt ooit een bolwerk van de tempeliers heeft gestaan. En ten tweede is het een van de vijf bergtoppen in de omgeving die met elkaar naar men zegt een volmaakt pentagram vormen. La Grande Fache is een berg in de Pyreneeën, niet ver van Andorra (waar Aringarosa Silas heeft gevonden) en niet ver van Rennes-le-Château, het plaatsje waar het verhaal van abbé Saunière zich afspeelt.

Verder is Fache met de juiste accenten, *fâché*, Frans voor 'boos', een kwalificatie die goed past bij deze politiefunctionaris.

Sophie Neveu

Zoals in *De Da Vinci Code* wordt uitgelegd, betekent *sofia* in het Grieks wijsheid; die heeft in de Griekse en enkele andere mythologieën een vrouwelijke verschijningsvorm. Verschillende mensen hebben geopperd dat

'Neveu', behalve dat het een beetje lijkt op het Franse woord voor 'nieuw', misschien ook een toespeling kan zijn op 'nieuwe Eva', met alle bijbetekenissen van de bijbelse en mythische Eva. De wederkomst van Eva, de wedergeboorte van het heilig vrouwelijke, de vrouwelijke godin der wijsheid; allemaal toepasselijke titels voor Sophie Neveu. Een anagram van haar naam is zelfs: 'Oh! Supine Eve' (O! Liggende Eva).

In een van de boeken die bij Nag Hammadi zijn gevonden, een boek dat door gnostici als een evangelie wordt beschouwd, wordt Sophia beschreven als symbolische wederhelft van Christus. Het heet de *Sophia (Wijsheid) van Jezus Christus*. In dit geschrift is Sophia de vrouwelijke helft van een androgyne Christus en wordt ze omschreven als: 'Eerste Verwekster Sophia, Moeder van het Universum. Sommigen noemen haar "Liefde".'

Sophie Neveu zelf zou volgens de definitie uit *De Da Vinci Code* beschouwd kunnen worden als de heilige graal, de vrouw die de afstammingslijn van Christus voortzet. Op verschillende momenten wordt in het boek duidelijk gesuggereerd dat Sophie en haar broer in Schotland afstammelingen zijn van Jezus en Maria Magdalena. Maar aan de andere kant wordt, om de zaak in evenwicht te houden, tamelijk expliciet gemeld dat dat niet het geval is. Zoals veel andere aspecten blijft ook dit een raadsel.

Bisschop Manuel Aringarosa

Aringa rosa is Italiaans voor 'rode haring', en een *red herring* staat in het Engels voor een vals spoor, een afleidingsmanoeuvre. Het meesterbrein achter het complot blijkt uiteindelijk Teabing te zijn, wat de activiteiten van Aringarosa en zijn ondergeschikte Silas tot de *red herring* van de plot maakt. Ook de roos komt terug in de naam. Twee mogelijke deel-anagrammen van de naam van de bisschop zijn *nausea* of walging, en *alarming* of verontrustend, twee mogelijke reacties op zijn plannen.

Sir Leigh Teabing

Dan Brown heeft veel van zijn materiaal voor *De Da Vinci Code* geput uit een boek dat hij ook noemt: *Het Heilige Bloed en de Heilige Graal* van Michael Baigent, Richard Leigh en Henry Lincoln. 'Leigh' is afkomstig van Richard Leigh en 'Teabing' is een anagram van Baigent. Teabing heeft documentaires gemaakt voor de BBC, net als de derde auteur van *Het Heilige Bloed en de Heilige Graal*. Er zijn vele andere overeenkomsten.

André Vernet

André Vernet, de manager van de Zwitserse bank, is kennelijk genoemd naar een werkelijk bestaande persoon, die figureert in de lange rij mensen die in het woord van dank van *De Da Vinci Code* wordt opgesomd. Volgens een van onze bronnen is Vernet een voormalig staflid van de Phillips Exeter Academy, waar Dan Brown in 1982 eindexamen heeft gedaan en later Engels heeft onderwezen.

Rémy Legaludec

Rémy is een veel voorkomende Franse naam. Legaludec is waarschijnlijk een zinspeling op de Languedoc, een regio in Zuid-Frankrijk waar veel van de belangrijke historische feiten uit *De Da Vinci Code* hun oorsprong hebben. We vinden ook de woorden *legal* en *duce* terug in zijn naam.

Jonas Faukman

In *De Da Vinci Code* heet Robert Langdons uitgever Jonas Faukman. Dan Browns werkelijke uitgever heet Jason Kaufman. Kaufman werkte tot 2001 bij Pocket Books, de uitgeverij waar twee eerdere boeken van Dan Brown zijn verschenen, *Het Juvenalis Dilemma* en *Het Bernini Mysterie*. Kaufman is overgestapt naar Doubleday (dat deel uitmaakt van Random House), en zijn eerste aankoop was *De Da Vinci Code*, naar verluidt het eerste van twee boeken die samen vijfhonderdduizend dollar hebben gekost.

De fictieve Faukman doet een van de mooiste uitspraken uit *De Da Vinci Code* als hij commentaar levert op Robert Langdons wens een boek te schrijven over het heilig vrouwelijke: 'Je bent historicus aan Harvard, verdorie, geen populaire rotzooiverkoper die even snel binnen moet lopen.' Dit zou de stem kunnen zijn van Dan Browns geweten, want hij weet natuurlijk best dat hij de serieuze ideeën die ten grondslag liggen aan *De Da Vinci Code* meeneemt over het door bloemen omzoomde pad van de populaire new age en esoterie.

Zomaar wat opmerkingen:

Pamela Gettum, bibliothecaresse. Behalve dat haar naam suggereert dat ze van wanten weet, is Pamela Gettum misschien wel voor Robert Langdon wat Pussy Galore voor James Bond is.

Edouard Desrochers is een naam die voorkomt op de lijst van mensen die door Teabing werden afgeluisterd. Een voormalig staflid van de Phillips Exeter Academy heette ook Edouard Desrochers.

Colbert Sostaque, een andere naam op die lijst, is een anagram van *cobalt rose quest*. In de mysterieuze perkamenten die Bérenger Saunière in Rennes-le-Château zou hebben gevonden, is sprake van 'blauwe appels op het middaguur'. Het ontcijferen van dit ongerijmde zinnetje is een van de grote uitdagingen van de zoektocht naar de Priorij en de graal geworden. We denken dat Dan Brown hier misschien op zinspeelt. Vergeet niet dat een van de grootste uitdagingen uit de geschiedenis voor plantenkwekers de ontwikkeling van een blauwe roos is. Die pogingen zijn door hoveniers wel eens 'de zoektocht naar de heilige graal' genoemd. In Australië werkt een groep mensen er al meer dan zeventien jaar aan.

Behalve dat de naam Silas een grote klankovereenkomst vertoont met de *cilice*, de boetegordel die hij om zijn dij draagt, pleegt hij zijn moorden geluidloos (*silently*) en is hij genoemd naar de bijbelse figuur die net als hij tijdens een aardbeving uit de gevangenis ontsnapte.

Verklarende woordenlijst

Aanbidding der Wijzen Leonardo da Vinci heeft de opdracht voor zijn meesterwerk *Aanbidding der Wijzen* vroeg in zijn carrière gekregen, toen hij in Florence woonde. Het werk dateert van 1481 en is onvoltooid. Op het paneel is gedeeltelijk nog een ontwerptekening te zien, de schets waar de kunstenaar later de verf overheen aanbrengt. Dat lijkt erop te wijzen dat Leonardo het werk opzij heeft gezet voordat het af was. Maar in 2001 heeft 'kunstonderzoeker' Maurizio Seracini met behulp van ultrageluid vastgesteld dat 'niets van de verf die we op de *Aanbidding* zien daar door Leonardo is aangebracht'. Seracini vermoedt dat de verflaag is aangebracht door een veel minder goede kunstenaar, die opzettelijk bepaalde elementen van de compositie heeft verdoezeld en andere heeft toegevoegd.

Dan Brown uit in DVC het vermoeden dat de anonieme schilder die de ontwerptekening van Leonardo heeft overschilderd met opzet een boodschap in de oorspronkelijke versie heeft willen verbergen. Het artikel van Seracini in *New York Times Magazine* van 21 april 2002 wordt door Brown in DVC genoemd.

Adonai Een van de namen van God in het Hebreeuws. De oorspronkelijke naam van God, gevormd door de Hebreeuwse letters JHWH, was zo heilig dat die nooit hardop gezegd mocht worden. In de loop der tijden werd *Adonai* een van de plaatsvervangende namen, en de klinkernotaties van Adonai werden aan JHWH toegevoegd om de mensen eraan te helpen herinneren dat ze Adonai moesten zeggen. Uit deze combinatie van medeklinkers en klinkers is de Nederlandse transcriptie Jehova ontstaan. In het begin van het boek Genesis wordt God Elohim genoemd (op zich interessant, omdat de uitgang van dit Hebreeuwse woord erop duidt dat het een meervoud is). Verderop in Genesis en in andere boeken van de Thora wordt gesproken van Adonai. Er wordt wel gezegd dat Elohim staat voor het begrip God vóór het bestaan van de mensheid en dat Adonai de juiste naam is voor de God van na de schepping. Sommige wetenschappers, die het analytisch onderzoek naar hoe de bijbel is geschreven tot hun levenswerk hebben gemaakt, zijn van mening dat Elohim een ouder woord voor God is dan Adonai, en schrijven sommige delen van de geschriften toe aan de E-redacteur (van Elohim) en andere delen aan de J-redacteur (van Jehova).

Albino Silas, de plichtsgetrouwe numerair van het Opus Dei uit DVC, is een albino. Albino's hebben geen of extreem weinig pigment in hun haar, ogen en huid. Mensen die aan albinisme lijden, hebben meestal een slecht gezichtsvermogen en velen zijn zo goed als blind. Silas lijkt een dergelijke handicap niet te hebben. Bisschop Aringarosa vertelt Silas dat zijn albinisme hem uniek maakt, zelfs heilig: 'Begrijp je niet hoe bijzonder je bent? Wist je niet dat Noach een albino was?' De Amerikaanse organisatie die opkomt voor de rechten van albino's heet NOAH (Engels voor Noach).

Altaar Afkomstig van de Latijnse woorden *altus* (hoog) en *ara* (offertafel). *Altare* was eigenlijk een bovenstel óp het altaar. Dat werd al bij voorchristelijke religies gebruikt om offers op te brengen. In het vroege christendom stond het voor het Laatste Avondmaal.

Amon In DVC wordt Amon 'de Egyptische vruchtbaarheidsgod' genoemd, maar hij had een veel breder takenpakket en is zelfs een tijdje oppergod geweest. Egypte vormde in de vroegste geschiedenis niet bepaald een politieke eenheid en er waren veel verschillende vorstenhuizen, die om beurten beslag op de troon legden. En dan namen ze hun eigen reeks goden mee. In later eeuwen werden de verhalen van deze goden aangepast en met elkaar verweven. Amon wordt in de oudste teksten onmiddellijk na het godenstel Nau en Nen genoemd, die staan voor de diepte vol water waaruit alles afkomstig is. Daarmee horen Amon en zijn gemalin Amaoenet bij het handjevol goden dat zichzelf heeft geschapen of door Thoth is gemaakt als een van de acht oorspronkelijke goden van de schepping. Ongeveer tot aan de twaalfde dynastie was Amon een plaatselijke, Thebaanse godheid, maar toen versloegen de prinsen van Thebe hun rivalen en werd hun stad de nieuwe hoofdstad van Opper-Egypte. Waarschijnlijk wordt hij vanaf die tijd aangeduid met 'koning der goden'.

Het woord *amon* betekent 'het verborgene'. Dat verwijst naar de onzichtbare geest. Amon werd ook gezien als hoeder van het recht en beschermer van de armen, en hij was de god van de wind en de vruchtbaarheid. Hij werd afgebeeld als mens en was herkenbaar aan twee hoge veren in een rode hoofdtooi. Hij werd ook wel weergegeven als een mens met de kop van een kikker of uraeus (cobra), als een aap en als een leeuw die op een voetstuk ligt.

Anagrammen, woorden of zinnetjes die worden gevormd door de letters van een ander woord of zinnetje in een andere volgorde te zetten, spelen een grote rol in DVC. De aanwijzing die Saunière op het plexiglas voor de *Mona Lisa* schrijft, bijvoorbeeld – 'So dark the con of man' – is een anagram voor de Engelse naam van een van Leonardo's schilderijen, **Madonna of the Rocks**. Saunière gebruikt meerdere anagrammen om Sophie op het juiste spoor te zetten, waaronder een anagram van getallen: de door elkaar gehusselde *Fibonacci-reeks*.

Androgynie Dit woord is een combinatie van de Griekse woorden *anèr* (man) en *gunè* (vrouw), en betekent tweeslachtigheid. Tegen het eind van DVC, als ze boven het Kanaal vliegen, begint Langdon een gesprek met Sophie over het ritueel dat ze jaren daarvoor heeft gezien en dat haar heeft getraumatiseerd en vervreemd van haar grootvader. '"Maskers?" vroeg hij, en hij zorgde ervoor dat zijn stem kalm bleef. "Androgyne maskers?" "Ja. Iedereen droeg een identiek masker. Wit voor de vrouwen. Zwart voor de mannen."' Androgynie wordt door veel kenners van archetypen en mythen beschouwd als een concept dat duidt op eenheid van de verdeelde aard van de mens en zijn psyche, goden en godinnen.

Apostelen Het woord 'apostel' stamt van het Grieks voor 'degene die wordt weggezonden'. De apostelen moesten de christelijke boodschap verspreiden. Het feit dat Jezus na zijn verrijzenis als eerste **Maria Magdalena** tegenkwam (volgens verschillende evangeliën) en haar uitdrukkelijk vroeg de anderen het Goede Nieuws te gaan vertellen, bevestigt haar rol als 'Apostel der Apostelen', zoals ze in het verleden is genoemd. Sommige wetenschappers hebben de theorie dat de twaalf apostelen verwijzen naar de twaalf stammen van Israël.

Appel Snijd een appel overdwars in

tweeën en je ziet meestal vijf vruchtbladeren, die het zeer symbolische **pentagram** vormen. In DVC worden Sophie en Langdon door middel van een gedicht naar het graf van **Newton** gedirigeerd. Naar verluidt heeft Newton de zwaartekracht ontdekt door een vallende appel.

De appel is een vrucht met een grote symbolische betekenis, die groeit aan een boom van hetzelfde genus als de **roos**, een andere plant met een grote symboliek binnen de christelijke traditie. De appel is natuurlijk het symbool van verleiding en kwaad. In de hof van Eden aten Adam en Eva de verboden vrucht van de boom der kennis van goed en kwaad. Volgens de overlevering was deze vrucht een appel (hoewel dat in de Heilige Schrift niet wordt vermeld). De appel duikt in paradijzen van veel andere religies op, bijvoorbeeld in de Griekse tuin van de Hesperiden en het heilige bos van de Kelten. Hera, de vrouw van de Griekse god Zeus, kreeg een appel als verlovingscadeau.

Pommes bleues (blauwe appels) spelen een interessante rol in een omstreden stukje katholieke kerkgeschiedenis dat een belangrijke bron vormt voor DVC: een van de gecodeerde perkamenten die in **Rennes-le-Château** gevonden zouden zijn, eindigt met een verwijzing naar *pommes bleues*.

Tegen het eind van DVC snapt Teabing wat de oplossing is van de laatste puzzel van Jacques Saunière, het gedicht dat het woord moet leveren waarmee de tweede cryptex kan worden geopend. De bol die 'ontbreekt' aan het graf van de beroemde fysicus is geen ster of planeet, maar een appel. 'Verbijsterd keek Teabing weer naar de sluitsteen en toen zag hij het. De schijven stonden niet meer in een willekeurige stand. Ze vormden een vijfletterig woord: APPEL.' Met stomheid geslagen herinnert de verslagen Teabing zich de laatste regel van Saunières gedicht en begrijpt wat de bol is die aan Newtons graf ontbreekt: 'Het rozig vlees, gevuld met zaden!'

Arius Arius is de bekendste figuur die wordt geassocieerd met een fel bestreden vorm van ketterij, het naar hem genoemde arianisme. Het arianisme draaide om het wezen van Christus: was hij van dezelfde substantie als de Vader, of was hij Zijn mindere, een schepsel dat in opdracht van Hem tot leven was gekomen en Zijn goddelijkheid dus niet kon delen? Arius betoogde dat Christus niet van dezelfde substantie was als de Vader. Na jarenlange theologische discussies presenteerde hij zijn credo op het **Concilie van Nicea**. Zijn heresie werd verworpen en de afwijzing van het arianisme werd vastgelegd in de **geloofsbelijdenis van Nicea**. Maar het arianisme bleef af en toe opflakkeren. Toen **Constantijn** dertig jaar aan de macht was, werden er zelfs twee nieuwe concilies gehouden om over dezelfde kwestie te beslissen. Beide keren lukte het niet de zaak de wereld uit te bannen. In DVC worden de Visigoten, een middeleeuwse arianische stam, genoemd als de voorvaderen van de **Merovingische** dynastie. Het plaatsje **Rennes-le-Château** is in vroeger tijden een bolwerk van de Visigoten geweest.

Atbash-code De *Atbash*-code wordt door Robert Langdon, Sophie Neveu en Leigh Teabing in hoofdstuk 72 van DVC gebruikt om Saunières eerste cryptex open te maken, waarin ze een volgend mysterie vinden: de tweede cryptex met daarin een 'kaart' met de locatie van de heilige graal.

בפומת

[tav] [mem] [vav] [pei] [beit]

שופיא

[alef] [yud] [pei] [vav] [shin]

Atbash is een oude en zeer eenvoudige code die is bedacht door Hebreeuwse schriftgeleerden die de boeken van het Oude Testament transcribeerden. Bij die code wordt de volgorde van het alfabet omgedraaid, zodat de laatste letter van het alfabet de plaats van de eerste inneemt, de op een na laatste letter wordt gebruikt voor de tweede, enzovoort. In ons alfabet zou volgens die code de *a* gebruikt worden voor de *z* (en andersom), de *b* voor de *y*, de © voor de *x*, enzovoort. Zo is wz ermxr xlwv 'da Vinci code' in Atbash-code. De naam Atbash is afgeleid van de eerste twee letters van het Hebreeuwse alfabet (aleph en bet, of *a* en *b* in ons schrift) en hun equivalenten volgens de code (tav en shin, of *t* en *s* in ons schrift). Atbash en andere codes met een dergelijke methodiek worden substitutiesystemen genoemd.

Terwijl hij naar de substitutietabel kijkt die Sophie heeft getekend, mijmert Langdon over het beroemdste voorbeeld van het gebruik van de At-bash-code: de verwijzingen naar 'Ses-ach' in Jeremia 25:26 en 51:41. Het woord 'Sesach' stelde bijbelgeleerden voor problemen, totdat de toepassing van de Atbash-code de verborgen be-tekenis aan het licht bracht: Babel, door veel geleerden gelijkgesteld aan Babylon, de hoofdstad van het Baby-lonische Rijk en de stad waarin veel joden gevangen werden gehouden na-dat dat rijk in 600 voor Christus Jeru-zalem had geplunderd.

Baphomet Een afgod die het hoofd van een bok had; in sommige be-schrijvingen wordt vermeld dat hij een **pentagram** op zijn voorhoofd had. Hoewel vaak wordt gezegd dat hij de afgod van de **tempeliers** was, is die toeschrijving het gevolg van bekente-nissen die door middel van marteling door de inquisitie zijn verkregen en dus niet erg betrouwbaar zijn. Veel tempeliers hebben, toen ze door de in-quisitie werden gefolterd, (naar waar-heid of niet) toegegeven dat ze deze afgod vereerden, die meestal werd omschreven als een wezen met 'het hoofd van een bok en het lijf van een ezel'. Sommige hedendaagse heidenen geloven nog steeds in Baphomet. Vol-gens hen was hij de god van de hek-sen en is hij geïnspireerd op Pan, de god van de natuur.

Boaz en Jachin Boaz en Jachin zijn de namen van twee pilaren die in de oudheid in de tempel van Salomo stonden. In DVC zien Langdon en So-phie nabootsingen van deze pilaren in Rosslyn Chapel. Sophie heeft het ge-voel dat ze de pilaren eerder heeft ge-zien. Langdon merkt op dat de pila-ren 'de meest nagemaakte bouwkun-dige elementen uit de geschiedenis' zijn en dat er in bijna elke vrijmetse-laarstempel ter wereld kopieën van te vinden zijn. De namen zijn afkomstig uit bijbelse verslagen van de bouw van Salomo's tempel. Salomo schreef ko-ning Hiram van Tyrus en vroeg hem iemand te sturen 'met bedrevenheid in graveren, het bewerken van goud, zilver, brons en ijzer en het vervaar-digen van blauw, paars en rood laken'. Deze ambachtsman droeg onder meer twee rijk gedecoreerde pilaren bij. De rechterpilaar werd Jachin ('vestigen', 'bestendigheid') genoemd en de linkerpilaar Boaz ('kracht' of 'hij die kracht bezit'). Volgens de overlevering is Boaz de naam van een van de voorvaderen van Salomo; de oorsprong van de naam Jachin is niet duidelijk. Boaz en Jachin werden be-langrijke symbolen van de vrijmetse-larij. De vrijmetselarij vindt haar vroegste oorsprong in een symboli-sche weergave van de macht van het goddelijke en gebruikt vaak het sym-bool van de **Franse lelie** in haar ge-bouwen, in dit geval als een bronzen kapiteel boven aan beide pilaren. An-deren brengen de pilaren in verband met de grote zuilen die in de oudheid geacht werden de wereld te onder-steunen: een bij Gibraltar en een bij Ceuta. Verder worden ze gezien als symbool voor vele oude tweedelin-gen: licht en donker, vrouwelijk en mannelijk, actief en passief of de ele-menten vuur en water.

Bois de Boulogne Langdon en Sophie rijden haastig door het Bois de Boulogne op weg naar het adres van de Zwitserse bank, dat Sophies grootvader op een mysterieuze, met behulp van een laser vervaardigde sleutel heeft achtergelaten. Langdon probeert zijn gedachten te ordenen om Sophie te vertellen over de **Priorij van Sion**, maar hij wordt afgeleid door de bizarre nachtelijke bewoners van het park: zich prostituerende mannen en vrouwen van uiteenlopende pluimage.

Het Bois de Boulogne is een meer dan achthonderd hectare groot, rijk bebost park in Parijs met allerlei recreatievoorzieningen, zoals een paardenrenbaan, fiets- en wandelpaden en mooi aangelegde tuinen. 's Avonds wordt het park een beruchte rosse buurt. Het Bois de Boulogne is slechts een klein restant van een veel groter bos, het Forêt de Rouvray, dat zich ten tijde van de Romeinse inval in Gallië in de eerste eeuw voor Christus kilometers ver ten noorden van het huidige park uitstrekte. Koning Childerik II, een zevende-eeuwse **Merovingische** koning, liet het land na aan de kloostergemeenschap van Saint-Denis, die kloosters en abdijen in het bos wilde bouwen. In de Honderdjarige Oorlog werd het bos, dat altijd al tamelijk onveilig was geweest, het terrein van rovers voordat het door de inwoners van Parijs werd geplunderd. Onder Lodewijk XI werden er nieuwe bomen aangeplant en twee wegen aangelegd.

Brown zegt dat sommige Parijzenaren het park 'de tuin der lusten' noemen, een zinspeling op een drieluik van Jeroen Bosch dat bekendstaat om zijn gewaagde afbeeldingen en duistere symboliek. Het drieluik bestaat uit een voorstelling van het paradijs vóór de zondeval op het linkerpaneel, de tuin der lusten op het middelste, grootste paneel en de hel op het rechterpaneel. Hoewel er op elk paneel een theologisch verschillende plek wordt afgebeeld, is er een gemeenschappelijk element dat ze bindt. Alle drie de werelden, van de ongerepte tot de verdoemde, zijn van een verontrustend surrealisme.

De hel wordt afgeschilderd als een wereld vol bizarre wezens en ongebruikelijke doch fantasievolle bestraffingen, waar mensenlichamen met beestenkoppen zondaren verslinden. Een reusachtig lijf dient als grot waarin de verdoemden worden gestraft, en het wemelt er van de vreemde symbolen (een paar oren schrijlings op een mes). Dit surrealisme strekt zich ook uit tot de tuin der lusten op het middelste paneel en het paradijs op het linkerpaneel. Op deze mythische plekken is niets te zien van de bizarre, griezelige beelden van de hel, maar het surrealisme is ook hier aanwezig: mannen en vrouwen dartelen naakt rond in grillige, levende constructies in de tuin, en zelfs het ongerepte paradijs wordt geteisterd door vreemde fantasiedieren.

Bosch (1450-1516), een Vlaamse meester, was een tijdgenoot van **Leonardo da Vinci**, met slechts een paar jaar verschil. Ook van hem is bekend dat hij zeer geïnteresseerd was in alchemie en geheime genootschappen. De meeste van zijn schilderijen staan bol van allerlei symbolen en verborgen boodschappen, en van veel vreemdere verwijzingen naar seksualiteit en het **heilig vrouwelijke** dan het werk van Leonardo vertoont. Net als bij Leonardo is ook bij Bosch moeilijk vast te stellen of hij een vroom gelovige, een radicale vrijdenker of aanhanger van een ketterse sekte was. Sommige kunsthistorici en biografen denken dat Bosch banden onderhield met de adamieten, een geheim genootschap dat **hiëros gamos**-achtige rituelen beoefende.

Hoewel er veel meningsverschillen zijn over de betekenis van de symbolen van Bosch, is één ding duidelijk. Voor Bosch schuilt er een grote dubbelzinnigheid en latent gevaar in de plekken die we als paradijs beschouwen, en dat maakt het passend het Bois de Boulogne naar het schilderij te vernoemen en een plaats te geven in DVC.

Botticelli In Dan Browns boek wordt vermeld dat de Italiaanse schilder volgens de *Dossiers secrets* lid was van de **Priorij van Sion**. Het bekendste werk van Botticelli is misschien wel *De geboorte van Venus*, dat onmiskenbaar verband houdt met het **heilig vrouwelijke**. De schilder werd in Florence vervolgd door inquisiteurs en fundamentalisten onder aanvoering van Savanarola, en gaf zich uiteindelijk gewonnen. In combinatie met zijn artistieke rivaliteit met Leonardo maakt dat het moeilijk te geloven dat ze lid waren van hetzelfde zeer geheime genootschap, hoewel zijn werken, waaronder *De geboorte van Venus*, een sterk erotisch element in de renaissancistische schilderkunst introduceerden.

Caesarcodering Een substitutiesysteem (net als de **atbash-code**) dat door Julius Caesar is ontwikkeld om in oorlogstijd met zijn generaals te communiceren. Volgens de Caesarcodering wordt elke letter van het alfabet vervangen door de derde erna, dus de *a* wordt een *d*, de *b* wordt een *e*, de © wordt een *f*, enzovoort. Dan Brown zou dan worden geschreven als 'Gdq Eurzq'.

Caravaggio In een wanhoopspoging zijn aanvaller bij zich vandaan te houden, trekt Jacques Saunière in het **Louvre** een schilderij van Caravaggio van de muur. Daardoor wordt het alarmsysteem van het museum geactiveerd en zakt er tussen Saunière en zijn aanvaller een hek naar beneden. Dat gebeurt inderdaad, maar heeft niet het beoogde effect.

Caravaggio was een van de belangrijkste Italiaanse schilders uit de Barok. Hij werd in 1573 als Michelangelo Marisi geboren in Caravaggio, een plaats in Lombardije en de naam waaronder hij zou gaan schilderen. Hij leefde onder armoedige omstandigheden. Toen hij eindelijk succes kreeg en bekend werd, kon hij de woede die hij in zijn arme periode had opgebouwd en zijn driftige aard niet volledig onderdrukken: een reeks vechtpartijen eindigde ermee dat hij bij een tenniswedstrijd een medespeler vermoordde. Daarna vluchtte hij van stad tot stad en ontkwam soms maar op het nippertje aan gevangenneming. Toen hij weer eens op de vlucht was, verbleef hij een tijdje op Malta, waar hij **Maltezer ridder** werd. Hij stierf in 1610, in afwachting van een pauselijk pardon dat drie dagen na zijn dood arriveerde.

Caravaggio maakte op een opvallende manier gebruik van licht om dramatische taferelen te creëren, taferelen die je het gevoel geven dat er een ogenblik in de tijd is stilgezet. Hij liet vaak een felle lichtflits in een donkere ruimte schijnen, heel geschikt om ogenblikken van bekering, goddelijke openbaring, schrik of geweld weer te geven. Het is dan ook niet verbazingwekkend dat op de beroemdste schilderijen van Caravaggio taferelen te zien zijn die tegelijk heftig en spiritueel zijn, zoals *De kruisdood van Petrus*, *De bekering van Paulus*, *De inspiratie van Mattheüs* en *De begrafenis van Christus*. Hij beeldde religieuze en mythologische figuren 'gewoon' af, alsof het arbeiders of prostituees waren. In het begin van zijn carrière waren dat ook meestal de enige modellen die hij had.

Castel Gandolfo Castel Gandolfo is in DVC de locatie voor de beide gesprekken die bisschop Aringarosa met hoge functionarissen van het Vaticaan heeft. Het is in twee hoedanigheden bekend: als zomerverlijf van de paus en als centrum van het astronomisch onderzoek dat het Vaticaan verricht. Eens stond hier het zomerverblijf van de Romeinse keizer Domitianus, die regeerde van 81 tot 96 na Christus. Domitianus liet een luxueus paleis bouwen, met een eigen aquaduct, een theater voor toneelstukken en poëziewedstrijden en een cryptoporticus, een lang, tunnelachtig bouwsel in een van de omliggende heuvels, speciaal bedoeld om de keizer tegen de zon te

beschermen als hij een lange wandeling maakte.

Na zijn dood verviel het paleis tot een ruïne, en in de volgende vier eeuwen viel het steeds weer ten prooi aan de strijd tussen verscheidene adellijke families en de kerk, zodat het meermalen verwoest en herbouwd werd. Uiteindelijk kocht het Vaticaan het aan het begin van de zeventiende eeuw van de laatste eigenaren. Urbanus VIII, die paus was van 1623 tot 1644, liet het grootscheeps verbouwen, en in 1626 werd het het officiële pauselijke zomerverblijf. Het staat bekend om zijn eenvoudige, smaakvolle stijl en prachtige tuinen.

Een van de oudste centra voor astronomie ter wereld, het *Specola Vaticana* of Vaticaans Observatorium, werd in de jaren dertig van de vorige eeuw in Castel Gandolfo ondergebracht. Toen de hoeveelheid licht die de stad Rome uitstraalde hinderlijk begon te worden voor het observatorium in Castel Gandolfo, opende het Vaticaan een tweede astronomische sterrenwacht op een plek die onbereikbaar was voor de felle lichten van de Italiaanse hoofdstad: in Tucson, in de Amerikaanse staat Arizona. Castel Gandolfo is echter nog steeds in gebruik als zomerverblijf van de paus.

Château Villette Het luxueuze onderkomen van Leigh Teabing, Château Villette, is het toevluchtsoord dat Sophie en Robert kiezen nadat ze met de **sluitsteen** van de Priorij uit de Zwitserse bank zijn onstnapt. Château Villette is een werkelijk bestaand historisch monument buiten Parijs. Het is in 1668 door François Mansart ontworpen voor Jean Dyel, de Comte d'Aufflay en ambassadeur voor Frankrijk in Venetië. Een andere Mansart, Jules Hardouin-Mansart, de neef van François en zelf ook een groot architect, heeft Château Villette in 1696 voltooid. In dezelfde tijd ontwierp hij ook Versailles, en de invloed van het ontwerp van het beroemde koninklijk paleis is terug te vinden in zijn kleinere broertje. Het landhuis is pure luxe: elf slaapkamers en badkamers, een kapel, een gastenverblijf, stallen, een tuin, tennisbanen en twee meren. Wie zich wil voelen alsof hij van adel is, kan Château Villette huren als vakantiehuis, conferentieoord of trouwlocatie.

Cilice Dit Franse woord wordt in het woordenboek omschreven als een 'haren boetekleed', maar het kan ook, zoals in DVC, een boetegordel zijn, een riem met stekels die om het dijbeen wordt gedragen. In dit geval om het dijbeen van Silas, de monnik van het **Opus Dei** die opdracht heeft Saunière en zijn broeders te vermoorden. De cilice wordt gedragen door sommige aanhangers (numerairs) van het Opus Dei. De cilice is een aanvulling op het traditionele katholieke gebruik van de zelfkastijding: zichzelf straffen om zich te kunnen identificeren met het lijden van Jezus en daardoor weerstand te kunnen bieden aan verleidingen en spirituele groei te bereiken. Josemaría Escrivá, de grondlegger van het Opus Dei, geloofde dat de zondaar alleen door werkelijke pijn berouw kon tonen. In zijn boek *De Weg*, de leidraad voor volgelingen van het Opus Dei, schreef hij: 'Gezegend zij de

smart. Geliefd zij de smart. Geheiligd zij de smart... Verheerlijkt zij de smart!' en: 'Wat door het vlees verloren is gegaan, moet door het vlees worden terugbetaald: wees genereus in uw boetedoening.' Traditionelere voorbeelden van zelfkastijding zijn vasten en het celibaat beoefenen.

Clef de voûte Dit is een Franse term voor het bouwkundige hulpmiddel dat wij een **sluitsteen** noemen, de middelste, bovenste steen in een reeks stenen (*voussoirs*) die met elkaar een gewelf vormen. Als middelste steen draagt hij het gewicht van de andere en houdt hij het gewelf op zijn plaats. In de gewelfde plafonds van kathedralen is de sluitsteen de middelste steen, die het gewicht van de gewelfribben draagt (zie illustratie). Sluitstenen worden vaak gedecoreerd (dan heet hij een 'rozet').

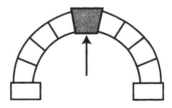

In DVC is de sluitsteen de legendarische 'landkaart van steen' die de **Priorij van Sion** heeft gemaakt en die de weg zou moeten wijzen naar de **heilige graal**. Langdon vraagt Sophie of haar grootvader haar wel eens iets heeft verteld over de sluitsteen, en als ze dat woord niet begrijpt, geeft Langdon haar een korte uitleg. Hij vertelt haar dat de sluitsteen een belangrijke bouwkundige vooruitgang was en een grote rol speelt in de symboliek van de vrijmetselarij. Sommige geleerden interpreteren het 'koninklijke gewelf' van de vrijmetselaars als een grafische voorstelling van de dierenriem, die op een poort wordt afgebeeld met bovenaan een opvallende sluitsteen.

Clemens v, paus Paus Clemens v wordt genoemd in Langdons korte uiteenzetting over de vervolging van de **tempeliers**, als Sophie en hij door het **Bois de Boulogne** rijden. Langdon stelt dat de paus een plan had bedacht om korte metten te maken met de tempeliers, omdat ze te veel macht en geld hadden verkregen. **Filips de Schone** spande met de paus samen, en op een afgesproken dag – vrijdag 13 oktober 1307 – werden de tempeliers en masse opgepakt en onderworpen aan een proces dat berucht is vanwege de sensationele beschuldigingen van ketterij en blasfemie, de wreedheden waarmee het gepaard ging en de fundamentele oneerlijkheid ervan.

Langdon heeft in grote lijnen gelijk, maar sommige details zijn omstreden. Filips de Schone wordt meestal gezien als de belangrijkste vervolger van de tempeliers en sommige historici denken dat de eerste arrestaties plaatsvonden zonder dat Clemens ervan op de hoogte was, sterker nog, dat Clemens geschokt en boos was over de arrestaties van leden van een groep die officieel alleen rekenschap verschuldigd was aan de paus. 'Uw onbezonnen daad,' schreef hij aan Filips, 'wordt door iedereen terecht beschouwd als een blijk van minachting jegens ons en de kerk van Rome.' Later ging Clemens de arrestaties als onvermijdelijk

zien, naar verluidt met name na de door marteling afgedwongen bekentenis van Jacques de Molay, de laatste grootmeester van de tempeliers. Die gebruikte Clemens als rechtvaardiging om Filips' daden in het openbaar goed te keuren.

Cocteau, Jean Een beroemde Franse kunstenaar, schrijver (*Les enfants terribles*), dichter en cineast (*La belle et la bête*). Op grond van documenten die waarschijnlijk zijn vervalst door **Pierre Plantard** en Philippe de Chérisey, de zogenaamde *Dossiers secrets*, wordt Jean Cocteau genoemd als 'grootmeester van de **Priorij van Sion**'. Cocteau had een brede belangstelling; of hij een twintigste-eeuwse neo**tempelier** of beoefenaar van het *hiëros gamos* was, is onbekend. In DVC wordt hij genoemd als de laatste grootmeester van de Priorij van Sion; zijn naam staat ook op de lijst die de politie vindt als **Château Villette** wordt doorzocht.

Codex Het woord 'codex', dat vaak wordt geassocieerd met het woord 'code' en de raadsels die dat oproept, staat eigenlijk voor een ware revolutie in het bijhouden van archieven, die zich in de tijd van de Romeinen voltrok. Het is een boek, bestaande uit vellen papier, terwijl er vóór die tijd alleen boekrollen werden gebruikt. Twee codices uit de oudheid zijn relevant voor de plot van DVC.

De *Berlijnse Codex*, die officieel de 'Papyrus Berolinens 8502' wordt genoemd, bevat de meest volledige versie van het Evangelie van Maria die we kennen. Hij werd in 1896 door de Duitse geleerde Carl Reinhardt op een antiekmarkt in Egypte gekocht. De tekst werd pas in 1955 gepubliceerd, nadat er bij **Nag Hammadi** nog twee versies van de tekst waren ontdekt. Later werden in het noorden van Egypte nog twee korte fragmenten uit andere, Griekse edities van het Evangelie van Maria opgegraven.

De *Codex Leicester* is geen religieus geschrift, maar een uiting van de vruchtbare artistieke genialiteit en de nieuwsgierigheid naar techniek van **Leonardo da Vinci**. Hij heeft het tussen 1506 en 1510 in middeleeuws Italiaans geschreven, in zijn vernuftige spiegelschrift. De naam van de codex is ontleend aan de eerste eigenaar ervan, de graaf van Leicester, die hem in 1717 heeft verworven. De huidige eigenaar, Bill Gates, heeft hem voor 30,8 miljoen dollar op een veilig gekocht.

Als hij in het vliegtuig op weg van Frankrijk naar Engeland probeert het onleesbare handschrift van Saunière te ontcijferen, schiet het Langdon te binnen dat hij in het Fogg-museum van Harvard de *Codex Leicester* heeft gezien. Hij herinnert zich zijn teleurstelling toen bleek dat hij de tekst niet kon lezen. Maar een docente wees hem op een handspiegel, waarmee hij de woorden wel kon ontcijferen. De tekst was geschreven in het spiegelschrift dat Leonardo gebruikte, zodat anderen zijn woorden niet gemakkelijk konden lezen.

Concilie van Nicea Het Concilie van Nicea was het eerste oecumenische concilie dat de christelijke kerk ooit heeft gehouden. Het werd in 325 n.C. bijeengeroepen door keizer **Constantijn** om een eind te maken aan verscheidene theologische geschillen, variërend van alledaags tot zeer theoretisch. Zo vroeg in de christelijke geschiedenis waren de gebruiken en de leer van de kerk niet uniform, en het Concilie van Nicea moest die verschillen eens en voor altijd uitbannen. Het concilie nam over de meeste conflicten een besluit, van de data waarop Pasen en andere feestdagen gevierd moesten worden tot de belangrijkste kwestie van die tijd: was Christus van dezelfde substantie als de Vader of was hij zijn mindere, een schepsel dat in opdracht van Hem tot leven was gekomen en Zijn goddelijkheid dus niet kon delen, zoals de aanhangers van **Arius** geloofden? Naar verluidt liep de discussie hierover zo hoog op dat Sint Nicolaas – de historische figuur achter onze hedendaagse Sinterklaas – Arius letterlijk aanvloog vanwege zijn ketterij.

Niettemin kreeg de harmonie uiteindelijk de overhand en op drie na alle aanwezige bisschoppen tekenden de **geloofsbelijdenis van Nicea**, een verklaring van kerkelijke orthodoxie en verwerping van het arianisme. In zijn boek *The Mask of Jove* stelt wetenschapper Stringfellow Barr: 'Constantijn... wist intuïtief dat de christelijke samenleving waarop hij [het Romeinse rijk] wilde herbouwen, eensgezindheid moest bereiken om zijn plannen te doen slagen.'

Constantijn 1 wordt ook Constantijn de Grote genoemd. Hij regeerde van 306 tot 337 n.C. en wordt alom beschouwd als de eerste christelijke keizer van het Romeinse rijk. Historici zijn het niet eens over alle details, maar één ding is zeker: door het **Concilie van Nicea** bijeen te roepen, was hij grotendeels verantwoordelijk voor het erkennen en installeren van de kerk als het hoogste gezag over wat er nog restte van het Romeinse rijk.

Of Constantijn het christendom van ganser harte als zijn eigen ware geloof aannam, blijft een punt van discussie. Het lijdt geen twijfel dat hij de versmelting van de zeer uiteenlopende stromingen binnen het vroege christendom heeft gestimuleerd en de kerk heeft verzekerd van zijn steun en sympathie. Maar was het ook zijn diepste overtuiging? Hij bleef bijvoorbeeld **heidense** symbolen op zijn munten slaan en hij bleef een aanhanger van de cultus van Sol Invictus, de Onoverwinnelijke Zon, een heidense godheid die afkomstig was uit Syrië, maar die het Romeinse volk een eeuw voor Constantijns tijd was opgelegd. Veel geleerden denken dat hij zich niet heeft willen vastleggen en een beetje tussen beide heeft geschipperd om zijn aanhang zo groot mogelijk te houden.

In *DVC* gaat Brown nog verder. Leigh Teabing vertelt Sophie en Langdon: 'Hij [Constantijn] is zijn leven lang een heiden geweest en is gedoopt op zijn sterfbed, toen hij te zwak was om te protesteren.' Hij heeft het christendom alleen maar als officiële godsdienst van Rome gekozen en opgelegd omdat hij, in de woorden van Teabing, 'een goed zakenman' was. Teabing stelt dat de grote doofpotaffaire waarbij de kerk het **heilig vrouwelijke** heeft weggemoffeld met Constantijn is begonnen. De meeste geleerden benadrukken Constantijns rol bij het nemen

van beslissingen over specifieke religieuze kwesties, bijvoorbeeld over de goddelijkheid dan wel menselijkheid van Christus. In *DVC* wordt Constantijn gezien als degene die de rol van het heilig vrouwelijke en het huwelijk van Jezus en **Maria Magdalena** heeft verdoezeld, de **gnostische** traditie een gevoelige klap heeft toegebracht en tegenstanders van de belangrijkste stroming binnen de kerk als ketters heeft bestempeld.

Crux gemmata 'Kruis met juwelen', een kruis met dertien edelstenen, het christelijke ideogram voor Christus en zijn twaalf apostelen. Een eenvoudig **kruis** en een crucifix (een kruis met Jezus eraan) staan voor de kruisiging, terwijl het *crux*  *gemmata* de verrijzenis symboliseert. Langdon ziet zo'n kruis als dasspeld van Bezu Fache als ze elkaar in het **Louvre** ontmoeten na de voortijdige dood van Saunière, en concludeert daaruit dat de politiefunctionaris trots is op zijn geloof.

Dagobert II De laatste van de **Merovingische** priesterkoningen, die in *DVC* wordt genoemd omdat Dagoberts naam voorkomt in de perkamenten die zijn gevonden door **Bérenger Saunière** en bekendstaan als de *Dossiers secrets*. Een van die perkamenten zou een gecodeerde boodschap bevatten, die na ontcijfering luidt: 'Aan Dagobert II en aan Sion behoort deze schat en is de dood.' Dit verband met de **Priorij van Sion** komt in het boek ter sprake, net als de moord op Dagobert, die volgens Sophie in zijn oog is gestoken toen hij lag te slapen. Daarmee kwam er een einde aan de Merovingische dynastie en aan een geslacht dat eerder in verband wordt gebracht met ketterij dan met trouw aan de paus. (Dagoberts zoon, Sigebert, is volgens Brown ontsnapt en heeft de lijn voortgezet. Een afstammeling van Sigebert is **Godfried van Bouillon**, de vermeende stichter van de orde van de **tempeliers** en de Priorij van Sion.) Het verband tussen deze verschillende complotten gaat zelfs nog verder. Toen Dagobert trouwde, verhuisde hij met zijn nieuwe vrouw naar **Rennes-le-Château**.

Volgens de overlevering is de moord op Dagobert door Pepijn van Herstal gepleegd in opdracht van het Vaticaan, om ervoor te zorgen dat de Karolingers de troon konden overnemen, een dynastie die nauw verbonden was met de belangen van de kerk. Pepijn wordt ook wel geschreven als Pippin, de naam van een soort **appel**, een hoofdpersoon van een roman van Steinbeck, van een Broadway-musical uit 1972 en later een film onder regie van Bob Fosse. Om het nog mysterieuzer – of verwarrender – te maken, is er een strip- en tekenfilmfiguur van **Walt Disney** dat oom Dagobert heet, een eend uit Schotland, waar **Rosslyn Chapel** zich bevindt. Langdon gaat zelfs zo ver te beweren: 'Het was geen toeval dat Disney sprookjes had bewerkt als Assepoester, Doornroosje en Sneeuwwitje, die allemaal over de opsluiting van het **heilig vrouwelijke**

gingen.' Bewijs dat Walt Disney lid was van de Priorij van Sion is, ondanks de geruchten, nooit gevonden.

DCPJ: Direction Centrale de la Police Judiciaire De Franse dienst waarbij in het boek hoofdinspecteur Bezu Fache en luitenant Jérôme Collet werken. De DCPJ is een gerechtelijke dienst die het werk van technische en forensische afdelingen van de politie coördineert. In de woorden van de Franco-British Council: 'De organisatie is verantwoordelijk voor het tegengaan van diefstal, terrorisme, georganiseerde misdaad, mensenhandel, drugshandel, diefstal en doorverkoop van kunstwerken, en valsemunterij.' Gezien de status van de dienst lijkt het onwaarschijnlijk dat Bezu Fache, een hooggeplaatste functionaris binnen de DCPJ, een dergelijk praktisch onderzoek leidt, laat staan dat hij er actief aan deelneemt door met getrokken revolver door het **Louvre** te rennen en de toiletten binnen te stormen.

Didachè Didachè of de Leer van de Twaalf Apostelen wordt beschouwd als het oudste niet-canonieke geschrift dat bewaard is gebleven. Het dateert van 70 à 110 n.C. en is een leidraad voor mensen die zich net tot het christendom hebben bekeerd. Uiteindelijk is het niet opgenomen in het Nieuwe Testament, maar *Didachè* stond in hoog aanzien als de neerslag van de wijsheid en leer van de twaalf apostelen, hoewel het niet waarschijnlijk is dat zij daadwerkelijk de auteurs zijn. Er staan veel praktische raadgevingen in de *Didachè*, onder meer over de omgang met rondtrekkende predikers. Die predikers dienen ontvangen te worden alsof ze de Heer zijn. Ze kunnen een of twee dagen blijven. Als ze drie dagen blijven, zijn het valse profeten of charlatans. Als de prediker bij zijn vertrek iets anders dan brood meeneemt, is ook dat een teken dat hij een valse profeet is.

Disney, Walt Langdon meldt met stelligheid dat de beroemde cartoonist 'er heimelijk zijn levenswerk van had gemaakt om het verhaal van de **graal** door te geven aan nieuwe generaties', en vergelijkt hem met **Leonardo** omdat ook hij 'er dol op [was] om verborgen boodschappen en symboliek in zijn werk te stoppen', die vaak betrekking hadden op de onderwerping van de godin. Brown/Langdon noemt onder meer *Assepoester, Doornroosje, Sneeuwwitje, The Lion King* en *De kleine zeemeermin*. In deze laatste film is het Langdon opgevallen dat in Ariëls huis onder water *De boetvaardige Magdalena* hangt, een schilderij uit de zeventiende eeuw van Georges de la Tour, met 'overduidelijke symbolische verwijzingen... naar de verloren heiligheid van **Isis**, Eva, de vissengodin Pisces en, herhaaldelijk, **Maria Magdalena**'. (De la Tour staat erom bekend dat hij Maria Magdalena zwanger heeft afgebeeld en speelt een belangrijke rol in de mysterieuze legenden rond **Rennes-le-Château**.) Ongetwijfeld als eerbetoon aan Disney draagt Robert Langdon, de Harvard-man in zijn tweedjasje, geen Rolex maar een Mickey Mouse-horloge. In een werkelijk bestaand, recent verschenen boek, *The Gospel in Disney*, wordt een po-

ging gedaan de grote lessen van het christendom duidelijk te maken met behulp van de plots van Disney-tekenfilms. Een van de problemen bij deze analyse is het onderscheid tussen de mens Walt Disney en de tekenfilmstudio met die naam. Toen *The Lion King* en *De kleine zeemeermin* uitkwamen, was de beroemde cartoontekenaar al vele jaren dood. Worden zijn opvolgers geacht niet alleen op het professionele maar ook op het religieuze vlak in zijn voetsporen te treden? Was dat een van de redenen dat de raad van bestuur zich kortgeleden tegen algemeen directeur Michael Eisner heeft gekeerd? Is het slechts toeval dat Langdons overpeinzing over Disney wordt onderbroken door de harde realiteit van het getik van Teabings krukken in de gang?

Dode-Zeerollen De Dode-Zeerollen is een verzamelnaam voor de resten van circa achthonderd manuscripten die in kalksteengrotten bij Qumran, aan de kust van de Dode Zee, zijn gevonden. Bedoeïenen hebben in 1947 de eerste rollen gevonden en hebben er een paar van verkocht aan antiekhandelaren en geleerden, wat de aanleiding gaf tot een wedren om te zien wie het snelst de meeste documenten kon vinden in de rotsen in die omgeving, waar het wemelt van de grotten. Tussen 1948 en 1956 werden er tien andere grotten ontdekt en uitgegraven, wat een schat aan rollen en stukken van rollen opleverde. De Dode-Zeerollen zijn van een verbluffende verscheidenheid; er zijn geschriften over de samenleving, bijbelcommentaren, wetten voor het gemeenschapsleven, enzovoort. Een van de manuscripten – die de 'Koperen rol' wordt genoemd, omdat het geen perkamentrol is, zoals de andere, maar een dunne koperen plaat waar de tekst in is gekrast – geeft instructies voor het vinden van grote hoeveelheden verborgen kostbaarheden.

Samen met de codices van **Nag Hammadi** horen de Dode-Zeerollen bij de belangrijkste ontdekkingen die hebben geleid tot een beter begrip van het judaïsme en het christendom. Zoals de codices van Nag Hammadi licht werpen op de vroege christelijke beweging, bevatten de Dode-Zeerollen informatie van onschatbare waarde over een niet-orthodox-joodse gemeenschap die leefde in de bloeitijd van het Romeinse rijk en de dageraad van het christendom. Veel geleerden denken dat de Dode-Zeerollen zijn geschreven door de Essenen, een ascetische sekte, maar er bestaat geen consensus over. Het feit dat de rollen op bepaalde punten afwijken van de traditionele joodse schriftuurlijke teksten en gelijkenis vertonen met de leer van Christus, heeft geleerden en theologen van beide geloofsovertuigingen voor een raadsel gezet. Over de identiteit van de schrijvers van de Dode-Zeerollen, de politieke en theologische oorsprong ervan en de reden dat ze verborgen waren, bestaat tot op de dag van vandaag verdeeldheid.

Dossiers secrets De beschrijvingen die in DVC en *Het Heilige Bloed en de Heilige Graal* (het boek van Michael Baigent, Richard Leigh en Henry Lincoln waar Dan Brown veel inspiratie uit heeft geput) van de *Dossiers secrets*

worden gegeven, wekken de indruk dat het hier om een indrukwekkende verzameling oude documenten gaat, van stambomen tot ingewikkelde landkaarten en allegorische gedichten. De documenten zouden handelen over de **Merovingische** dynastie, de **Priorij van Sion** en de **tempeliers**. Sommige van die documenten zijn in de loop van de jaren vijftig en zestig van de vorige eeuw in de Franse Bibliothèque Nationale beland, maar de mensen die ze hebben onderzocht, hebben tot hun teleurstelling vastgesteld dat het om twintigste-eeuws, getypt materiaal gaat, vol vreemde details en mysterieuze verwijzingen. De meeste deskundigen denken dat de *Dossiers secrets*, net als de Priorij van Sion zelf, zijn ontsproten aan het fantasievolle brein van **Pierre Plantard**, die zichzelf heeft geafficheerd als de grootmeester van de Priorij van het midden van de twintigste eeuw.

Efese Een zeer belangrijke stad in nieuwtestamentische tijd. Efese lag in een gebied dat tegenwoordig bij Turkije hoort. Het was de op een na grootste stad van het Romeinse rijk en de poort naar Azië. Ook stond hier de vermaarde tempel van Artemis (bij de Romeinen: Diana), de Griekse godin van de vruchtbaarheid. Artemis werd vaak afgebeeld met meer dan twee borsten of andere overdrijvingen van haar vrouwelijkheid. De tempel, die 127 pilaren van achttien meter hoog had, was een van de zeven wereldwonderen. Sommige geleerden zijn van mening dat de Heilige Maagd aan het eind van haar leven samen met Petrus naar Efese is gegaan (37-45 n.C.), en je kunt vandaag de dag haar 'huis' daar zien. Er zijn ook een paar legenden waarin er sprake van is dat Maria na de kruisiging naar Efese is gegaan.

Eglise de Saint-Sulpice Een van de spannendste episodes uit het begin van DVC speelt zich af in de Eglise de Saint-Sulpice, van oorsprong de parochiekerk van de abdij van St. Germain des Prés. Silas, die ervan overtuigd is dat hij de plek heeft gevonden waar de **sluitsteen** van de Priorij is verborgen, gaat de kerk hoopvol binnen maar ontdekt dat hij lelijk bij de neus is genomen.

Sommige deskundigen denken dat er al veel eerder een kerk heeft gestaan op de plek van de Saint-Sulpice, maar van het huidige bouwwerk is in elk geval in 1646 de eerste steen gelegd door Anna van Oostenrijk, de vrouw van Lodewijk XIII, een belangrijk personage in *De drie musketiers*. Het gebouw is in de loop van de volgende zeventig jaar in etappes voltooid, hoewel aan het einde van de bouwperiode, in 1721, een van de torens een meter of vijf lager was dan de andere. Interessante bezienswaardigheden in de kerk zijn de meridiaan (de *rose ligne*) die Silas volgt om de sluitsteen te vinden; acht beelden van de apostelen rond het koor; en de Mariakapel, een prachtige kapel die is gewijd aan Onze Lieve Vrouwe van Loreto.

Saint-Sulpice heeft vele historische banden met de **Priorij van Sion**. Naar verluidt heeft **Bérenger Saunière** abbé Bieil, directeur van het seminarie van Saint-Sulpice, bezocht om hem de documenten te laten zien die hij in de kerk van **Rennes-le-Château** had gevonden. Francis Ducaud-Bourget, een vermeende grootmeester van de Priorij (na **Jean Cocteau**), was in hetzelfde seminarie opgeleid. Het seminarie was aan het eind van de negentiende eeuw een centrum voor de katholieke vernieuwingsbeweging, een richting die zich erop concentreerde de katholieke religieuze leer te moderniseren door hedendaagse methoden van kritiek te introduceren.

Escrivá, pater Josemaría De oprichter van het **Opus Dei**, die door Silas de 'Leermeester van alle Leermeesters' wordt genoemd. Escrivá (1902-75) was een Spaanse priester die op 28 oktober 1928 het Opus Dei heeft opgericht, een katholieke organisatie die is erkend als een 'persoonlijke prelatuur' van de katholieke kerk, en die zich ten doel stelt het wezen van Jezus Christus te laten doordringen tot in alle momenten van het dagelijks leven. De organisatie is wel eens zo autoritair genoemd dat ze aan een sekte grenst, maar het Opus Dei verwerpt die kwalificatie. Behalve trouw aan de paus en vrome toewijding aan de Heilige Maagd, predikte Escrivá vooral om dagelijks het werk van God te doen, en dat met grote zelfopoffering. Die zelfopoffering behelsde ook een aanbeveling tot zelfkastijding. Sommige bronnen zeggen dat hij zijn eigen woorden in de praktijk bracht en zichzelf geselde. Hoe de betrekkingen tussen het Opus Dei en het Vaticaan precies in elkaar zitten, is onduidelijk. Het Opus Dei schijnt het Vaticaan te hebben geholpen toen de kerk failliet dreigde te gaan door de financiële schandalen uit de jaren tachtig van de vorige eeuw, en deze specifieke persoonlijke prelatuur schijnt een hoge status te hebben genoten bij paus Johannes Paulus II. Escrivá werd na zijn dood opvallend snel heilig verklaard.

Fibonacci-reeks De Fibonacci-reeks wordt door Saunière gebruikt in de gecodeerde boodschap die hij op de grond schrijft als hij stervende is. Vanwege de door elkaar gehusselde reeks wordt zijn kleindochter Sophie, die cryptologe is, bij de zaak betrokken en ziet ze zijn waarschuwing om contact op te nemen met Robert Langdon.

De Fibonacci-reeks begint met 0 en 1, en de rest van de getallen wordt gevormd door de voorgaande twee getallen van de reeks bij elkaar op te tellen. De reeks luidt dus 0, 1, 1, 2, 3, 5, 8, 13, 21, 34... Langdon vertelt zijn studenten aan Harvard tijdens een college dat het verhoudingsgetal **Phi** af te leiden is uit de Fibonacci-reeks: als je een getal uit de reeks deelt door het voorafgaande, en dat steeds hoger in de reeks probeert, nadert de uitkomst langzaam de 1,618. De Fibonacci-reeks en het getal Phi lijken spontaan op te duiken in natuurlijke en door de mens ontworpen vormen (zie **Phi**). Maar dit zijn niet de enige getallen die in de natuur steeds weer terugkomen. Lucasgetallen worden bijvoorbeeld gegenereerd door dezelfde vermeerdering toe te passen als bij de Fibonacci-reeks, maar de eerste twee getallen zijn 1 en 3. De reeks wordt dan: 1, 3, 4, 7, 11, 18, 29, 47, 76, 123.

Het is echter de vraag of Phi wel universeel toepasbaar is. H.S.M. Coxeter schrijft in zijn *Introduction to Ge-*

ometry: 'Toegegeven moet worden dat bij [het groeipatroon van] sommige planten de getallen niet afkomstig zijn uit de Fibonacci-reeks, maar uit de Lucas-reeks, of zelfs uit nog onregelmatiger reeksen: 3, 1, 4, 5, 9... of 5, 2, 7, 9, 16... We moeten dus aanvaarden dat [de Fibonacci-reeks] geen universele wet is, maar een fascinerend dominerende trend.'

Filips de Schone, koning (ook Filips IV genoemd) De Franse koning Filips de Schone (zo genoemd vanwege zijn knappe verschijning) wordt vermeld in Langdons korte samenvatting van de vervolging van de **tempeliers** als Sophie en hij door het **Bois de Boulogne** rijden. Langdon stelt dat **paus Clemens V** een plan had bedacht om een einde te maken aan de orde van de tempeliers, omdat ze te veel invloed en rijkdom hadden vergaard. Filips de Schone werkte met de paus samen en op de afgesproken dag, vrijdag 13 oktober 1307, werden de tempeliers en masse opgepakt en onderworpen aan een proces dat berucht is om de sensationele beschuldigingen van ketterij en blasfemie, om de martelingen en de executies.

De details die Langdon geeft, kloppen niet helemaal. Filips de Schone, en niet Clemens V, wordt algemeen gezien als de initiatiefnemer van de vervolging; veel historici zijn zelfs van mening dat de arrestaties van vrijdag de dertiende werden uitgevoerd zonder dat Clemens ervan op de hoogte was. Clemens gaf Filips een strenge berisping, maar zijn politieke positie was zwak en sommigen zeggen dat hij Filips te veel verschuldigd was om deze stap tegen de tempeliers te kunnen tegenhouden.

Flamel, Nicolas In DVC wordt Flamel genoemd als grootmeester van de **Priorij van Sion** van 1398 tot 1418. Flamel was een belangrijk alchemist, wiens naam in de afgelopen jaren weer bekendheid heeft gekregen. Hij wordt genoemd in de *Harry Potter*-serie, er is een biotechnologisch bedrijf dat zijn naam draagt en steeds meer toeristen komen langs bij het Parijse café in het huis waar hij heeft gewoond.

Franse lelie, heraldische lelie Op het politieke vlak heeft dit symbool betrekking op Frankrijk (met name de Franse monarchie) en op de stad Florence. In de christelijke symboliek verwijst het naar de Drie-eenheid. Deskundigen zijn het er niet over eens of het een lelie of een iris voorstelt; die bloemen hebben elk bepaalde symbolische associaties. In DVC wordt het symbool in verschillende contexten geplaatst. Dan Brown zegt (nogal vergezocht) dat de vertaling van de Franse term *fleur de lis* 'bloem van Lisa' luidt en dat dat een verwijzing naar de *Mona Lisa* is. Ook is de Franse lelie afgebeeld op de sleutel die Sophie van haar grootvader krijgt, waarbij hij zegt: 'Deze sleutel is van een kistje... waar ik allerlei geheimen in bewaar.'

De letterlijke vertaling van *fleur de lis* is 'bloem van de lelie', maar de lis is in het Nederlands een iris. In de Franse heraldiek is de lelie traditioneel geel, en geel is een gebruikelijke kleur voor de iris, terwijl de lelie meestal wit is, vooral in de heraldiek. In de wapenkunde bestaat de Franse lelie uit drie bloemblaadjes, bijeengehouden door een horizontale balk. Soms is het onderste deel afgesneden of wordt het door een driehoek weergegeven.

Vanaf ongeveer 1200 wordt de Franse lelie in verband gebracht met het Franse koningshuis. Bij de christenen staat het symbool voor de Drie-eenheid. Er is een legende waarin Clovis, een vroege Franse koning, een iris plukt en die op zijn helm draagt tijdens een veldslag in 507 die door hem wordt gewonnen. (Volgens een andere legende offerde koning Clovis toen hij werd gedoopt een iris als symbool van loutering van hemzelf en het land als geheel.)

Het symbool is terug te vinden in een breed scala aan oude en moderne culturen en in allerlei uitdrukkingsvormen: op Mesopotamische zegelrollen, Egyptische bas-reliëfs, Myceens aardewerk, Gallische munten, Japanse emblemen, enzovoort. Deze gestileerde bloemvorm is in bijna alle beschavingen van de Oude en de Nieuwe Wereld als ornament of embleem gebruikt.

Gnosis *Gnosis* is een Grieks woord, dat een combinatie van kennis, inzicht en wijsheid inhoudt. Gnosis wordt gebruikt in de zin van goddelijk geïnspireerde, intuïtieve en diepgaande kennis, onderscheiden van intellectuele kennis van een bepaald vakgebied. Gnosis als religieuze ervaring is over het algemeen het hoogste doel van een spirituele stroming die streeft naar versmelting met God, het oneindige of het absolute; naar de werkelijkheid achter de waarneming of zelfs achter de religieuze leer. Gnosis wordt bijna altijd omschreven als een persoonlijke openbaring of een vorm van zelfonderzoek.

Sommige groepen die we nu gnostici zouden noemen, hebben mogelijk de overtuiging gehad dat een van de manieren om gnosis te bereiken het ritueel *hiëros gamos* was, een viering van het heilige huwelijk. Als Langdon en Sophie per vliegtuig het Kanaal oversteken, zegt Langdon het zo: 'Fysieke vereniging met het vrouwelijke was het enige middel waardoor de man spiritueel volledig kon worden en uiteindelijk *gnosis* kon bereiken, het goddelijke kon leren kennen.'

Elaine Pagels, geleerde en geschiedkundige, zegt in haar boek *The Origin of Satan* het volgende over de betekenis van het woord: 'Het geheim van gnosis is: als je jezelf op het diepste niveau leert kennen, leer je god kennen als de bron van je wezen.' Het ondergaan van gnosis en andere mystieke manieren van communicatie met het goddelijke zijn door gevestigde religieuze instituties altijd als bedreiging gezien, aangezien die instituties zichzelf liever als het enige kanaal naar het goddelijke beschouwen.

Gnostiek 'Gnostiek' is een term die wordt gebruikt om verschillende sekten en religieuze groepen te beschrijven, voornamelijk christelijk maar ook joods en Egyptisch, voor wie de *gnosis* de kern van hun overtuigingen en gebruiken vormt. Als godsdienstige stroming is de gnostiek waarschijnlijk ouder dan het christendom. James Robinson, deskundige op het gebied van de **Nag Hammadi**-documenten, schrijft: 'Gnostici waren oecumenischer en syncretischer in hun benadering van religieuze tradities dan orthodoxe christenen, zolang ze er maar een gezindheid in bespeurden die verwant was aan de hunne.'

De gnostiek vormde vroeg in het christelijk tijdperk een belangrijke rivaal van het apostolische christendom. De persoonlijke omgang met het goddelijke, de vaak losse structuur van de kerk, de innerlijke verheldering van een hogere, verborgen kennis die het geloof niet kon onthullen, al die eigenschappen maakte de gnostiek zeer problematisch voor de orthodoxe katholieke kerk, die zich aan het verenigen was. Dat leidde tot een aanzwellende stroom openlijke veroordelingen en beschuldigingen van ketterij, die zo effectief waren dat het gnosticisme in de vijfde eeuw n.C. als beweging tot in de marge van de samenleving was teruggedrongen.

Een paar belangrijke elementen in de gnostiek zijn de overtuiging dat de rechtstreekse,. strikt persoonlijke en absolute kennis van het goddelijke en van de waarheid zelf (gnosis) noodzakelijk is om spirituele vervulling te bereiken; het geloof in een versmelting met of een ontdekking van een 'hoger zelf', dat wordt gelijkgesteld aan of identiek is aan het goddelijke; en de overtuiging dat de wereld is geschapen door een mindere god, een demiurg, die verantwoordelijk is voor het ingewortelde kwaad; de enige manier om te ontsnappen aan het kwaad van het stoffelijke bestaan was bezinning, zelfkennis en gnosis met het onbedorven spirituele. De geloofsopvatting is tot op de dag van vandaag blijven bestaan; er is bijvoorbeeld een Gnostisch Genootschap.

De gnostische evangeliën De algemeen gebruikte naam voor de documenten die in 1947 in Egypte, bij **Nag Hammadi**, zijn gevonden. Een van de bekendste teksten is het Evangelie van Maria, dat door sir Leigh Teabing wordt gebruikt als een van de argumenten om Sophie ervan te overtuigen dat de graal meer is dan een heilige beker. Dit evangelie bewijst, zegt Teabing, dat Jezus zijn kerk op Maria Magdalena wilde grondvesten, en niet op Petrus.

De conclusies die Teabing uit het Evangelie van Maria trekt, als dat inderdaad zijn belangrijkste bron is, zijn enigszins misleidend. In tegenstelling tot wat hij zegt, heeft Jezus **Maria Magdalena** nooit specifieke instructies gegeven over hoe ze zijn kerk na zijn dood moest voortzetten, in elk geval niet in dit evangelie. De algemene visie op dit evangelie is dat Maria Magdalena weliswaar een 'bijzondere relatie' met Jezus had en dat de andere apostelen daar af en toe jaloers op waren, maar dat er geen aanwijzingen zijn dat Jezus Maria Magdalena heeft gekozen om zijn kerk voort te zetten of dat hij haar daar speciale instructies voor heeft gegeven.

Ook het Evangelie van Filippus maakt zijn opwachting in Teabings betoog over het wezen van de **heilige graal**. Teabing gebruikt het als bron voor de bewering dat Jezus en Maria Magdalena getrouwd waren en baseert zich op de vertaling waarin Maria de metgezellin van Jezus wordt genoemd. Volgens hem bewijst het

zinsdeel 'en kuste haar vaak op de m... [tekst ontbreekt]' dat ze heel intiem waren. Zoals uit eerdere hoofdstukken van dit boek blijkt, zijn er verscheidene geleerden en exegeten die het met deze interpretatie eens zijn, maar zien anderen de kus eerder als metaforisch dan als romantisch.

Het Evangelie van Thomas bevat veel parallellen met de bekende evangeliën van het Nieuwe Testament, waaronder overeenkomstige gezegdes en spreekwoorden. Het heeft echter opvallend raadselachtige wendingen in vergelijking met de bekende canonieke teksten. Thomas zegt bijvoorbeeld: 'Als twee vrede met elkaar sluiten in dit ene huis, zullen ze tegen de berg zeggen: "Ga opzij," en de berg zal opzijgaan.' Een ander mysterieus voorbeeld is: 'Simon Petrus zei tegen hem: Laat Maria bij ons weggaan, want vrouwen zijn het leven niet waardig. Jezus zei: Zie, ik zal haar leiden zodat ik haar mannelijk maak, opdat ook zij een levende geest zal worden gelijk jullie mannen. Want iedere vrouw die zich zal vermannen, zal ingaan tot het Koninkrijk der Hemelen.' Dit Evangelie van Thomas legt de nadruk op zelfkennis, zelfonderzoek en zelfverwerkelijking in passages die enigszins doen denken aan boeddhistische analecten.

De Sophia van Jezus Christus is een zeer mystieke tekst die handelt over de schepping van goden, engelen en het heelal, waarbij de nadruk ligt op de oneindige en verborgen waarheid. Sommige geleerden denken dat het de neerslag is van een gesprek dat Jezus Christus na de verrijzenis met zijn discipelen had, andere zijn het daar niet mee eens. In dat debat draait het om de tijd waarin dit evangelie is geschreven. Als het in de eerste eeuw is geschreven, kan het de werkelijke woorden van Jezus bevatten. Stamt het van later datum, dan is deze verzameling spreekwoorden en gezegdes misschien gewoon afkomstig van filosofen en gnostici die na Jezus hebben geleefd.

Elaine Pagels, de geleerde van Princeton die meer dan twintig jaar geleden met haar boek *De Gnostische Evangeliën* dit onderwerp bij een breed publiek heeft geïntroduceerd, zegt nu dat ze deze documenten niet langer gnostische evangeliën noemt, vanwege de negatieve bijklank die de gnostiek tegenwoordig heeft. Pagels en andere wetenschappers, onder wie James Robinson en Bart Ehrman, benadrukken dat de vondst bij **Nag Hammadi** wel degelijk specifieke, aantoonbare feiten over de vroege geschiedenis van het christendom biedt, naast dat eruit blijkt hoe divers de denkbeelden over religie en filosofie in de eerste paar eeuwen van het christelijk tijdperk waren. De onderdrukking van deze 'alternatieve heilige geschriften' weerspiegelt de overwinning van wat we nu als de traditionele kerkleer kennen op een breed scala van andere denkwijzen.

Godfried van Bouillon Franse koning, aanvoerder van de eerste kruistocht en stichter van de **Priorij van Sion**, die in 1099 in Jeruzalem werd opgericht. Volgens de stambomen die deel uitmaakten van de *Dossiers secrets* stamde hij af van de **Merovingische** koningen. Zoals Langdon Sophie vertelt als ze in een taxi door het **Bois de Boulogne** rijden: 'Koning Godfried had naar men zei een belangrijk geheim, een geheim dat zijn familie al kende sinds de tijd van Jezus.' Om dat te beschermen, richtte hij een geheime broederschap op, de Priorij van Sion, die ook een militaire tak had: de **tempeliers**. Na een gedetailleerde beschrijving van deze geschiedenis vertelt Langdon dat Godfried de tempeliers opdracht gaf in de ruïne van de **tempel van Salomo** in Jeruzalem te gaan zoeken naar bewijs dat zijn 'belangrijke geheim' bevestigde, en dat ze daar inderdaad iets zeer fascinerends vonden. Gesuggereerd wordt dat het geheim informatie over de **Sangreal** was, beter bekend als de **heilige graal**, en dat de tempeliers de graal hebben gevonden – documenten, archiefstukken, relikwieën, het gebeente van **Maria Magdalena** enzovoort – en dat ze die voorwerpen hebben meegenomen naar Frankrijk.

Gregorius IX Gregorius IX, in 1145 geboren als graaf Ugolino van Segni, was paus in de tijd van de hoogoplopende strijd tussen de kerk en de seculiere keizer van het Heilige Roomse rijk, Frederik II van het Huis Hohenstaufen. Gregorius IX stond bekend om zijn felle verzet tegen alle vormen van ketterij en had deel aan de laatste jaren van de kruistocht tegen de Albigenzen, waarbij de **katharen**, die vooral in de Franse Languedoc te vinden waren, bijna werden uitgeroeid.

Gulden snede De term, ook wel *sectio divina*, heeft betrekking op de meetkundige verdeling van een lijn in twee stukken, zodanig dat het kleinste stuk zich tot het grootste stuk verhoudt als het grootste stuk tot het geheel (zie **Phi**). Wiskundigen zijn het niet eens over de oorsprong van de gulden snede als geometrisch element, maar er zijn aanwijzingen dat ze in de vierde eeuw voor Christus voor het eerst is gebruikt. Sommige oude bronnen schrijven de ontdekking ervan toe aan de pythagoreeërs, een geheim genootschap van wiskundigen dat het **pentagram** gebruikte als symbool voor hun orde.

In de kunst en de natuur is de verhouding van de gulden snede veelvuldig terug te vinden. En de mystieke bijklank van geometrie en de gulden snede is niet verflauwd, maar leeft voort in de symboliek van hedendaagse geheime genootschappen en broederschappen.

Hanssen, Robert Voormalig FBI-agent die Russisch spion is geworden. In de Koude Oorlog heeft Hanssen bijna twintig jaar lang cruciale geheime informatie aan de Russen verkocht. Hansen was lid van het **Opus Dei** en bleek uiteindelijk niet alleen het land in verlegenheid te brengen, maar ook die organisatie. Gedurende zijn proces kwam aan het licht dat hij zich had overgegeven aan ongebruikelijke seksuele praktijken; hij maakte onder andere foto's van zijn vrouw en zichzelf als ze met elkaar naar bed gingen, om die aan zijn vrienden te laten zien. In mei 2002 werd Hanssen veroordeeld tot een levenslange gevangenisstraf zonder de mogelijkheid tot voorwaardelijke vrijlating. 'Niet echt de aangewezen hobby voor een vroom katho-

liek,' zo citeert Dan Brown de rechter.

Heidendom In de meest algemene zin is het heidendom een verzameling religieuze overtuigingen die gestoeld zijn op het idee dat er meerdere goden zijn (het polytheïsme). Het heidendom ging aan het christendom vooraf en is ermee vervlochten geraakt. De geschiedenis van het christendom is eigenlijk één lange strijd geweest om zich te vestigen in weerwil van het heidendom. In DVC wordt de breuk tussen Sophie en haar grootvader veroorzaakt doordat ze er als jonge vrouw getuige van is dat hij deelneemt aan een heidense ceremonie. Omdat ze niet begreep wat ze zag – het heidense ritueel *hiëros gamos* – was ze diep geschokt door het feit dat haar grootvader zich ten overstaan van een groep mensen aan seksuele handelingen overgaf. Later legt Langdon haar uit dat de coïtus werd beschouwd als de manier waarop de man en de vrouw God konden ervaren. Fysieke vereniging met het vrouwelijke was het enige middel waardoor de man spiritueel volledig kon worden en uiteindelijk gnosis kon bereiken. Sinds de tijd van **Isis** werden seksrituelen gezien als de enige brug tussen aarde en hemel die de mens had.

Heilige graal Er zijn net zo veel verschillende theorieën over de oorsprong van het graalverhaal als er gralen zijn. Critici en schrijvers hebben een verband gelegd met Keltische en West-Europese voorchristelijke mythen, de Byzantijnse mythologie en orthodox-christelijke oosterse tradities, een symbool voor de geheime afstammingslijn van Christus, oude Perzische erediensten, natuurvereringsriten uit het voorchristelijke Midden-Oosten, alchemistische symboliek en nog veel en veel meer.

De hedendaagse versie van het graalverhaal is in het laatste kwart van de twaalfde en het eerste kwart van de dertiende eeuw verspreid door talrijke schrijvers in een verbazingwekkende hoeveelheid talen, waaronder Frans, Engels, Duits, Spaans en Welsh. De oudste graalroman die bewaard is gebleven, is de *Perceval* van Chrétien de Troyes.

De graal als voorwerp wordt door verschillende auteurs verschillend beschreven. Hij is voorgesteld als een steen, een voorwerp van goud met kostbare edelstenen, een reliekhouder en een beker. Ook op de zoektocht naar de graal zijn variaties; bij een ervan, waarin de hoeder van de graal de Visserkoning wordt genoemd, zou het vinden ervan betekenen dat het koninkrijk welvaart en voorspoed zou hervinden. De zoektocht wordt ook wel als iets persoonlijks weergegeven: voor velen is het een spirituele innerlijke reis naar verlichting en contact met god.

Wat de geschiedenis en betekenis van de graal als relikwie of idee ook is, alle personages uit DVC hebben met de zoektocht ernaar te maken, en Browns versie van de legende is een geheel nieuwe. 'De grootste doofpotaffaire in de geschiedenis van de mensheid,' roept Teabing uit. 'Niet alleen was Jezus getrouwd, Hij was ook nog eens vader. M'n lieve kind, **Maria Magdalena** was het heilige uitverkoren werktuig. Zij was de **kelk** waarin het ko-

ninklijke bloed van Jezus verder werd gedragen.'

Heilig vrouwelijke Het heilig vrouwelijke is een belangrijk thematisch element van DVC. Het verbindt de verscheidene zoekers naar de **graal** die een rol spelen in het boek. De **Priorij** van Saunière aanbidt het, Langdon bestudeert het, en de fanatieke volgelingen van het **Opus Dei** proberen ervoor te zorgen dat de traditie van het heilig vrouwelijke in het christendom onderdrukt blijft, zoals dat gebeurde vanaf de vroege roomse kerkleiders, van Petrus tot Constantijn. Volgens DVC geloofde Jezus in het concept van het heilig vrouwelijke, dat was doorgegeven in de Egyptische, Griekse en andere tradities van het oostelijke Middellandse-Zeegebied. De hele strijd over de rol van **Maria Magdalena** te midden van de **apostelen** en later in de kerkgeschiedenis wordt in het boek gezien als onderdeel van de 'grote doofpotaffaire' rond de geboorte van het christendom in een wereld van goden én godinnen.

Het heilig vrouwelijke wordt in DVC voor het eerst genoemd als Robert Langdon aankomt bij de vermoorde Jacques Saunière. Als hij door hoofdinspecteur Fache wordt ondervraagd, probeert Langdon de beeldtaal te verklaren die Saunière heeft gebruikt om zijn sterfscène mee 'aan te kleden'.

Hiëros gamos In DVC herinnert Sophie zich de traumatische dag dat ze getuige is geweest van een oeroud seksueel ritueel dat haar grootvader in het geheim beoefende. In een ruimte onder zijn huis bedrijven Saunière en een vrouwelijk lid van de **Priorij van Sion** de liefde terwijl de andere leden, die allemaal een masker en een gewaad dragen, gebeden scanderen voor de heilige verbintenis. Sophie kijkt ongezien toe, rent dan het huis uit en verbreekt elk contact met haar grootvader.

Het is waarschijnlijk dat hij het *hiëros gamos* beoefende, dat soms ook theogamie of hiërogamie wordt genoemd, een term die zoiets betekent als 'heilig huwelijk' of 'goddelijk huwelijk'. Dit huwelijk is, in de woorden van wetenschapper David H. Garrison, 'het heilige huwelijk, de verbintenis van godin en god die het paradigma is van alle menselijke verbintenissen'. Dit heilige huwelijk is in de vroegste periode van de religieuze geschiedenis van de mensheid met verschillende maten van realisme nagespeeld, en restanten van dat gebruik leven nog steeds voort, zoals te zien was in de recente film *Eyes Wide Shut*. In sommige oosterse religies bestaan overeenkomstige gebruiken, zoals de tantristische seksrituelen.

Hugo, Victor Wordt in DVC genoemd als een van de vele belangrijke schrijvers en kunstenaars die in hun werk in het geheim de uitgebannen begrippen van de **heilige graal**, het **heilig vrouwelijke** en Jezus en **Maria Magdalena** als man en vrouw hebben doorgegeven. Langdon noemt Hugo's *De klokkenluider van de Notre Dame* (en *Die Zauberflöte* van Mozart) als werken die 'vol symbolische verwijzingen naar de vrijmetselaars en naar de graal' zitten. Van Hugo wordt vaak gezegd dat hij lid van de **Priorij van Sion** was.

Hysop 'Raak met hysop mij aan, ik zal rein zijn,' citeert de **albino** Silas uit Psalmen, terwijl hij het bloed van zijn rug dept nadat hij zichzelf heeft gegeseld. Johannes 19:29, waarin de laatste ogenblikken van Jezus aan het kruis worden beschreven, luidt: 'Er stond daar een vat water met azijn; ze staken er hysopstengel[1] met een spons in en brachten die naar zijn mond.' Hysop wordt, behalve medicinaal, ook in de keuken gebruikt: het is een eetbaar gewas en wordt in restaurants wel eens in salades geserveerd. Het bijbelse kruid wordt ook gebruikt bij de vervaardiging van de likeur chartreuse.

Icoon Van het Griekse *eikon*, dat 'gelijkenis' of 'afbeelding' betekent; een beeltenis die een symbolische weergave is van iets bestaands. Een religieuze icoon is een kunstzinnige weergave van iets heiligs of goddelijks, en vertoont vaak een rijke symboliek. Christenen hebben eerbied voor iconen, maar aanbidden ze niet; dat is verboden door het Tweede **Concilie van Nicea**.

Innocentius II, paus De paus die van 1130 tot 1143 regeerde en de **tempeliers** carte blanche verleende om hun eigen wetten op te stellen, zonder inmenging van koningen en kerkvorsten, volgens Dan Brown. Er wordt wel gespeculeerd dat de tempeliers op instigatie van de kerk zijn afgekocht, zodat ze de documenten geheim zouden houden die ze in de ruïne van de tem-

---

1 In de Nieuwe Bijbelvertaling is dit een majoraantak.

Woord van dank

Een woord van bijzondere dank en diepe waardering gaat uit naar de velen die met groot enthousiasme meewerkten aan de totstandkoming van dit boek en die zich samen met ons inspanden om de vele obstakels die er waren in recordtijd te overwinnen.

Onze dank dient in de eerste plaats uit te gaan naar Gilbert Perlman, Steve Black en hun collega's bij CDS voor hun visie, steun en bereidwillige samenwerking. Zij wisten bergen te verzetten in een tempo dat we niet eerder zagen in de twee decennia die wij in het boekenvak achter ons hebben. David Wilk heeft bewezen de beste vriend te zijn die een auteur zich kan wensen. Hij wist de schier oneindige hoeveelheid draden in een dergelijk project om te zetten in een samenhangend weefsel. Onze dank gaat ook uit naar Kari Stuart, Hope Matthiessen, Kipton Davis, Lane Jantzen, Elizabeth Whiting en Kerry Liebling.

We hadden dit boek niet kunnen realiseren zonder een fantastisch team van adviseurs, redacteuren en onderzoekers. John Castro, David Shugarts en Brian Weiss droegen aan talloze aspecten van het boek forse stenen bij.

Ook ontvingen we geweldige steun van ons redactieteam bij A.S.A.P. Media, waaronder Peter Bernstein, Annalyn Swan, Kate Stohr, Jennifer Doll en Nicole Zaray.

Het productieteam heeft koortsachtig gewerkt om het concept van dit boek een fysieke hoedanigheid te geven. Onze speciale dank gaat uit naar George Davidson, Jaye Zimet, Leigh Taylor, Lee Quarfoot, Nan Jernigan, Gray Cutler, Suzanne Fass, David Kessler, Mike Kingcaid, Ray Ferguson en Jane Elias.

Onze gezinnen hebben ons gedurende het hele traject op alle mogelijke manieren gesteund en ons rijkelijk voorzien van ideeën en informatie. Dank en genegenheid voor Julie O'Connor, Helen de Keijzer, Hannah de Keijzer, David Burstein en Joan O'Connor.

Op de momenten dat we dreigden vast te lopen, hebben talrijke vrienden en collega's ons bijgestaan door nieuwe ideeën aan te dragen en te zorgen dat andere lopende zaken gaande werden gehouden terwijl wij aan dit boek werkten: Ann Malin, David Kline, Sam Schwerin, Peter Kaufman, Marty Edelston, Susan Friedman, Carter Wiseman, Stuart Rekant, Ben Wolin, Bob Stein, Gregory Rutchick, Cynthia O'Conner, Petra Talvitie, Ilene Lefland en Jen Prosek. Craig Buck en Phil Berman wensen we van harte een leven zonder kanker toe.

Elaine Pagels, een van de toonaangevende deskundigen op het gebied van de gnostische en alternatieve evangeliën, heeft ons aan het begin van deze reis zeer gesteund en gestimuleerd. Zij mag met recht een universeel genie heten. Ook alle andere auteurs en medewerkenden willen we een welgemeend woord van dank schenken. Als groep vormden zij de ruggengraat van dit project: Diane Apostolos-Cappadona, Michael Baigent, Amy Bernstein, Esther de Boer, Denise Budd, Michelle Delio, David Downie, Betsy Eble, Bart D. Ehrman, Riane Eisler, Glenn W. Erickson, Timothy Freke, Peter Gandy, Deirdre Good, Susan Haskins, Collin Hansen, Stephan A. Hoeller, Katherine Ludwig Jansen, Karen L. King, David Klinghoffer, Richard Leigh, Matthew Landrus, Henry Lincoln, James Martin, Richard P. McBrien, Craig McDonald, Brendan McKay, Laura Miller, Anne Moore, Sherwin B. Nuland, het Opus Dei Awareness Network, Lance S. Owens, Elaine Pagels, Lynn Picknett, de prelatuur van het Opus Dei, Clive Prince, James Robinson, Margaret Starbird, David Van Biema en Kenneth Woodward.

Dan Burstein en Arne de Keijzer

Voor hun medewerking aan de vermeerderde Nederlandse uitgave dank ik allereerst de auteurs Serge Bramly, Willem Glaudemans, Gilles Quispel en Jacob Slavenburg. Ook Arne de Keijzer, Dan Burstein en Danny Baror worden bedankt voor hun toestemming voor deze 'special edition'. Zonder de medewerkers Ellen van den Berg, Richard Kruis, Anne Löhnberg, Patrick Mooyen, Sanderine van Riessen, Nils van Roijen, Josephine Ruitenberg, Cécile van Son, Wouter van der Struys en Nick van Weerdenburg was er geen Nederlandse editie geweest. Ik bedank hen voor hun inzet. Ook dank ik de vertalers van de Nederlandse titels waaruit fragmenten zijn overgenomen. Voor hun welwillende medewerking bij de overname van fragmenten bedank ik hartelijk Maarten Carbo, de uitgever van Servire, Karen Hamaker-Zondag van uitgeverij Symbolon, Cis van Heertum, de curator van de Bibliotheca Philosophica Hermetica, Kees Korenhof, de uitgever van Meinema, Judith Schellingerhout, de uitgever van Tirion, en Emy ten Seldam, de uitgever van Ankh-Hermes.

Rienk Tychon
uitgever